올쏘

내신強자

고등 **한국지리**

Structure | 구성과 특징

올쏘 내신强자의 효과적인 학습법

1단계 핵심 개념 정리

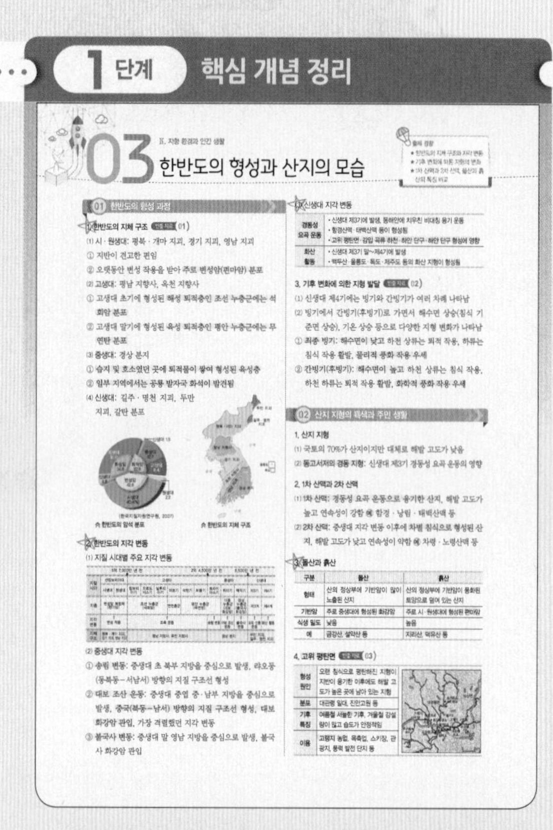

▲ 학교 시험에 자주 나오는 핵심 개념을 강별로 일목요연하게 정리하였습니다. 출제 빈도가 가장 높은 **빈출 자료**와 연계된 중요한 핵심 개념은 유심히 학습하되, 빈출 특강의 자료와 함께 보는 것을 잊지 마세요!

2단계 빈출 특강

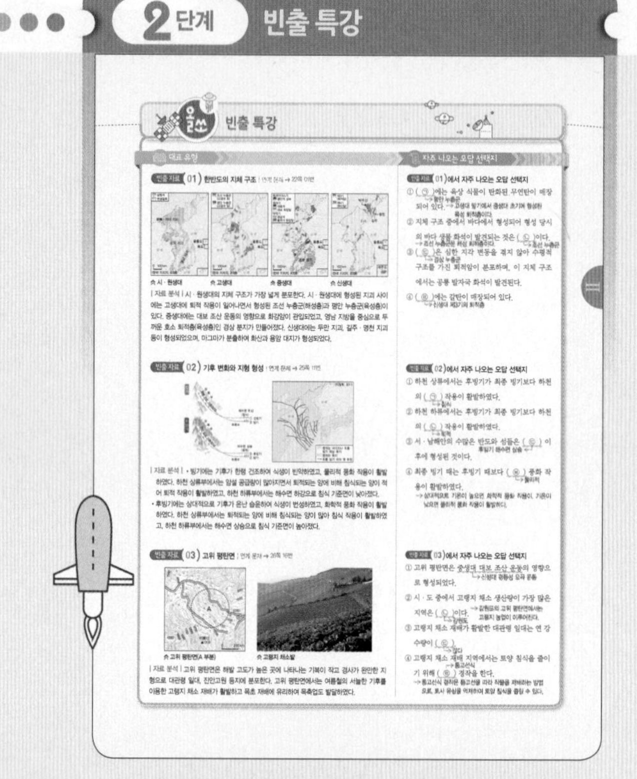

▲ 시험에 자주 출제되는 지도, 도표, 그래프 등의 **빈출 자료**를 꼼꼼하게 분석하여 정리하였습니다. 빈출 자료와 연계하여 **자주 나오는 오답 선택지**를 제시하였으니 빈출 개념과 자료의 출제 패턴을 익히도록 하세요!

올쏘 내신강자의 4단계 학습 시스템으로

시험을 대비하면 **내신 1등급**을 달성할 수 있습니다!

3단계 시험에 꼭 나오는 문제

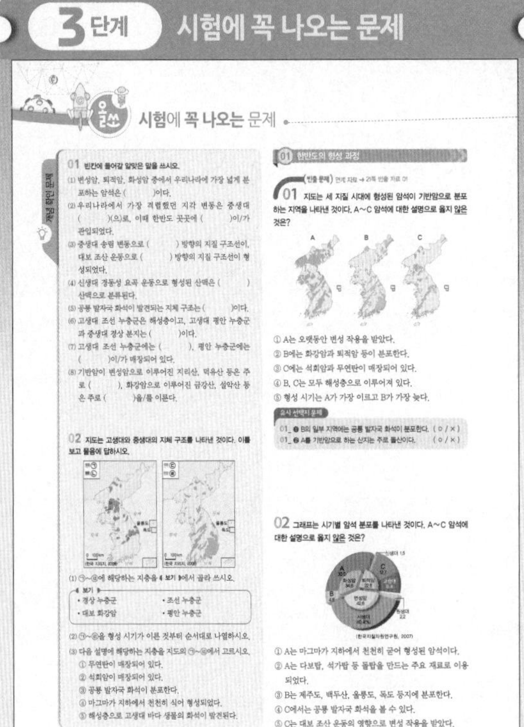

▲ 학교 시험의 출제 유형을 분석하여 시험에 꼭 나오는 빈출 문제로만 구성하였습니다. 빈출 자료를 활용한 **빈출 문제**는 꼭 풀어 보고 실전 감각을 키우도록 하세요!

4단계 상위 4% 문제

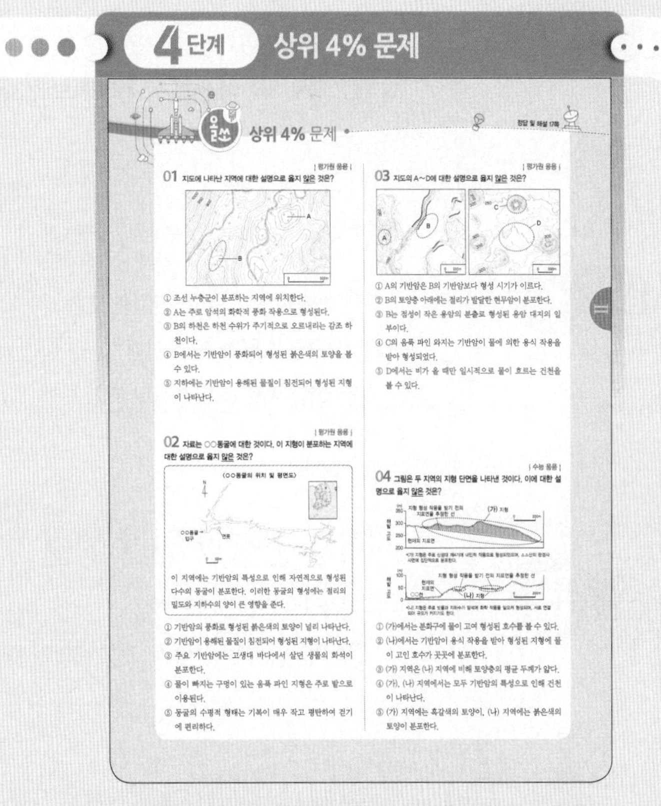

▲ 학교 시험에서 한두 문항씩 반드시 출제되는 고난도 문제를 풀지 못하면 내신 1등급을 받을 수 없습니다. 변별력 높은 **상위 4% 문제**를 통해 내신 1등급을 꼭 달성하세요!

정답 및 해설

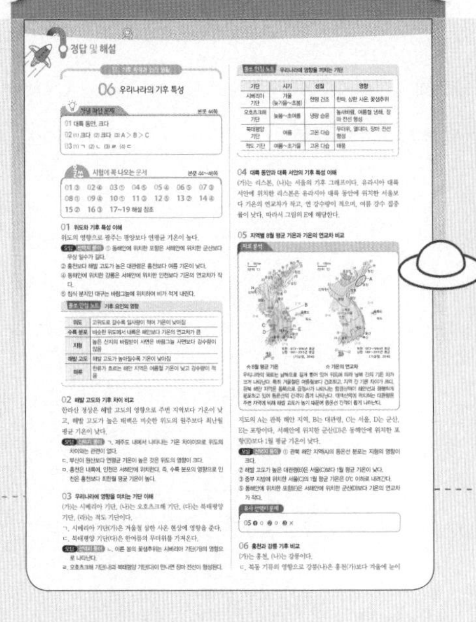

◀ 문항별로 자세하고 친절한 해설을 제공하였고, **자료 분석**과 **올쏘 만점 노트**를 통해 문제에 제시된 자료에 대한 이해와 꼭 알아야 하는 핵심 개념들을 보충할 수 있습니다.

Contents | 차례

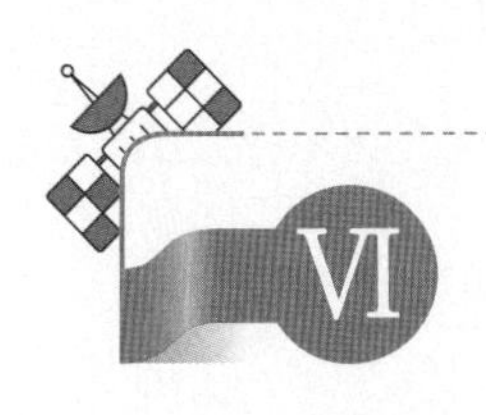

인구 변화와 다문화 공간

우리나라의 지역 이해

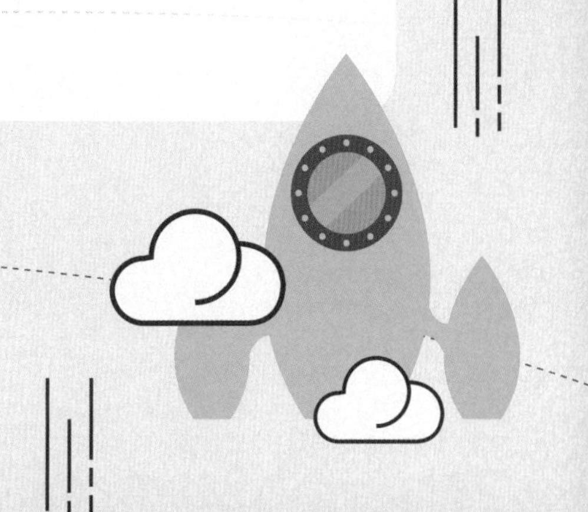

| 교과서 단원 비교

올쏘 내신强자와 내 교과서 단원 찾기

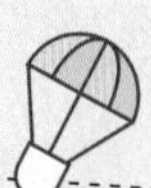

국토의 위치와 영토 문제

출제 경향
★수리적 위치, 지리적 위치, 관계적 위치의 특성
★우리나라의 영토, 영해, 영공과 배타적 경제 수역의 특성

01 우리나라의 위치와 위상

1. 우리나라의 위치

(1) 수리적 위치 빈출 자료 01

① 위도와 경도로 표현되는 위치

② 우리나라의 위도와 경도

위도	• 북위 33°~43°(북반구 중위도)에 위치 • 사계절의 변화가 뚜렷함 • 냉 · 온대 기후가 나타남
경도	• 동경 124°~132°에 위치 • 동경 135°를 표준 경선으로 사용함 • 본초 자오선이 지나는 영국의 표준시보다 9시간 빠름

(2) 지리적 위치

① 대륙, 해양, 반도 등의 지형지물을 기준으로 표현되는 위치

② 유라시아 대륙 동안에 위치 → 대륙성 기후가 나타남, 계절풍의 영향을 받음

③ 반도적 위치 → 대륙과 해양으로의 진출이 유리함, 임해 공업이 발달하기에 유리함

(3) 관계적 위치

① 주변 국가와의 관계, 주변 정세에 따라 달라지는 상대적·가변적 위치

② 우리나라의 관계적 위치 변화

근대	우리나라는 대륙 세력과 해양 세력이 만나는 각축장이었음
광복 이후	냉전 체제에서 우리나라는 민주주의 진영과 사회주의 진영 간 대결의 장이었음
현재	우리나라는 동북아시아 및 태평양 시대의 새로운 중심 국가로 도약하고 있음

2. 우리나라의 위상

(1) 원조를 받던 나라에서 원조를 제공하는 나라가 되었음

(2) 동북아시아의 교통 허브 역할을 하는 중심 국가로 발전하고 있음

(3) 세계화 시대에 국제 사회에서 중심 국가로 인정받고 있음

02 우리 땅, 우리 바다, 우리 하늘

1. 우리나라의 영역

(1) 영역

① 한 국가의 주권이 미치는 공간적 범위

② 영토, 영해, 영공으로 구성됨

(2) 영토

① 헌법에 '한반도와 그 부속 도서'라고 규정되어 있음

② 남북한 전체 면적은 약 22.3만 km^2, 남한은 약 10만 km^2

(3) 영해 빈출 자료 02

① 연안국의 주권이 미치는 해양의 범위

② 통상적으로 외국 선박의 무해 통항권이 인정됨

③ 범위

통상 기선 12해리	• 연안의 최저 조위선에서 12해리 • 해안선이 단조로운 경우에 적용 • 동해 대부분, 제주도, 울릉도, 독도 등
직선 기선 12해리	• 영해 기점을 이은 직선 기선에서 12해리 • 해안선이 복잡하거나 섬이 많은 경우에 적용 • 황해, 남해, 동해 일부(영일만, 울산만)
직선 기선 3해리	• 직선 기선에서 3해리 • 대한 해협: 일본과의 거리가 가까워 공해 확보를 위해 적용

(4) 영공: 영토와 영해의 수직 상공

(5) 배타적 경제 수역 빈출 자료 02

① 영해 기선으로부터 그 바깥쪽 200해리까지의 수역 중에서 영해를 제외한 수역

② 연안국의 권리: 자원 탐사 및 개발, 어업 활동 등

③ 우리나라는 일본, 중국과 어업 협정을 통해 배타적 어업 수역 설정 → 한·일 중간 수역, 한·중 잠정 조치 수역

2. 독도와 동해

(1) 독도 빈출 자료 03

① 지리적 특징

- 우리나라의 가장 동쪽에 위치한 섬, 경상북도 울릉군에 속함
- 신생대 제3기 해저 화산 활동으로 형성된 화산섬임
- 동도와 서도 및 89개의 부속 도서로 이루어져 있음

② 가치

영역적 가치	• 독도 인근 연해는 우리나라의 영해임 • 배타적 경제 수역 설정의 기준이 됨
경제적 가치	• 조경 수역으로 어족 자원이 풍부함 • 메탄하이드레이트, 해양 심층수 등 개발
생태적 가치	• 해저 화산 활동의 진화 과정이 잘 나타남 • 천연 보호 구역(천연기념물 제336호)으로 지정

(2) 동해

① 아시아 대륙의 북동부에 위치한 바다로, 한반도와 러시아의 연해주, 일본 열도로 둘러싸여 있음

② 우리나라는 2,000년 이상 '한반도 동쪽의 바다'라는 의미로 동해라 불러 왔음

(3) 이어도 빈출 자료 03

① 마라도에서 남서쪽으로 약 149km 떨어진 곳에 위치

② 최고봉이 수심 약 4.6m 아래에 잠겨 있는 수중 암초

③ 종합 해양 과학 기지가 건설되어 있음

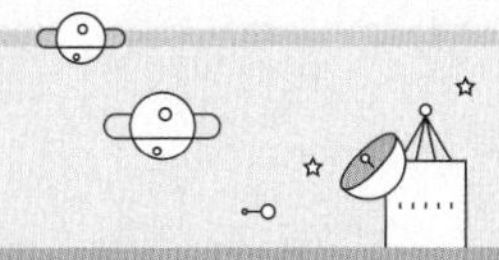

빈출 특강

대표 유형

빈출 자료 01) 표준시와 대척점 | 연계 문제 → 10쪽 02번

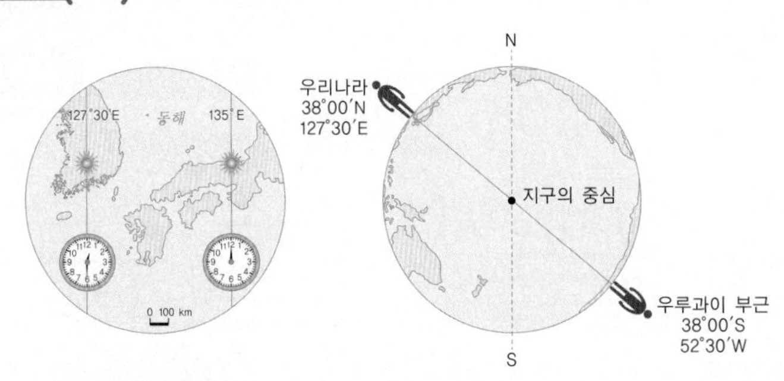

▲ 표준 경선과 표준시 ▲ 대척점

| 자료 분석 | 지구는 하루에 360° 회전하므로 경도 15°마다 1시간의 시차가 발생한다. 우리나라의 표준 경선은 동경 135°이므로 영국보다 9시간 빠른 표준시를 사용한다. 한편, 지구 위의 한 지점에 대하여 지구의 반대쪽에 있는 지점을 대척점이라 한다. 대척점에 해당하는 두 지점의 위도는 절댓값이 같으나, 경도는 서로 180° 차이가 난다.

빈출 자료 02) 영해와 배타적 경제 수역 | 연계 문제 → 11쪽 06번

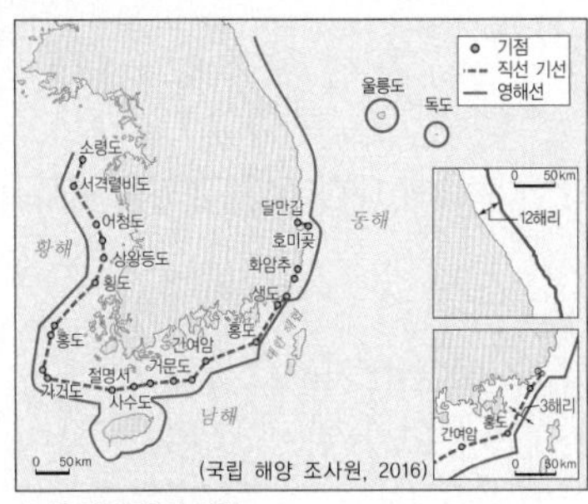

▲ 우리나라의 영해 ▲ 우리나라 주변 수역

| 자료 분석 | 영해의 범위는 동해, 울릉도, 독도, 제주도에서는 통상 기선 12해리, 황해와 남해에서는 직선 기선 12해리, 대한 해협에서는 직선 기선 3해리가 적용된다. 우리나라는 중국, 일본과 가깝기 때문에 배타적 경제 수역의 범위가 중첩된다. 따라서 우리나라는 중국, 일본과 어업 협정을 체결하여 한·중 잠정 조치 수역, 한·일 중간 수역을 설정하였다.

빈출 자료 03) 독도와 이어도 | 연계 문제 → 12쪽 08번

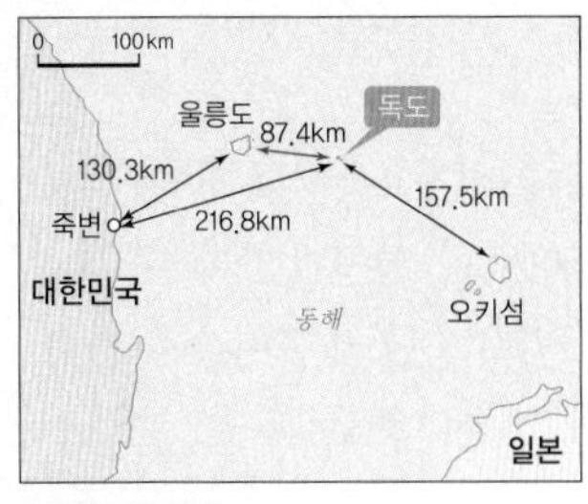

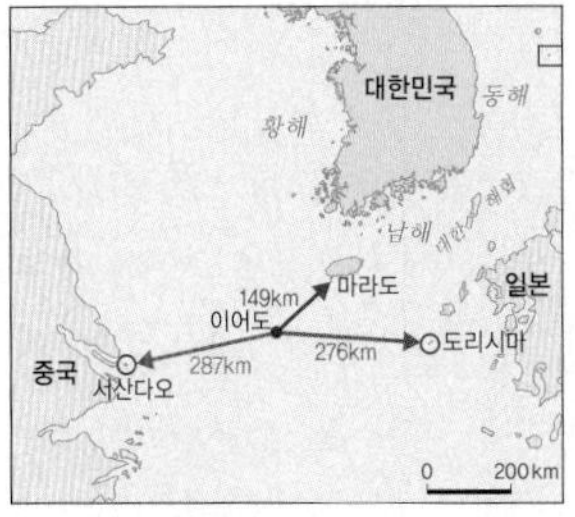

▲ 독도의 위치 ▲ 이어도의 위치

| 자료 분석 | 독도는 울릉도의 부속 도서로 울릉도에서 동남쪽으로 약 87.4km 떨어져 있다. 독도는 신생대 제3기 해저 화산 활동으로 형성된 섬으로 울릉도·제주도보다 먼저 형성되었다. 이어도는 영토 최남단인 마라도에서 남서쪽으로 약 149km 떨어져 있으며, 최고봉이 수심 약 4.6m 아래에 잠겨 있는 수중 암초이다. 이어도에는 종합 해양 과학 기지가 건설되어 있다.

자주 나오는 오답 선택지

빈출 자료 01)에서 자주 나오는 오답 선택지

① (㉠)은/는 표준시를 정하는 기준이 되는 경선이다.
→ 표준 경선

② 우리나라의 표준 경선은 135°E로 영국보다 10시간 빠른 표준시를 사용한다.
10 → 9
→ 경도 15°마다 1시간의 시차가 발생한다.

③ 미국은 우리나라보다 빠른 표준시를 사용한다.
빠른 → 느린

④ 127° 30′E에 태양이 남중할 때 우리나라의 시각은 낮 11시 30분이다.
→ 12시 30분
→ 동경 135°에 태양이 남중할 때가 낮 12시이다.

⑤ 지구 위의 한 지점에 대하여 지구의 반대쪽에 있는 지점을 (㉡)(이)라고 한다.
→ 대척점

⑥ 38° 00′N, 127° 30′E의 대척점은 38° 00′S, 127° 30′W이다.
127° 30′W → 52° 30′W

빈출 자료 02)에서 자주 나오는 오답 선택지

① 영해의 범위는 기선에서 10해리까지이다.
10 → 12

② 통상 기선은 연안의 (㉠)에 해당한다.
→ 최저 조위선

③ 대한 해협에서 영해의 범위는 통상 기선에서 3해리이다.
통상 기선 → 직선 기선

④ 배타적 경제 수역에는 영해가 포함된다.
포함된다 → 포함되지 않는다

⑤ 우리나라와 중국은 (㉡)을/를 설정하여 중첩되는 배타적 경제 수역에서 공동으로 어족 자원을 보존·관리하고 있다.
→ 한·중 잠정 조치 수역
→ 어업 협정을 통해 우리나라와 중국은 한·중 잠정 조치 수역, 우리나라와 일본은 한·일 중간 수역을 설정하였다.

빈출 자료 03)에서 자주 나오는 오답 선택지

① 독도는 행정 구역상 강원도에 속한다.
강원도 → 경상북도

② 독도는 울릉도에서 남서쪽으로 약 87.4km, 이어도는 마라도에서 동남쪽으로 약 149km 떨어져 있다.
남서쪽 → 동남쪽, 동남쪽 → 남서쪽
→ 독도와 이어도는 해상 교통로상의 중요 지점에 위치해 있다.

③ 마라도는 우리나라 영토 중 가장 동쪽에 위치한다.
마라도 → 독도

④ 이어도는 수중 암초로, 이어도의 주변 바다는 우리나라의 영해에 속한다.
→ 이어도는 영토가 아니므로 영해를 가지지 않는다.
속한다 → 속하지 않는다

⑤ 독도에는 종합 해양 과학 기지가 건설되어 있다.
독도 → 이어도

I

올쏘 시험에 꼭 나오는 문제

개념 확인 문제

01 빈칸에 들어갈 알맞은 말을 쓰시오.

(1) 위도와 경도로 표현되는 위치를 (　　　　)(이)라고 한다.
(2) 지구 위의 한 지점에 대하여 지구의 반대쪽에 있는 지점을 (　　　　)(이)라고 한다.
(3) 영역은 영토, 영해, (　　　　)(으)로 구성된다.
(4) 동해 대부분, 제주도, 울릉도, 독도에서 영해의 범위는 (　　　　)에서 12해리이다.
(5) (　　　　)은/는 우리나라의 최동단에 있는 섬이다.
(6) (　　　　)에는 종합 해양 과학 기지가 건설되어 있다.
(7) 대륙, 해양, 반도 등의 지형지물로 표현되는 위치를 (　　　　)(이)라고 한다.
(8) 독도 주변 해역에는 난류와 한류가 교차하는 (　　　　)이/가 형성되어 다양한 어족 자원이 분포한다.
(9) 독도와 마라도는 생물학적, 지질학적으로 특별한 가치가 있어 (　　　　)(으)로 지정되었다.

02 다음 글의 밑줄 친 부분을 바르게 고쳐 쓰시오.

(1) 대척점에 있는 두 지점의 경도는 서로 <u>90°</u> 차이가 난다.
(2) 독도는 행정 구역상 <u>강원도</u>에 속한다.
(3) 127° 30′E에 태양이 남중할 때 우리나라의 시각은 <u>낮 11시 30분</u>이다.
(4) 독도는 울릉도에서 <u>동북쪽</u>으로 약 87.4km 떨어져 있다.
(5) <u>지리적 위치</u>는 상대적 · 가변적 위치이다.
(6) 우리나라는 <u>관계적 위치</u> 때문에 계절풍의 영향을 받는다.
(7) 우리나라는 135°E를 표준 경선으로 사용하고 있어 본초 자오선이 지나는 영국의 표준시보다 <u>12</u>시간 빠르다.

03 다음 내용이 옳으면 ○, 틀리면 ×에 표시하시오.

(1) 대척점에 있는 두 지점은 위도의 절댓값이 같다. (○ / ×)
(2) 최저 조위선은 썰물 시 바닷물이 빠져나가 해수면이 가장 낮았을 때의 해안선이다. (○ / ×)
(3) 배타적 경제 수역에는 영해가 포함된다. (○ / ×)
(4) 이어도에서 영해의 범위는 통상 기선에서 12해리이다. (○ / ×)
(5) 우리나라는 지리적 위치의 영향으로 냉 · 온대 기후가 나타난다. (○ / ×)
(6) 독도 주변의 해역은 조경 수역으로 어족 자원이 풍부하다. (○ / ×)
(7) 대한 해협 부근은 통상 기선으로부터 3해리를 영해로 적용한다. (○ / ×)

01 우리나라의 위치와 위상

01 다음 자료의 (가)~(라)에 들어갈 옳은 내용을 《보기》에서 고른 것은?

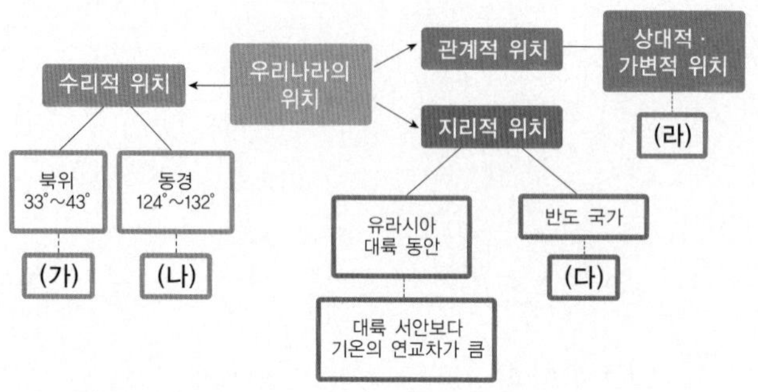

《보기》
ㄱ. (가) – 냉 · 온대 기후가 나타난다.
ㄴ. (나) – 최근 동북아시아의 중심 국가로 발전하고 있다.
ㄷ. (다) – 해외 무역과 임해 공업 발달에 유리하다.
ㄹ. (라) – 영국보다 빠른 표준시를 사용한다.

① ㄱ, ㄴ ② ㄱ, ㄷ ③ ㄴ, ㄷ ④ ㄴ, ㄹ ⑤ ㄷ, ㄹ

(빈출 문제) 연계 자료 → 9쪽 빈출 자료 01

02 다음 자료의 ㉠~㉣에 대한 옳은 설명을 《보기》에서 고른 것은?

〈우리나라의 위치〉

• 수리적 위치: 위도와 경도로 표현되는 위치

구분	위도	경도
위치 정보	㉠ 북위 33°~43°	㉡ 동경 124°~132°
영향	사계절의 변화가 뚜렷함	본초 자오선의 동쪽에 위치함

• 지리적 위치: 지형지물로 표현되는 위치
– 유라시아 대륙 동안: ㉢
– 반도적 위치: 대륙과 해양으로 진출하기에 유리함
• ㉣ 관계적 위치: 주변 국가와의 관계로 표현되는 위치

《보기》
ㄱ. ㉠으로 인해 영국보다 빠른 표준시를 사용한다.
ㄴ. ㉡의 동쪽에 우리나라 표준 경선이 있다.
ㄷ. ㉢에 '냉 · 온대 기후가 나타남'이 들어갈 수 있다.
ㄹ. ㉣은 가변적이고 상대적인 위치이다.

① ㄱ, ㄴ ② ㄱ, ㄷ ③ ㄴ, ㄷ ④ ㄴ, ㄹ ⑤ ㄷ, ㄹ

유사 선택지 문제

02_ ❶ ㉢에는 대륙성 기후가 들어갈 수 있다. (○ / ×)
02_ ❷ ㉣은 주변 정세에 따라 달라지는 특성이 나타난다. (○ / ×)

03 지도의 A~D에 대한 설명으로 옳은 것은? (단, A~D는 우리나라의 4극 중 하나임.)

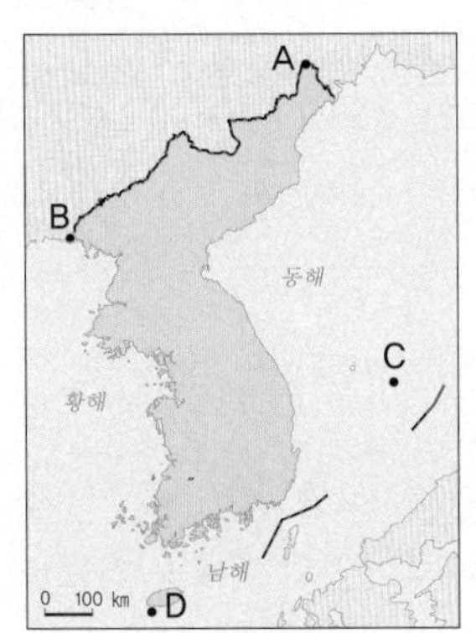

① A는 러시아와 경계가 되는 지역이다.
② C에는 종합 해양 과학 기지가 있다.
③ B는 C보다 일출 시각이 이르다.
④ C는 D보다 우리나라의 표준 경선과 거리가 가깝다.
⑤ D는 A보다 기온의 연교차가 크다.

02 우리 땅, 우리 바다, 우리 하늘

04 다음 표는 우리나라의 영역 및 배타적 경제 수역에 대한 것이다. ㉠~㉤에 대한 설명으로 옳은 것은?

영역	㉠ 영토	한반도와 그 부속 도서
	영해	• ㉡ 기선에서 12해리까지의 수역 • ㉢ 통상 기선: 대부분의 동해안, 울릉도, 독도 등 • 직선 기선: 서해안, 남해안과 동해안 일부 지역 등
	㉣ 영공	영토와 영해의 수직 상공
㉤ 배타적 경제 수역		연안국의 경제적 권리를 인정하는 수역

① ㉠ – 북한보다 남한의 면적이 넓다.
② ㉡ – 사례로 대한 해협을 들 수 있다.
③ ㉢ – 최저 조위선이 기준이 된다.
④ ㉣ – ㉤의 수직 상공이 포함된다.
⑤ ㉤ – 외국 화물선이 항행할 수 없다.

05 지도의 A~D에 대한 옳은 설명을 《보기》에서 고른 것은?

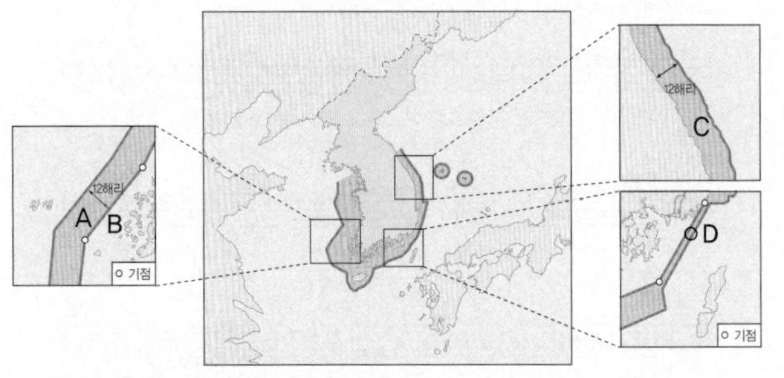

《보기》
ㄱ. 간척 사업으로 A의 면적이 넓어졌다.
ㄴ. A, B의 수직 상공은 우리나라의 영공이다.
ㄷ. 울릉도의 영해는 C와 같은 방식으로 설정한다.
ㄹ. D의 범위는 기선에서 12해리이다.

① ㄱ, ㄴ ② ㄱ, ㄷ ③ ㄴ, ㄷ ④ ㄴ, ㄹ ⑤ ㄷ, ㄹ

(빈출 문제) 연계 자료 → 9쪽 빈출 자료 02

06 지도는 한·일 및 한·중 어업 협정 수역을 나타낸 것이다. A~C에 대한 옳은 설명을 《보기》에서 고른 것은?

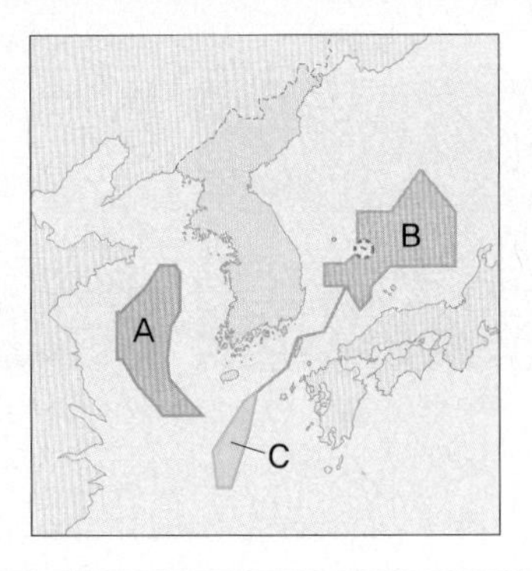

《보기》
ㄱ. A의 수직 상공은 우리나라의 영공이다.
ㄴ. B는 한·일 중간 수역에 포함된다.
ㄷ. C에서 중국의 해양 조사선이 자원 탐사를 할 수 있다.
ㄹ. A~C에서는 우리나라 어선이 조업을 할 수 있다.

① ㄱ, ㄴ ② ㄱ, ㄷ ③ ㄴ, ㄷ ④ ㄴ, ㄹ ⑤ ㄷ, ㄹ

유사 선택지 문제

06_ ❶ A는 한·일 중간 수역에 해당한다. (○ / ×)
06_ ❷ B에서는 한·일 양국이 어로 활동을 할 수 있다. (○ / ×)

시험에 꼭 나오는 문제

07 다음 자료의 ㉠~㉤에 대한 설명으로 옳지 않은 것은?

① ㉠에는 '동남'이 들어갈 수 있다.
② ㉡은 일본이 해당된다.
③ ㉢에는 '강원'이 들어갈 수 있다.
④ ㉣은 우리나라 표준 경선의 서쪽에 위치한다.
⑤ ㉤은 바다의 영향을 많이 받기 때문이다.

(빈출 문제) 연계 자료 → 9쪽 빈출 자료 03

08 (가), (나) 지역에 대한 설명으로 옳은 것은?

구분	(가)	(나)
위치	33° 06′N 126° 16′E	37° 14′N 131° 52′E
주요 정보	• 면적: 약 0.298km² • 남북으로 긴 타원형	• 면적: 약 0.187km² • 동도와 서도 및 89개의 부속 도서

① (가)는 동해에 위치해 있다.
② (나)는 세계 자연 유산으로 등재되어 있다.
③ (가)는 (나)보다 연평균 기온이 낮다.
④ (나)는 (가)보다 일몰 시각이 이르다.
⑤ (가), (나)는 영해 설정 시 직선 기선이 적용된다.

유사 선택지 문제

08_ ❶ (가)는 우리나라에서 일출 시각이 가장 이르다. (○ / ×)
08_ ❷ (가)는 유인도이고, (나)는 무인도이다. (○ / ×)
08_ ❸ (가), (나)는 화산 활동으로 형성되었다. (○ / ×)

서술형 문제

09 다음 자료를 보고 물음에 답하시오.

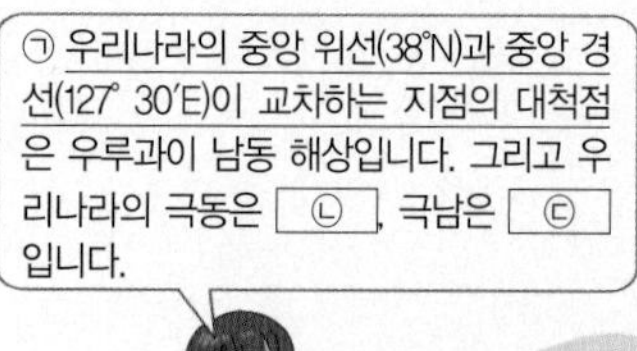
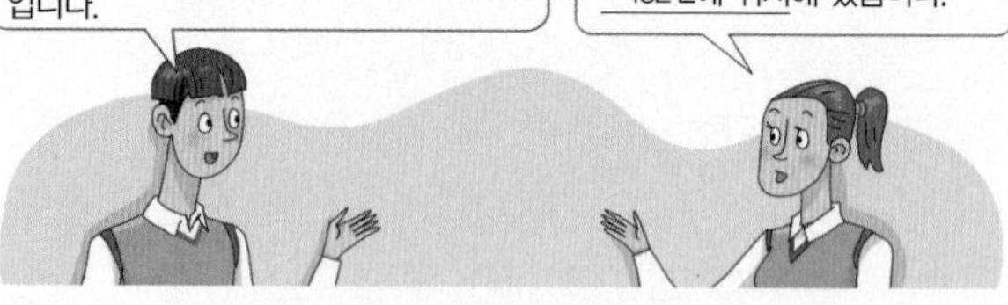

(1) ㉠에 해당하는 대척점의 위도와 경도를 쓰고, ㉡과 ㉢에 들어갈 내용을 각각 쓰시오.

(2) ㉣, ㉤과 같은 위치를 무엇이라고 하는지 쓰고, 이러한 위치로 인해 나타나는 영향을 각각 두 가지씩 서술하시오.

10 다음 자료를 보고 물음에 답하시오.

〈영해 설정 방법〉

(가)

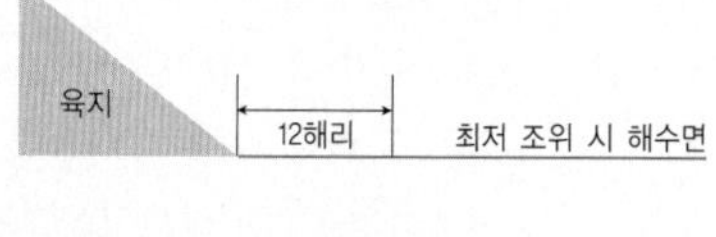

(나)

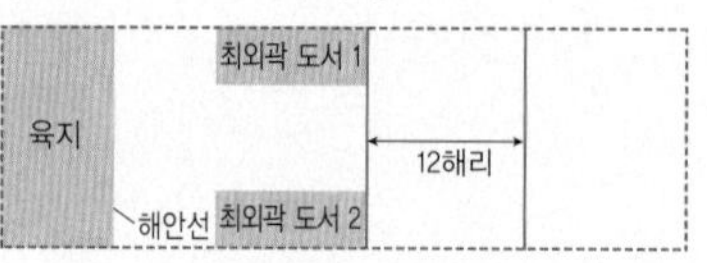

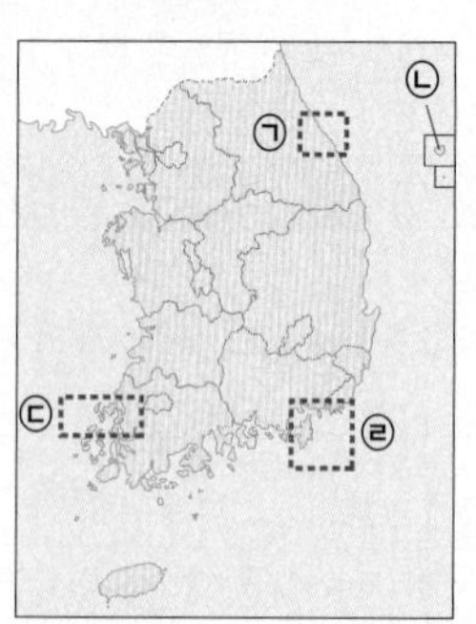

(1) (가), (나)에 의해 설정되는 기선의 종류와 각 기선이 우리나라의 어느 지역에서 적용되는지에 대하여 서술하시오.

(2) (가), (나) 영해 설정의 사례를 지도의 ㉠~㉣에서 각각 고르시오.

상위 4% 문제

정답 및 해설 3쪽

| 평가원 |

01 (가)~(마) 지점에 대한 설명으로 옳은 것은?

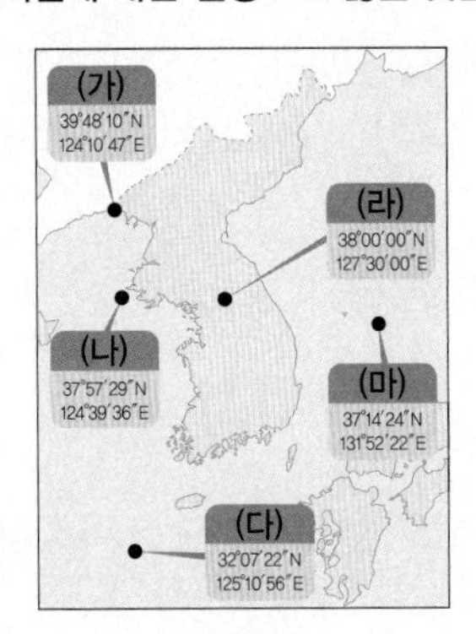

① (가)는 우리나라에서 일몰 시각이 가장 이르다.

② (나)는 우리나라 영토의 최서단(극서)에 해당한다.

③ (다)는 한 · 일 중간 수역에 포함된다.

④ (라)에 태양이 남중하는 시각은 오후 12시 30분이다.

⑤ (마)는 영해 설정에 직선 기선이 적용된다.

| 교육청 |

02 그림은 영해와 관련된 학습 자료이다. (가)에 들어갈 경로를 옳게 설명한 것은?

◎ 게임 방법

1. 우리나라 영해와 관련된 옳은 진술만을 찾아 이동한다.
2. A~F는 한 번만 지나갈 수 있다.

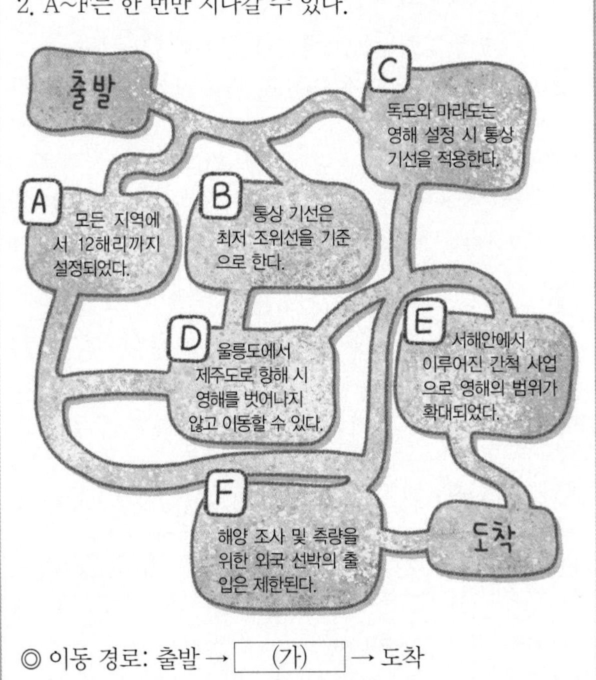

◎ 이동 경로: 출발 → (가) → 도착

① A → F ② C → E ③ C → F

④ B → D → E ⑤ B → D → F

| 수능 |

03 지도의 A~C 지점에서 이루어질 수 있는 행위로 적절하지 <u>않은</u> 것은? (단, 모든 행위는 국가 간 사전 허가가 없었음을 전제로 함.)

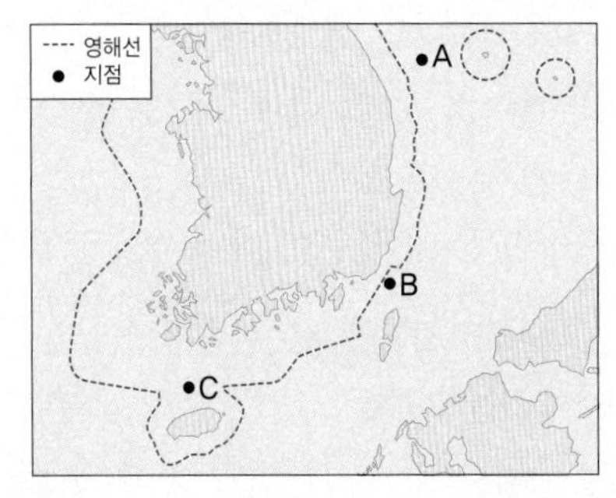

① A – 우리나라 자원 탐사선이 탐사 활동을 함

② B – 외국 화물선이 항해함

③ C – 우리나라 해군 함정이 항해함

④ A, C – 우리나라 어선이 고기잡이를 함

⑤ B, C – 외국이 인공 섬을 설치함

| 평가원 |

04 (가)~(다) 섬에 대한 설명으로 옳은 것은?

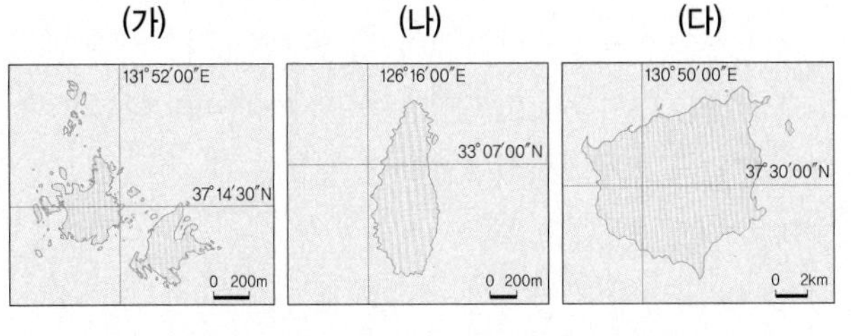

① (가)는 섬 전체가 세계 자연 유산으로 지정되었다.

② (나)는 우리나라의 최서단(극서)에 위치한다.

③ (다)는 최후 빙기에 육지와 연결되어 있었다.

④ (나)는 (가)보다 일출 시각이 이르다.

⑤ (가), (나), (다) 모두 통상 기선을 적용하여 영해를 설정한다.

02 국토 인식의 변화 ~ 지리 정보와 지역 조사

출제 경향
★고문헌, 고지도를 통해 조상들의 국토 인식 파악
★통계 지도, 지리 정보 체계의 특성 이해

01 전통적인 국토 인식

1. 풍수지리 사상

(1) 산줄기의 흐름, 산의 모양, 바람과 물의 흐름을 파악하여 좋은 터(명당)를 찾으려는 사상
(2) 사상적 토대: 대지모 사상과 음양오행설
(3) 영향: 도읍지, 마을(배산임수), 집터, 묏자리 선정에 영향

2. 고문헌에 나타난 국토관 빈출 자료 01

(1) 관찬 지리지와 사찬 지리지

관찬 지리지	사찬 지리지
• 조선 전기 국가 주도로 국가 통치에 필요한 자료를 수집하여 제작 • 연혁, 성씨, 인물, 물산 등을 백과사전식으로 기술 • 『세종실록지리지』, 『신증동국여지승람』 등	• 조선 후기에 실학자들이 국토를 객관적 · 실용적으로 파악하기 위해 제작 • 특정 주제를 설명식으로 기술 • 이중환의 『택리지』, 신경준의 『도로고』 등

(2) 택리지
① 우리나라 각 지역의 특성을 기술한 종합적인 인문 지리서
② 가거지(可居地)의 네 가지 조건

지리(地理)	풍수지리상의 명당
생리(生利)	땅이 비옥하고 물자 교류가 편리하여 경제적으로 유리한 곳
인심(人心)	이웃의 인심이 온화하고 순박한 곳
산수(山水)	산과 물이 조화를 이루며 경치가 좋은 곳

3. 고지도에 나타난 국토관

(1) 혼일강리역대국도지도
① 현존하는 우리나라의 가장 오래된 세계 지도
② 조선 전기(1402년) 국가 주도로 제작됨
③ 중화사상과 주체적 국토 인식이 나타남
④ 아시아, 유럽, 아프리카가 표현되어 있음
(2) 천하도
① 조선 중기 이후 민간에서 제작 · 유통된 관념적인 세계 지도
② 중화사상과 천원지방(天圓地方)의 세계관이 나타남
③ 상상의 국가와 지명이 표현되어 있음
(3) 대동여지도 빈출 자료 02
① 1861년 김정호가 제작함
② 남북을 120리 간격 22층, 동서를 80리 간격 19판으로 나누어 제작함 → 분첩 절첩식(휴대 및 열람하기에 편리함)
③ 도로에는 10리마다 방점이 찍혀 있음 → 거리 파악 가능
④ 목판본으로 제작되어 지도의 대량 생산이 가능함
⑤ 배가 다닐 수 있는 하천은 쌍선, 배가 다닐 수 없는 하천은 단선으로 표현되어 있음

4. 국토 인식의 변화

(1) 일제 강점기의 왜곡된 국토관: 소극적 · 부정적 국토관 강요
(2) 산업화 시대의 국토관: 산업화를 위해 국토를 개발하려는 국토관 강조
(3) 생태 지향적 국토관: 자연과 인간의 조화, 개발과 보존이 균형을 이루는 국토관

02 지리 정보와 지역 조사

1. 지리 정보

(1) 의미: 지표 위의 수많은 지리적 현상과 관련된 모든 정보
(2) 유형
① 공간 정보: 어떤 장소나 현상의 위치 및 형태에 대한 정보
② 속성 정보: 장소나 현상의 인문적 · 자연적 특성을 나타내는 정보
③ 관계 정보: 다른 장소나 지역과의 상호 작용 및 관계를 나타내는 정보

2. 지리 정보의 표현

(1) 지형도: 방위, 축척, 기호, 등고선 등을 통해 지표의 기복, 토지 이용 등을 표현
(2) 위성사진: 지리 정보를 사실적이고 입체적으로 표현
(3) 통계 지도 빈출 자료 03
① 특정 지리 현상에 관한 통계 정보를 표현한 주제도
② 점묘도, 등치선도, 단계 구분도, 도형 표현도, 유선도

3. 지리 정보 체계(GIS)

(1) 지표 공간의 다양한 지리 정보를 수치화하여 컴퓨터에 입력 · 저장하고, 사용자의 요구에 따라 가공 · 분석 · 처리하여 다양하게 표현해 주는 종합 정보 시스템
(2) 장점: 지리 정보의 수정 및 분석 용이, 중첩 분석을 통하여 최적의 입지 선정 등
(3) 이용: 시설의 최적 입지 선정, 도시 계획 및 관리 등

4. 지역 조사 과정

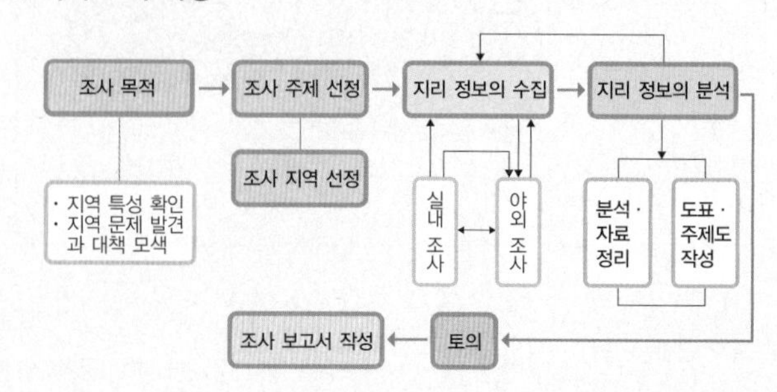

빈출 특강

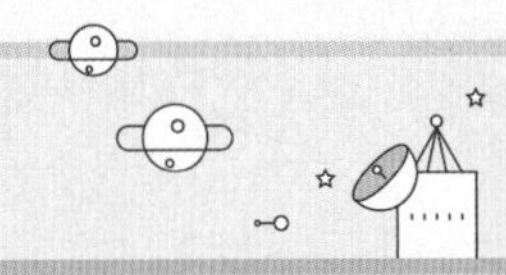

대표 유형

빈출 자료 01 신증동국여지승람과 택리지

| 연계 문제 → 16쪽 01번

『신증동국여지승람』

[건치 연혁] 본래 맥국인데, 신라의 선덕왕 6년에 우수주로 하여 군주를 두었다.

[속현] 기린현은 부의 동쪽 140리에 있다. 본래 고구려의 기지군이었다.

[풍속] 풍속이 순후하고 아름답다.

[산천] 봉산은 부의 북쪽 1리에 있는 진산(鎭山)이다.

[토산] 옻, 잣, 오미자, 영양, 꿀, 지치, 석이버섯, 인삼, 지황, 복령, 누치, 여항어, 쏘가리, 송이.

-『신증동국여지승람』 제46권 춘천 도호부 -

『택리지』

춘천은 옛 예맥이 천 년 동안이나 도읍했던 터로 소양강을 임했고, 그 바깥에 우두라는 큰 마을이 있다. 한나라 무제가 팽오를 시켜 우수주와 통하였다는 곳이 바로 이 지역이다.

산속에는 평야가 널따랗게 펼쳐졌고 두 강이 한복판으로 흘러간다. 토질이 단단하고 기후가 고요하며 강과 산이 맑고 훤하며 땅이 기름져서 여러 대를 사는 사대부가 많다.

-『택리지』, 「팔도총론」 춘천 편 -

| 자료 분석 | 신증동국여지승람은 조선 전기 대표적인 관찬 지리지이고, 택리지는 조선 후기 대표적인 사찬 지리지이다. 관찬 지리지는 건치 연혁, 속현, 풍속 등 각 분야가 백과사전식으로 기술되어 있는 반면, 택리지는 지역의 특성을 종합적이고 체계적으로 기술하고 있다.

빈출 자료 01에서 자주 나오는 오답 선택지

① (㉠) 지리지는 국가 주도로 국가 통치에 필요한 자료를 수집하여 제작되었다. → 관찬 → 관찬 지리지는 조선 전기 국가 주도로 제작되었다.

② (㉡) 지리지는 조선 후기에 실학자들에 의해 제작되었다. → 사찬 → 사찬 지리지는 조선 후기 실학자들에 의해 제작되었다.

③ 신증동국여지승람은 대표적인 (㉢) 지리지이며, 택리지는 (㉣) 지리지이다. ㉢ → 관찬, ㉣ → 사찬

④ 신증동국여지승람은 각 지역의 연혁, 성씨, 산물 등을 설명식으로 기술하였다. → 백과사전식

⑤ 택리지의 가거지 조건 중 산수는 '풍수지리상의 명당'을 뜻한다. → 지리
→ 가거지의 조건에는 지리, 생리, 인심, 산수가 있다.

빈출 자료 02 대동여지도

| 연계 문제 → 17쪽 04번

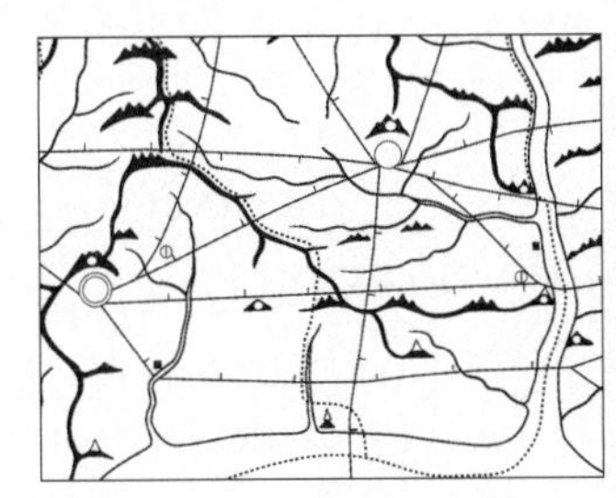

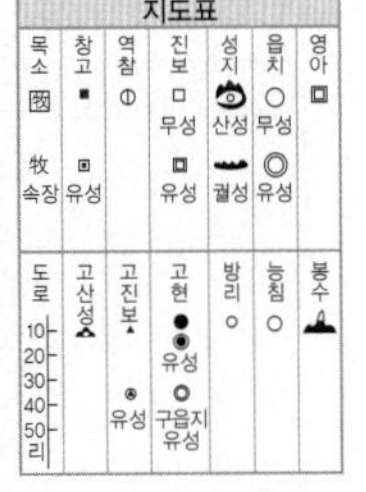

| 자료 분석 | 대동여지도는 분첩 절첩식으로 제작되어 휴대 및 열람하기에 편리하였으며, 목판본으로 제작되어 대량 인쇄가 가능하였다. 또한 도로에는 10리마다 방점이 찍혀 있어 대략적인 거리를 파악할 수 있었으며, 지도표를 이용하여 많은 지리 정보를 표현하였다.

빈출 자료 02에서 자주 나오는 오답 선택지

① 대동여지도는 (㉠)(으)로 제작되어 휴대하기에 편리하였다. → 분첩 절첩식: 나누고 접어 만든다.

② 대동여지도는 (㉡)(으)로 제작되어 대량 인쇄가 가능하였다. → 목판본 → 나무에 새긴 목판본으로 제작되었다.

③ 대동여지도의 도로에는 20리마다 방점이 찍혀 있다. → 10리

④ 대동여지도에서 배가 다닐 수 있는 하천은 단선으로 표현되어 있다. → 쌍선
→ 배가 다닐 수 있는 하천은 쌍선, 배가 다닐 수 없는 하천은 단선으로 표현하였다.

빈출 자료 03 통계 지도

| 연계 문제 → 17쪽 06번

(대한민국 국가지도집, 2015)
▲ 점묘도

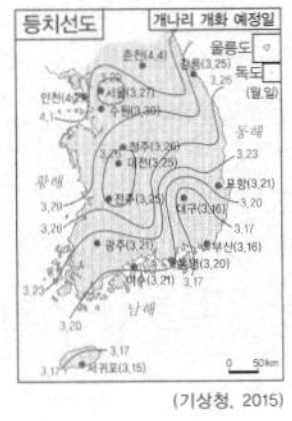

(기상청, 2015)
▲ 등치선도

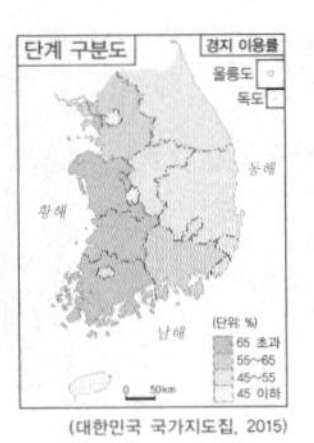

(대한민국 국가지도집, 2015)
▲ 단계 구분도

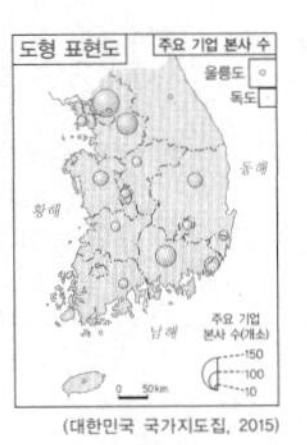

(대한민국 국가지도집, 2015)
▲ 도형 표현도

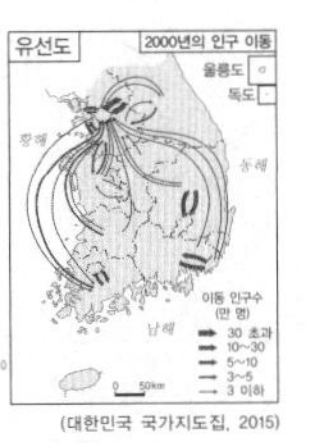

(대한민국 국가지도집, 2015)
▲ 유선도

| 자료 분석 | 통계 지도는 특정 지리 현상에 관한 통계 정보를 표현한 주제도이다. 통계의 특성을 파악한 후 적합한 통계 지도를 선택하여 제작해야 한다. 인구 분포는 점묘도, 개나리 개화 예정일은 등치선도, 경지 이용률은 단계 구분도, 주요 기업 본사 수는 도형 표현도, 시·도 간 인구 이동은 유선도로 표현하는 것이 적절하다.

빈출 자료 03에서 자주 나오는 오답 선택지

① (㉠)는 같은 값을 가진 지점을 선으로 연결하여 표현한 통계 지도이다. → 등치선도 → 등치선은 수치가 같은 지점을 연결한 선이다.

② (㉡)는 통계 값을 몇 단계로 구분하고 음영, 패턴 등을 달리하여 표현한 통계 지도이다. → 단계 구분도
→ 단계 구분도는 밀도, 증감률을 표현하기에 적절하다.

③ (㉢)는 지역 간 이동을 화살표의 방향과 굵기로 표현한 통계 지도이다. → 유선도 → 유선도에서 선의 굵기는 이동량을 뜻한다.

④ 경지율은 유선도, 시·도 간 인구 이동은 단계 구분도로 표현하는 것이 적절하다. 유선도 → 단계 구분도, 단계 구분도 → 유선도
→ 지역 간 인구 이동은 유선도로 표현하기에 적절하다.

시험에 꼭 나오는 문제

개념 확인 문제

01 빈칸에 들어갈 알맞은 말을 쓰시오.

(1) (   )은/는 산줄기의 흐름, 산의 모양, 바람과 물의 흐름을 파악하여 명당을 찾으려는 사상이다.

(2) (   )은/는 국가 주도로, 국가 통치에 필요한 자료를 수집하여 제작한 지리지이다.

(3) 가거지의 조건 중 (   )은/는 땅이 비옥하고 물자 교류가 편리하여 경제적으로 유리한 곳이다.

(4) (   )은/는 현존하는 우리나라의 가장 오래된 세계 지도이다.

(5) (   )은/는 분첩 절첩식으로 제작되어 휴대하기에 편리하다.

(6) (   )은/는 지표 공간의 다양한 지리 정보를 수치화하여 컴퓨터에 입력 · 저장하고, 사용자의 요구에 따라 가공 · 분석 · 처리할 수 있는 종합 정보 시스템이다.

(7) 지리 정보 중 (   )은/는 어떤 장소나 현상의 위치 및 형태에 대한 정보이다.

02 다음 표현 방법에 해당하는 통계 지도를 바르게 연결하시오.

표현 방법			통계 지도
(1) 통계 값을 일정한 크기의 점으로 표현	•	•	㉠ 유선도
(2) 통계 값을 몇 단계로 나누어 명암·색상으로 표현	•	•	㉡ 도형 표현도
(3) 통계 값이 같은 지점을 선으로 연결하여 표현	•	•	㉢ 단계 구분도
(4) 막대나 원 등의 도형을 이용하여 표현	•	•	㉣ 점묘도
(5) 선의 굵기와 화살표로 이동량과 방향을 표현	•	•	㉤ 등치선도

03 다음 내용이 옳으면 ○, 틀리면 ×에 표시하시오.

(1) 이중환은 택리지에서 가거지의 조건으로 지리, 생리, 인심, 산수를 제시하였다. (○ / ×)

(2) 신증동국여지승람은 대표적인 사찬 지리지이다. (○ / ×)

(3) 천하도는 조선 중기 이후 민간에서 제작 · 유통된 관념적인 세계 지도이다. (○ / ×)

(4) 혼일강리역대국도지도와 천하도는 중화사상이 나타난다. (○ / ×)

(5) 대동여지도의 도로에는 20리마다 방점이 찍혀 있다. (○ / ×)

(6) 대동여지도에는 천원지방 사상이 잘 나타난다. (○ / ×)

(7) 속성 정보는 어떤 장소나 현상의 위치 및 형태에 대한 정보이다. (○ / ×)

01 전통적인 국토 인식

(빈출 문제) 연계 자료 → 15쪽 빈출 자료 01

01 다음은 조선 시대에 제작된 지리지의 일부이다. (가), (나) 지리지에 대한 설명으로 옳은 것은? (단, (가), (나)는 『택리지』, 『신증동국여지승람』 중 하나임.)

(가)	영월의 서쪽에 있는 원주는 감사가 다스리던 곳인데, 서쪽으로 250리 거리에 한양이 있다. …(중략)… 산골짜기 사이에 고원 분지가 열려서 맑고 깨끗하며 그리 험준하지는 않다. ㉠ 두메에 가깝기 때문에 난리가 나도 숨어 피하기 쉽고, 한양과 가까워 세상이 평안하면 벼슬길에 나아가기가 쉽기 때문에 한양의 사대부들이 이곳에 살기를 즐겼다.
(나)	원주목(原州牧) 【건치 연혁】 본래 고구려의 평원군이다. … 【진관】 도호부가 1 춘천, 군이 3 정선 · 영월 · 평창 … 【산천】 치악산은 주의 동쪽 25리에 있는 진산이다. 【토산】 … 영양, 잣, 오미자 …

① ㉠은 가거지의 조건 중 '인심'과 관련이 있다.
② (가)는 통치 목적으로 국가가 주도하여 제작하였다.
③ (나)는 실학사상의 영향을 많이 받았다.
④ (가)는 (나)보다 지역에 대한 저자의 해석이 많이 반영되어 있다.
⑤ (나)는 (가)를 요약하여 제작하였다.

유사 선택지 문제

01_ ❶ (가)는 조선 전기, (나)는 조선 후기에 제작되었다. (○ / ×)
01_ ❷ (나)는 백과사전식으로 서술되었다. (○ / ×)
01_ ❸ (나)는 관찬 지리지이다. (○ / ×)

02 (가), (나) 세계 지도에 대한 설명으로 옳은 것은?

(가)

(나)

① (가)는 국가 주도로 제작되었다.
② (나)에는 아메리카 대륙이 그려져 있다.
③ (가)는 (나)보다 제작 시기가 이르다.
④ (나)는 (가)보다 상상의 국가가 많이 표현되어 있다.
⑤ (가), (나)는 모두 중화사상이 나타난다.

03 다음 자료는 가상 인터뷰의 한 장면이다. ㉠~㉤에 대한 옳은 설명을 《보기》에서 고른 것은?

> 리포터: 선생님! ㉠ 선생님이 저술한 지리지는 어떻게 구성되어 있나요?
> 이중환: ㉡ 사민총론, 팔도총론, 복거총론, 총론으로 구성되어 있어요.
> 리포터: ㉢ 사람이 살 곳을 정할 때는 어떤 조건을 고려해야 하나요?
> 이중환: ㉣ 풍수지리 사상의 명당에 해당하는 지역인지, ㉤ 땅이 비옥하거나 물자 교류에 편리한 지역인지 등을 고려해야 합니다. 그리고 …

《보기》
ㄱ. ㉠에는 국토를 실용적으로 인식하려는 관점이 반영되어 있다.
ㄴ. ㉢은 ㉡에 서술되어 있다.
ㄷ. ㉣은 가거지의 조건 중 지리(地理)에 해당한다.
ㄹ. ㉤은 가거지의 조건 중 산수(山水)에 해당한다.

① ㄱ, ㄴ　② ㄱ, ㄷ　③ ㄴ, ㄷ
④ ㄴ, ㄹ　⑤ ㄷ, ㄹ

(빈출 문제) 연계 자료 → 15쪽 빈출 자료 02

04 대동여지도의 일부와 지도표를 보고 알 수 있는 내용으로 옳은 것은?

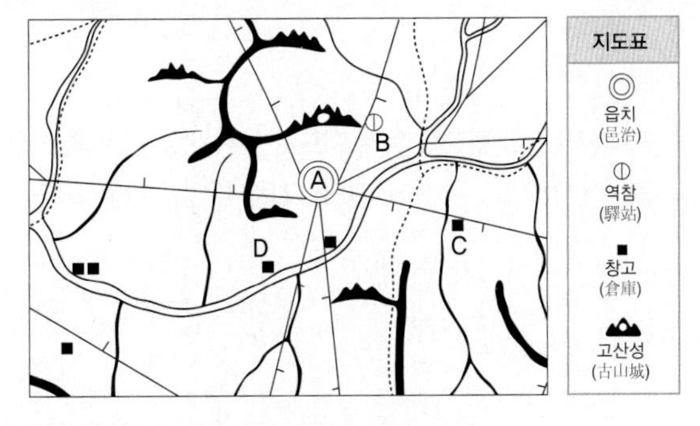

① A와 가장 가까운 역참은 남쪽에 있다.
② A에서 B까지의 거리는 10리보다 가깝다.
③ A에서 C로 가려면 고개를 넘어야 한다.
④ C에서 D까지 선박으로 갈 수 있다.
⑤ D는 A를 방어하기 위한 시설이다.

유사 선택지 문제

04_ ❶ A는 육로 교통이 편리한 중심지이다. (○ / ×)
04_ ❷ A에서 가장 가까운 역참은 북서쪽의 10리 이내에 있다. (○ / ×)

02 지리 정보와 지역 조사

05 다음은 노트 필기의 일부분이다. ㉠~㉥에 대한 옳은 설명을 《보기》에서 고른 것은?

> 〈지리 정보〉
> (1) 지리 정보의 유형: 공간 정보, ㉠ 속성 정보, 관계 정보
> (2) 지리 정보의 수집
> • 실내 조사와 야외 조사
> • ㉡ 지형도와 ㉢ 위성사진 영상
> (3) 지리 정보의 표현: 도표, 그래프, ㉣ 종이 지도, ㉤ 수치 지도 등
> (4) ㉥ 지리 정보 체계: 지표 공간의 다양한 지리 정보를 수치화하여 컴퓨터에 입력 · 저장하고, 사용자의 요구에 따라 가공 · 분석 · 처리하여 다양하게 표현해 주는 종합 정보 시스템

《보기》
ㄱ. ㉠은 한 장소의 위치나 형태를 나타내는 정보이다.
ㄴ. ㉢은 ㉡보다 넓은 지역의 정보를 수집하는 데 유리하다.
ㄷ. ㉣은 ㉤보다 자료의 수정과 변환이 쉽다.
ㄹ. ㉥을 이용하여 어떤 시설의 최적 입지를 선정할 수 있다.

① ㄱ, ㄴ　② ㄱ, ㄷ　③ ㄴ, ㄷ
④ ㄴ, ㄹ　⑤ ㄷ, ㄹ

(빈출 문제) 연계 자료 → 15쪽 빈출 자료 03

06 표의 조사 내용을 통계 지도로 나타낼 때 표현 방법으로 가장 적합한 것은?

	조사 내용	통계 지도 표현 방법
①	시 · 도별 인구 증감율	10 이상 / 5~10 / 5 미만
②	시 · 도 간 인구 이동	500 / 100 / 10
③	시 · 도별 백화점 수	5 / 3 / 1
④	시 · 도의 제조업종별 출하액	1점=100
⑤	시 · 도별 농업 종사자 수	10 15 20 20 15 10

유사 선택지 문제

06_ ❶ 통계 지도 표현 방법에서 ①은 점묘도, ②는 단계 구분도, ③은 유선도이다. (○ / ×)
06_ ❷ 통계 지도 표현 방법에서 ⑤는 작물의 재배 북한계선 등을 표현하기에 적합하다. (○ / ×)

07 다음 평가 요소별 점수를 고려하여 ○○ 시설의 최적 입지를 선정하려고 한다. 가장 적절한 곳을 후보지 A~E에서 고른 것은? (단, 평가 요소별 점수의 합이 가장 큰 지역이 최적 입지 지역임.)

〈평가 요소별 점수〉

경사도(°)	점수	인구 밀도 (명/m²)	점수	지가 (만 원/m²)	점수
2 미만	3	100 미만	1	10 미만	3
2~4	2	100~200	2	10~20	2
4 이상	1	200 이상	3	20 이상	1

〈경사도〉

1	3	2	1	5
1	1	2	7	4
1	2	2	6	2
2	4	4	5	3
3	3	3	3	4

〈인구 밀도〉

80	50	50	70	70
90	130	200	80	90
30	300	340	210	110
110	220	320	50	180
50	250	140	90	150

〈지가〉

7	15	5	25	11
11	18	14	21	15
9	11	21	7	6
8	5	24	28	13
15	9	8	9	12

〈후보지〉

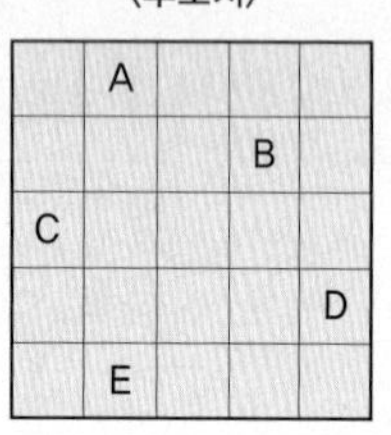

① A ② B ③ C ④ D ⑤ E

08 다음 자료의 ㉠~㉣에 대한 옳은 설명을 《보기》에서 고른 것은?

《보기》

ㄱ. ㉠은 지리 정보 중에서 공간 정보에 해당한다.
ㄴ. ㉡은 단계 구분도로 표현하는 것이 적합하다.
ㄷ. ㉢은 실내 조사 단계에서 이루어지는 활동이다.
ㄹ. 지리 조사를 할 때 일반적으로 ㉣을 ㉢보다 먼저 실시한다.

① ㄱ, ㄴ ② ㄱ, ㄷ ③ ㄴ, ㄷ
④ ㄴ, ㄹ ⑤ ㄷ, ㄹ

서술형 문제

09 다음 글을 읽고 물음에 답하시오.

> (가) 은/는 ㉠ 땅을 어머니로 대한다는 것을 출발점으로 삼는다. (가) 에서 터를 잡는다는 것은 땅과 사람이 기를 상통할 수 있는 자리를 잡는 것이다. 그곳은 바로 어머니의 품속과 같은 땅이다. 따라서 땅을 마음으로 받아들일 수 있는 눈을 가진 사람은 어머니 품 안과 같은 명당을 찾아낼 수 있다.

(1) ㉠과 같은 사상을 무엇이라고 하는지 쓰시오.

(2) (가)에 들어갈 용어를 쓰고, (가)의 특징 및 영향을 서술하시오.

10 표의 (가), (나) 자료를 통계 지도로 표현하고자 할 때, 적합한 통계 지도 유형을 쓰고, 각 통계 지도의 표현 방법을 서술하시오.

(가) (단위: 명)

현 주거지	통근·통학지	인구
중구	종로구	3,901
	동대문구	1,187
	노원구	480
	…	…
노원구	종로구	12,343
	중구	14,972
	성북구	10,119
	…	…
…	…	…

(2015)

(나) (단위: 개)

구(區)	고등학교	중학교
종로구	8	9
중구	4	8
용산구	7	9
성동구	5	11
광진구	8	12
동대문구	8	15
중랑구	8	14
성북구	9	18
강북구	6	13
도봉구	7	13
…	…	…

(2017)

상위 4% 문제

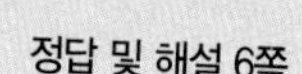
정답 및 해설 6쪽

| 평가원 응용 |

01 조선 시대에 편찬된 (가), (나) 지리지에 대한 설명으로 옳은 것은? (단, (가), (나)는 『신증동국여지승람』, 『택리지』 중 하나임.)

> (가) 【건치 연혁】 본래 백제의 남한산성이다. 성종(成宗) 2년에 처음으로 12목(牧)을 두었는데 광주(廣州)는 그 하나이다.
> 【군명】 남한산 · 한산주 · 한주 · 회안(淮安) · 봉국군(奉國軍)
> 【형승】 한수(漢水)의 남쪽으로 토양이 기름지다. 백제 시조 온조의 말이다. 고적(古跡) 편에 나타나 있다. 면이 모두 높은 산이다.
>
> (나) 여주 서쪽이 광주(廣州)이다. 석성산(石城山)에서 나온 한 가지가 북쪽으로 한강 남쪽에 가서 된 고을인데 읍은 만 길 산꼭대기에 있다. ㉠ 광주의 서편은 수리산이며 안산(安山) 동쪽에 있다. 여기에서 서북쪽으로 뻗은 산맥이 수리산맥 중에서 가장 긴 맥이다.

① (가)는 조선 후기에 제작되었다.
② (나)는 국가 통치 목적으로 제작되었다.
③ (가)는 (나)보다 주관적 견해를 많이 담고 있다.
④ (가)는 국가, (나)는 민간 주도로 제작되었다.
⑤ (나)의 ㉠은 가거지의 조건 중 생리(生利)에 해당한다.

| 수능 |

02 대동여지도의 일부와 지도표를 보고 알 수 있는 내용으로 옳지 않은 것은?

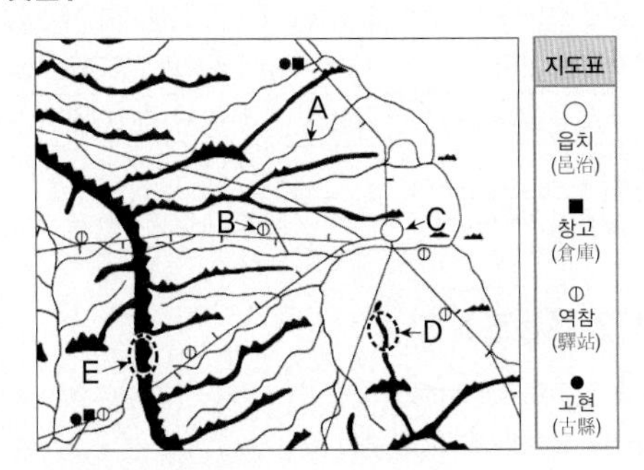

① A는 수운 교통로로 이용되는 하천이다.
② C는 관아가 있는 행정의 중심지이다.
③ C에서 B까지의 거리는 10리 이상이다.
④ E는 하천 유역을 나누는 분수계의 일부이다.
⑤ E는 D보다 규모가 큰 산지이다.

| 평가원 |

03 (가), (나) 자료를 표현하기에 가장 적절한 통계 지도의 유형을 《보기》에서 고른 것은?

> 호남 지방의 인구 특성을 파악하기 위한 기초 조사로 두 가지 통계 자료를 수집하였다. 먼저 (가) 광주광역시, 전라남도, 전라북도의 연령층별 인구 비율을 파악하기 위해 유소년층, 청장년층, 노년층 인구수를 조사하였다. 다음으로 (나) 광주광역시, 전라남도, 전라북도 간 인구 이동 규모를 파악하기 위해 세 지역 간 전입 인구와 전출 인구수를 조사하였다.

《 보기 》

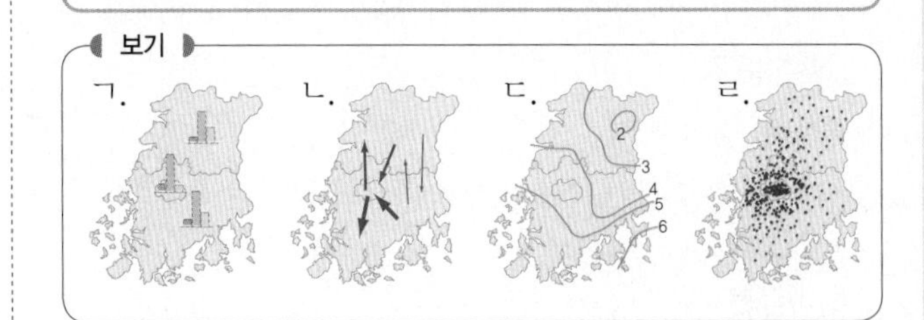

	(가)	(나)
①	ㄱ	ㄴ
②	ㄱ	ㄷ
③	ㄴ	ㄷ
④	ㄴ	ㄹ
⑤	ㄷ	ㄹ

| 평가원 |

04 다음 〈조건〉만을 고려하여 ○○ 리조트의 입지를 선정하고자 할 때, 가장 적절한 곳을 후보지 A~E에서 고른 것은?

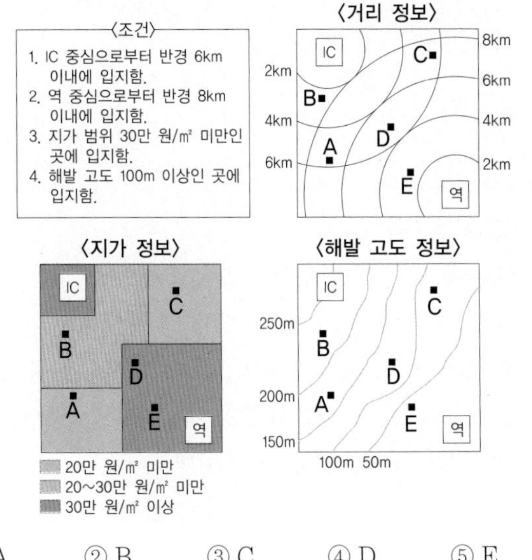
〈조건〉
1. IC 중심으로부터 반경 6km 이내에 입지함.
2. 역 중심으로부터 반경 8km 이내에 입지함.
3. 지가 범위 30만 원/㎡ 미만인 곳에 입지함.
4. 해발 고도 100m 이상인 곳에 입지함.

① A ② B ③ C ④ D ⑤ E

03 한반도의 형성과 산지의 모습

출제 경향
★한반도의 지체 구조와 지각 변동
★기후 변화에 따른 지형의 변화
★1차 산맥과 2차 산맥, 돌산과 흙산의 특징 비교

01 한반도의 형성 과정

1. 한반도의 지체 구조 빈출 자료 01

(1) 시·원생대: 평북·개마 지괴, 경기 지괴, 영남 지괴
① 지반이 견고한 편임
② 오랫동안 변성 작용을 받아 주로 변성암(편마암) 분포

(2) 고생대: 평남 지향사, 옥천 지향사
① 고생대 초기에 형성된 해성 퇴적층인 조선 누층군에는 석회암 분포
② 고생대 말기에 형성된 육성 퇴적층인 평안 누층군에는 무연탄 분포

(3) 중생대: 경상 분지
① 습지 및 호소였던 곳에 퇴적물이 쌓여 형성된 육성층
② 일부 지역에서는 공룡 발자국 화석이 발견됨

(4) 신생대: 길주·명천 지괴, 두만 지괴, 갈탄 분포

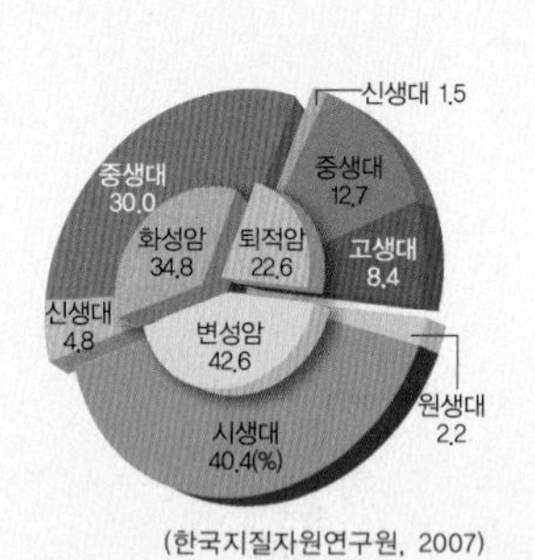

(한국지질자원연구원, 2007)
▲ 한반도의 암석 분포

▲ 한반도의 지체 구조

2. 한반도의 지각 변동

(1) 지질 시대별 주요 지각 변동

5억 7,000만 년 전 / 2억 4,500만 년 전 / 6,500만 년 전

지질 시대	선캄브리아대		고생대						중생대			신생대	
	시생대	원생대	캄브리아기	오르도비스기	실루리아기	데본기	석탄기	페름기	트라이아스기	쥐라기	백악기	제3기	제4기
지층	변성암 복합체(편마암)		조선 누층군(석회암)			연천층군	평안 누층군(무연탄)			대동 누층군(대보 화강암)	경상 누층군(불국사 화강암)	제3계	제4계
지각 변동	변성 작용		조륙 운동						송림 변동	대보 조산 운동	불국사 변동	요곡·단층 운동	화산 활동
지체 구조	평북·개마 지괴, 경기 지괴, 영남 지괴		평남 지향사, 옥천 지향사						경상 분지			두만 지괴, 길주·명천 지괴	

(2) 중생대 지각 변동
① 송림 변동: 중생대 초 북부 지방을 중심으로 발생, 랴오둥(동북동-서남서) 방향의 지질 구조선 형성
② 대보 조산 운동: 중생대 중엽 중·남부 지방을 중심으로 발생, 중국(북동-남서) 방향의 지질 구조선 형성, 대보 화강암 관입, 가장 격렬했던 지각 변동
③ 불국사 변동: 중생대 말 영남 지방을 중심으로 발생, 불국사 화강암 관입

(3) 신생대 지각 변동

경동성 요곡 운동	• 신생대 제3기에 발생, 동해안에 치우친 비대칭 융기 운동 • 함경산맥·태백산맥 등이 형성됨 • 고위 평탄면·감입 곡류 하천·하안 단구·해안 단구 형성에 영향
화산 활동	• 신생대 제3기 말~제4기에 발생 • 백두산·울릉도·독도·제주도 등의 화산 지형이 형성됨

3. 기후 변화에 의한 지형 발달 빈출 자료 02

(1) 신생대 제4기에는 빙기와 간빙기가 여러 차례 나타남
(2) 빙기에서 간빙기(후빙기)로 가면서 해수면 상승(침식 기준면 상승), 기온 상승 등으로 다양한 지형 변화가 나타남
① 최종 빙기: 해수면이 낮고 하천 상류는 퇴적 작용, 하류는 침식 작용 활발, 물리적 풍화 작용 우세
② 간빙기(후빙기): 해수면이 높고 하천 상류는 침식 작용, 하천 하류는 퇴적 작용 활발, 화학적 풍화 작용 우세

02 산지 지형의 특색과 주민 생활

1. 산지 지형

(1) 국토의 70%가 산지이지만 대체로 해발 고도가 낮음
(2) 동고서저의 경동 지형: 신생대 제3기 경동성 요곡 운동의 영향

2. 1차 산맥과 2차 산맥

(1) 1차 산맥: 경동성 요곡 운동으로 융기한 산지, 해발 고도가 높고 연속성이 강함 예 함경·낭림·태백산맥 등
(2) 2차 산맥: 중생대 지각 변동 이후에 차별 침식으로 형성된 산지, 해발 고도가 낮고 연속성이 약함 예 차령·노령산맥 등

3. 돌산과 흙산

구분	돌산	흙산
형태	산의 정상부에 기반암이 많이 노출된 산지	산의 정상부에 기반암이 풍화된 토양으로 덮여 있는 산지
기반암	주로 중생대에 형성된 화강암	주로 시·원생대에 형성된 편마암
식생 밀도	낮음	높음
예	금강산, 설악산 등	지리산, 덕유산 등

4. 고위 평탄면 빈출 자료 03

형성 원인	오랜 침식으로 평탄해진 지형이 지반이 융기한 이후에도 해발 고도가 높은 곳에 남아 있는 지형
분포	대관령 일대, 진안고원 등
기후 특징	여름철 서늘한 기후, 겨울철 강설량이 많고 습도가 안정적임
이용	고랭지 농업, 목축업, 스키장, 관광지, 풍력 발전 단지 등

빈출 특강

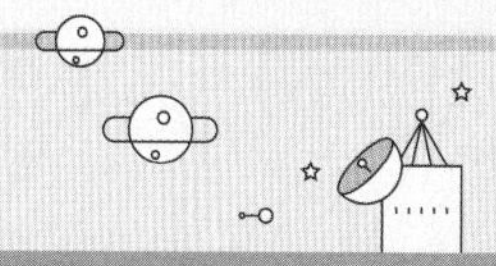

대표 유형

빈출 자료 01 한반도의 지체 구조 | 연계 문제 → 22쪽 01번

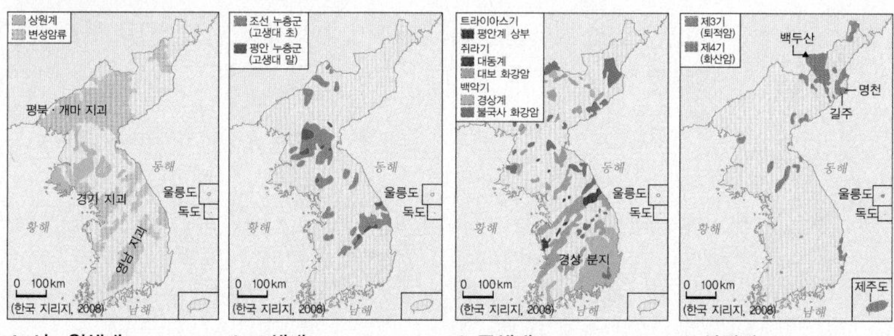

시·원생대 / 고생대 / 중생대 / 신생대

| 자료 분석 | 시·원생대의 지체 구조가 가장 넓게 분포한다. 시·원생대에 형성된 지괴 사이에는 고생대에 퇴적 작용이 일어나면서 형성된 조선 누층군(해성층)과 평안 누층군(육성층)이 있다. 중생대에는 대보 조산 운동의 영향으로 화강암이 관입되었고, 영남 지방을 중심으로 두꺼운 호소 퇴적층(육성층)인 경상 분지가 만들어졌다. 신생대에는 두만 지괴, 길주·명천 지괴 등이 형성되었으며, 마그마가 분출하여 화산과 용암 대지가 형성되었다.

빈출 자료 02 기후 변화와 지형 형성 | 연계 문제 → 25쪽 11번

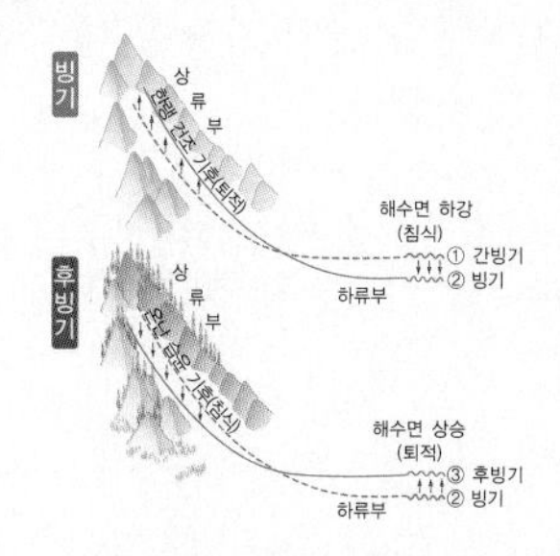

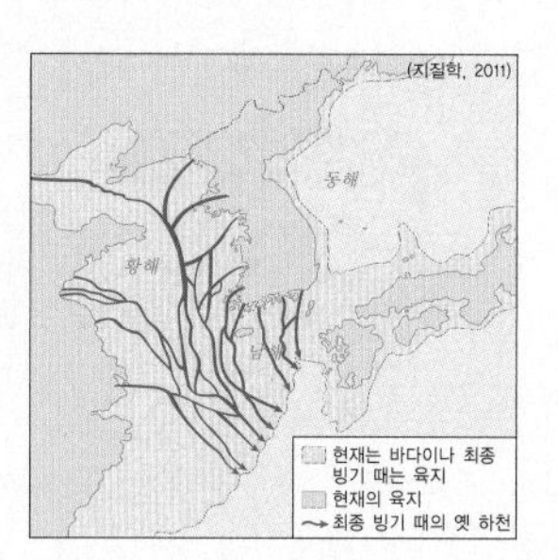

| 자료 분석 |
- 빙기에는 기후가 한랭 건조하여 식생이 빈약하였고, 물리적 풍화 작용이 활발하였다. 하천 상류부에서는 암설 공급량이 많아지면서 퇴적되는 양에 비해 침식되는 양이 적어 퇴적 작용이 활발하였고, 하천 하류부에서는 해수면 하강으로 침식 기준면이 낮아졌다.
- 후빙기에는 상대적으로 기후가 온난 습윤하여 식생이 번성하였고, 화학적 풍화 작용이 활발하였다. 하천 상류부에서는 퇴적되는 양에 비해 침식되는 양이 많아 침식 작용이 활발하였고, 하천 하류부에서는 해수면 상승으로 침식 기준면이 높아졌다.

빈출 자료 03 고위 평탄면 | 연계 문제 → 26쪽 16번

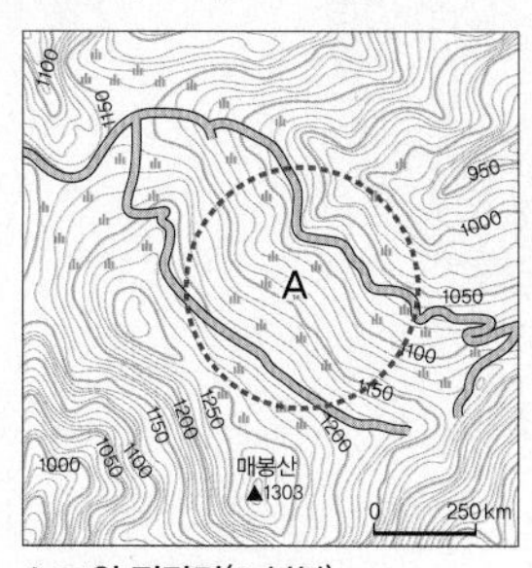

고위 평탄면(A 부분)

고랭지 채소밭

| 자료 분석 | 고위 평탄면은 해발 고도가 높은 곳에 나타나는 기복이 작고 경사가 완만한 지형으로 대관령 일대, 진안고원 등지에 분포한다. 고위 평탄면에서는 여름철의 서늘한 기후를 이용한 고랭지 채소 재배가 활발하고 목초 재배에 유리하여 목축업도 발달하였다.

자주 나오는 오답 선택지

빈출 자료 01에서 자주 나오는 오답 선택지

① (㉠)에는 육상 식물이 탄화된 무연탄이 매장되어 있다. → 평안 누층군 → 고생대 말기에서 중생대 초기에 형성된 육성 퇴적층이다.

② 지체 구조 중에서 바다에서 형성되어 형성 당시의 바다 생물 화석이 발견되는 것은 (㉡)이다. → 조선 누층군 → 조선 누층군은 해성 퇴적층이다.

③ (㉢)은 심한 지각 변동을 겪지 않아 수평적 구조를 가진 퇴적암이 분포하며, 이 지체 구조에서는 공룡 발자국 화석이 발견된다. → 경상 누층군

④ (㉣)에는 갈탄이 매장되어 있다. → 신생대 제3기의 퇴적층

빈출 자료 02에서 자주 나오는 오답 선택지

① 하천 상류에서는 후빙기가 최종 빙기보다 하천의 (㉠) 작용이 활발하였다. → 침식

② 하천 하류에서는 후빙기가 최종 빙기보다 하천의 (㉡) 작용이 활발하였다. → 퇴적

③ 서·남해안의 수많은 반도와 섬들은 (㉢) 이후에 형성된 것이다. → 후빙기 해수면 상승

④ 최종 빙기 때는 후빙기 때보다 (㉣) 풍화 작용이 활발하였다. → 물리적
→ 상대적으로 기온이 높으면 화학적 풍화 작용이, 기온이 낮으면 물리적 풍화 작용이 활발하다.

빈출 자료 03에서 자주 나오는 오답 선택지

① 고위 평탄면은 중생대 대보 조산 운동의 영향으로 형성되었다. → 신생대 경동성 요곡 운동

② 시·도 중에서 고랭지 채소 생산량이 가장 많은 지역은 (㉠)이다. → 강원도 → 강원도의 고위 평탄면에서는 고랭지 농업이 이루어진다.

③ 고랭지 채소 재배가 활발한 대관령 일대는 연 강수량이 (㉡). → 많다

④ 고랭지 채소 재배 지역에서는 토양 침식을 줄이기 위해 (㉢) 경작을 한다. → 등고선식
→ 등고선식 경작은 등고선을 따라 작물을 재배하는 방법으로, 토사 유실을 억제하여 토양 침식을 줄일 수 있다.

시험에 꼭 나오는 문제

개념 확인 문제

01 빈칸에 들어갈 알맞은 말을 쓰시오.

(1) 변성암, 퇴적암, 화성암 중에서 우리나라에 가장 넓게 분포하는 암석은 (   )이다.

(2) 우리나라에서 가장 격렬했던 지각 변동은 중생대 (   )(으)로, 이때 한반도 곳곳에 (   )이/가 관입되었다.

(3) 중생대 송림 변동으로 (   ) 방향의 지질 구조선이, 대보 조산 운동으로 (   ) 방향의 지질 구조선이 형성되었다.

(4) 신생대 경동성 요곡 운동으로 형성된 산맥은 (   ) 산맥으로 분류된다.

(5) 공룡 발자국 화석이 발견되는 지체 구조는 (   )이다.

(6) 고생대 조선 누층군은 해성층이고, 고생대 평안 누층군과 중생대 경상 분지는 (   )이다.

(7) 고생대 조선 누층군에는 (   ), 평안 누층군에는 (   )이/가 매장되어 있다.

(8) 기반암이 변성암으로 이루어진 지리산, 덕유산 등은 주로 (   ), 화강암으로 이루어진 금강산, 설악산 등은 주로 (   )을/를 이룬다.

02 지도는 고생대와 중생대의 지체 구조를 나타낸 것이다. 이를 보고 물음에 답하시오.

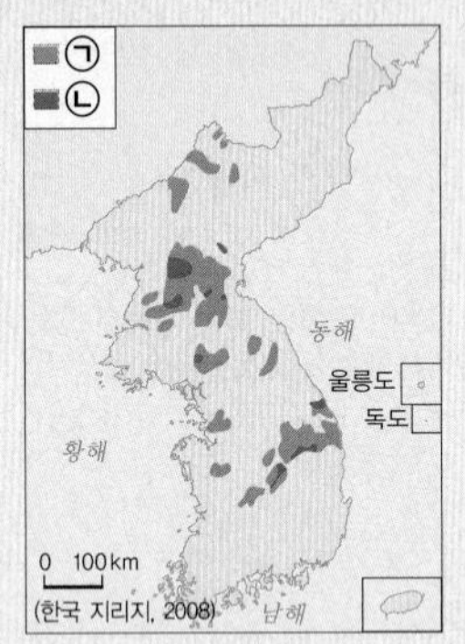

(1) ㉠~㉣에 해당하는 지층을 《 보기 》에서 골라 쓰시오.

《 보기 》
- 경상 누층군
- 조선 누층군
- 대보 화강암
- 평안 누층군

(2) ㉠~㉣을 형성 시기가 이른 것부터 순서대로 나열하시오.

(3) 다음 설명에 해당하는 지층을 지도의 ㉠~㉣에서 고르시오.

① 무연탄이 매장되어 있다.
② 석회암이 매장되어 있다.
③ 공룡 발자국 화석이 분포한다.
④ 마그마가 지하에서 천천히 식어 형성되었다.
⑤ 해성층으로 고생대 바다 생물의 화석이 발견된다.

01 한반도의 형성 과정

(빈출 문제) 연계 자료 → 21쪽 빈출 자료 01

01 지도는 세 지질 시대에 형성된 암석이 기반암으로 분포하는 지역을 나타낸 것이다. A~C 암석에 대한 설명으로 옳지 않은 것은?

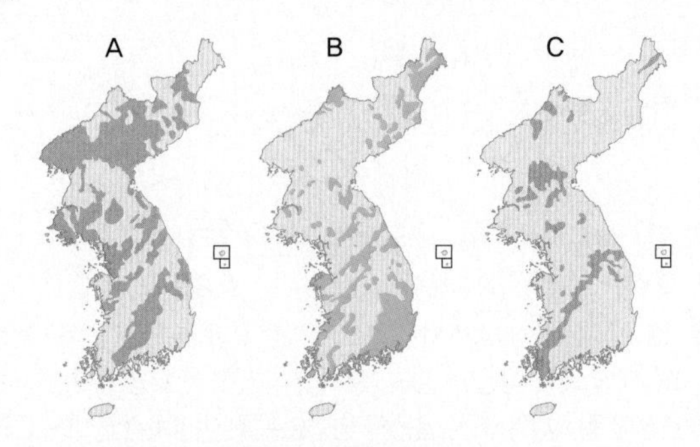

① A는 오랫동안 변성 작용을 받았다.
② B에는 화강암과 퇴적암 등이 분포한다.
③ C에는 석회암과 무연탄이 매장되어 있다.
④ B, C는 모두 해성층으로 이루어져 있다.
⑤ 형성 시기는 A가 가장 이르고 B가 가장 늦다.

유사 선택지 문제

01_ ❶ B의 일부 지역에는 공룡 발자국 화석이 분포한다. (○ / ×)
01_ ❷ A를 기반암으로 하는 산지는 주로 돌산이다. (○ / ×)

02 그래프는 시기별 암석 분포를 나타낸 것이다. A~C 암석에 대한 설명으로 옳지 않은 것은?

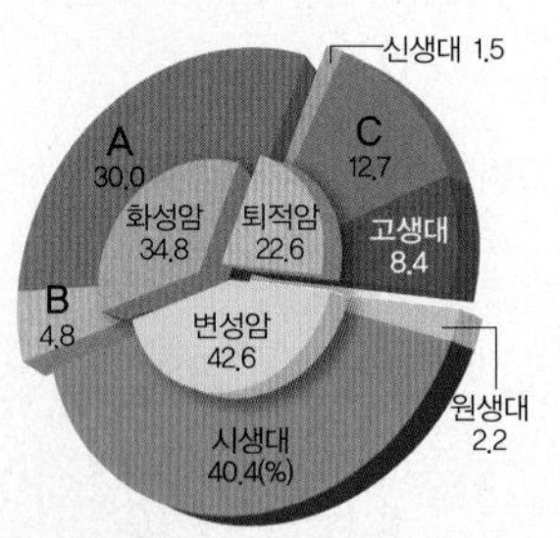

(한국지질자원연구원, 2007)

① A는 마그마가 지하에서 천천히 굳어 형성된 암석이다.
② A는 다보탑, 석가탑 등 돌탑을 만드는 주요 재료로 이용되었다.
③ B는 제주도, 백두산, 울릉도, 독도 등지에 분포한다.
④ C에서는 공룡 발자국 화석을 볼 수 있다.
⑤ C는 대보 조산 운동의 영향으로 변성 작용을 받았다.

[03~04] 지도는 한반도의 지체 구조를 나타낸 것이다. 이를 보고 물음에 답하시오.

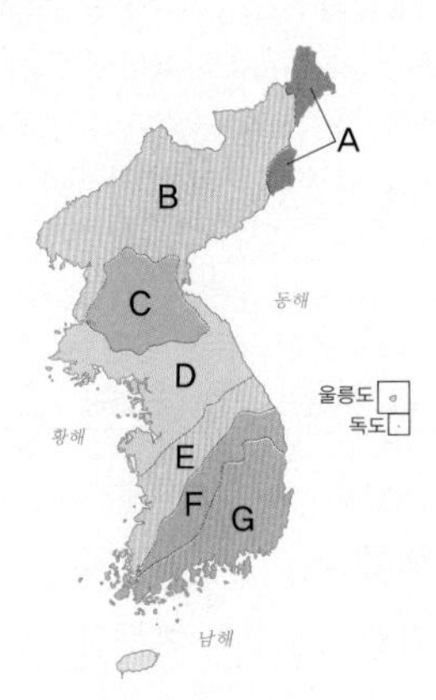

03 다음 글의 밑줄 친 부분에 해당하는 지체 구조를 지도의 A~D에서 고른 것은?

> 한반도는 오랜 기간에 걸쳐 다양한 지형 형성 작용을 받아 복잡한 지체 구조가 나타난다. <u>가장 먼저 형성된 시·원생대 지체 구조는 안정된 지각으로 한반도의 바탕을 이루며, 열과 압력에 의해 변성된 변성암이 주로 분포</u>하고 있다.

① A, B ② A, C ③ B, C
④ B, D ⑤ C, D

04 E~G 지체 구조에 대한 옳은 설명을 《보기》에서 고른 것은?

《보기》
ㄱ. E는 안정된 지각으로 변성암이 주로 분포한다.
ㄴ. F는 조선 누층군과 평안 누층군으로 구성된다.
ㄷ. G는 중생대에 형성된 거대한 육성층이 분포한다.
ㄹ. F는 E보다 형성 시기가 이르다.

① ㄱ, ㄴ ② ㄱ, ㄷ ③ ㄴ, ㄷ
④ ㄴ, ㄹ ⑤ ㄷ, ㄹ

05 지도의 (가)~(다) 지체 구조에 분포하는 암석에 대한 옳은 설명을 《보기》에서 고른 것은? (단, 암석은 화산암, 경상계 퇴적암, 대보 화강암만 고려함.)

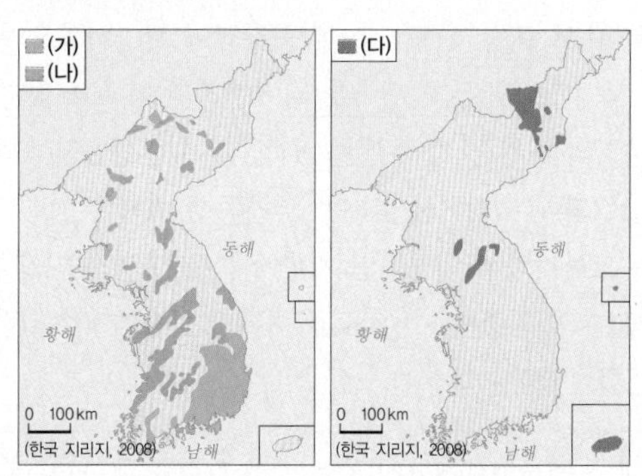

《보기》
ㄱ. (가)는 지각 변동으로 습곡 작용을 많이 받았다.
ㄴ. (나)에는 육상 동물의 발자국 화석이 분포한다.
ㄷ. (다)는 용암이 분출하여 굳어진 암석이 분포한다.
ㄹ. (나)는 (다)보다 형성 시기가 이르다.

① ㄱ, ㄴ ② ㄱ, ㄷ ③ ㄴ, ㄷ
④ ㄴ, ㄹ ⑤ ㄷ, ㄹ

06 자료에 대한 설명으로 옳지 <u>않은</u> 것은?

〈우리나라의 지질 시대별 주요 지각 변동〉

<table>
<tr><th rowspan="2">지질 시대</th><th colspan="2">시·원생대</th><th colspan="3">고생대</th><th colspan="3">중생대</th><th colspan="2">신생대</th></tr>
<tr><td>시생대</td><td>원생대</td><td colspan="3">캄브리아기… 석탄기–페름기</td><td>트라이아스기</td><td>쥐라기</td><td>백악기</td><td>제3기</td><td>제4기</td></tr>
<tr><th>지질 계통</th><td colspan="2">변성암 복합체</td><td>(가)</td><td>결층</td><td colspan="2">평안 누층군</td><td>대동 누층군</td><td>경상 누층군</td><td>제3계</td><td>제4계</td></tr>
<tr><th>주요 지각 변동</th><td colspan="2">변성 작용</td><td colspan="3">조륙 운동</td><td>송림 변동</td><td>(나)</td><td>불국사 변동</td><td colspan="2">(다)</td></tr>
</table>

〈충주 분지의 지질 단면〉

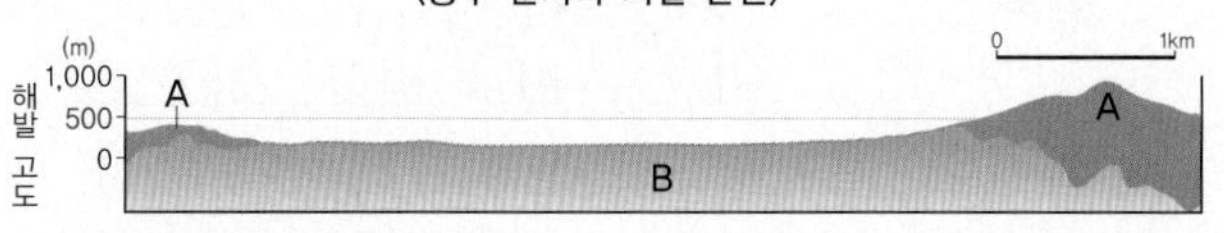

*단, A, B는 각각 편마암과 화강암 중 하나임.

① (가)에는 물에 의한 용식 작용을 받아 형성된 지형이 분포한다.
② (다)로 인해 백두산, 한라산 등이 형성되었다.
③ B는 (나)에 의해 형성되었다.
④ A는 B보다 형성 시기가 이르다.
⑤ B로 구성된 산은 정상부가 주로 돌산의 경관을 보인다.

시험에 꼭 나오는 문제

07 **다음 글의 밑줄 친 ㉠~㉤에 대한 설명으로 옳은 것은?**

> 우리나라의 지형 발달에 영향을 미친 요소로는 암석의 특성과 분포, 지각 변동, 해수면 변동 등을 들 수 있다. 중생대 ㉠ 대보 조산 운동 시기에 화강암이 관입하였으며, 이 암석이 ㉡ 침식 분지 평야부의 기반암을 이루고 있다. 침식 분지의 배후 산지 부분은 퇴적암이나 변성암인 ㉢ 편마암으로 되어 있다. 신생대에 ㉣ 경동성 요곡 운동이 일어나 동고서저의 비대칭적인 지형 골격을 형성하였고, 신생대 제4기의 최종 빙기 이후 ㉤ 해수면 상승에 따라 해안선이 변화하였다.

① ㉠에 의해 한국 방향의 지질 구조선이 주로 형성되었다.
② ㉡은 마그마가 지하 깊은 곳에 관입된 후 천천히 식어 굳어져 형성되었다.
③ ㉢으로 된 산지는 주로 돌산으로 나타난다.
④ ㉣에 의해 융기되어 형성된 산지는 모두 2차 산맥이다.
⑤ ㉤에 의해 동해안에 해안 단구가 형성되었다.

08 **다음 자료는 우리나라의 지체 구조와 지질 시대별 지각 변동을 나타낸 것이다. 이에 대한 설명으로 옳지 않은 것은?**

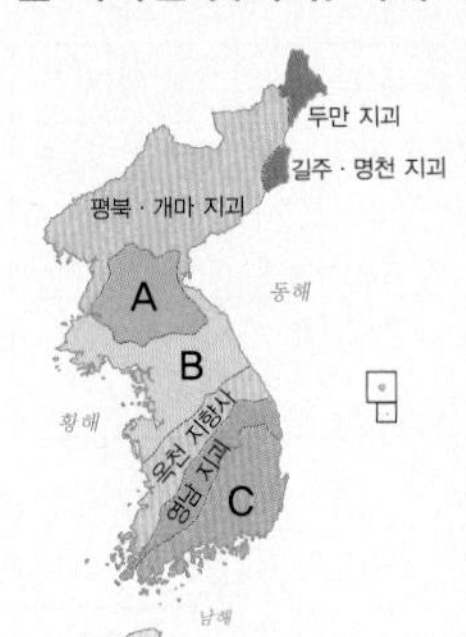

지질 시대		지각 변동
신생대	제4기	
	제3기	←㉠
(가)	백악기	←불국사 변동
	쥐라기	←㉡
	트라이아스기	←송림 변동
(나)	페름기	
	⋮	←조륙 운동
	캄브리아기	
원생대		
시생대		

① A에는 (나) 시기에 바다에서 형성된 지층이 분포한다.
② B와 평북 · 개마 지괴, 영남 지괴에는 변성암이 많이 분포한다.
③ C는 (가) 시기에 형성된 육성층으로 공룡 발자국 화석이 발견된다.
④ ㉠의 영향으로 한국 방향의 1차 산맥이 형성되었다.
⑤ ㉡으로 인해 형성된 암석은 지리산의 주요 기반암을 이루고 있다.

09 **표의 (가)~(다)에 해당하는 암석으로 옳은 것은?**

(가)	검은색의 점성이 작은 용암이 분출하여 형성된 암석으로 절리가 발달하였기 때문에 이 암석이 기반암을 이루는 곳은 지표수가 지하로 빠르게 스며들어 건천이 발달하였다.
(나)	중생대에 지하 깊은 곳에서 마그마가 관입된 이후 천천히 식어 굳어져 형성되었다. 북한산, 설악산, 금강산 등 돌산과 침식 분지에서 해발 고도가 낮은 곳의 기반암을 이룬다.
(다)	우리나라에서 가장 넓게 분포하고 오래전에 형성되어 오랫동안 침식을 받았다. 지리산, 덕유산 등의 흙산과 침식 분지에서 상대적으로 해발 고도가 높은 곳의 기반암을 이룬다.

	(가)	(나)	(다)
①	변성암	현무암	화강암
②	변성암	화강암	현무암
③	현무암	변성암	화강암
④	현무암	화강암	변성암
⑤	변성암	화강암	현무암

10 **그래프는 지질 시대별 암석의 구성 비율을 나타낸 것이다. A~D 암석이 분포하는 지역의 옳은 사례만을 《보기》에서 있는 대로 고른 것은?**

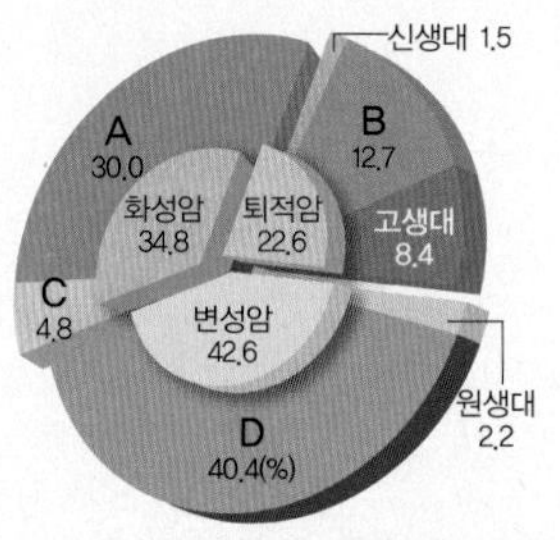

(한국지질자원연구원, 2007)

《 보기 》

ㄱ. A-기반암이 노출된 서울 북한산의 정상부
ㄴ. B-기반암이 용식 작용을 받아 형성된 돌리네가 분포하는 영월
ㄷ. C-분화구가 함몰된 곳에 물이 고인 백두산의 천지(天池)
ㄹ. D-나무가 잘 자라 무성한 숲이 형성된 지리산

① ㄱ, ㄴ ② ㄱ, ㄷ ③ ㄷ, ㄹ
④ ㄱ, ㄷ, ㄹ ⑤ ㄴ, ㄷ, ㄹ

(빈출 문제) 연계 자료 → 21쪽 빈출 자료 02

11 (가), (나) 시기에 대한 옳은 설명을 《보기》에서 고른 것은?

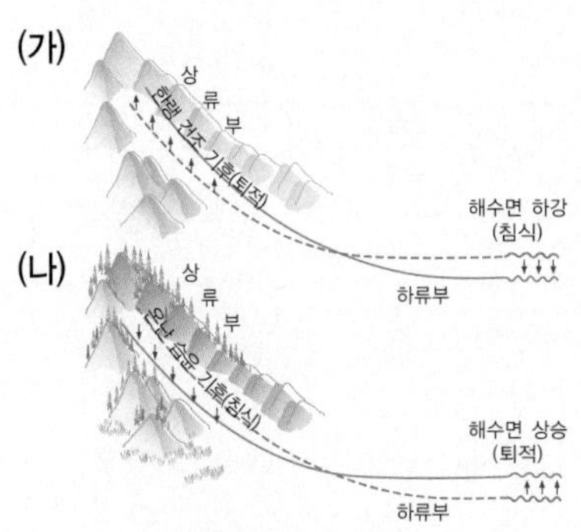

기후 변화에 따른 지형 형성

《보기》
ㄱ. (가)는 (나)보다 나무와 풀이 잘 자란다.
ㄴ. (가)는 (나)보다 침식 기준면이 높다.
ㄷ. (나)는 (가)보다 화학적 풍화 작용이 활발하다.
ㄹ. (나)는 (가)보다 하천 하류의 퇴적층 두께가 두껍다.

① ㄱ, ㄴ ② ㄱ, ㄷ ③ ㄴ, ㄷ ④ ㄴ, ㄹ ⑤ ㄷ, ㄹ

유사 선택지 문제

11_ ❶ (가)는 (나)보다 한랭 건조한 기후 특성이 나타난다. (○ / ×)
11_ ❷ (가) 시기에 범람원, 삼각주와 같은 지형들이 형성되었다. (○ / ×)

12 (가), (나) 시기에 지도의 A, B 하천 유역에서 발생했을 지형 형성 작용에 대한 적절한 추론을 《보기》에서 고른 것은?

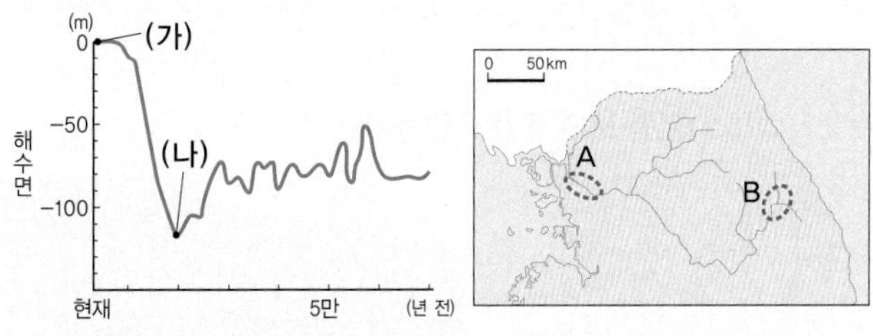

《보기》
ㄱ. (가) 시기 B에서는 사면에서 공급되는 물질이 퇴적되어 하천 바닥의 해발 고도가 높아질 것이다.
ㄴ. (나) 시기에 A에서는 하천의 퇴적 작용이 활발하게 일어났을 것이다.
ㄷ. (가) 시기보다 (나) 시기에 A, B 모두 해발 고도가 높았을 것이다.
ㄹ. (나) 시기보다 (가) 시기에 A, B 모두 식생 밀도가 높을 것이다.

① ㄱ, ㄴ ② ㄱ, ㄷ ③ ㄴ, ㄷ
④ ㄴ, ㄹ ⑤ ㄷ, ㄹ

02 산지 지형의 특색과 주민 생활

13 그림은 산지의 단면도를 나타낸 것이다. 이에 대한 옳은 설명을 《보기》에서 고른 것은?

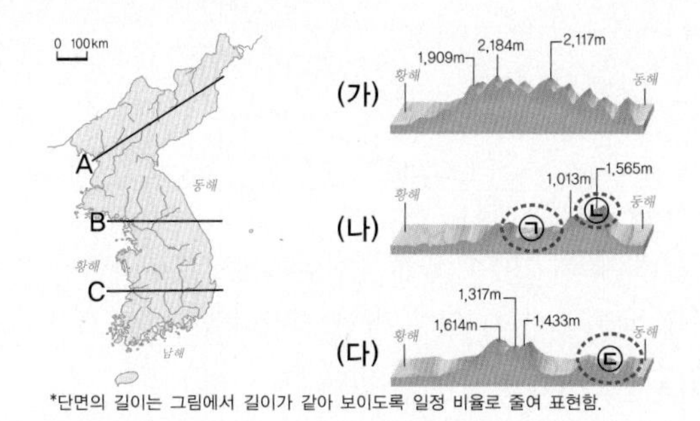

*단면의 길이는 그림에서 길이가 같아 보이도록 일정 비율로 줄여 표현함.

《보기》
ㄱ. A의 단면도는 (다), B의 단면도는 (가)이다.
ㄴ. (나)의 ㉠에는 북한강 본류가 위치한다.
ㄷ. (나)의 ㉡ 산지는 경동성 요곡 운동의 영향으로 형성되었다.
ㄹ. (다)의 ㉢ 산지는 호남 지방과 영남 지방의 경계를 이룬다.

① ㄱ, ㄴ ② ㄱ, ㄷ ③ ㄴ, ㄷ
④ ㄴ, ㄹ ⑤ ㄷ, ㄹ

14 그림은 (가) 지형에 대해 정리한 것이다. 이에 대한 옳은 설명만을 《보기》에서 있는 대로 고른 것은?

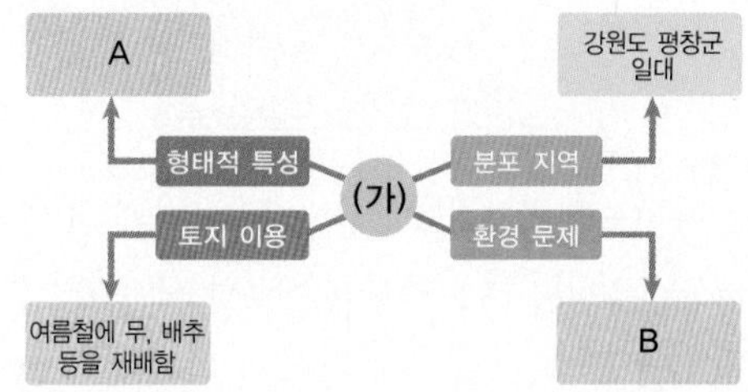

《보기》
ㄱ. (가)는 경동성 요곡 운동의 영향으로 형성되었다.
ㄴ. (가)는 백두대간 서쪽보다 동쪽에 주로 분포한다.
ㄷ. A에는 '해발 고도가 높고 평탄함'이라는 내용이 들어갈 수 있다.
ㄹ. B에 해당하는 문제점을 완화하는 방법으로 '등고선식 경작'을 들 수 있다.

① ㄱ, ㄴ ② ㄱ, ㄹ ③ ㄴ, ㄷ
④ ㄱ, ㄷ, ㄹ ⑤ ㄴ, ㄷ, ㄹ

15 자료의 밑줄 친 내용으로 형성된 지형만을 《보기》에서 있는 대로 고른 것은?

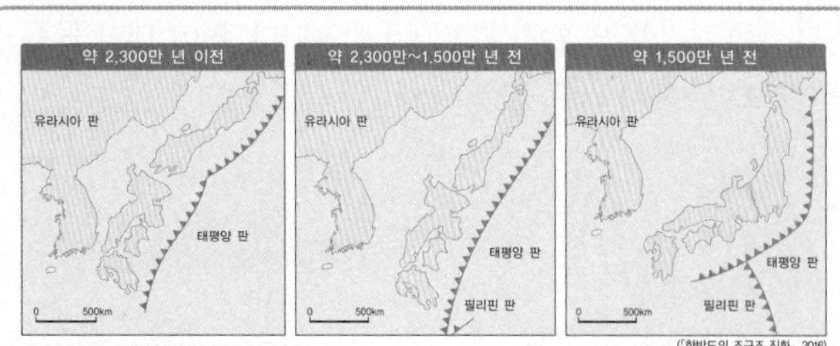

한반도 주변의 판 이동

신생대 제3기 이후에 일본이 한반도에서 분리되면서 그 사이에 동해가 형성되었다. 동해 지각이 확장되면서 한반도에는 강한 횡압력이 작용하였다.

《보기》
ㄱ. 동해안에 위치한 계단 모양의 해안 지형
ㄴ. 동해안을 따라 분포하는 바다와 분리된 호수
ㄷ. 태백산맥 일대의 해발 고도가 높고 평탄한 지형
ㄹ. 한강 중 · 상류의 경사가 급하고 구불구불 흐르는 하천

① ㄱ, ㄴ ② ㄱ, ㄹ ③ ㄴ, ㄷ
④ ㄱ, ㄷ, ㄹ ⑤ ㄴ, ㄷ, ㄹ

(빈출 문제) 연계 자료 → 21쪽 빈출 자료 03

16 지도에 표시된 A, B 지역에 대한 옳은 설명을 《보기》에서 고른 것은?

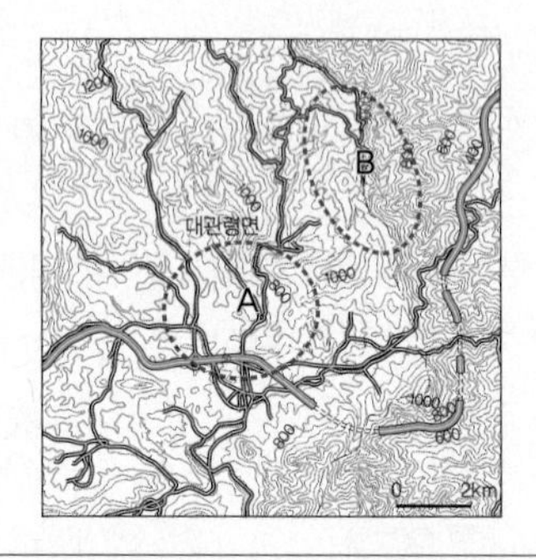

《보기》
ㄱ. A는 동위도의 저지대보다 상대 습도가 낮은 편이다.
ㄴ. A는 여름에 기온이 낮아 주로 시설을 설치하여 각종 채소를 재배한다.
ㄷ. B의 능선은 한강과 동해로 흐르는 하천의 분수계에 해당한다.
ㄹ. A와 B의 평탄한 부분에서는 영농에 따른 토양 침식 문제가 발생할 가능성이 있다.

① ㄱ, ㄴ ② ㄱ, ㄷ ③ ㄴ, ㄷ ④ ㄴ, ㄹ ⑤ ㄷ, ㄹ

유사 선택지 문제

16_ ❶ A 지역에서는 고랭지 작물을 주로 재배한다. (○ / ×)
16_ ❷ A 지역은 풍력 발전소 건설에 유리하다. (○ / ×)

서술형 문제

17 자료는 지질 시대의 일부를 나타낸 것이다. 이를 보고 물음에 답하시오.

2억 4,500만 년 전 ↓ 6,500만 년 전 ↓

중생대			신생대	
트라이아스기	쥐라기	백악기	제3기	제4기
평안 누층군	대동 누층군	경상 누층군	제3계	제4계
↑ 송림 변동	↑ ㉠	↑ 불국사 변동	↑ ㉡	↑ 화산 활동

(1) ㉠에 해당하는 지각 변동의 이름을 쓰시오.

(2) ㉡의 영향으로 동해안을 따라 형성된 산맥 두 개를 쓰시오.

18 다음과 같은 지형이 형성되는 데 공통적으로 영향을 미친 요인을 서술하시오.

- 서해안으로 흐르는 하천 하류에 형성된 범람원
- 남서 해안에 발달한 섬이 많고 해안선이 복잡한 다도해
- 동해안의 사주가 발달하면서 만의 입구를 막아 형성된 석호

19 다음 자료를 보고 물음에 답하시오.

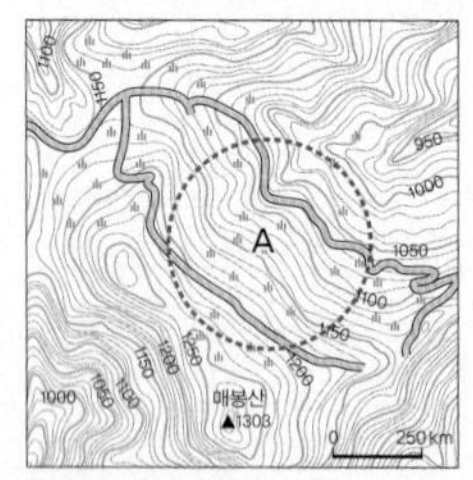

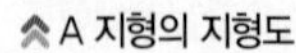

A 지형의 지형도

A 지형에서 이루어지는 채소 재배

(1) A 지형의 이름과 형성 원인을 서술하시오.

(2) A 지형에서는 영농 과정 중 토양 침식이 발생할 수 있다. 이러한 문제점을 방지하기 위해 이용되고 있는 경작 방식을 쓰시오.

상위 4% 문제

정답 및 해설 10쪽

| 평가원 응용 |

01 ㉠, ㉡ 암석에 대한 설명으로 옳지 않은 것은?

> • [㉠](으)로 이루어진 산의 정상부는 흰색에 가까운 암석이 노출되어 있다. 북한산 인수봉과 설악산 울산 바위는 이 암석으로 이루어져 있다.
> • [㉡](으)로 이루어진 산의 정상부는 [㉠](으)로 만들어진 산의 정상부에 비해 암석의 노출이 적고, 상대적으로 두꺼운 토양층을 이루는 경우가 많다. [㉡]은/는 지리산, 덕유산의 주요 기반암이다.

① ㉠은 삼국 시대와 고려 시대에 석탑을 만드는 재료로 널리 이용되었다.
② ㉡은 평북·개마 지괴, 경기 지괴, 영남 지괴를 중심으로 분포한다.
③ ㉠은 ㉡보다 형성 시기가 이르다.
④ ㉡은 ㉠보다 변성 작용을 많이 받았다.
⑤ ㉠과 ㉡으로 이루어진 침식 분지에서 ㉡은 주로 배후 산지를 이룬다.

| 평가원 응용 |

02 다음 자료의 (가)~(마)에 대한 설명으로 옳은 것은?

<table>
<tr><th rowspan="2">지질 시대</th><th rowspan="2">시생대</th><th rowspan="2">원생대</th><th colspan="3">고생대</th><th colspan="3">중생대</th><th colspan="2">신생대</th></tr>
<tr><th colspan="3">캄브리아기…석탄기-페름기</th><th>트라이아스기</th><th>쥐라기</th><th>백악기</th><th>제3기</th><th>제4기</th></tr>
<tr><td>지질 계통</td><td colspan="2">(가)</td><td>(나)</td><td>결층</td><td colspan="2">(다)</td><td>대동 누층군</td><td>경상 누층군</td><td>제3계</td><td>제4계</td></tr>
<tr><td>주요 지각 변동</td><td colspan="2">↑ 변성 작용</td><td colspan="3">↑ 조륙 운동</td><td>↑ 송림 변동</td><td>↑ (라)</td><td>↑ 불국사 변동</td><td>↑ (마)</td><td>↑ 화산 활동</td></tr>
</table>

① (가)-금강산, 설악산 등의 기반암을 이루고 있다.
② (나)-습지였던 지층에 무연탄이 매장되어 있다.
③ (다)-바다에서 형성되었으며 주로 석회암이 분포한다.
④ (라)-랴오둥(동북동-서남서) 방향의 지질 구조선이 형성되었다.
⑤ (마)-태백산맥, 함경산맥 등의 형성에 영향을 주었다.

| 평가원 응용 |

03 ㉠, ㉡ 시기에 대한 옳은 설명만을 《보기》에서 있는 대로 고른 것은?

> 신생대 제4기 내에서 상대적으로 기온이 낮은 시기를 빙기라고 한다. 최후 빙기는 약 7만 5천 년 전부터 약 1만 년 전까지였으며, ㉠ 약 2만 년 전에는 최근보다 8℃ 정도 기온이 낮았다. 최후 빙기가 끝난 약 1만 년 전 이후부터 지구의 기온이 상승하여, ㉡ 약 6천 년 전에는 약 2만 년 전에 비해 9℃ 정도 기온이 더 높았다.

《보기》
ㄱ. ㉠ 시기에는 제주도와 마라도가 육지와 연결되었다.
ㄴ. ㉡ 시기 이후 서해안에 갯벌이 형성되었다.
ㄷ. ㉠ 시기는 ㉡ 시기보다 하천 상류에서 침식 작용이 활발하였다.
ㄹ. ㉡ 시기는 ㉠ 시기보다 한반도에서 물리적 풍화 작용이 활발하였다.

① ㄱ, ㄴ ② ㄱ, ㄹ ③ ㄴ, ㄷ
④ ㄱ, ㄷ, ㄹ ⑤ ㄴ, ㄷ, ㄹ

| 교육청 응용 |

04 그림은 지도의 A~C에 해당하는 지형 단면도이다. 이에 대한 옳은 설명만을 《보기》에서 있는 대로 고른 것은?

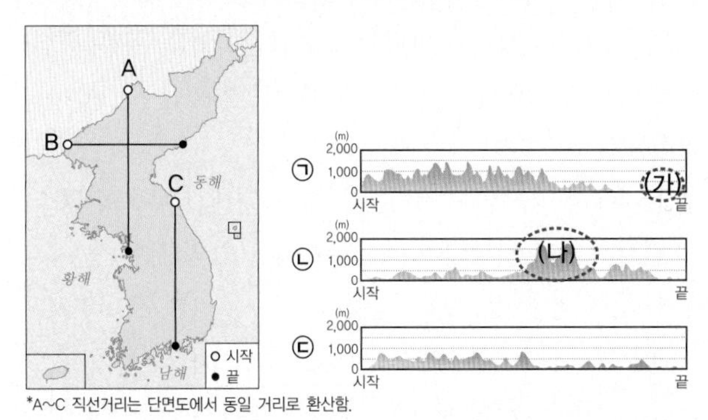

*A~C 직선거리는 단면도에서 동일 거리로 환산함.

《보기》
ㄱ. ㉠에서 시작 지점은 백두산 주변의 두만강 유로에 위치한다.
ㄴ. ㉠의 (가)는 한강 하류의 유로가 지난다.
ㄷ. ㉡의 (나)는 관서 지방과 관북 지방의 경계를 이룬다.
ㄹ. ㉢에는 태백산맥과 소백산맥의 일부가 포함된다.

① ㄱ, ㄴ ② ㄱ, ㄹ ③ ㄴ, ㄷ
④ ㄱ, ㄷ, ㄹ ⑤ ㄴ, ㄷ, ㄹ

04 하천 지형과 해안 지형

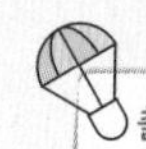

출제 경향
★우리나라 하천의 특색
★하천 침식 지형과 퇴적 지형
★곶과 만에서 발달하는 해안 침식 지형과 해안 퇴적 지형

01 하천 지형

1. 우리나라 하천의 특색

(1) 유량의 변화가 큼: 여름철에 홍수가 자주 발생함, 수력 발전과 하천 교통에 불리함

(2) 감조 하천 빈출 자료 01

① 조류의 영향으로 하천 수위가 주기적으로 변하는 하천

② 여름철에 집중 호우와 만조가 겹치면 홍수 피해가 커짐

③ 염해 방지와 용수 확보를 위해 낙동강, 금강, 영산강 하구에 하굿둑이 건설됨

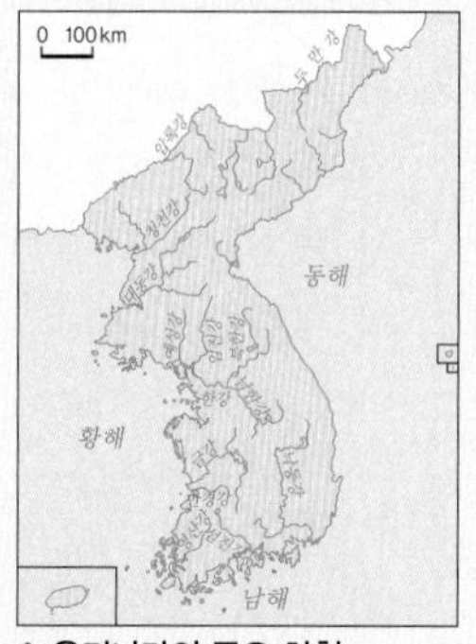

⌃ 우리나라의 주요 하천

(3) 하천의 상류와 하류의 상대적 특징

구분	상류	하류
하천 경사	급함	완만함
침식	하방 침식 우세	측방 침식 우세
퇴적물의 입자 크기	큼	작음
퇴적물의 원마도	낮음	높음

2. 하천 중 · 상류 일대의 지형 빈출 자료 02

(1) 감입 곡류 하천: 산지 사이를 곡류하는 하천, 신생대에 경동성 요곡 운동으로 하천의 경사가 급해져 하방 침식이 활발해지면서 형성

(2) 하안 단구: 하천 주변에 나타나는 계단 모양의 지형, 단구면은 과거에 하천의 바닥이나 범람원이었음, 홍수 위험성이 낮아 취락이 발달하거나 농경지로 이용됨

(3) 선상지

① 산지에서 평지로 이어지는 계곡 입구에서 유속이 감소하면서 토사가 퇴적되어 형성된 부채 모양의 지형

② 선정, 선앙, 선단으로 구분됨

선정	계곡에서 물을 구할 수 있기 때문에 취락 입지
선앙	하천이 복류하여 지표수가 부족하기 때문에 밭이나 과수원으로 이용됨, 취락은 대부분 산촌임
선단	용천(샘)이 있어 취락 입지, 논으로 이용

(4) 침식 분지

① 주위가 산지로 둘러싸인 평지 지형, 암석의 차별적인 풍화와 침식으로 형성, 화강암을 변성암이나 퇴적암이 둘러싸고 있는 지역이나 하천 합류 지역에서 잘 형성됨

② 일찍부터 주거지 및 농경지로 발달 → 춘천, 충주 등 전통적인 내륙 지역의 중심지는 대부분 침식 분지에 입지

3. 하천 중 · 하류 일대의 지형 빈출 자료 02

(1) 자유 곡류 하천: 평야 위를 곡류하는 하천

① 자연 상태에서 측방 침식이 활발하여 유로가 자주 변경됨 → 우각호, 구하도 등이 발달

② 최근 직강 공사로 자유 곡류 하천이 감소함

(2) 범람원: 하천의 범람으로 하천이 운반하던 물질이 쌓여 형성

구분	자연 제방	배후 습지
해발 고도	배후 습지보다 높아 상대적으로 침수 위험이 낮음	자연 제방보다 낮아 상대적으로 침수 위험이 높음
토양	모래 비율이 높아 배수 양호	점토질 토양으로 배수 불량
토지 이용	밭 · 과수원, 취락 입지	논

(3) 삼각주: 하천의 하구에서 유속의 감소로 하천 운반 물질이 퇴적되어 형성, 수심이 얕고 조차가 작으며 하천이 공급하는 토사의 양이 많을 때 잘 형성됨

02 해안 지형

1. 동해안과 서 · 남해안의 특징

(1) 동해안: 산맥과 해안선의 방향이 평행하여 해안선이 단조로움, 지반 융기의 영향을 많이 받음

(2) 서 · 남해안: 산맥과 해안선의 방향이 교차하여 해안선이 복잡함(리아스 해안), 조차가 크고 갯벌 발달

2. 해안의 침식 지형과 퇴적 지형 빈출 자료 03

(1) 곶과 만

① 곶: 육지가 바다 쪽으로 돌출한 해안, 파랑의 침식 작용 활발

② 만: 바다가 육지 쪽으로 들어간 해안, 파랑의 퇴적 작용 활발

(2) 침식 지형: 주로 곶에서 파랑의 침식 작용으로 형성

해식애	급경사의 해안 절벽
시 스택	육지와 분리되어 남은 돌기둥이나 작은 바위섬
파식대	• 파랑의 침식 작용으로 형성된 평탄면의 지형 • 해식애가 침식 작용으로 육지 쪽으로 후퇴하면서 점차 넓어짐
해안 단구	과거의 파식대나 해안 퇴적 지형이 지반의 융기나 해수면 하강으로 당시의 해수면보다 높은 곳에 위치하게 된 계단 모양의 지형

(3) 퇴적 지형: 주로 만에서 파랑, 연안류, 조류의 퇴적 작용으로 형성

사빈	모래가 파랑과 연안류에 의해 퇴적되어 형성
해안 사구	사빈의 모래가 바다로부터 불어오는 바람에 날려 퇴적되어 형성
석호	후빙기 해수면 상승으로 형성된 만의 입구에 사주가 발달하면서 만의 입구를 가로막아 형성, 호숫물의 염도는 바닷물보다는 낮고 민물보다는 높음

빈출 특강

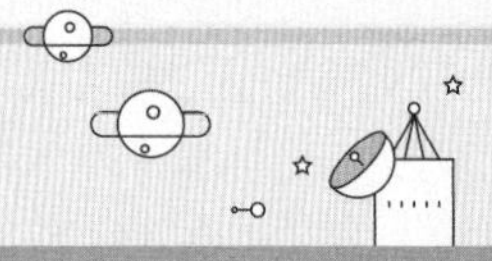

대표 유형

빈출 자료 01 감조 하천 | 연계 문제 → 30쪽 01번

〈○○강의 지점별 수위 변동〉 〈○○강의 하상 종단 곡선〉

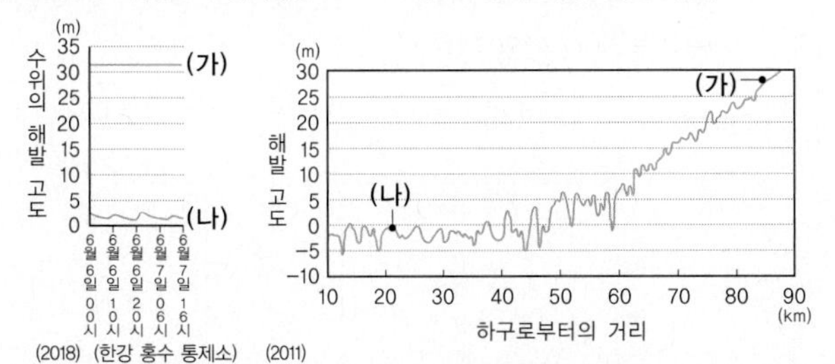

*조사 기간 동안 해당 지역에 강수는 없었으며, 하굿둑은 설치되어 있지 않음.

| 자료 분석 | 하천의 상류는 하류에 비해 유량이 적고, 하천 바닥의 경사가 급하다. 따라서 (가)는 하천의 상류, (나)는 하천의 하류이다. 우리나라에서 황해로 흐르는 하천은 대부분 감조 하천으로, 감조 하천에서는 하천의 수위가 조류의 영향으로 주기적으로 오르내린다. 그래프에서 (나) 지점의 수위가 주기적으로 변하므로 ○○강은 감조 하천이다.

빈출 자료 02 감입 곡류 하천과 자유 곡류 하천 | 연계 문제 → 31쪽 03번

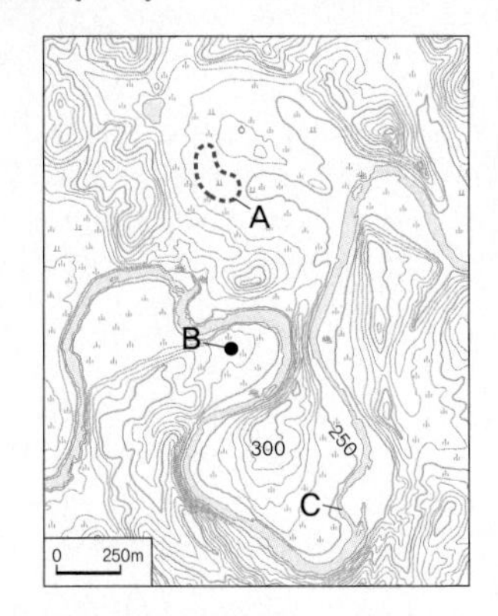

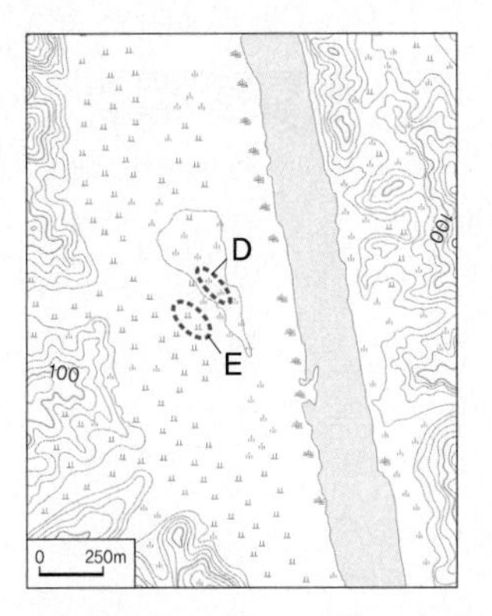

| 자료 분석 | 경동성 요곡 운동으로 하천의 경사가 급해지면서 하방 침식이 활발해져 감입 곡류 하천이 형성되었고, 그 주변에는 하안 단구가 만들어졌다. 지도에서 A는 구하도, B는 하안 단구, C는 감입 곡류 하천이다. 감입 곡류 하천에서는 측방 침식으로 유로가 절단되기도 하는데, A가 그 흔적이다. 하천 하류의 자유 곡류 하천 주변에는 하천의 범람으로 자연 제방(D)과 배후 습지(E)가 형성되었다.

빈출 자료 03 해안 지형 | 연계 문제 → 33쪽 17번

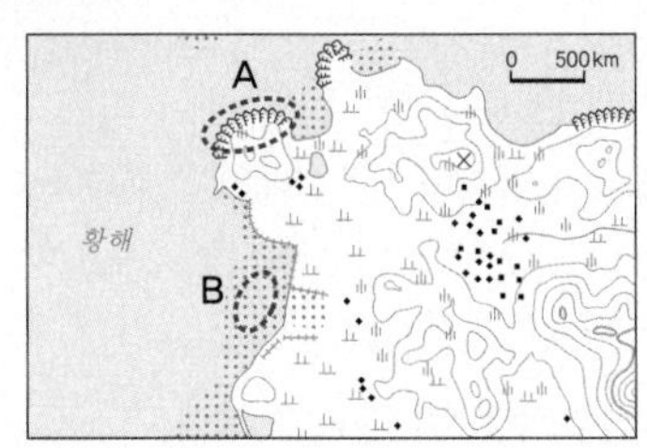

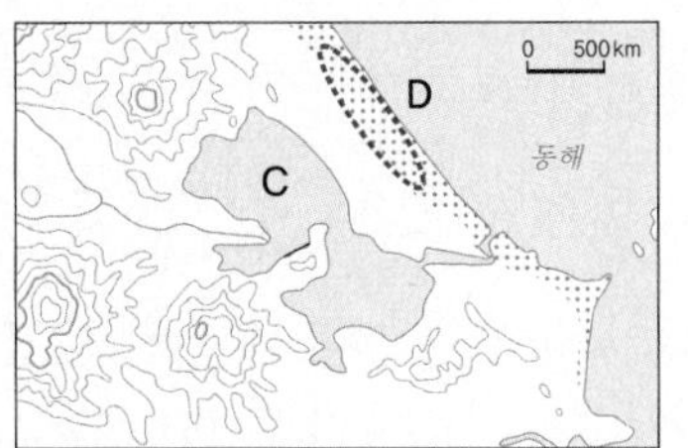

| 자료 분석 | 동해안과 서해안 모두 돌출 부분은 파랑의 침식으로 암석 해안(A)이 발달한다. 서해안은 조차가 크기 때문에 갯벌이 곳곳에 발달하였다. 동해안은 암석 해안과 모래 해안이 발달한다. 지도에서 갯벌(B)은 바다 쪽에 점들이 표시되어 있고, 사빈(D)은 육지 쪽에 점들이 표시되어 있다. C는 동해안에 주로 발달하는 석호이다.

자주 나오는 오답 선택지

빈출 자료 01에서 자주 나오는 오답 선택지

① (나) 지점에서 하천의 수위가 주기적으로 변하므로 ○○강은 (㉠)의 영향으로 하천 수위가 주기적으로 오르내리는 (㉡)이다.
→ ㉠ 조류 → ㉡ 감조 하천

② ○○강의 하구 부근은 조차가 크기 때문에 조류의 퇴적 작용으로 형성된 (㉢) 등 다양한 지형이 분포한다.
→ ㉢ 갯벌

③ 하천의 상류는 하류에 비해 유량이 풍부하고 측방 침식이 활발하다. (상류는 하류에 비해 → 하류는 상류에 비해)
→ 하천의 상류는 하류에 비해 유량이 적고 하방 침식이 활발하다.

④ 하천의 하류는 상류에 비해 퇴적 물질의 원마도가 낮다. (낮다 → 높다)
→ 퇴적 물질의 원마도는 하류가 상류보다 높다.

빈출 자료 02에서 자주 나오는 오답 선택지

① A~E 중 하안 단구에 해당하는 (㉠)에서는 하천의 작용으로 형성된 둥근 자갈이 발견된다.
→ ㉠ B

② A~E 중 범람원의 배후 습지인 (㉡)은/는 자연 제방인 (㉢)보다 범람에 의한 침수 가능성이 높다.
→ ㉡ E → ㉢ D

③ 배후 습지는 자연 제방보다 배수가 양호하다. (양호하다 → 불량하다)
→ 주로 점토질 토양이므로 배수가 불량하다.

④ 논농사가 이루어지는 A는 배후 습지이다. (배후 습지 → 구하도)

⑤ C는 감입 곡류 하천으로 하방 침식에 비해 측방 침식이 활발하다. (→ 측방 침식에 비해 하방 침식이 활발하다.)

⑥ D는 E보다 범람에 의한 침수 가능성이 높다. (높다 → 낮다)
→ 자연 제방은 배후 습지보다 해발 고도가 높아 범람에 의한 침수 가능성이 낮다.

빈출 자료 03에서 자주 나오는 오답 선택지

① A는 파랑의 침식 작용을 받아 기반암이 드러난 (㉠) 해안이다.
→ ㉠ 암석

② B는 조류의 퇴적 작용으로 형성된 (㉡)이다.
→ ㉡ 갯벌

③ C는 후빙기 해수면 상승 이후 (㉢)가 발달하면서 만의 입구를 막아 형성된 (㉣)이다.
→ ㉢ 사주 → ㉣ 석호

④ D는 파랑과 연안류의 퇴적 작용으로 형성된 (㉤)이다.
→ ㉤ 사빈

⑤ 석호의 물은 농업용수로 이용된다. (이용된다 → 이용되지 못한다)
→ 석호의 물은 염도가 높아 농업용수로 이용하기 어렵다.

시험에 꼭 나오는 문제

개념 확인 문제

01 지도에 표시된 A~E 지형의 이름을 쓰시오.

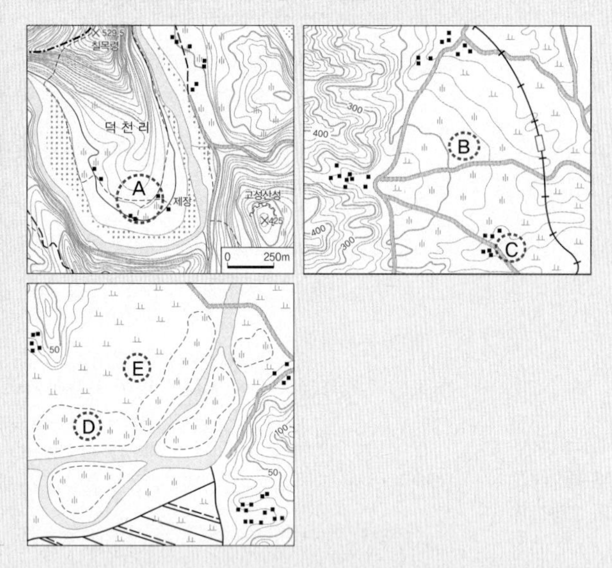

02 그림에 표시된 A~G 지형의 이름을 쓰시오.

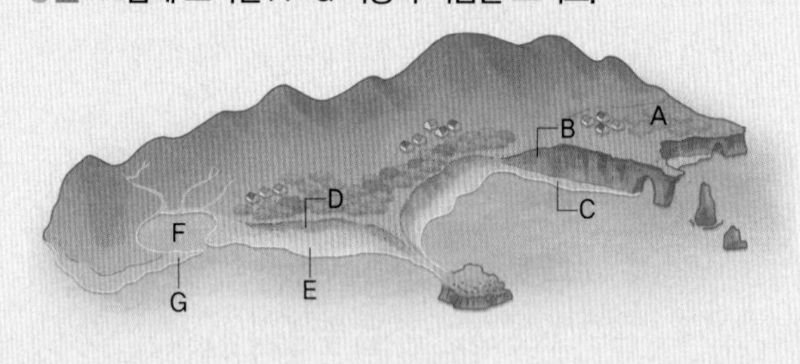

03 빈칸에 들어갈 알맞은 말을 쓰시오.

(1) 하굿둑은 낙동강, (　　　), 영산강 하구에 건설되어 있다.

(2) (　　　) 하천은 산지 사이를 곡류하는 하천이다.

(3) 바닷물의 수위 변화에 따라 하천의 수위가 주기적으로 오르내리는 하천을 (　　　) 하천이라고 한다.

(4) (　　　)은/는 해안 절벽 위의 넓고 평탄한 지형으로, 둥근 자갈이 발견된다.

(5) (　　　)은/는 하천이 바닥을 깎는 작용으로, 하천의 경사가 급한 곳에서 활발하다.

(6) 선앙은 하천이 복류하여 주로 (　　　)농사가 이루어진다.

(7) (　　　)은/는 주위가 산지로 둘러싸인 평지 지형으로, 암석의 차별적인 풍화와 침식으로 형성된다.

(8) 서 · 남해안에는 하천의 침식 작용을 받은 골짜기가 후빙기 해수면 상승으로 침수된 (　　　) 해안이 발달해 있다.

01 하천 지형

빈출 문제 연계 자료 → 29쪽 빈출 자료 01

01 그래프는 태백산맥에서 황해와 동해로 흐르는 두 하천의 일부 구간의 바닥 고도를 나타낸 것이다. (가), (나) 하천에 대한 설명으로 옳지 않은 것은?

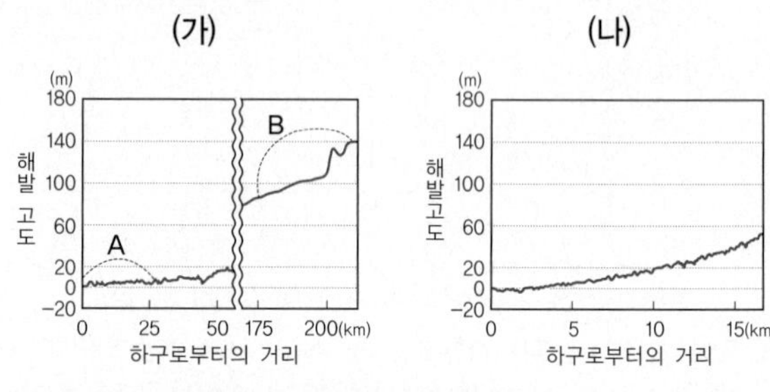

① (가)의 A 주변에는 범람원이 분포한다.
② (가)의 B 주변은 A 주변보다 측방 침식이 활발하다.
③ (가)는 (나)보다 하구에서의 유량이 많다.
④ (가)의 B에는 감입 곡류 하천이 분포한다.
⑤ (가)의 하류는 (나)의 하류보다 감조 구간이 길다.

유사 선택지 문제

01_ ❶ (가)의 A 지역은 B 지역보다 하천 바닥의 경사가 급하다. (○ / ×)

01_ ❷ (가)는 (나)보다 유로가 길다. (○ / ×)

02 표는 하천의 퇴적 작용으로 형성된 충적 평야 지형에 대한 것이다. ㉠~㉤에 대한 설명으로 옳지 않은 것은?

㉠	산지와 평지가 만나는 골짜기 입구에 유속의 감소로 하천이 운반하던 물질이 쌓여 형성됨
㉡	하천의 범람에 의해 운반된 물질이 하천 양안에 쌓여 형성되는데, ㉢ 자연 제방과 (㉣)(으)로 구성됨
㉤	바다로 흘러드는 하천의 하구에 토사가 쌓여 형성된 지형으로, ㉡과 같이 자연 제방과 (㉣)(으)로 구성됨

① ㉠은 선정, 선앙, 선단으로 구성된다.
② ㉡의 규모는 대체로 상류에 비해 하류가 크다.
③ ㉢은 ㉣보다 밭으로 이용되는 비율이 높다.
④ ㉣은 ㉢보다 모래의 비율이 높아 배수가 양호하다.
⑤ ㉤은 하천의 토사 운반량이 많고 조차가 작은 해안에서 발달에 유리하다.

(빈출 문제) 연계 자료 → 29쪽 빈출 자료 02

03 다음 글의 ㉠~㉤에 대한 설명으로 옳지 않은 것은?

우리나라 대하천의 중·상류에는 ㉠ 산지 사이의 골짜기를 구불거리면서 흐르는 하천이 발달하였으며, 이러한 ㉡ 하천 주변에는 계단 모양의 지형도 나타난다. 반면 하천 중·하류에는 ㉢ 충적 평야 위를 구불거리면서 흐르는 하천을 볼 수 있다. 오늘날 이러한 하천은 대부분 ㉣ 직강 공사가 이루어져 찾아보기 어렵다. ㉤ 하천이 바다로 유입되는 하구에는 유속이 감소하면서 하천의 운반 물질이 퇴적되어 형성된 평야가 분포하는데, 우리나라의 경우 낙동강 하구에 발달해 있다.

① ㉠－신생대 제3기 경동성 요곡 운동과 관련 있다.
② ㉡－평탄면에는 둥근 자갈이나 모래가 분포한다.
③ ㉢－자연 상태에서는 측방 침식이 진행되면서 유로가 절단되는 현상이 발생하기도 한다.
④ ㉣－하천의 유속을 감소시켜 홍수의 위험성이 높아지는 원인이 된다.
⑤ ㉤－자연 제방과 배후 습지로 구성된다.

유사 선택지 문제

03_ ❶ ㉠은 ㉢에 비해 하방 침식이 우세하다. (○ / ×)
03_ ❷ ㉤은 조차가 큰 서해안에서 잘 발달한다. (○ / ×)

04 지도에 나타난 지역에 대한 옳은 설명을 《 보기 》에서 고른 것은?

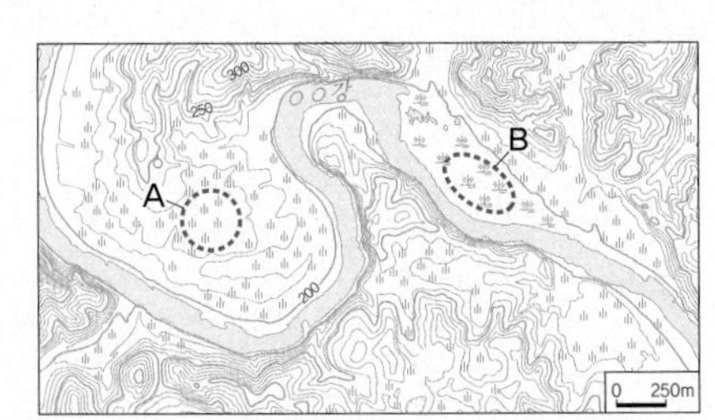

《 보기 》
ㄱ. A에서는 둥근 자갈이나 모래가 나타난다.
ㄴ. B는 유로의 공격 사면에 해당한다.
ㄷ. ○○강의 형성에는 지반 융기가 영향을 미쳤다.
ㄹ. A는 B보다 ○○강의 범람에 의한 침수 가능성이 높다.

① ㄱ, ㄴ ② ㄱ, ㄷ ③ ㄴ, ㄷ
④ ㄴ, ㄹ ⑤ ㄷ, ㄹ

05 그림은 어느 하천 주변의 지형 형성 과정을 나타낸 것이다. (나)와 비교한 (가)의 상대적 특징을 그림의 A~E에서 고른 것은?

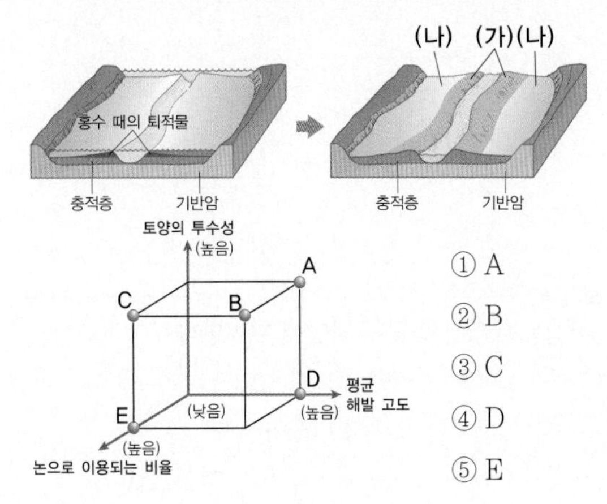

① A
② B
③ C
④ D
⑤ E

06 지도의 A~D에 대한 옳은 설명을 《 보기 》에서 고른 것은?

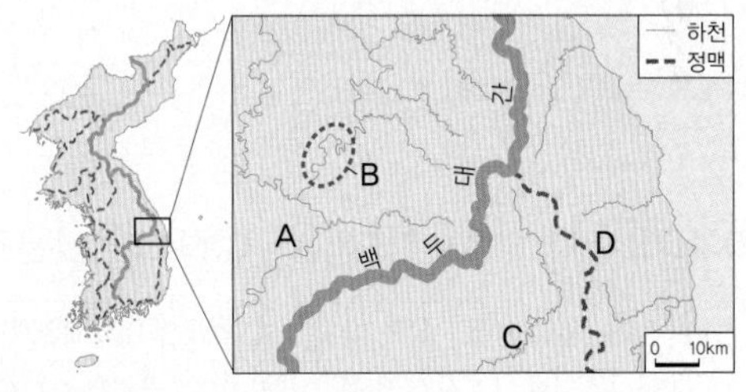

《 보기 》
ㄱ. A 하천의 하구에는 하굿둑이 건설되어 있다.
ㄴ. B 하천 구간에는 감입 곡류 하천이 나타난다.
ㄷ. C 하천의 하구에는 삼각주가 형성되어 있다.
ㄹ. D의 동쪽은 영동 지방, 서쪽은 영서 지방이다.

① ㄱ, ㄴ ② ㄱ, ㄷ ③ ㄴ, ㄷ
④ ㄴ, ㄹ ⑤ ㄷ, ㄹ

07 지도의 A~C 지형에 대한 설명으로 옳지 않은 것은?

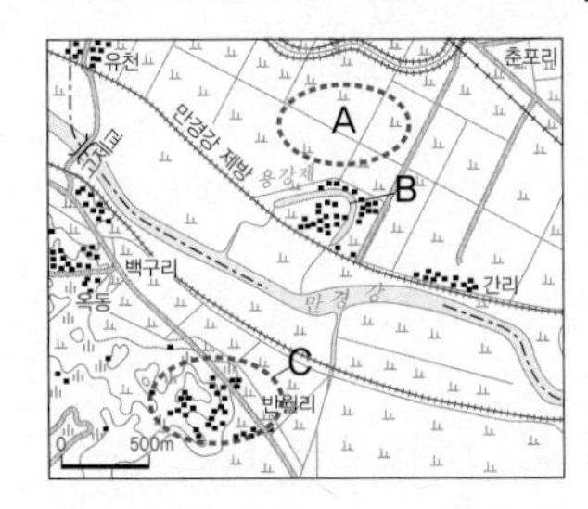

① A의 토양은 점토 비율이 높아 배수가 불량하다.
② B 호수는 자연 상태에서 면적이 점차 줄어들 것이다.
③ C 마을은 자연 제방에 위치하여 홍수 시 침수 위험이 낮다.
④ 만경강은 직강 공사로 유로가 바뀌었을 것이다.
⑤ 용강제 주변의 마을은 A에 비해 해발 고도가 높을 것이다.

08 지도의 (가), (나) 지형에 대한 옳은 설명을 《보기》에서 고른 것은?

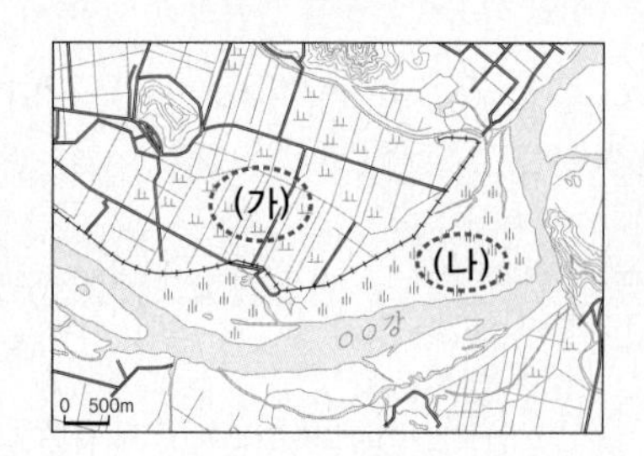

《보기》
ㄱ. (나)는 ○○강의 공격 사면에 위치한다.
ㄴ. (가)는 (나)보다 해발 고도가 높다.
ㄷ. (나)는 (가)보다 모래의 비율이 높다.
ㄹ. (가)와 (나) 모두 하천의 범람으로 형성되었다.

① ㄱ, ㄴ ② ㄱ, ㄷ ③ ㄴ, ㄷ
④ ㄴ, ㄹ ⑤ ㄷ, ㄹ

09 표의 (가)~(다) 하천을 지도의 A~C에서 고른 것은?

하천명	하천 길이 (km)	유역 면적 (km²)	유역 내 인구(만 명)	용도별 이용 비율(%)		
				생활용수	공업용수	농업용수
(가)	510	23,384	670	25	18	57
(나)	494	35,770	2,089	60	6	34
(다)	398	9,912	338	33	7	60
섬진강	224	4,912	28	18	3	79
영산강	130	3,468	187	27	5	68

(2014)

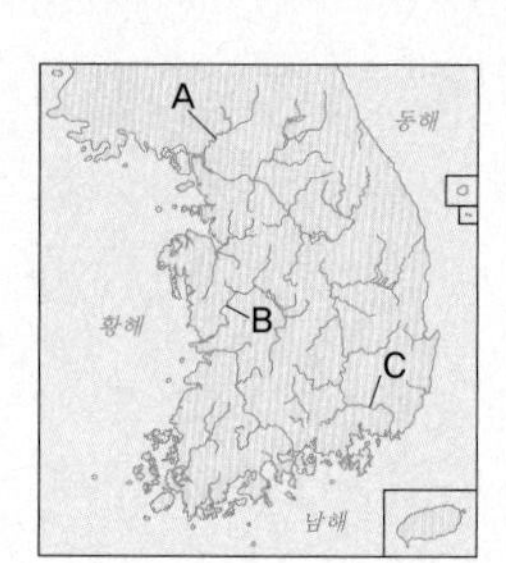

	(가)	(나)	(다)
①	A	B	C
②	A	C	B
③	B	A	C
④	C	A	B
⑤	C	B	A

10 하천 지형에 대한 설명으로 옳지 않은 것은?

① 선상지의 선단에서는 하천이 복류한다.
② 황해로 흐르는 하천은 대부분 감조 하천이다.
③ 우리나라의 하천은 대부분 하상계수가 큰 편이다.
④ 하굿둑은 낙동강, 금강, 영산강 하구에 건설되어 있다.
⑤ 침식 분지에서는 기온 역전 현상으로 안개가 잘 발생한다.

11 지도에 표시된 (가), (나) 하천 구간의 상대적 특징이 그림과 같이 나타날 때, A, B에 들어갈 내용으로 옳은 것은?

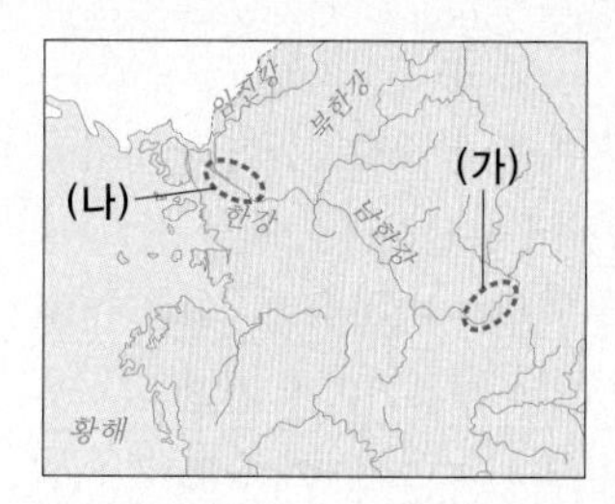

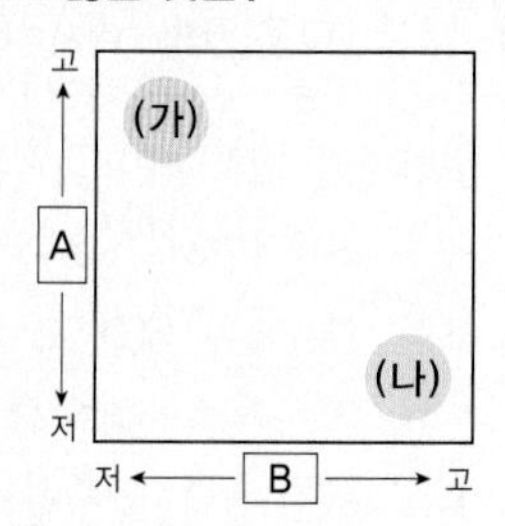

* 고(저)는 높음(낮음), 큼(작음), 많음(적음)을 의미함.

	A	B
①	하천의 평균 폭	하천의 평균 유량
②	하천의 평균 폭	하천 바닥의 평균 경사
③	하천의 평균 유량	하천의 평균 폭
④	하천 퇴적 물질의 평균 크기	하천의 평균 유량
⑤	하천 퇴적 물질의 평균 크기	하천 바닥의 평균 경사

12 지도의 A~D 지형에 대한 옳은 설명을 《보기》에서 고른 것은?

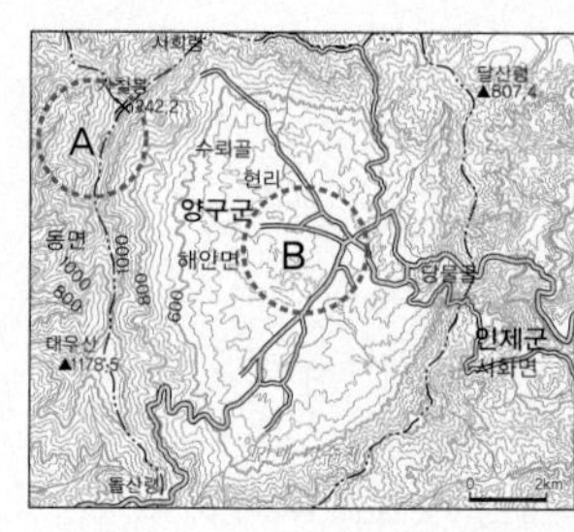

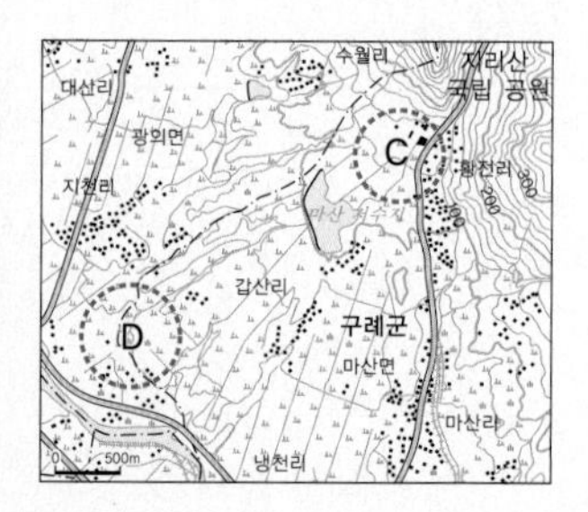

《보기》
ㄱ. B의 기반암은 주로 중생대에 관입한 화강암이다.
ㄴ. A 기반암은 B의 기반암보다 하천 침식에 약하다.
ㄷ. C는 선상지의 선정에 해당한다.
ㄹ. D는 C보다 하천 퇴적 물질의 평균 입자 크기가 크다.

① ㄱ, ㄴ ② ㄱ, ㄷ ③ ㄴ, ㄷ
④ ㄴ, ㄹ ⑤ ㄷ, ㄹ

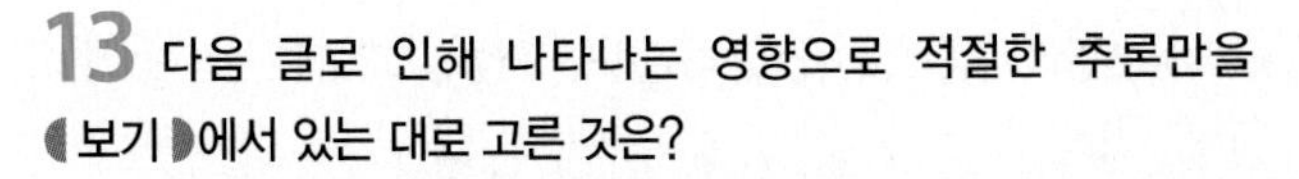

13 다음 글로 인해 나타나는 영향으로 적절한 추론만을 《보기》에서 있는 대로 고른 것은?

> 도시에서는 녹지 면적이 감소하고 지표면이 콘크리트나 아스팔트로 포장된 면적이 증가하였다.

《 보기 》
ㄱ. 강수 시에 빗물의 지표 유출량이 증가할 것이다.
ㄴ. 평상 시 도시를 흐르는 하천의 유량이 많아질 것이다.
ㄷ. 강수 시 도시를 흐르는 하천의 최고 수위가 높아질 것이다.
ㄹ. 강수 시 도시를 흐르는 하천의 수위 상승 속도가 빨라질 것이다.

① ㄱ, ㄴ ② ㄱ, ㄹ ③ ㄷ, ㄹ
④ ㄱ, ㄷ, ㄹ ⑤ ㄴ, ㄷ, ㄹ

02 해안 지형

14 해안 지형에 대한 옳은 설명을 《보기》에서 고른 것은?

《 보기 》
ㄱ. 바다에서 육지 쪽으로 들어간 해안은 대체로 기반암이 노출되어 있다.
ㄴ. 겨울철에 북서풍이 탁월할 때에 동해안 지역에서는 해안 사구 형성이 활발하다.
ㄷ. 해안 사구와 갯벌은 모두 태풍 및 해일의 피해를 완화시키는 기능이 있다.
ㄹ. 시 스택은 파랑의 침식 작용을 받아 육지와 분리된 돌기둥이나 작은 바위섬이다.

① ㄱ, ㄴ ② ㄱ, ㄷ ③ ㄴ, ㄷ ④ ㄴ, ㄹ ⑤ ㄷ, ㄹ

15 다음 자료의 A~C 지형에 대한 옳은 설명을 《보기》에서 고른 것은?

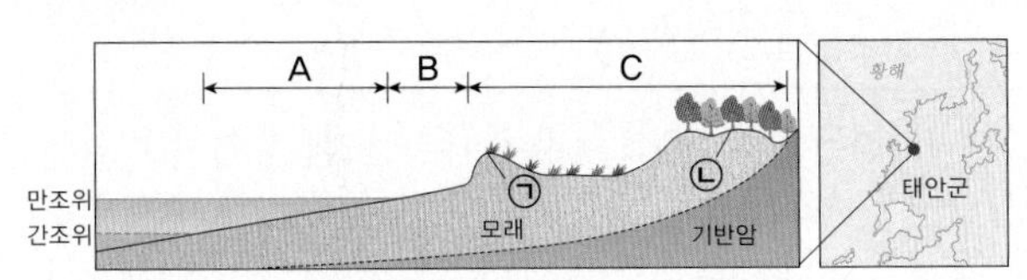

《 보기 》
ㄱ. A는 최종 빙기에 육지의 일부였다.
ㄴ. B는 조류의 운반 물질이 퇴적되어 형성되었다.
ㄷ. C에서 ㉡은 ㉠보다 형성 시기가 이르다.
ㄹ. B, C는 파랑 에너지가 집중되는 해안에서 잘 발달한다.

① ㄱ, ㄴ ② ㄱ, ㄷ ③ ㄴ, ㄷ ④ ㄴ, ㄹ ⑤ ㄷ, ㄹ

16 표는 권역별 세 해안 지형의 면적 비율을 나타낸 것이다. (가)~(다)에 해당하는 지형으로 옳은 것은?

(단위: %)

구분	(가)	(나)	(다)
강원권	100.0	–	22.6
수도권	–	35.2	5.8
충청권	–	14.3	29.8
호남권	–	46.8	27.3
영남권	–	3.7	9.8
제주권	–	–	4.7
합계	100.0	100.0	100.0

(2016)

	(가)	(나)	(다)
①	갯벌	석호	해안 사구
②	갯벌	해안 사구	석호
③	석호	갯벌	해안 사구
④	석호	해안 사구	갯벌
⑤	해안 사구	갯벌	석호

(빈출 문제) 연계 자료 → 29쪽 빈출 자료 03

17 지도의 A~E 지형에 대한 설명으로 옳은 것은?

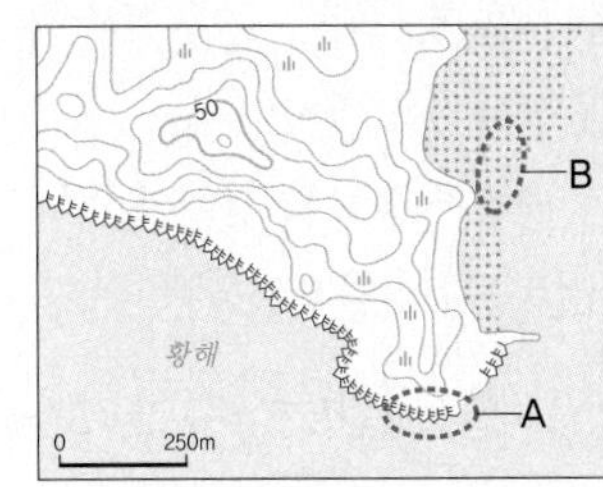

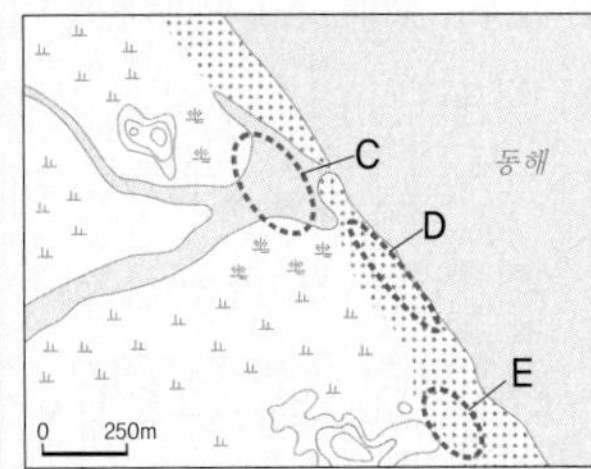

① A는 파랑의 퇴적 작용으로 인해 바다 쪽으로 성장한다.
② B는 주로 파랑과 연안류의 퇴적 작용으로 형성된 지형이다.
③ C의 호수 크기는 시간이 지나면서 점차 작아지고 있다.
④ D는 주로 조류의 퇴적 작용으로 형성된 지형이다.
⑤ E에는 주로 북서풍에 의해 모래가 이동하면서 퇴적된 해안 사구가 형성되어 있다.

유사 선택지 문제

17_ ❶ 퇴적물의 평균 입자 크기는 D>E>B 순으로 크다. (○ / ×)
17_ ❷ C의 물은 주변 농경지에 농업용수로 이용한다. (○ / ×)
17_ ❸ 규모가 큰 E는 주로 동해안보다 서해안에 발달하였다. (○ / ×)

18 지도의 A~E 지형에 대한 설명으로 옳지 않은 것은?

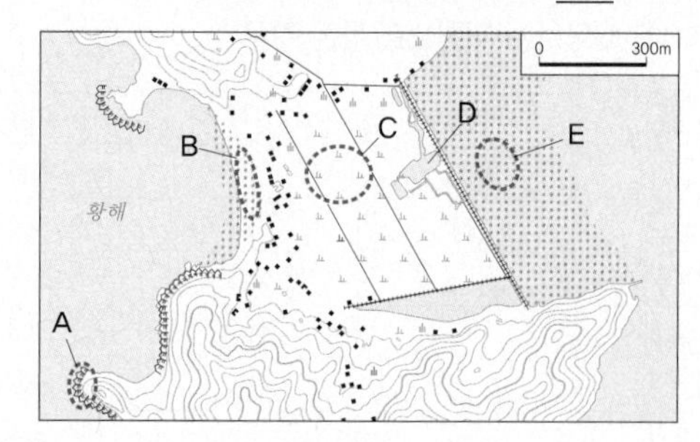

① A는 파랑 에너지가 집중된다.
② B는 파랑과 연안류의 퇴적 작용으로 형성되었다.
③ C는 가뭄 시 염해를 입을 수 있다.
④ D는 사주가 발달하면서 만의 입구가 막혀 형성된 호수이다.
⑤ E는 오염 물질을 정화하는 기능이 있다.

19 지도에 대한 설명으로 옳지 않은 것은?

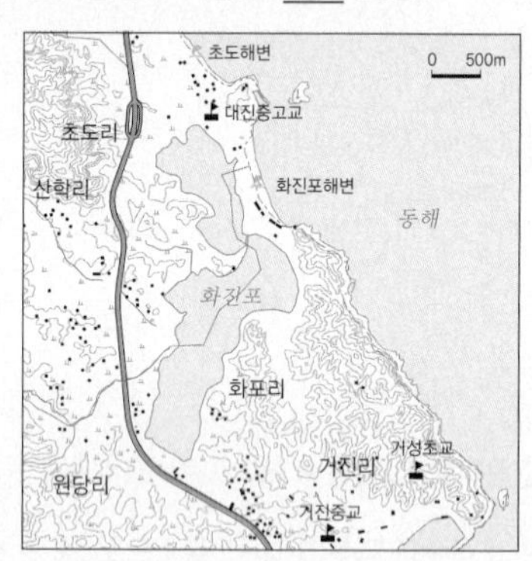

① 화진포의 염도는 바다에 비해 낮을 것이다.
② 화진포는 해수면 상승 직후에 만이었을 것이다.
③ 화진포와 동해 바다 사이에는 사주가 분포할 것이다.
④ 화진포는 해수면 상승 이전에는 육지의 일부였을 것이다.
⑤ 화진포는 자연 상태에서 시간이 지나면서 호수의 규모가 커질 것이다.

20 해안 지형에 대한 설명으로 옳지 않은 것은?

① 해안 사구는 지하수 저장 기능이 있다.
② 사빈이 없는 해안에서는 해안 사구가 형성되기 어렵다.
③ 사빈과 사주는 파랑과 연안류의 퇴적 작용으로 형성된다.
④ 파랑 에너지가 분산되는 해안에는 해식애, 시 스택이 발달한다.
⑤ 해수면 변동 없이 해식애가 계속 침식을 받으면 파식대가 넓어지게 된다.

21 지도의 A~C 지형에 해당하는 지형을 그림의 ㉠~㉢에서 고른 것은?

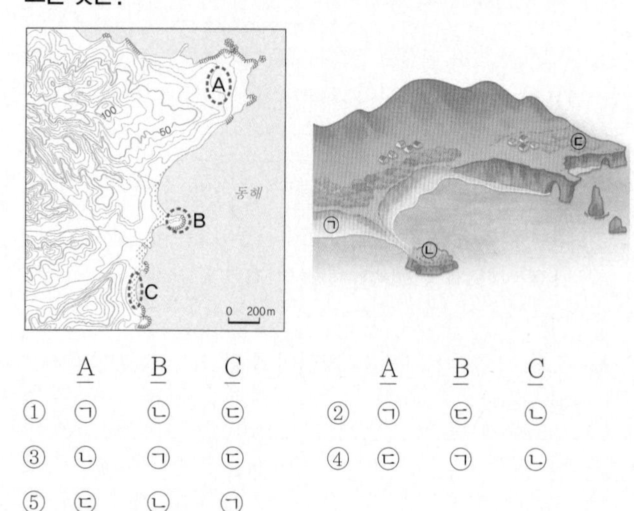

	A	B	C
①	㉠	㉡	㉢
②	㉠	㉢	㉡
③	㉡	㉠	㉢
④	㉢	㉠	㉡
⑤	㉢	㉡	㉠

서술형 문제

22 그래프는 동일한 하천의 상류, 중류, 하류의 상대적인 특징을 비교한 것이다. (가), (나)에 들어갈 적절한 항목을 각각 두 가지씩 쓰시오.

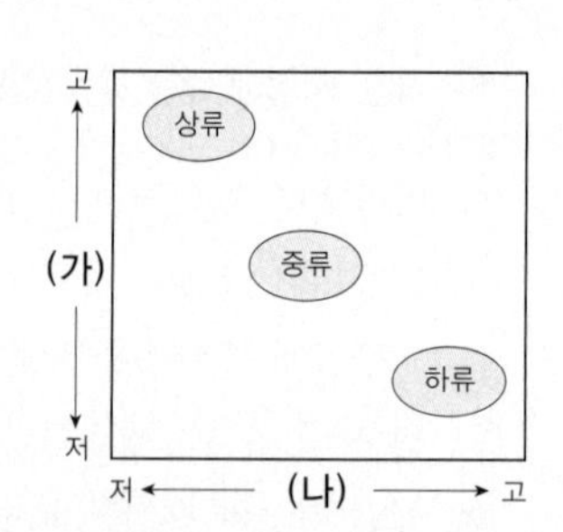

23 그래프는 한강의 유량 변화를 나타낸 것이다. 이를 보고 물음에 답하시오. (단, 도시화는 고려하지 않음.)

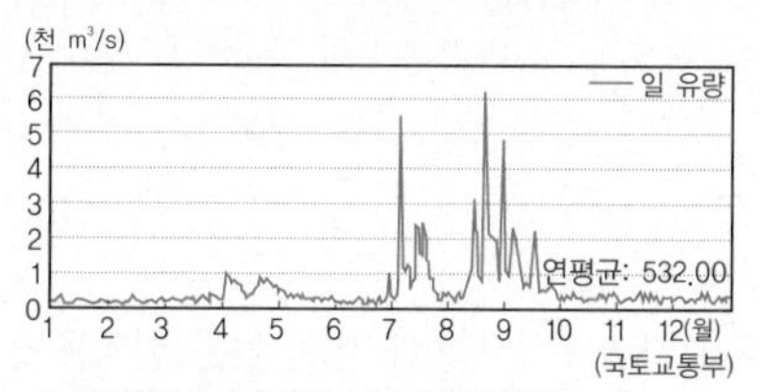

⌃ 한강(한강대교 관측소)의 유량 변화(2012)

(1) 다음 빈칸에 들어갈 알맞은 말을 쓰시오.

> 우리나라는 연중 최소 유량에 대한 최대 유량의 비율인 (　　　)이/가 크다.

(2) 계절에 따른 유량 변화가 그래프와 같이 나타나는 이유를 두 가지 서술하시오.

24 해안에 모래 포집기, 그로인을 설치하는 공통적인 이유를 서술하시오.

울쓰 상위 4% 문제

| 평가원 응용 |

01 (가)~(다) 지점에 대한 옳은 설명만을 《보기》에서 있는 대로 고른 것은?

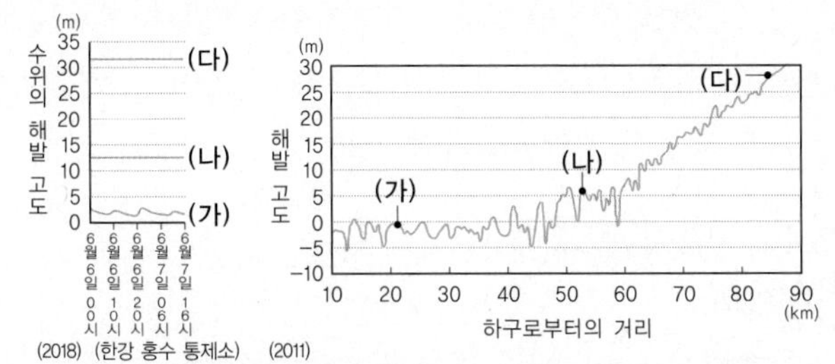

*조사 기간 동안 해당 지역에 강수는 없었으며, 하굿둑은 설치되어 있지 않음. (국토해양부)

《보기》

ㄱ. (가) 지점은 조류의 영향으로 수위가 주기적으로 변한다.
ㄴ. (가)는 (다)에 비해 하천의 하방 침식 작용이 활발하다.
ㄷ. (나)는 (다)보다 퇴적 물질의 원마도가 높다.
ㄹ. (다)는 (가)보다 하천 퇴적 물질의 평균 입자 크기가 크다.

① ㄱ, ㄴ ② ㄱ, ㄹ ③ ㄴ, ㄷ
④ ㄱ, ㄷ, ㄹ ⑤ ㄴ, ㄷ, ㄹ

| 수능 응용 |

02 지도의 A~E 지형에 대한 설명으로 옳지 않은 것은?

(가)

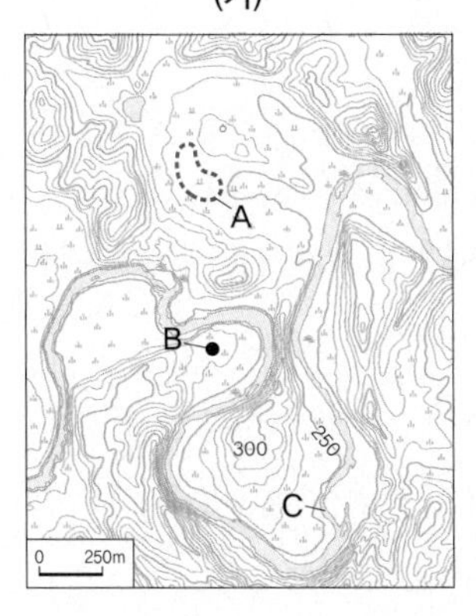

(나)

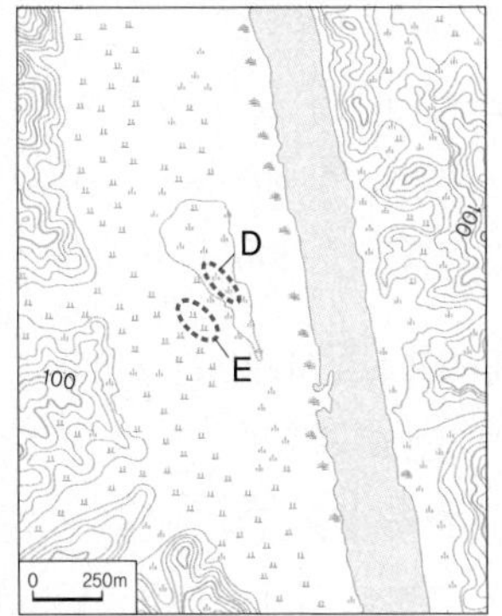

① (가)의 하천은 (나)의 하천보다 하방 침식이 활발하다.
② A는 하천의 범람으로 형성된 배후 습지이다.
③ B에서는 둥근 자갈과 모래를 볼 수 있다.
④ C 하천은 경동성 요곡 운동의 영향을 받았다.
⑤ D의 토양은 E의 토양보다 모래의 비율이 높다.

| 평가원 응용 |

03 (가), (나) 해안에 대한 설명으로 옳지 않은 것은?

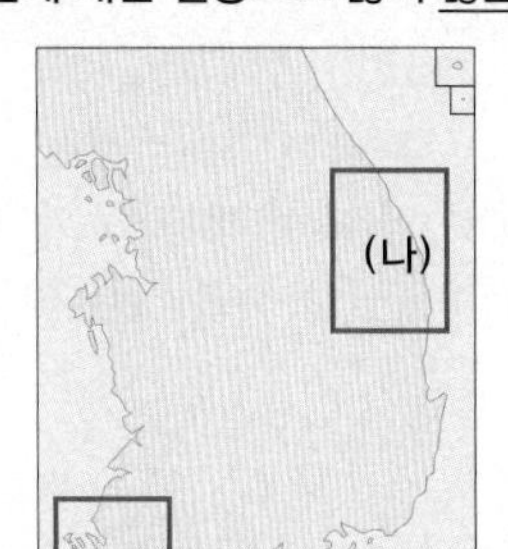
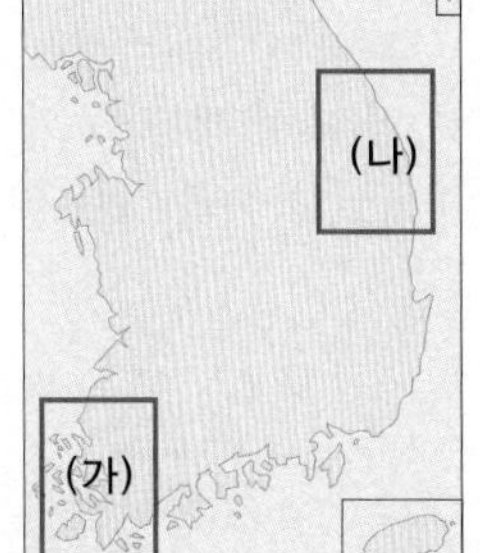

① (가)에는 조류의 퇴적 작용으로 형성된 지형이 분포한다.
② (나)에는 사주가 발달하면서 만의 입구를 막아 형성된 호수가 분포한다.
③ (가)는 (나)보다 해안 퇴적물의 평균 입자 크기가 작다.
④ (가), (나) 모두 해안 사구의 모래는 북서 계절풍이 부는 계절에 공급된다.
⑤ (가), (나) 모두 후빙기 해수면 상승의 영향으로 형성된 지형이 분포한다.

| 평가원 응용 |

04 A~D 지형에 대한 설명으로 옳지 않은 것은?

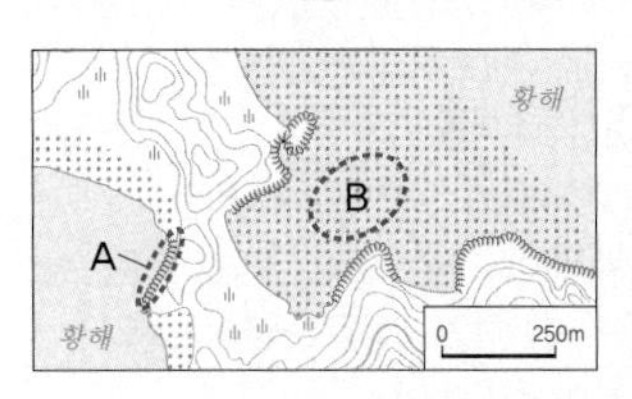

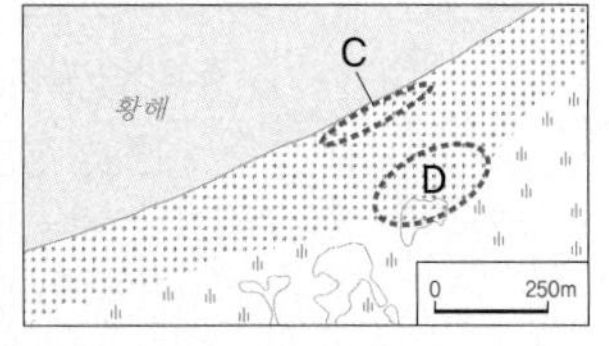

① A는 파랑의 침식 작용을 받아 기반암이 노출되어 있다.
② B는 밀물 때는 물에 잠기고 썰물 때는 드러난다.
③ C는 파랑과 연안류의 퇴적 작용으로 형성된다.
④ D는 주로 남동풍이 불 때 규모가 확대된다.
⑤ D는 C보다 퇴적물의 평균 입자 크기가 작다.

Ⅱ. 지형 환경과 인간 생활

05 화산 지형과 카르스트 지형

출제 경향
★화산 지형의 형성과 분포
★주요 화산 지형의 특징
★카르스트 지형의 형성 과정과 분포 및 특징

01 화산 지형

1. 형성과 분포

(1) 형성: 신생대 제3기 말에서 제4기 초에 걸쳐 형성됨

(2) 분포: 백두산과 개마고원 일대, 제주도, 울릉도, 독도, 철원 · 평강 일대(한탄강 일대) 등

2. 화산 지형의 유형

(1) 종상 화산: 화산 형태가 종 모양인 화산, 점성이 큰 용암이 분출하여 형성됨 예 울릉도, 독도, 백두산 및 한라산의 산정부 등지에 분포

(2) 순상 화산: 화산 형태가 방패 모양인 화산, 점성이 작은 용암이 분출하여 형성됨 예 백두산 및 한라산의 산록부 등

(3) 용암 대지: 점성이 작은 용암이 열하 분출(지각의 갈라진 틈으로 용암이 분출하는 것)하여 형성됨 빈출 자료 01

3. 주요 화산 지형 빈출 자료 02

백두산	• 산정부는 종상 화산, 산록부는 순상 화산인 복합 화산 • 산정부에 천지가 있음. 천지는 분화구가 함몰된 곳에 물이 고여 형성된 칼데라호임. 칼데라호는 화구호에 비해 수심이 깊고 면적이 넓음
제주도	• 산정부는 종상 화산, 산록부는 순상 화산인 복합 화산 • 백록담: 분화구에 물이 고여 형성된 화구호로 칼데라호에 비해 수심이 얕고 면적이 좁음 • 기생 화산: 소규모의 용암 분출이나 화산 쇄설물에 의해 형성되었으며, 제주도에서는 '오름' 또는 '악'이라고 부름 • 용암동굴: 점성이 작은 용암이 흘러내릴 때 형성됨 • 주상 절리: 분출된 용암이 냉각되는 과정에서 형성된 다각형 기둥 형태의 절리 • 지표수가 부족하여 주로 밭농사가 이루어지며, 해안에 용천대 발달 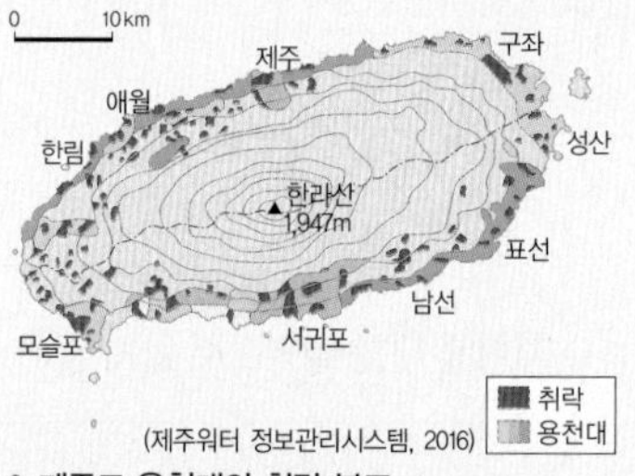 (제주워터 정보관리시스템, 2016) 제주도 용천대와 취락 분포
울릉도	• 점성이 큰 조면암질 용암이 분출하여 형성된 종상 화산 • 이중 화산체 → 나리 분지(칼데라 분지) 안에 위치한 알봉은 칼데라 분지 내부에서 용암이 분출하여 형성된 중앙 화구구임
독도	• 해저에서 용암이 분출하여 형성된 화산섬 • 제주도, 울릉도보다 형성 시기가 이름
용암 대지	• 철원·평강, 신계·곡산, 개마고원 일부를 중심으로 분포 • 현무암질 용암이 열하 분출하여 당시의 골짜기나 분지를 메워 형성 • 한탄강과 임진강 주변에는 주상 절리 발달 • 철원 일대에서는 수리 시설을 이용하여 논농사가 이루어짐

02 카르스트 지형

1. 형성과 분포

(1) 형성: 석회암이 빗물이나 지하수의 용식 작용을 받아 형성

(2) 분포: 고생대 조선 누층군이 분포하는 강원도 남부, 충청북도 북동부, 평안남도 등에 분포

2. 주요 지형 빈출 자료 03

(1) 돌리네

① 석회암이 용식 작용을 받아 형성된 움푹 파인 와지

② 지표수가 모여 지하로 스며드는 싱크홀이 나타나기도 함

③ 배수가 양호하여 주로 밭으로 이용됨

④ 두 개 이상의 돌리네가 용식 작용으로 확대되어 서로 연결된 지형을 우발레라고 함

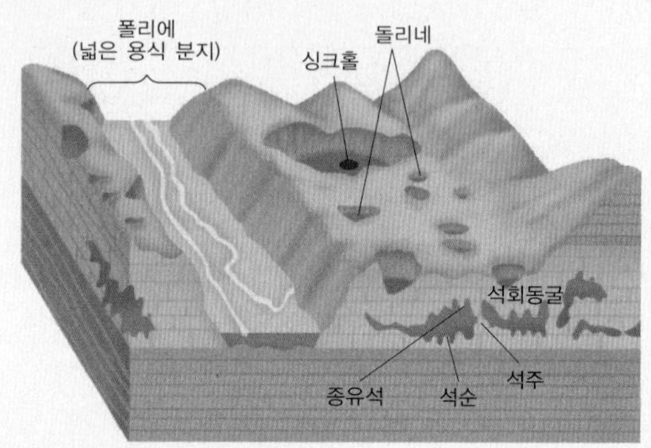

카르스트 지형 모식도

(2) 석회동굴

① 석회암이 용식 작용을 받아 형성된 동굴

② 동굴 내부에 탄산칼슘이 침전되면서 석순, 종유석, 석주 등의 지형 발달

(3) 석회암 풍화토

① 석회암이 용식 작용을 받은 후 남은 토양에는 철분이 많은데, 이 철분 등이 산화되어 붉은색 토양이 형성됨

② 알칼리성 토양으로 비옥함, 배수가 잘되어 밭농사에 이용

3. 카르스트 지형과 인간 생활

(1) 시멘트 공업

① 석회암은 건축 자재인 시멘트의 원료로 이용됨

② 석회암 채굴로 인한 지형 훼손 문제 발생

③ 시멘트 제조 과정에서 소음, 분진, 수질 오염 문제 발생

(2) 관광 자원으로 이용

① 경관이 독특하여 관광 자원으로 활용됨

② 단양의 고수 동굴, 삼척의 환선굴 등은 관광 자원으로서의 가치가 높음

빈출 특강

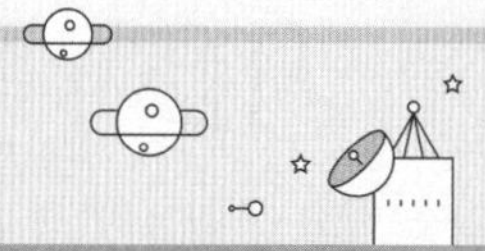

대표 유형

빈출 자료 01 용암 대지 | 연계 문제 → 38쪽 01번

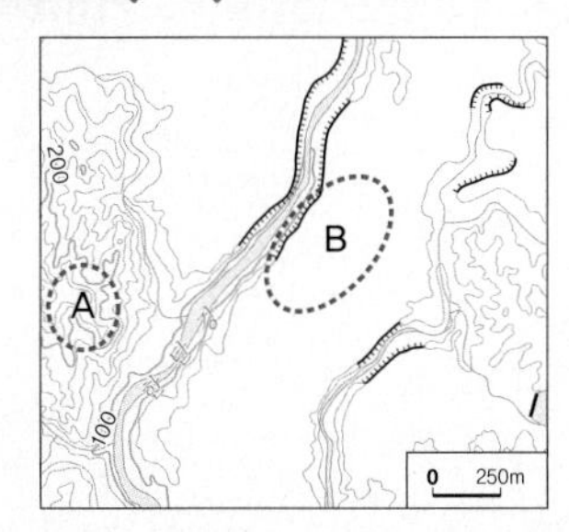

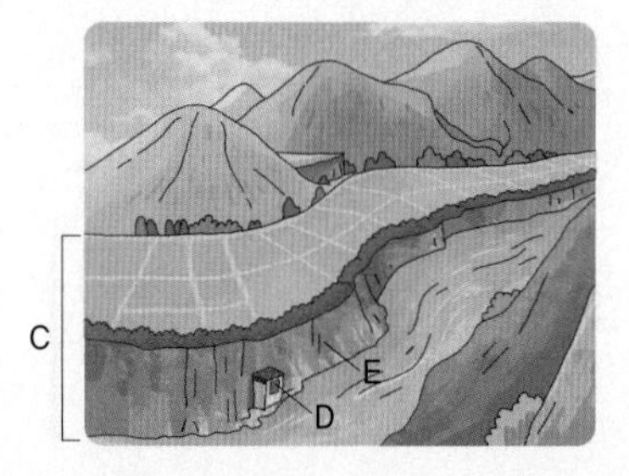

| 자료 분석 | 중부 지방의 철원 · 평강, 신계 · 곡산에는 용암이 열하 분출(틈새 분출)하여 당시의 골짜기나 분지를 메워 형성된 용암 대지가 분포한다. 철원 · 평강의 용암 대지를 흐르는 한탄강 양안의 절벽에는 주상 절리가 분포한다. 그림은 용암 대지의 지형을 모식적으로 나타낸 것이다. 기반암이 현무암인 곳은 물 빠짐이 좋아 논농사가 어렵지만, 철원에서는 객토 작업과 수리 시설을 이용하여 논농사가 이루어진다.

빈출 자료 02 제주도와 울릉도의 화산 지형 | 연계 문제 → 39쪽 04번

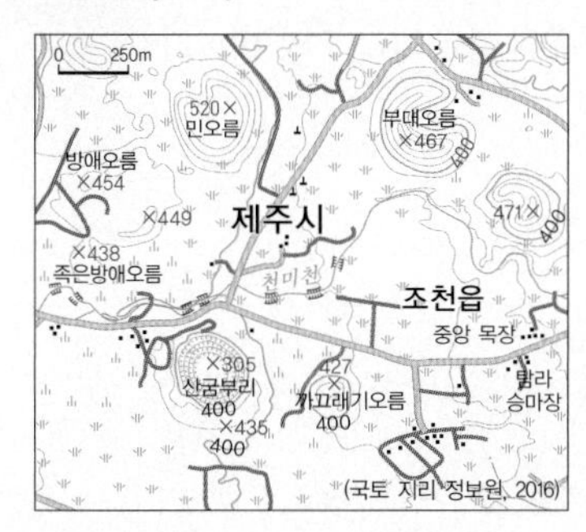

| 자료 분석 | 제주도와 울릉도는 화산 활동으로 형성된 섬이다. 제주도의 곳곳에는 오름이 분포한다. 오름은 한라산 기슭에 분포하는 기생 화산으로 소규모의 용암 분출이나 화산 쇄설물에 의해 형성되었다. 오름은 산림, 공원, 관광지, 과수원, 초지 등 다양하게 이용된다. 지도에서 등고선의 간격이 넓은 곳은 점성이 작은 현무암질 용암이 굳어 형성된 곳으로 사면이 매우 완만한 순상 화산의 특징이 나타난다. 울릉도는 점성이 큰 조면암질 용암이 분출하여 형성된 종상 화산으로, 섬 중앙부에 칼데라 분지(나리 분지)와 칼데라 분지 내부에서 용암이 분출하면서 화산 쇄설물이 쌓여 형성된 중앙 화구구(알봉)가 분포하는 이중 화산체이다.

빈출 자료 03 카르스트 지형 | 연계 문제 → 40쪽 07번

| 자료 분석 | 고생대 조선 누층군에는 석회암이 분포한다. 석회암은 물에 녹아 다양한 지형을 형성하는데, 지하에는 석회동굴, 지표에는 움푹 파인 지형(돌리네, 우발레 등)이 형성된다. 석회암은 시멘트 공업의 원료로 이용된다.

자주 나오는 오답 선택지

빈출 자료 01에서 자주 나오는 오답 선택지

① 지도에서 A는 B보다 형성 시기가 (㉠). → 이르다

② 지도의 B는 그림의 (㉡)에 해당한다. → C

③ C에서는 주로 (㉢)농사가 이루어진다. → 논

④ D는 용암 대지 위에서 이루어지는 논농사에 사용할 농업용수를 공급하기 위한 (㉣)이다. → 양수 시설

⑤ 용암 대지 사이를 흐르는 한탄강 주변의 양안에 나타나는 E에는 (㉤)이/가 분포한다. → 주상 절리

→ 주상 절리는 용암이 분출한 후 식으면서 부피가 줄어들어 생기는 기둥 모양의 절리이다. 세로로 형성된 주상 절리가 하천의 침식을 받으면 거의 수직 형태의 절벽이 형성된다.

빈출 자료 02에서 자주 나오는 오답 선택지

① (㉠)은/는 한라산 기슭에 분포하는 기생 화산으로 소규모의 용암 분출이나 화산 쇄설물이 쌓여 형성되었다. → 오름

② 제주도에서 등고선의 간격이 넓은 곳의 기반암은 점성이 (㉡) 용암인 (㉢)이다. → 작은, → 현무암

③ 울릉도에서 나리 분지는 화구의 함몰로 형성된 (㉣)이다. → 칼데라 분지

④ 울릉도에서 미륵산은 나리 분지 내의 알봉보다 형성 시기가 (㉤). → 이르다

→ 알봉은 칼데라 분지 내에서 용암이 분출하여 형성된 중앙 화구구이다.

⑤ 울릉도와 제주도 모두 경지에서 논이 차지하는 비율이 (㉥). → 낮다

→ 두 지역 모두 기반암의 특성 때문에 배수가 양호하여 주로 밭농사가 이루어진다.

빈출 자료 03에서 자주 나오는 오답 선택지

① 석회암이 지하수에 녹아 움푹 파인 지형은 주로 (㉠)(으)로 이용된다. → 밭

→ 돌리네에는 물이 빠지는 구멍이 있어 배수가 양호하다.

② 석회암은 (㉡) 공업의 원료로 이용되는데, 시멘트 공업은 (㉢) 지향형 공업으로 석회암 분포 지역에 입지한다. → 시멘트, → 원료

→ 시멘트 공업은 제조 과정에서 무게와 부피가 감소하여 원료 산지에 입지하는 것이 유리하다.

③ 못밭 주변의 토양은 석회암이 풍화된 토양인데, 이 토양의 색은 (㉣)이다. → 붉은색

→ 석회암 풍화토는 철분 등이 산화 작용을 받아 붉은색을 띤다.

④ 못밭 주변의 석회암에서는 중생대 바다에서 살던 생물의 화석을 발견할 수 있다. → 고생대

올쏘 시험에 꼭 나오는 문제

개념 확인 문제

01 빈칸에 들어갈 알맞은 말을 쓰시오.

(1) 용암의 점성이 크면 유동성이 작아 (   ) 화산이, 점성이 작으면 유동성이 커 (   ) 화산이 형성된다.
(2) 용암이 냉각되는 과정에서 형성된 다각형 기둥 모양의 절리를 (   )(이)라고 한다.
(3) 백두산의 천지, 울릉도의 나리 분지는 모두 화구가 함몰되어 형성된 (   ) 지형이다.
(4) 제주도는 기반암에 절리가 발달되어 있어 농경지의 대부분이 (   )(으)로 이용된다.
(5) 백두산의 천지는 (   )호, 울릉도의 나리 분지는 (   ) 분지, 한라산의 백록담은 (   )호이다.
(6) 철원 한탄강 일대의 용암 대지에서는 수리 시설을 이용하여 (   )농사를 주로 한다.
(7) 석회암은 고생대의 (   ) 누층군에 분포하며, (   ) 공업의 원료로 이용된다.
(8) (   )은/는 석회암이 물에 의한 용식 작용을 받아 형성되었으며, 내부에는 종유석, 석순, 석주 등이 있다.
(9) 석회암 풍화토는 석회암이 용식된 후 남은 철분 등이 산화되어 (   )색을 띤다.
(10) (   )은/는 석회암의 용식 작용으로 형성된 움푹 파인 지형이다.

02 다음 자료는 ○○ 동굴의 위치와 단면도이다. 이에 대한 내용이 옳으면 ○, 틀리면 ×에 표시하시오.

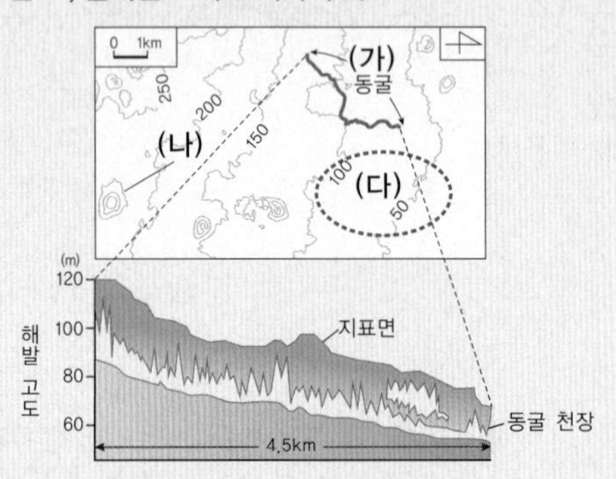

(1) (가) 동굴은 고생대 지층에 형성되었다. (○ / ×)
(2) (가) 동굴의 상부와 하부는 점성이 작은 용암이 굳어져 형성된 암석으로 이루어져 있다. (○ / ×)
(3) (가) 동굴은 용암의 냉각 속도 차이로 인해 형성되었다. (○ / ×)
(4) (나)에는 회백색의 토양이 널리 분포한다. (○ / ×)
(5) (나)의 봉우리는 기반암의 차별 침식의 결과 침식에 강한 물질이 남은 것이다. (○ / ×)
(6) (다)는 기반암에 절리가 발달하여 지표수를 구하기 어렵다. (○ / ×)
(7) (다)는 점성이 큰 용암이 굳어 형성되었다. (○ / ×)

01 화산 지형

(빈출 문제) 연계 자료 → 37쪽 빈출 자료 01

01 지도의 A~E 지형에 대한 옳은 설명을 《보기》에서 고른 것은?

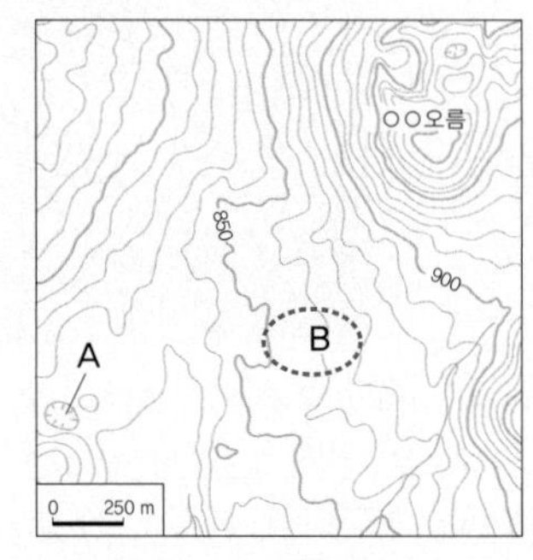

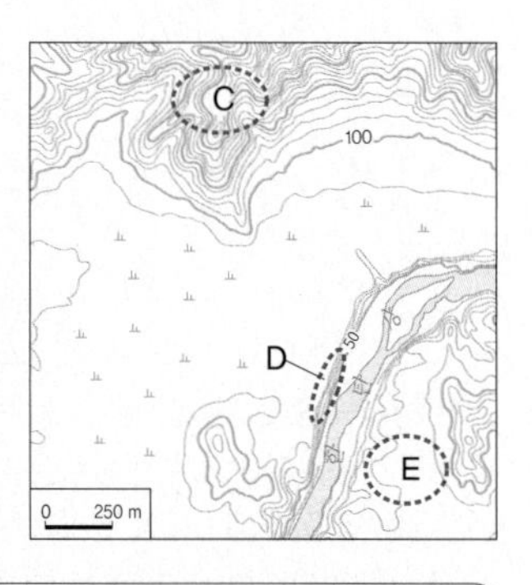

《 보기 》
ㄱ. A는 기반암이 용식 작용을 받아 형성된 돌리네이다.
ㄴ. B의 기반암은 흑갈색으로 절리가 발달하였다.
ㄷ. C의 기반암은 D의 기반암보다 형성 시기가 이르다.
ㄹ. E에는 석회암이 풍화된 붉은색의 토양이 나타난다.

① ㄱ, ㄴ ② ㄱ, ㄷ ③ ㄴ, ㄷ
④ ㄴ, ㄹ ⑤ ㄷ, ㄹ

유사 선택지 문제

01_ ❶ B는 경지로 이용할 경우 밭보다는 논으로 개간하는 것이 유리하다. (○ / ×)
01_ ❷ D에서는 현무암의 주상 절리가 나타난다. (○ / ×)
01_ ❸ D와 인접한 곳에서 논농사가 이루어지는 것은 배수가 불량한 습지가 넓게 발달하였기 때문이다. (○ / ×)

02 그림은 어느 지형의 형성 과정을 나타낸 것이다. 이 지형이 분포하는 지역만을 지도의 A~C에서 있는 대로 고른 것은?

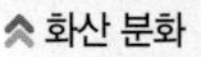
화산 분화

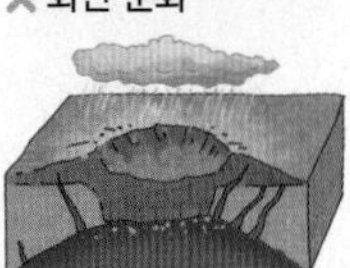
분화구 함몰

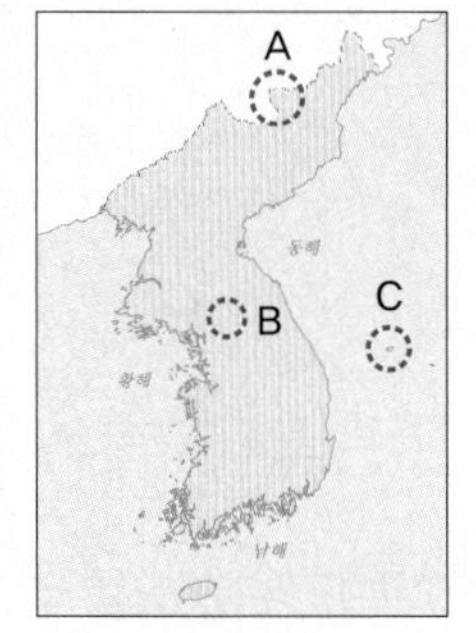

① A ② B ③ C
④ A, B ⑤ A, C

03 지도의 A 지역에 대한 옳은 설명을 《보기》에서 고른 것은?

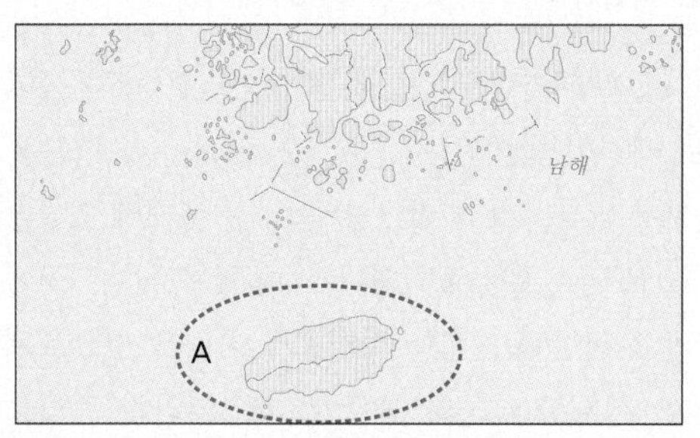

《 보기 》
ㄱ. 최고봉의 정상부에는 화구호가 있다.
ㄴ. 기반암에 절리가 발달하여 건천이 많다.
ㄷ. 해안 지역의 토지는 주로 논으로 이용된다.
ㄹ. 전통 촌락은 주로 산간 지역에 입지하고 있다.

① ㄱ, ㄴ ② ㄱ, ㄷ ③ ㄴ, ㄷ
④ ㄴ, ㄹ ⑤ ㄷ, ㄹ

(빈출 문제) 연계 자료 → 37쪽 빈출 자료 02

04 지도에 나타난 지역에 대한 옳은 설명을 《보기》에서 고른 것은?

《 보기 》
ㄱ. 기반암은 대부분 점성이 작은 현무암이다.
ㄴ. 알봉은 나리 분지보다 형성 시기가 이르다.
ㄷ. 나리 분지에서 경지는 주로 밭으로 이용된다.
ㄹ. 나리 분지는 분화구의 함몰로 형성된 분지이다.

① ㄱ, ㄴ ② ㄱ, ㄷ ③ ㄴ, ㄷ
④ ㄴ, ㄹ ⑤ ㄷ, ㄹ

유사 선택지 문제

04_ ❶ 울릉도는 전체적으로 순상 화산의 형태가 나타난다. (○ / ×)
04_ ❷ 울릉도는 이중 화산체의 특징이 나타난다. (○ / ×)
04_ ❸ 나리 분지에서는 주로 논농사가 이루어진다. (○ / ×)

05 사진은 제주도의 어느 해안 지역을 나타낸 모습이다. 이를 보고 나눈 대화 내용으로 옳지 않은 것은?

① 갑: 파랑의 침식을 받아 암석이 노출되어 있어.
② 을: 드러난 암석은 제주도에서 흔한 현무암이야.
③ 병: 점성이 작은 용암이 굳어지면서 형성되었어.
④ 정: 기둥의 모양은 대부분 정사각형으로 생겼어.
⑤ 무: 절리는 용암이 빠르게 식으면서 부피가 줄어드는 과정에서 형성되었어.

02 카르스트 지형

06 다음은 어떤 지형의 형성 과정을 나타낸 것이다. 이와 관련된 옳은 설명을 《보기》에서 고른 것은?

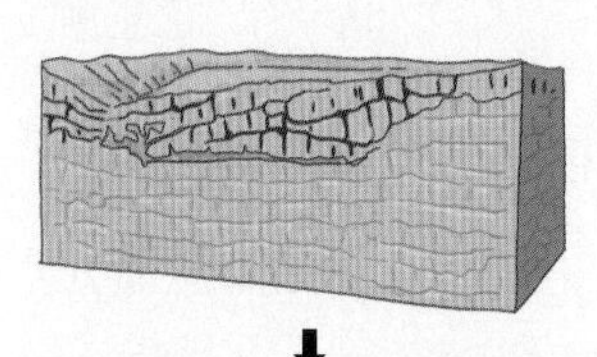
빗물 또는 하천수가 지하로 흘러 들어감

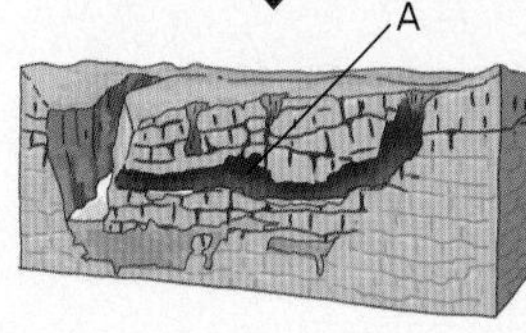

기반암이 용식 작용을 받아 동굴이 형성됨

《 보기 》
ㄱ. 돌산이 분포하는 지하에서 주로 형성된다.
ㄴ. 고생대 평안 누층군이 분포하는 지역에서 잘 형성된다.
ㄷ. 동굴이 위치한 지역의 토양은 주로 붉은색의 간대 토양이다.
ㄹ. A에는 기반암이 녹았다가 침전되어 형성된 지형이 분포한다.

① ㄱ, ㄴ ② ㄱ, ㄷ ③ ㄴ, ㄷ
④ ㄴ, ㄹ ⑤ ㄷ, ㄹ

올쏘 시험에 꼭 나오는 문제

(빈출 문제) 연계 자료 → 37쪽 빈출 자료 03

07 지도에 나타난 지역에 대한 설명으로 옳은 것은?

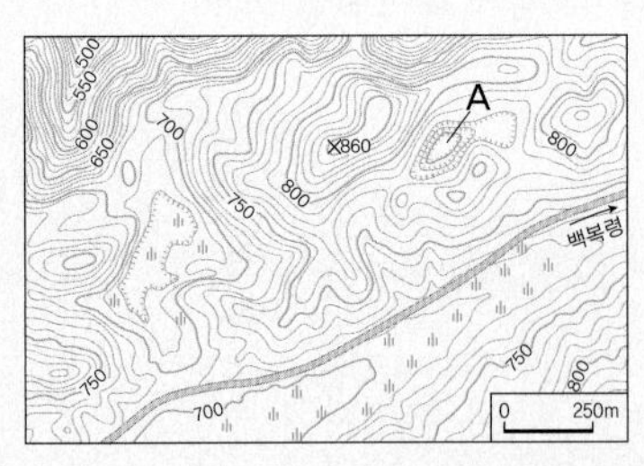

① A는 여름철 비가 내릴 때에는 빗물이 모여들어 호수가 형성된다.
② A 주변 지역의 토양은 암석이 풍화되고 남은 물질로 이루어진 흑갈색 토양이 주로 분포한다.
③ 기반암에서는 중생대 호숫가에서 살던 육상 동물의 발자국 화석을 볼 수 있다.
④ 도로 주변의 경지에서 주로 밭농사가 이루어지는 것은 연 강수량이 부족하기 때문이다.
⑤ 지하에는 절리를 따라 스며든 지하수에 의해 기반암이 용식되면서 자연적으로 형성된 동굴이 분포할 수 있다.

유사 선택지 문제

07_ ❶ A는 화구의 함몰로 형성된 칼데라이다. (○ / ×)
07_ ❷ A는 주로 암석의 물리적 풍화 작용으로 형성된다. (○ / ×)

08 (가), (나) 지역에 대한 설명으로 옳지 않은 것은?

(가)

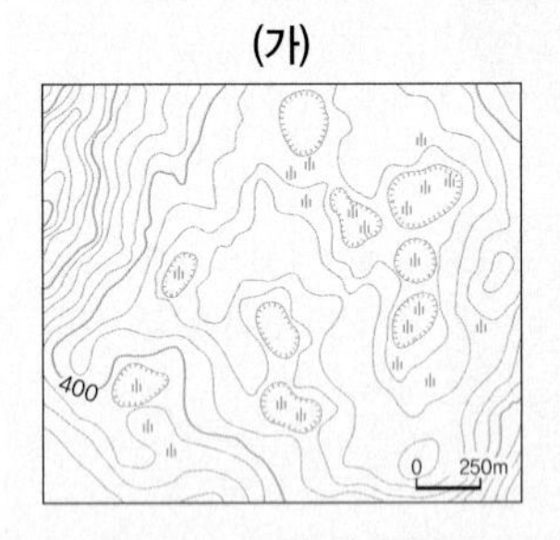

(나)

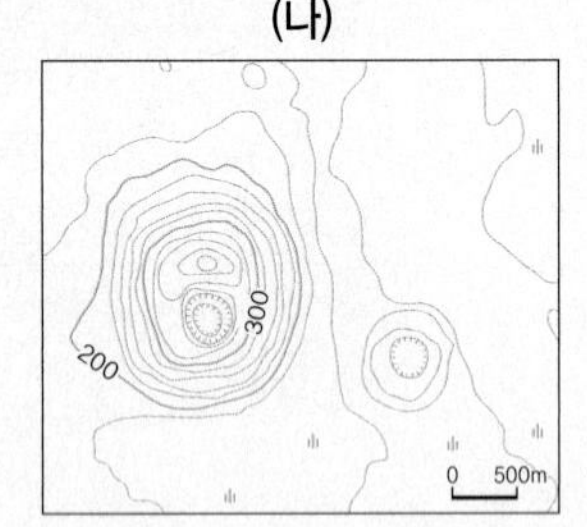

① (가)에는 토양 속의 철분이 산화되어 붉은색의 토양이 나타난다.
② (가)는 (나)보다 경동성 요곡 운동의 영향을 많이 받았다.
③ (나)는 (가)보다 풍화 작용으로 형성된 토양층의 두께가 두껍다.
④ (가), (나) 모두 기반암의 투수성이 높아서 건천이 나타나기도 한다.
⑤ (가), (나)의 경지에서는 주로 밭농사가 이루어진다.

09 다음 글의 밑줄 친 '○○ 마을'이 위치한 곳을 지도의 A～E에서 고른 것은?

> ○○ 마을은 커다란 구덩이가 8개 있다고 해서 붙여진 이름으로 사람이 많이 살지 않는 오지이다. 이 마을은 땅이 계속 꺼져 내리는 통에 많은 사람이 산 아래에 있는 마을이나 주변 도시로 떠났다고 한다. 지형학자들은 이곳에 돌리네가 많고 지하에 거대한 석회동굴이 있을 것으로 추정하고 있다. 실제로 이곳의 땅은 아직도 가라앉고 있으며 자잘한 구덩이가 끊임없이 생겨나고 있다.

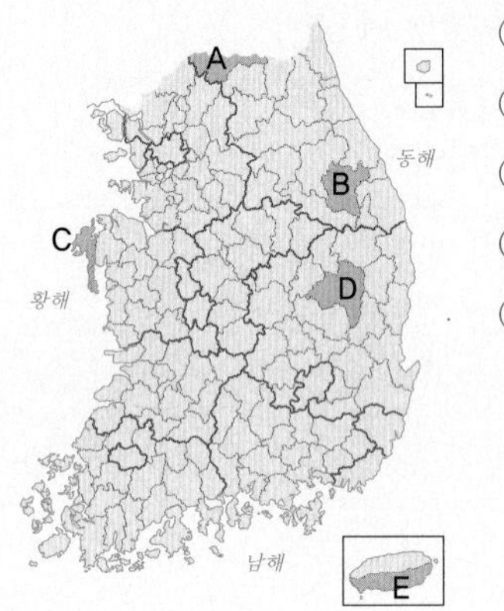

① A
② B
③ C
④ D
⑤ E

서술형 문제

10 다음 지도를 보고 물음에 답하시오.

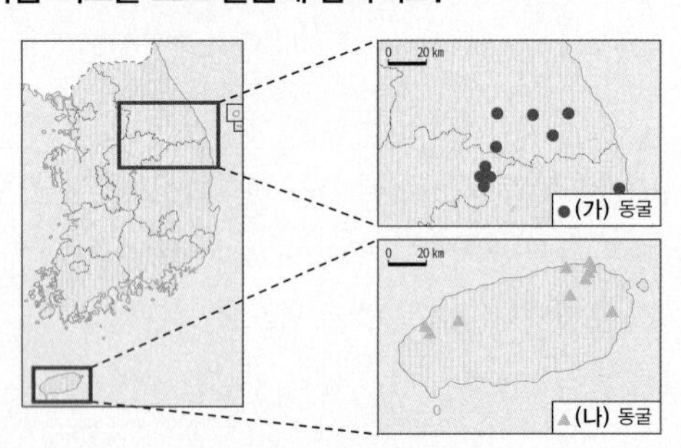

(1) (가), (나) 동굴의 이름을 쓰시오.

(2) (가), (나) 동굴의 형성 과정을 쓰시오. (단, 제시된 용어를 모두 사용해야 함.)

• 용식 작용 • 점성 • 유동성

상위 4% 문제

정답 및 해설 17쪽

| 평가원 응용 |

01 지도에 나타난 지역에 대한 설명으로 옳지 않은 것은?

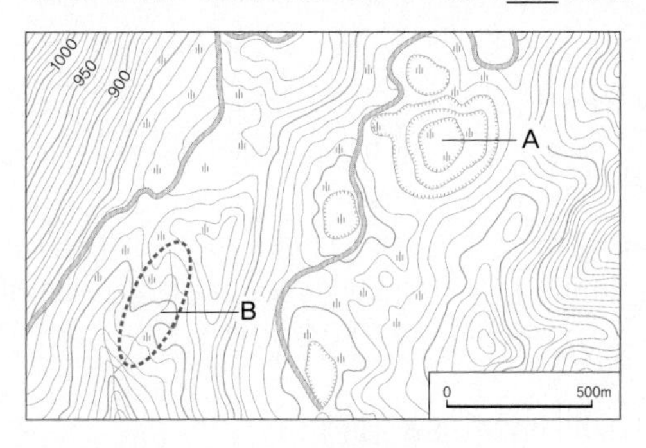

① 조선 누층군이 분포하는 지역에 위치한다.
② A는 주로 암석의 화학적 풍화 작용으로 형성된다.
③ B의 하천은 하천 수위가 주기적으로 오르내리는 감조 하천이다.
④ B에서는 기반암이 풍화되어 형성된 붉은색의 토양을 볼 수 있다.
⑤ 지하에는 기반암이 용해된 물질이 침전되어 형성된 지형이 나타난다.

| 평가원 응용 |

02 자료는 ○○동굴에 대한 것이다. 이 지형이 분포하는 지역에 대한 설명으로 옳지 않은 것은?

〈○○동굴의 위치 및 평면도〉

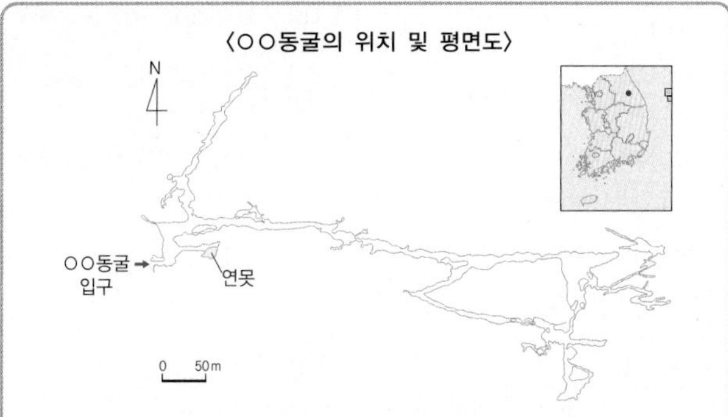

이 지역에는 기반암의 특성으로 인해 자연적으로 형성된 다수의 동굴이 분포한다. 이러한 동굴의 형성에는 절리의 밀도와 지하수의 양이 큰 영향을 준다.

① 기반암의 풍화로 형성된 붉은색의 토양이 널리 나타난다.
② 기반암이 용해된 물질이 침전되어 형성된 지형이 나타난다.
③ 주요 기반암에는 고생대 바다에서 살던 생물의 화석이 분포한다.
④ 물이 빠지는 구멍이 있는 움푹 파인 지형은 주로 밭으로 이용된다.
⑤ 동굴의 수평적 형태는 기복이 매우 작고 평탄하여 걷기에 편리하다.

| 평가원 응용 |

03 지도의 A~D에 대한 설명으로 옳지 않은 것은?

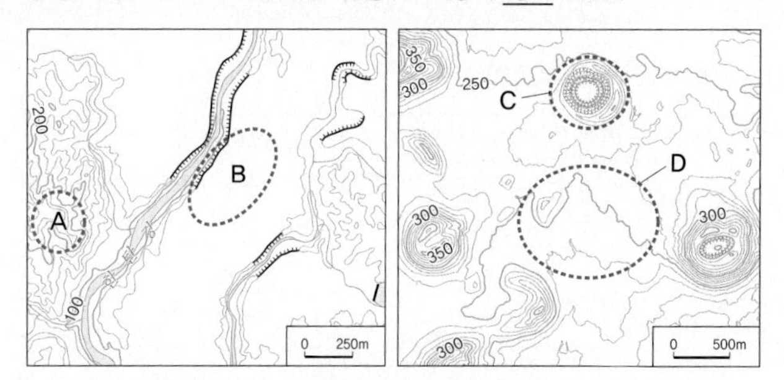

① A의 기반암은 B의 기반암보다 형성 시기가 이르다.
② B의 토양층 아래에는 절리가 발달한 현무암이 분포한다.
③ B는 점성이 작은 용암의 분출로 형성된 용암 대지의 일부이다.
④ C의 움푹 파인 와지는 기반암이 물에 의한 용식 작용을 받아 형성되었다.
⑤ D에서는 비가 올 때만 일시적으로 물이 흐르는 건천을 볼 수 있다.

| 수능 응용 |

04 그림은 두 지역의 지형 단면을 나타낸 것이다. 이에 대한 설명으로 옳지 않은 것은?

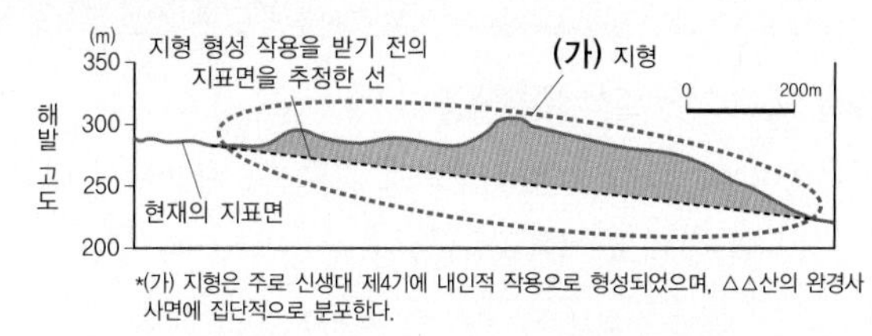

*(가) 지형은 주로 신생대 제4기에 내인적 작용으로 형성되었으며, △△산의 완경사 사면에 집단적으로 분포한다.

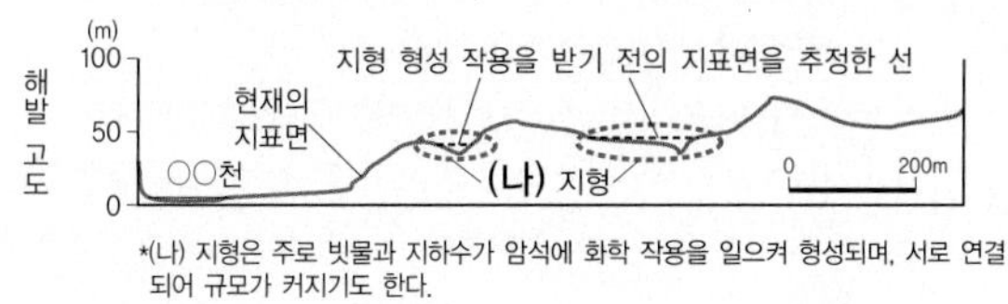

*(나) 지형은 주로 빗물과 지하수가 암석에 화학 작용을 일으켜 형성되며, 서로 연결되어 규모가 커지기도 한다.

① (가)에서는 분화구에 물이 고여 형성된 호수를 볼 수 있다.
② (나)에서는 기반암이 용식 작용을 받아 형성된 지형에 물이 고인 호수가 곳곳에 분포한다.
③ (가) 지역은 (나) 지역에 비해 토양층의 평균 두께가 얇다.
④ (가), (나) 지역에서는 모두 기반암의 특성으로 인해 건천이 나타난다.
⑤ (가) 지역에는 흑갈색의 토양이, (나) 지역에는 붉은색의 토양이 분포한다.

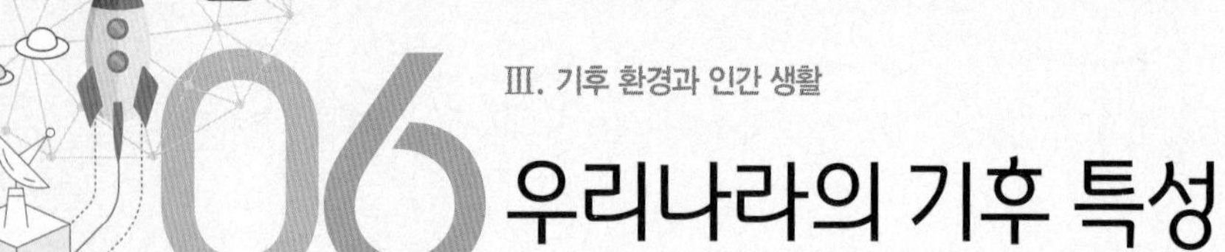

우리나라의 기후 특성

출제 경향
★우리나라의 기후 특징
★지역별 기온과 강수량 특징
★우리나라의 계절 변화

01 우리나라의 기후 특색

1. 기후 요소와 기후 요인

기후 요소	기후를 구성하는 대기 현상 → 기온, 강수, 바람 등
기후 요인	기후 요소의 지역 차를 가져오는 요인 → 위도, 수륙 분포, 지형, 해발 고도, 해류, 기단 등

2. 기후 요인의 영향

구분	영향
위도	고위도는 저위도보다 태양의 입사각이 작아 단위 면적당 일사량이 적음, 고위도로 갈수록 일사량이 감소하여 기온이 낮아짐
수륙 분포	비슷한 위도에서 내륙은 해안보다, 육지는 바다보다 비열이 작아 쉽게 데워지고 쉽게 식음 → 기온의 연교차가 큼
해발 고도	해발 고도가 높아질수록 기온이 낮아짐
지형	높은 산지의 바람받이 사면은 바람그늘 사면보다 강수량이 많음
기타	해류, 기단, 전선 등

3. 우리나라의 기후 특색

(1) 냉 · 온대 기후: 북반구 중위도에 위치하여 계절의 변화가 뚜렷함

(2) 대륙성 기후: 유라시아 대륙의 동쪽에 위치하여 기온의 연교차가 큼

(3) 계절풍 기후: 겨울에는 시베리아 고기압의 영향으로 한랭 건조한 북서 계절풍, 여름에는 북태평양 고기압의 영향으로 고온 다습한 남서 · 남동 계절풍의 영향을 크게 받음

02 기온, 강수, 바람의 특성

1. 우리나라의 기온 특성 빈출 자료 01

(1) 기온의 지역 차이: 남에서 북으로 갈수록, 해안에서 내륙으로 갈수록 대체로 연평균 기온이 낮아짐

남북 차	• 남부 지방에서 북부 지방으로 가면서 기온이 낮아짐 • 여름철보다 겨울철에 기온의 남북 차가 큼
동서 차	• 비슷한 위도의 겨울철 기온: 동해안>서해안>내륙 지역 • 겨울철에 동해안이 서해안보다 기온이 높은 이유: 태백 · 함경산맥이 북서 계절풍을 막아 주고, 수심이 깊은 동해의 영향을 받기 때문

(2) 기온의 일교차와 연교차

기온의 일교차	봄 · 가을철에 크고, 장마철에 작음
기온의 연교차	북부 지방>남부 지방, 내륙 지역>해안 지역

2. 우리나라의 강수 특성 빈출 자료 02

(1) 습윤 기후: 연 강수량 1,300mm 정도

(2) 강수의 연 변동: 해에 따라 강수량의 차이가 큼

(3) 강수의 계절 차: 여름에 강수가 집중됨

(4) 강수 분포의 지역 차: 풍향과 지형이 강수량 차이에 큰 영향을 줌

구분	지역
다우지	습윤한 남서 기류의 바람받이 지역, 제주도와 남해안 일대, 한강 중 · 상류, 청천강 중 · 상류 등
소우지	바람그늘 사면인 개마고원과 영남 내륙, 저평한 대동강 하류 등
다설지	북서 계절풍의 영향을 받는 울릉도, 충남 및 호남 서해안 지역, 북동 기류의 바람받이 지역인 영동 지방 등

3. 우리나라의 바람 특성 빈출 자료 03

구분	특징
계절풍	• 계절에 따라 풍향과 성질이 달라지는 바람 • 겨울: 시베리아 고기압의 영향, 한랭 건조한 북서풍 • 여름: 북태평양 고기압의 영향, 고온 다습한 남동 · 남서풍
높새바람	• 늦봄 ~ 초여름에 부는 북동풍 • 기온의 동서 차 발생, 영서 지방에 가뭄 발생
곡풍과 산풍	• 산 정상과 골짜기의 기압 차이에 의해 발생 • 낮에는 곡풍, 밤에는 산풍이 붊
해풍과 육풍	• 바다와 육지의 비열 차에 의해 발생하는 바람 • 낮에는 해풍, 밤에는 육풍이 붊

4. 계절의 변화

(1) 우리나라 기후에 영향을 주는 기단

기단	시기	성질	영향
시베리아 기단	겨울(늦가을~초봄)	한랭 건조	한파, 삼한 사온, 꽃샘추위
오호츠크해 기단	늦봄~초여름	냉량 습윤	높새바람, 여름철 냉해, 장마 전선 형성
북태평양 기단	여름	고온 다습	무더위, 열대야, 장마 전선 형성
적도 기단	여름~초가을	고온 다습	태풍

(2) 계절별 기후 특징

구분	특징
봄	• 심한 날씨 변화: 이동성 고기압과 저기압이 교차 • 꽃샘추위: 시베리아 기단의 일시적인 확장에 따른 반짝 추위 • 건조한 날씨: 산불 발생 빈도가 높고, 가뭄이 자주 발생함 • 황사 현상: 중국 내륙의 흙먼지가 편서풍을 타고 날아옴
여름	• 장마철: 한대 기단과 열대 기단의 경계면을 따라 장마 전선이 형성됨, 집중 호우 발생, 높은 습도 → 6월 하순경 남부 지방에서 시작, 7월 하순경 한반도 북쪽으로 올라감 • 폭염: 고온 다습한 날씨가 지속되면서 열대야 발생 • 소나기: 강한 일사로 대류성 강수 발생
가을	이동성 고기압이 연이어 통과하면서 맑은 날씨가 나타남 → 농작물의 결실과 추수에 유리
겨울	• 서고동저형 기압 배치: 북서풍이 불어 한랭 건조함, 한파 발생 • 삼한 사온 현상: 시베리아 고기압의 주기적인 강약으로 기온 하강과 상승이 반복됨 • 폭설: 서해안(차가운 북서풍이 황해를 건너오면서 눈구름을 형성), 영동 지방(북동 기류 유입 시)

빈출 특강

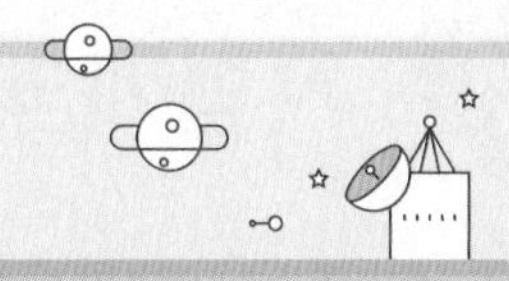

대표 유형

빈출 자료 01 우리나라의 기온 분포 | 연계 문제 → 45쪽 05번

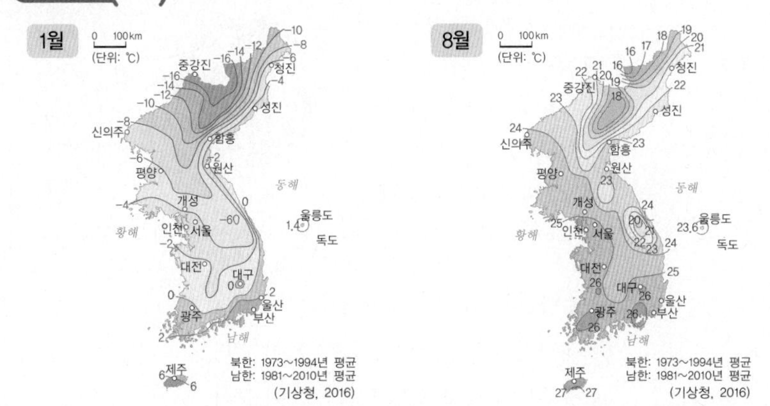

| 자료 분석 | 우리나라는 국토가 남북으로 길어서 남북 간의 기온 차가 큰데, 위도의 영향으로 남쪽에서 북쪽으로 갈수록 기온이 낮아진다. 기온의 지역 차는 비슷한 위도의 동서 지역 간에도 나타나며, 특히 겨울철에 뚜렷하다. 그리고 수륙 분포의 영향으로 해안 지역은 내륙 지역보다 겨울 기온이 높다.

빈출 자료 02 우리나라의 강수량 분포 | 연계 문제 → 46쪽 09번

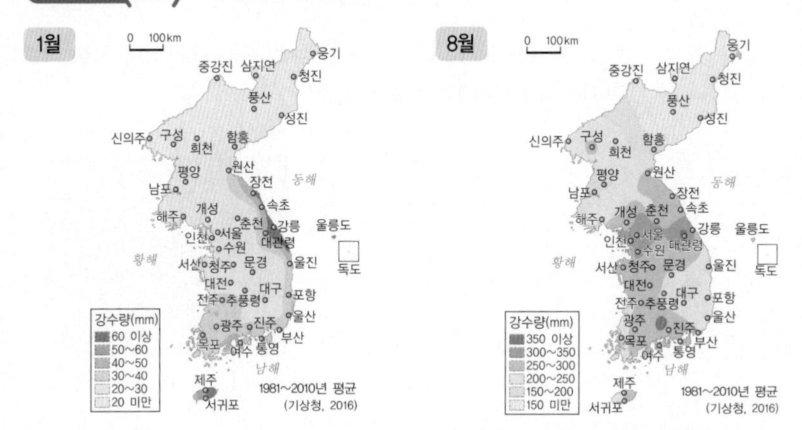

| 자료 분석 | 우리나라의 연 강수량은 남쪽에서 북쪽으로 가면서 대체로 줄어들지만, 지형과 풍향 등의 영향으로 지역적 차이가 큰 편이다. 비구름이 상승하는 바람받이 지역은 지형성 강수가 많이 내려 다우지를 이루는 반면, 낮고 평평한 지역이나 바람그늘 지역은 소우지를 이룬다.

빈출 자료 03 바람장미 | 연계 문제 → 47쪽 14번

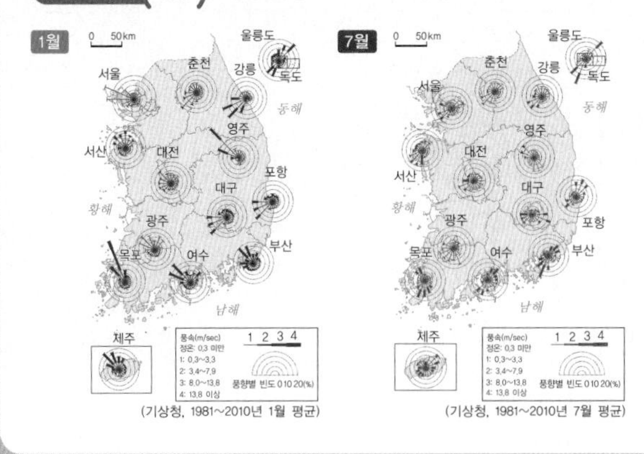

| 자료 분석 | 우리나라는 편서풍대에 위치하고 있어 연중 서풍 계열의 바람이 우세하다. 겨울에는 시베리아 고기압의 영향으로 북서풍이 많이 불고, 여름에는 북태평양 고기압의 영향으로 남서·남동풍 등 남풍 계열의 바람이 많이 분다.

자주 나오는 오답 선택지

빈출 자료 01에서 자주 나오는 오답 선택지

① 중강진은 제주보다 1월 평균 기온이 높다. (→ 낮다)

② 대관령의 기온이 낮은 것은 해발 고도가 낮기 (→ 높기) 때문이다. → 해발 고도가 높아질수록 기온이 낮아진다.

③ 내륙은 해안보다, 북부 지방은 남부 지방보다, 서해안은 동해안보다 기온의 연교차가 작다. (→ 크다)

④ 등온선의 간격이 좁은 지역일수록 해발 고도의 변화가 작게 (→ 크게) 나타난다.

⑤ 비슷한 위도의 동해안이 서해안에 비해 겨울 기온이 더 낮게 (→ 높게) 나타난다.

⑥ 신의주는 함흥보다 1월 평균 기온이 높다. (→ 낮다)

빈출 자료 02에서 자주 나오는 오답 선택지

① 영동 지방은 남서 기류 (→ 북동 기류)의 영향으로 1월 강수량이 많다. → 영동 지방은 북동 기류의 바람받이 지역이다.

② 영남 내륙 지역은 바람그늘 지역으로 대체로 연 강수량이 많다. (→ 적다)

③ 관북 지방은 난류 (→ 한류)의 영향으로 8월 강수량이 적다.

④ 남부 지방은 남서·남동 계절풍, 태풍, 장마 전선 등의 영향으로 8월 강수량이 적다. (→ 많다)

⑤ 대관령 일대는 바다 (→ 지형)의 영향으로 연 강수량이 많은 편이다. → 높은 산지의 바람받이 지역은 바람그늘 지역보다 강수량이 많다.

빈출 자료 03에서 자주 나오는 오답 선택지

① 1월은 시베리아에서 발달한 고기압의 영향으로 한랭 건조한 남동·남서풍 (→ 북서풍)이 탁월하다.

② 7월은 시베리아 (→ 북태평양)에서 발달한 고기압의 영향으로 고온 다습한 남서 또는 남동풍이 탁월하다.

③ 서해안 지역에서는 1월에 특히 남동풍 (→ 북서풍)이 많이 분다.

④ 대체로 겨울철 (→ 여름철)은 여름철 (→ 겨울철)보다 풍향이 일정하지 않으며 풍속이 약한 편이다.

시험에 꼭 나오는 문제

개념 확인 문제

01 다음 중 옳은 것에 ○표 하시오.

우리나라는 북반구 중위도의 (대륙 동안 / 대륙 서안)에 위치하므로 냉대 및 온대 기후가 나타나고, 계절에 따라 풍향과 성질이 달라지는 계절풍의 영향을 많이 받는 계절풍 기후 특성이 나타난다. 그리고 대륙과 해양이 만나는 곳에 위치하여 계절별로 서로 다른 기단의 영향을 받으며, 기온의 연교차가 (작다 / 크다).

02 지도를 보고 물음에 답하시오.

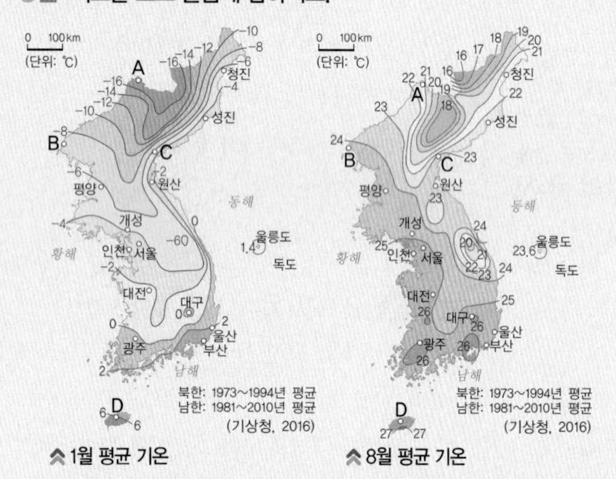

▲1월 평균 기온　▲8월 평균 기온

(1) A와 D의 기온 차이는 1월이 8월보다 (크다 / 작다).
(2) A는 D보다 기온의 연교차가 (크다 / 작다).
(3) A, B, C를 기온의 연교차가 큰 순서대로 나열하시오.

03 다음 설명에 해당하는 강수 유형을 《보기》에서 골라 그 기호를 쓰시오.

《보기》
ㄱ. 대류성 강수　ㄴ. 저기압성 강수
ㄷ. 전선성 강수　ㄹ. 지형성 강수

(1) 지면이 가열되면 대류 현상에 의해 강한 상승 기류가 형성되는데, 이때 나타나는 강수 현상을 말한다. 주로 여름철 국지적인 소나기의 형태로 나타나는 경우가 많다.
(2) 따뜻한 공기가 지속적으로 상승하면 그 지역의 기압이 낮아져 수렴 현상이 나타난다. 이때 발생하는 강수 현상을 말하며 태풍에 동반된 강수가 이에 해당한다.
(3) 습한 공기가 높은 산을 넘어갈 때 기온이 내려가면서 습한 공기가 수증기로 응결되어 바람받이 사면에서 발생하는 강수 현상을 말한다.
(4) 성질이 서로 다른 두 공기 덩어리가 만나 이들 사이에 형성되는 전선을 따라 따뜻한 공기가 상승할 때 나타나는 강수 현상을 말한다. 장마철 강수가 이에 해당한다.

01 우리나라의 기후 특색

01 다음 자료의 영향으로 나타난 기후 현상으로 적절한 것은?

태양과 지표면이 이루는 각은 저위도에서 고위도로 갈수록 작아지기 때문에 고위도 지역으로 갈수록 햇빛이 넓은 면적에 분산되어 단위 면적에 도달하는 태양 에너지의 양은 줄어든다.

① 포항은 군산보다 무상 일수가 길다.
② 대관령은 홍천보다 여름 기온이 낮다.
③ 광주는 평양보다 연평균 기온이 높다.
④ 강릉은 인천보다 기온의 연교차가 작다.
⑤ 침식 분지인 대구는 소우지가 나타난다.

02 다음은 한국지리 수업의 한 장면이다. (가), (나)에 가장 적절한 대답을 《보기》에서 고른 것은?

- 교사: 3월 제주에는 봄과 겨울이 공존하고 있습니다. 해안 곳곳에서는 꽃을 볼 수 있지만, 한라산 정상부에는 아직도 눈이 쌓여 있습니다. 그 원인은 무엇일까요?

- 갑: (가)
- 교사: 그러면 이와 같은 요인으로 인해 나타난 지역별 기후 차이의 사례를 발표해 볼까요?
- 을: (나)

《보기》
ㄱ. 위도의 차이 때문입니다.
ㄴ. 해발 고도의 차이 때문입니다.
ㄷ. 부산은 원산보다 연평균 기온이 높습니다.
ㄹ. 태백은 원주보다 최난월 평균 기온이 낮습니다.
ㅁ. 인천은 홍천보다 최한월 평균 기온이 높습니다.

	(가)	(나)		(가)	(나)		(가)	(나)
①	ㄱ	ㄷ	②	ㄱ	ㄹ	③	ㄴ	ㄷ
④	ㄴ	ㄹ	⑤	ㄴ	ㅁ			

02 기온, 강수, 바람의 특성

03 지도는 우리나라에 영향을 주는 기단을 나타낸 것이다. (가)~(라) 기단에 대한 옳은 설명만을 《보기》에서 있는 대로 고른 것은?

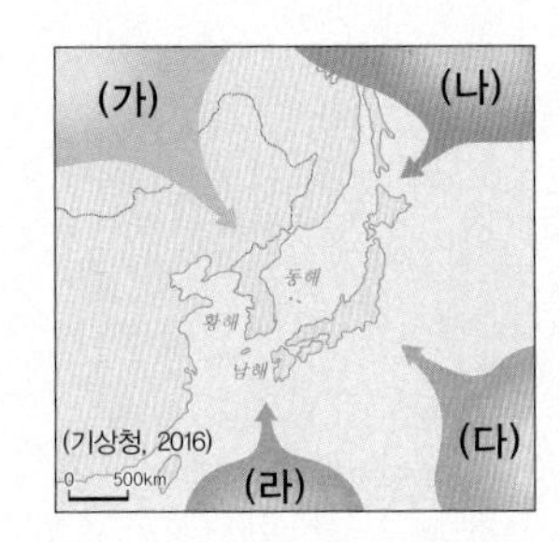

《보기》
ㄱ. (가)는 겨울철 삼한 사온 현상에 영향을 준다.
ㄴ. (나)의 영향이 클 때 이른 봄에 꽃샘추위가 나타난다.
ㄷ. (다)로 인해 한여름의 무더위가 나타난다.
ㄹ. (다)와 (라)가 영향을 끼치면 장마 전선이 형성된다.

① ㄱ, ㄷ ② ㄱ, ㄹ ③ ㄴ, ㄷ
④ ㄱ, ㄴ, ㄷ ⑤ ㄴ, ㄷ, ㄹ

04 (가), (나)는 중위도 지역에 위치한 두 지역의 기후 그래프이다. (나)에 대한 (가)의 상대적인 기후 특색을 그림의 A~E에서 고른 것은? (단, (가), (나)는 서울, 리스본 중 하나임.)

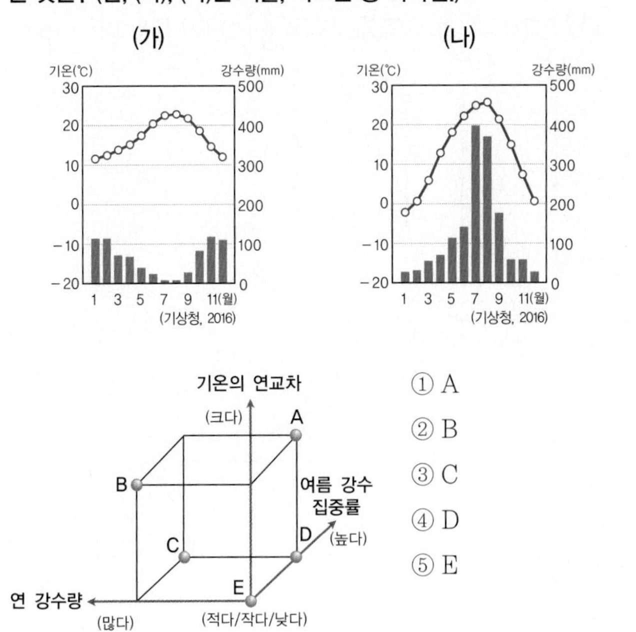

① A
② B
③ C
④ D
⑤ E

(빈출 문제) 연계 자료 → 43쪽 빈출 자료 01

05 지도의 A~E에 대한 설명으로 옳은 것은?

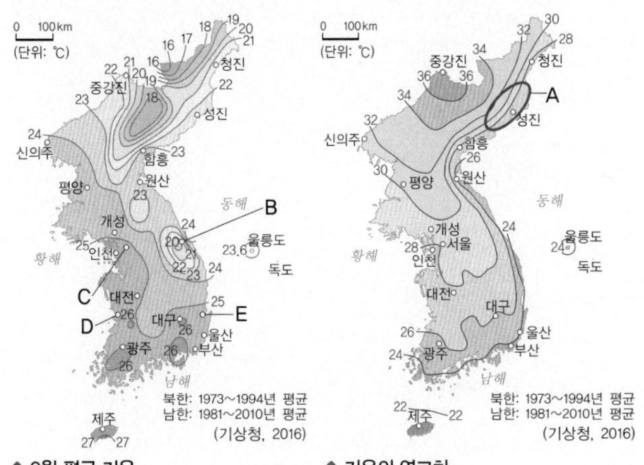

▲8월 평균 기온 ▲기온의 연교차

① A의 등온선 분포는 해류의 영향이 크다.
② B는 C보다 1월 평균 기온이 높다.
③ C의 1월 평균 기온은 0℃ 이상이다.
④ D는 E보다 1월 평균 기온이 낮다.
⑤ E는 D보다 기온의 연교차가 크다.

유사 선택지 문제

05_ ❶ 우리나라에서 기온의 연교차는 위도가 높아질수록 대체로 크게 나타난다. (○ / ×)
05_ ❷ 군산은 포항보다 무상 일수가 짧다. (○ / ×)
05_ ❸ 서울은 군산보다 1월 평균 기온이 높다. (○ / ×)

06 표의 (가), (나) 지역에 대한 옳은 설명을 《보기》에서 고른 것은? (단, (가), (나)는 강릉, 홍천 중 하나임.)

구분		1월	2월	3월	4월	5월	6월	7월	8월	9월	10월	11월	12월
(가)	기온(℃)	-5.5	-2.3	3.7	10.8	16.3	21.0	24.0	24.2	18.7	11.6	4.1	-2.6
	강수량(mm)	20.4	25.7	45.6	66.2	105.2	140.6	397.0	316.3	178.9	49.5	40.9	19.1
(나)	기온(℃)	0.4	2.2	6.3	12.9	17.6	20.8	24.2	24.6	20.3	15.5	9.2	3.4
	강수량(mm)	55.1	49.6	68.9	68.7	87.0	120.6	242.8	298.9	243.8	110.4	80.3	38.3

(기상청, 2016)

《보기》
ㄱ. (가)는 (나)보다 영농 기간이 길다.
ㄴ. (가)는 (나)보다 기온의 연교차가 작다.
ㄷ. (나)는 (가)보다 겨울 강수 집중률이 높다.
ㄹ. (가)는 내륙, (나)는 해안에 위치한다.

① ㄱ, ㄴ ② ㄱ, ㄷ ③ ㄴ, ㄷ
④ ㄴ, ㄹ ⑤ ㄷ, ㄹ

시험에 꼭 나오는 문제

07 지도는 어느 두 계절의 일기도이다. (가) 시기에 대한 (나) 시기의 상대적 특성으로 옳은 것은?

(가)

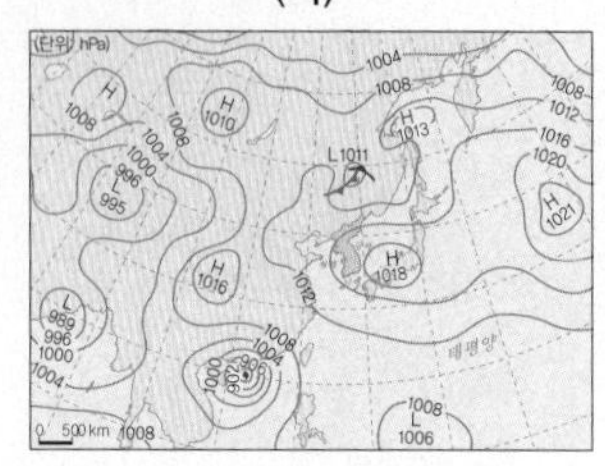

(나)

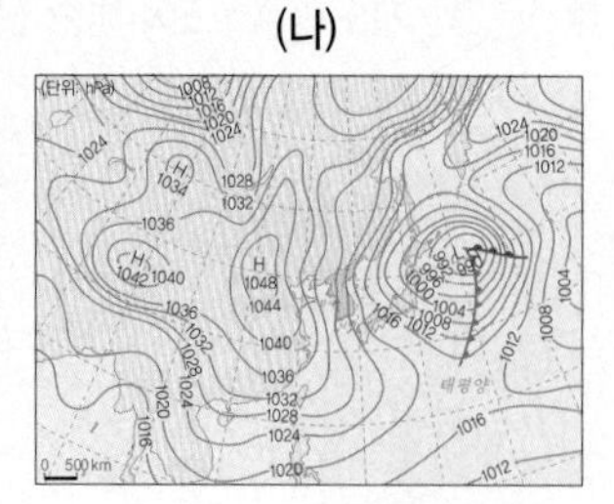

① 평균 기온이 높다.
② 상대 습도가 높다.
③ 기온의 일교차가 크다.
④ 대류성 강수의 비중이 높다.
⑤ 열대일과 열대야가 자주 나타난다.

08 (가), (나) 지도에 표현된 기후 지표로 옳은 것은?

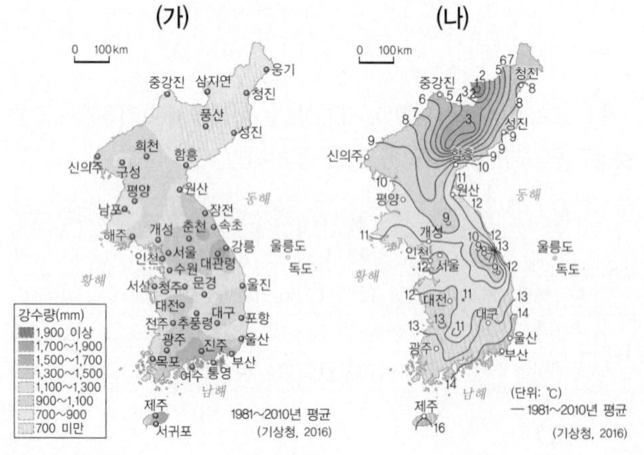

	(가)	(나)
①	연 강수량	연평균 기온
②	연 강수량	8월 평균 기온
③	1월 강수량	연평균 기온
④	8월 강수량	기온의 연교차
⑤	8월 강수량	1월 평균 기온

(빈출 문제) 연계 자료 → 43쪽 빈출 자료 02

09 지도의 A～E에 대한 설명으로 옳은 것은?

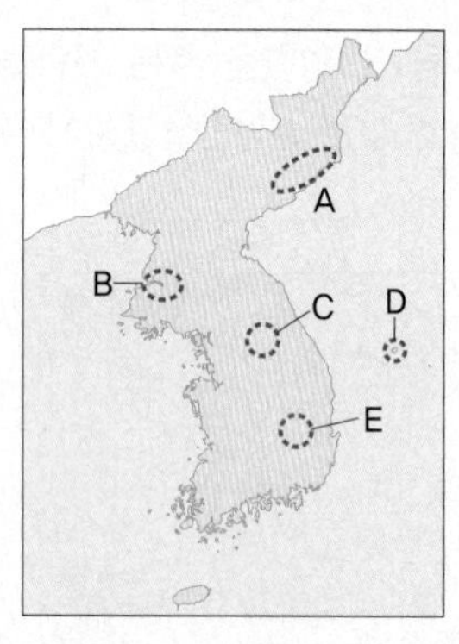

① A는 지형적인 영향으로 다우지를 이룬다.
② B와 E는 C보다 연 강수량이 많다.
③ A는 C보다 여름철 강수량이 많다.
④ C는 D보다 여름철 강수 집중률이 높다.
⑤ A~E 중 겨울철 강수 집중률은 E가 가장 높다.

유사 선택지 문제

09_ ❶ 관북 해안 지역은 한류의 영향을 받아 강수량이 적다. (○ / ×)

09_ ❷ 대동강 하류와 낙동강 중 · 상류 지역은 우리나라의 대표적인 소우지이다. (○ / ×)

09_ ❸ 한강 중 · 상류 지역은 울릉도보다 겨울철 강수 집중률이 높다. (○ / ×)

10 그래프의 (가)~(라)를 지도의 A～D에서 옳게 고른 것은?

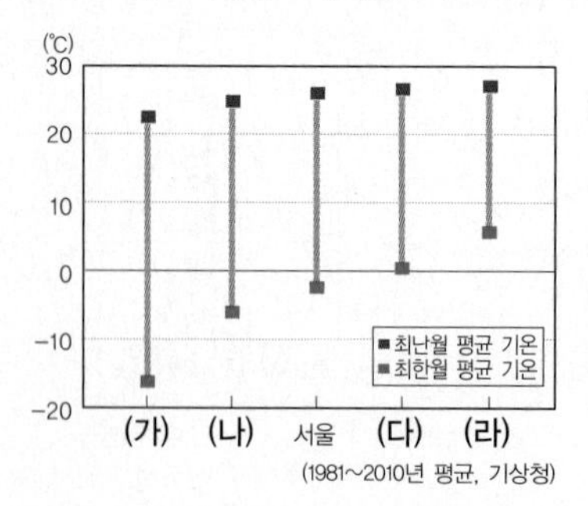

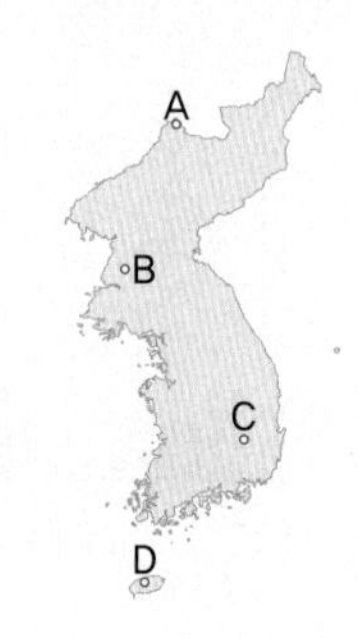

	(가)	(나)	(다)	(라)
①	A	B	C	D
②	A	C	B	D
③	C	A	B	D
④	C	B	D	A
⑤	D	A	B	C

11 지도에 표시된 (가)~(다) 지역의 상대적 특성을 옳게 나타낸 지표를 《보기》에서 고른 것은?

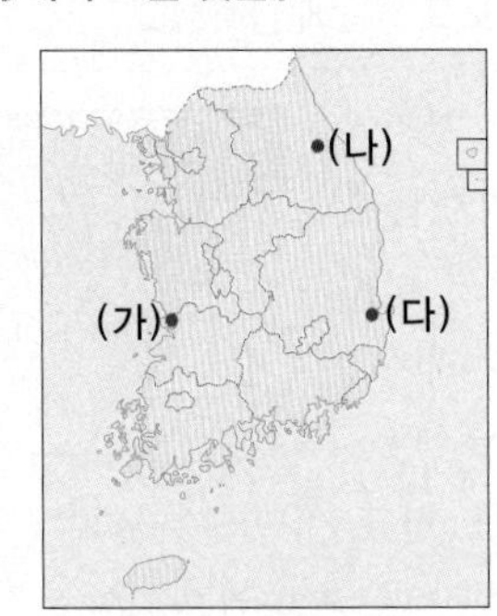

《보기》

지표	(가)	(나)	(다)
㉠ 연 강수량	■	□	▒
㉡ 1월 평균 기온	▒	□	■
㉢ 최난월 평균 기온	■	□	▒
㉣ 겨울 강수량 비중	■	▒	□

*1981~2010년 평년값임. (기상청)

□▒■ 낮음 ←→ 높음 (적음) (많음)

① ㉠, ㉡
② ㉠, ㉢
③ ㉡, ㉢
④ ㉡, ㉣
⑤ ㉢, ㉣

12 지도에 표시된 (가)~(다) 지역의 강수량 특성을 그래프의 A~C에서 고른 것은?

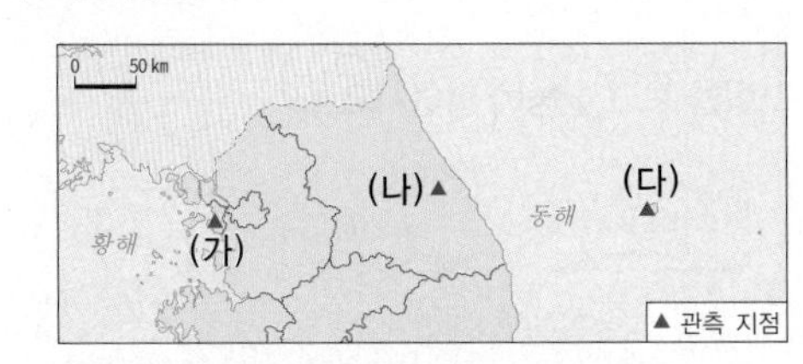

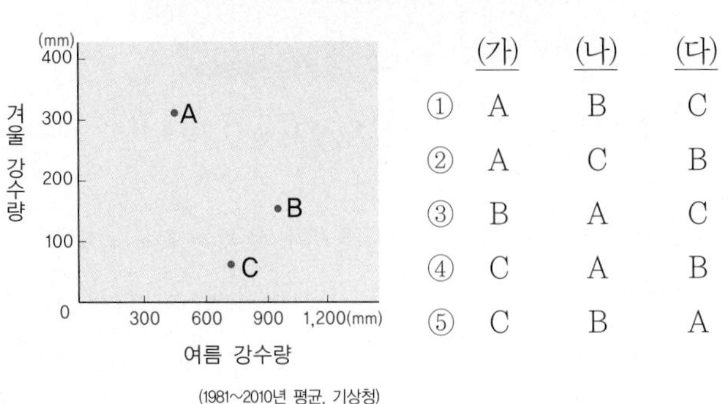

(1981~2010년 평균, 기상청)

	(가)	(나)	(다)
①	A	B	C
②	A	C	B
③	B	A	C
④	C	A	B
⑤	C	B	A

13 지도의 A~C 지역을 (가)~(나) 기간이 긴 순서대로 바르게 배열한 것은? (단, (가), (나)는 서리 첫날 혹은 서리 마지막 날임.)

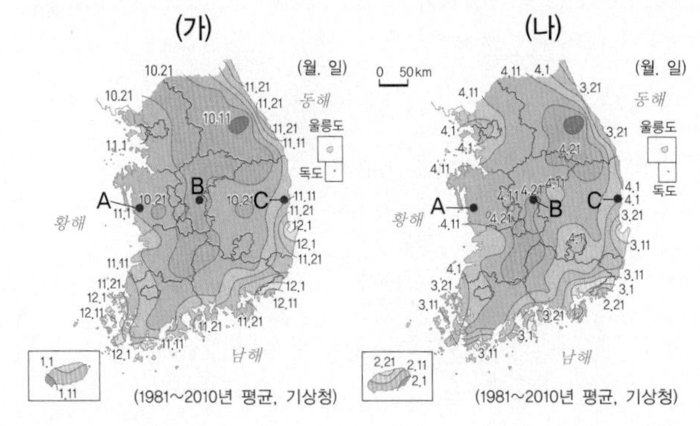

① A-C-B
② B-A-C
③ B-C-A
④ C-A-B
⑤ C-B-A

빈출 문제 연계 자료 → 43쪽 빈출 자료 03

14 (가), (나)는 두 시기의 바람장미를 나타낸 것이다. 이에 대한 옳은 설명을 《보기》에서 고른 것은? (단, (가), (나)는 1월, 7월 중 하나임.)

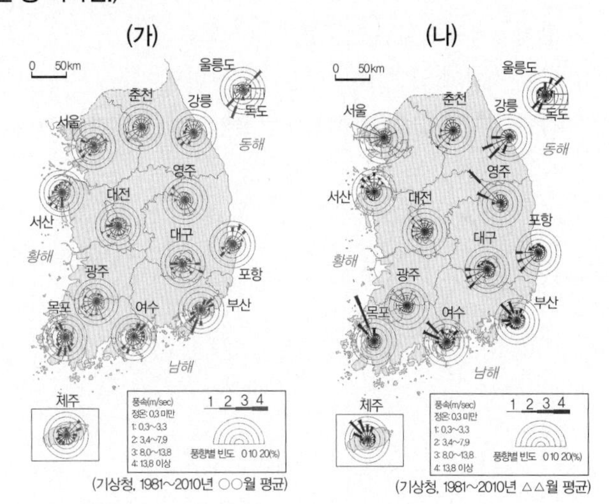

《보기》
ㄱ. (가) 시기에 서산은 북서풍 계열의 바람이 우세하다.
ㄴ. (나) 시기에는 시베리아 기단의 영향을 강하게 받는다.
ㄷ. (가) 시기는 (나) 시기보다 서해안에서 풍속이 강하다.
ㄹ. (나) 시기는 (가) 시기보다 풍속의 지역 격차가 크다.

① ㄱ, ㄴ
② ㄱ, ㄷ
③ ㄴ, ㄷ
④ ㄴ, ㄹ
⑤ ㄷ, ㄹ

유사 선택지 문제

14_ ❶ (가) 시기에 부산은 남서 계열의 바람이 우세하다. (○ / ×)

14_ ❷ (나) 시기에 많이 부는 바람의 영향으로 남부 지방의 전통 가옥에 대청마루가 나타난다. (○ / ×)

14_ ❸ 배산임수의 전통적 촌락 입지는 (가) 시기에 많이 부는 바람을 피하기 위한 목적이 크다. (○ / ×)

15 다음 자료의 밑줄 친 A에 들어갈 내용으로 가장 적절한 것은?

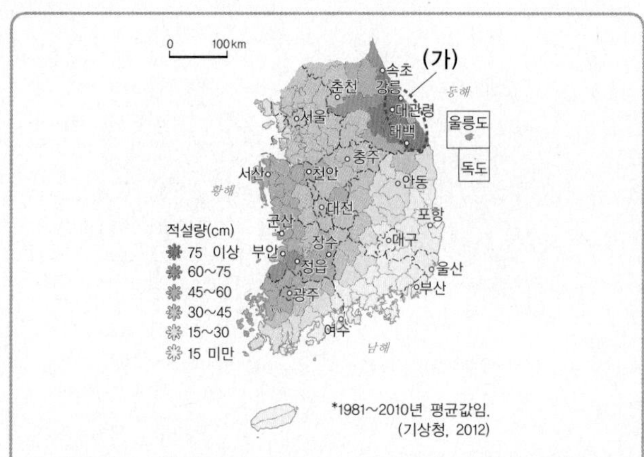

늦겨울에는 한반도의 북쪽으로 고기압이 발달하고 남쪽으로 저기압이 통과하는 북고남저형 기압 배치가 잘 나타난다. 이때 우리나라에 ______A______ 태백산맥의 바람받이인 (가) 지역에 많은 눈이 내린다.

① 다습한 남서풍이 불면
② 강한 북동 기류가 동해안으로 유입되면
③ 황해상에서 발달한 눈구름이 다가오면
④ 남부 지방에 있던 장마 전선이 북상하면
⑤ 강한 일사로 인해 대기가 매우 불안정한 상태가 되면

16 지도는 강수 분포의 지역적 차이를 정리한 것이다. ㄱ~ㅁ 중 옳은 것은?

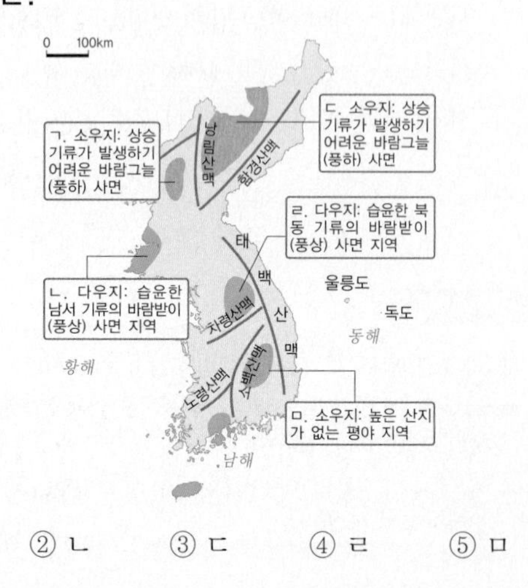

① ㄱ ② ㄴ ③ ㄷ ④ ㄹ ⑤ ㅁ

서술형 문제

17 다음 자료를 보고 물음에 답하시오.

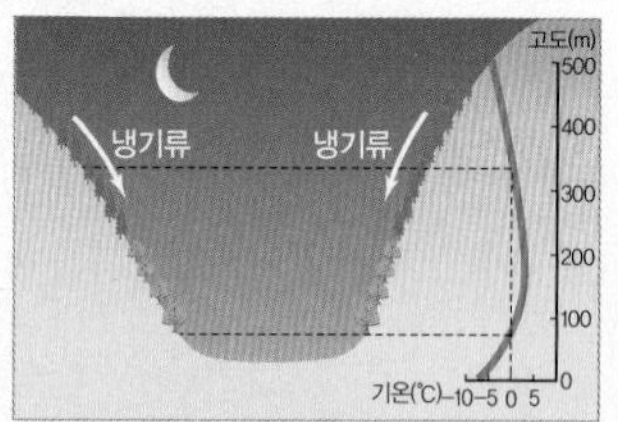

산으로 둘러싸인 분지에서는 차가운 공기가 분지 내에 집적됨으로써 지표면보다 상층부의 기온이 더 높은 ______㉠______ 현상이 나타나기도 한다. 이 현상은 날씨가 맑고 바람이 없는 날 밤에 잘 발생한다. 기온 역전층은 ______㉡______. 따라서 오염 물질이 상층으로 확산되지 못하여 대기 오염이 심해지기도 하고, 안개, 스모그 등이 발생하기도 한다.

(1) ㉠에 들어갈 현상을 쓰시오.

(2) ㉡에 들어갈 알맞은 내용을 서술하시오.

18 다음 글을 읽고 물음에 답하시오.

중위도에 위치한 우리나라는 연중 ______㉠______의 영향으로 서풍 계열의 바람이 많이 불어온다. 그리고 ㉡ 겨울철과 여름철에 부는 바람의 방향이 거의 반대로 나타나는 계절풍의 영향을 받는다. 겨울철에는 주로 시베리아 지역에서 한랭 건조한 북서풍이 불어오고, 여름철에는 북태평양에서 고온 다습한 남풍 계열의 바람이 불어온다.

(1) ㉠에 들어갈 바람의 이름을 쓰시오.

(2) ㉡과 같은 특징이 나타나게 된 원인을 서술하시오.

19 그림을 보고 물음에 답하시오.

(1) (가)에 나타난 강수의 유형을 쓰시오.

(2) 영서 지방에서 늦봄~초여름 사이에 부는 (나) 바람의 이름을 쓰고, (나) 바람의 특징이 태백산맥을 넘으면서 어떻게 변하는지 서술하시오.

울쌤 상위 4% 문제

| 평가원 |

01 A~C 지역의 (가) 평균 기온과 (나) 강수량 비율을 상대적 순위에 따라 배열한 것으로 옳은 것은? (단, (가), (나)는 여름, 겨울 중 하나임.)

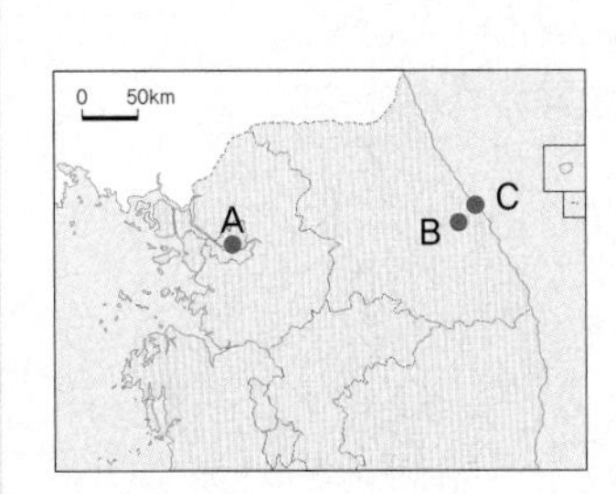

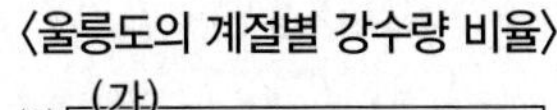

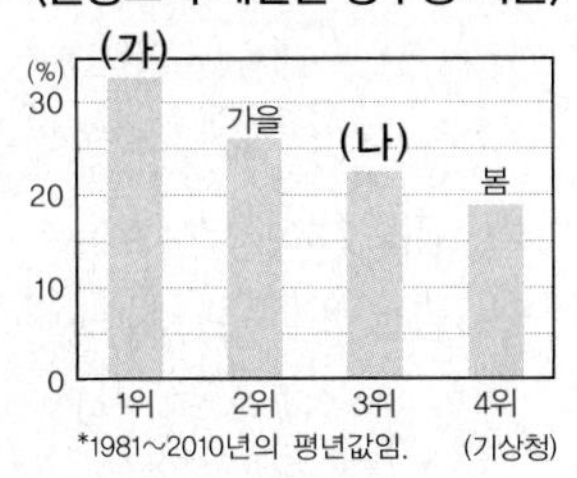

① 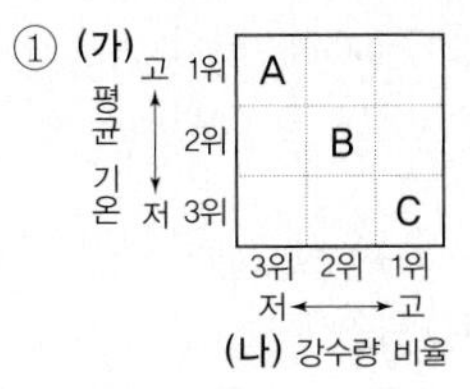

② 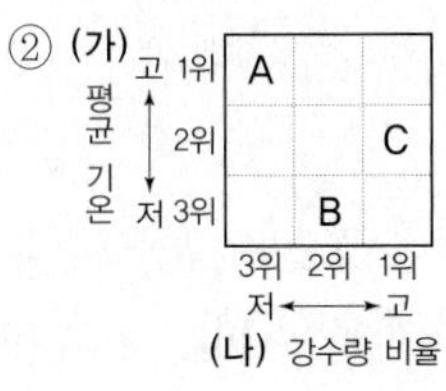

③ 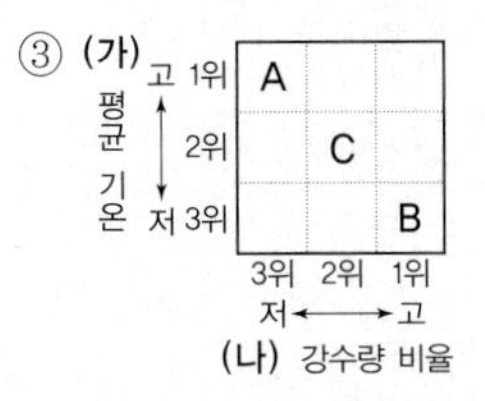

④ 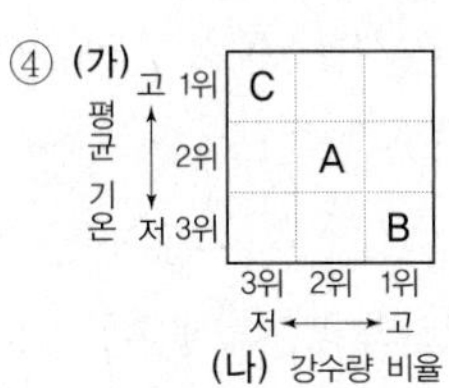

⑤ 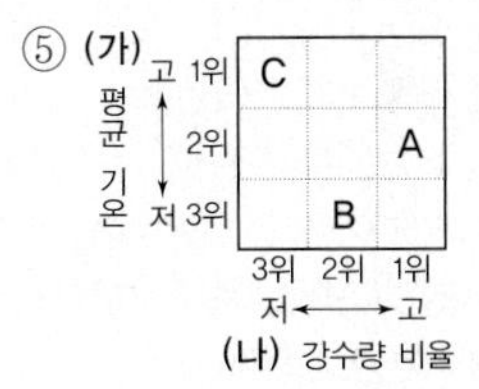

| 평가원 |

02 다음은 학생이 정리한 수업 노트의 일부이다. (가)~(라)에 들어갈 옳은 내용을 《보기》에서 고른 것은?

〈기후에 영향을 미치는 주된 요인과 사례〉

기후 요인	위도	지형	수륙 분포	해발 고도
사례	(가)	(나)	(다)	(라)

《 보기 》
ㄱ. (가) – 대구는 원주에 비해 최한월 평균 기온이 높다.
ㄴ. (나) – 초여름에 영서 지방으로 부는 북동풍은 고온 건조해진다.
ㄷ. (다) – 한라산 정상은 제주도 해안에 비해 최난월 평균 기온이 낮다.
ㄹ. (라) – 인천은 강릉에 비해 기온의 연교차가 크다.

① ㄱ, ㄴ ② ㄱ, ㄷ ③ ㄴ, ㄷ
④ ㄴ, ㄹ ⑤ ㄷ, ㄹ

| 평가원 |

03 A~E에 대한 옳은 설명을 《보기》에서 고른 것은? (단, A~E는 지도에 표시된 관측 지점 중 하나임.)

〈연평균 기온과 연 강수량〉

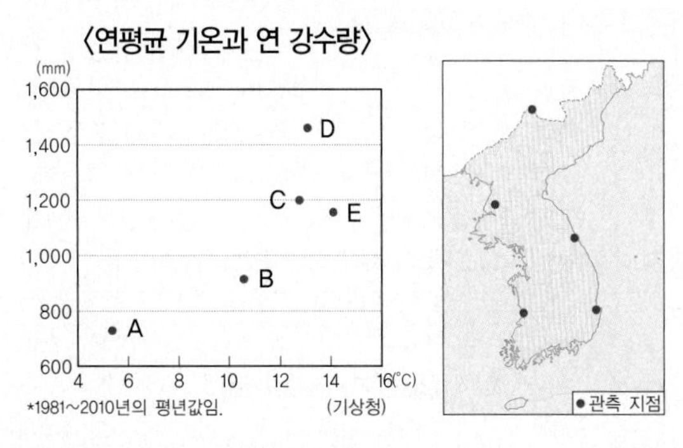

《 보기 》
ㄱ. A는 B보다 무상 기간이 길다.
ㄴ. B는 D보다 하계 강수 집중률이 낮다.
ㄷ. C는 E보다 최한월 평균 기온이 낮다.
ㄹ. D는 A보다 연교차가 작다.

① ㄱ, ㄴ ② ㄱ, ㄷ ③ ㄴ, ㄷ
④ ㄴ, ㄹ ⑤ ㄷ, ㄹ

| 평가원 |

04 다음은 (가), (나) 시기 세 지점의 풍향과 풍속을 나타낸 것이다. 이에 대한 설명으로 옳은 것은? (단, (가), (나)는 1월, 7월 중 하나임.)

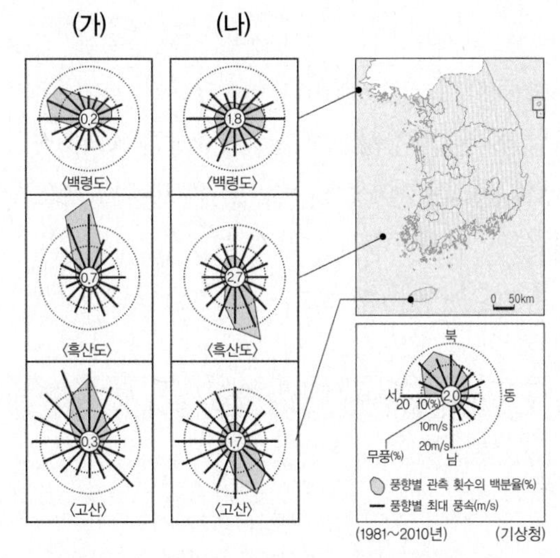

① (가)의 세 지점 풍향은 주로 남풍 또는 남동풍이다.
② (나)의 백령도 서풍 비율은 동풍 비율보다 높다.
③ (가)는 7월이고, (나)는 1월이다.
④ (가)는 (나)에 비해 무풍의 비율이 높다.
⑤ (가), (나) 모두 최대 풍속이 가장 빠른 곳은 고산이다.

07 기후와 주민 생활 ~ 기후 변화와 자연재해

출제 경향
★기온과 주민 생활
★강수와 주민 생활
★바람과 주민 생활
★자연재해별 주요 특징

01 기후와 주민 생활

1. 기온과 주민 생활 빈출 자료 01

구분	특징
의복	• 여름: 통풍이 잘되는 시원한 삼베와 모시 등으로 만듦 • 겨울: 보온에 유리한 동물의 털이나 가죽, 솜 등으로 만듦
음식	• 김장: 신선한 채소를 구하기 어려운 겨울에 김장 김치를 먹음, 김장 시기는 북쪽이 이르고 남쪽으로 갈수록 늦음 • 계절과 음식: 봄(화전), 여름(삼계탕), 가을(송편), 겨울(만둣국, 떡국)
가옥	• 전통 가옥인 한옥에는 추운 지방에서 발달한 온돌과 더운 지방에서 발달한 대청마루가 함께 나타남 • 가옥 구조의 지역 차: 북부 지방 → 겨울이 추워서 폐쇄적인 구조, 남부 지방 → 여름이 더워서 개방적인 구조

2. 강수와 주민 생활

구분	특징
여름철의 집중 호우	• 터돋움집 → 범람원에서 홍수에 대비하기 위해 터를 돋운 후 지은 집 • 제방 및 배수 시설 → 하천 주변의 저지대에서는 제방을 설치하거나 배수 시설을 갖춤 • 홍수 및 가뭄에 대비하기 위해 조상들은 저수지나 보(洑)를, 오늘날에는 다목적 댐을 만듦 → 내륙 수운 불리, 수력 발전 불리
소우지	대동강 하류(천일제염업 발달), 영남 내륙 지역(사과 재배 활발)
다설지	울릉도의 전통 가옥에는 우데기라는 방설용 외벽 설치

3. 바람과 주민 생활

(1) 배산임수 지역에 마을 입지: 겨울철의 차가운 북서풍을 피하기 위해 남향의 배산임수 지역에 전통 마을 입지

(2) 가옥 형태의 영향

① 제주도: 완만한 지붕 경사, 그물망 지붕 및 풍채, 집 둘레에 돌담을 쌓아 강한 바람이 집 안으로 들어오는 것을 막음

② 호남 해안 지방의 까대기 설치, 강화도의 또아리집

(3) 바람의 이용: 바람이 강한 해안과 고지대에 풍력 발전 단지 건설

02 기후가 경제생활에 미치는 영향

구분	특징
농업 활동	• 벼농사: 고온 다습한 여름 기후에 유리 • 그루갈이: 겨울이 온화한 남부 지방에서 주로 실시 • 고랭지 농업: 평지보다 여름철 기온이 낮은 대관령, 진안고원 일대
스포츠 산업	• 봄~가을 스포츠: 축구, 야구 등 야외 스포츠 경기가 활발히 이루어짐 • 겨울 스포츠: 눈이나 얼음을 이용하는 스키, 스케이트 등의 경기가 활발히 이루어짐

03 기후 변화와 자연재해

1. 자연재해 빈출 자료 02

(1) 자연재해의 유형

기후적 요인	홍수, 가뭄, 태풍, 폭염, 한파, 대설 등
지형적 요인	지진, 화산 활동 등

(2) 자연재해별 특징과 대책

구분	특징 및 영향	대책
태풍	저위도의 열대 해상에서 발생하여 고위도로 이동	• 태풍 발생 시 행동 요령 숙지 • 강풍에 대비한 시설물 점검
홍수	주로 여름철에 발생	조림 사업, 다목적 댐, 저수지 등의 건설을 통한 하천 관리 능력 증대
가뭄	진행 속도는 느리지만 피해 면적이 넓음	
대설	비닐하우스·축사 등의 붕괴, 교통 장애 유발	• 기상 예보를 통한 사전 대비 • 신속한 제설 작업
한파	수도관 동파 등	• 수도관에 보온 장비 설치 • 창문에 바람막이 설치
폭염	장마가 끝난 후 주로 발생	통풍이 잘되도록 자주 환기

2. 기후 변화의 영향과 대책

구분	특징
기후 변화	• 기온: 연평균 기온 상승, 대도시의 기온 상승(도시 열섬 현상) • 강수량: 연 강수량 증가, 연 강수 일수 감소, 집중 호우 증가
영향	냉대림 축소, 식생의 분포 고도 한계 상승, 봄꽃의 개화 시기가 빨라짐, 단풍이 드는 시기가 늦어짐, 농작물 재배 북한계선 북상, 한류성 어족의 어획량 감소, 난류성 어족의 어획 가능 수역 확대
대책	• 국제적인 노력: 1992년 기후 변화 협약 → 1997년 교토 의정서 → 2015년 파리 협정 • 정부의 노력: 배출권 거래제 도입, 에너지 절약형 자동차 도입 등 • 개인의 노력: 대중교통 이용, 에너지 절약형 제품 이용 등

3. 식생과 토양 빈출 자료 03

(1) 식생의 분포

구분	특징
수평적 분포	• 난대림(상록 활엽수림) → 남해안과 제주도 및 울릉도 해안 저지대 등 • 온대림(낙엽 활엽수와 침엽수가 섞인 혼합림) • 냉대림(침엽수림) → 개마고원과 일부 고산 지역 등
수직적 분포	제주도 한라산 → 저지대에서 고지대로 가면서 난대림, 온대림, 냉대림, 관목림대, 고산 식물대가 나타남

(2) 토양의 특징

구분	특징
성대 토양	• 기후와 식생의 특성을 반영하는 토양 • 온대림 지역의 갈색 삼림토와 냉대림 지역의 회백색토 등
간대 토양	• 기반암(모암)의 특성을 반영하는 토양 • 붉은색인 석회암 풍화토와 흑갈색인 현무암 풍화토 등
미성숙토	• 토양의 생성 기간이 짧은 토양 • 충적토와 염류토

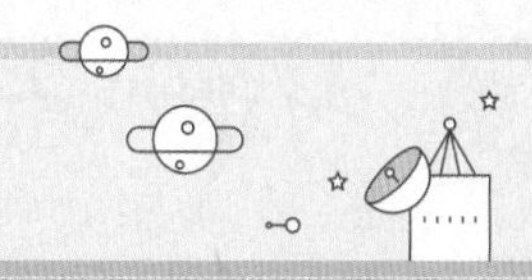

빈출 특강

대표 유형

빈출 자료 01 기온과 전통 가옥 | 연계 문제 → 52쪽 02번

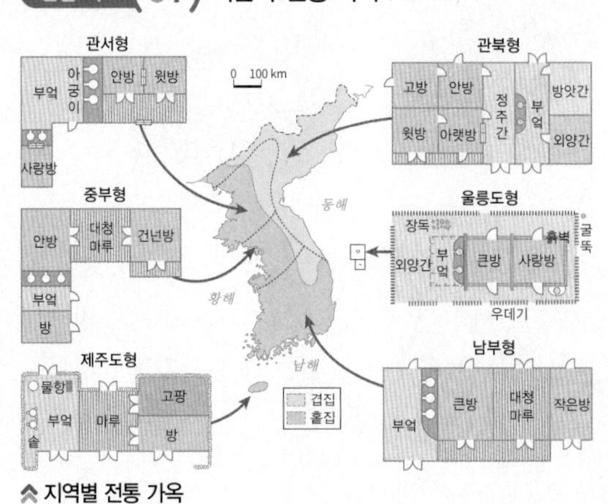

▲ 지역별 전통 가옥

| 자료 분석 | 우리나라의 전통 가옥은 기온의 영향을 많이 받았다. 전통 가옥인 한옥에는 온돌과 대청마루가 함께 나타나며, 각 지역의 가옥은 기후 특성에 따라 조금씩 다른 구조로 발달했다. 겨울이 춥고 긴 북부 지방으로 갈수록 폐쇄적인 구조가 나타나고, 여름이 무덥고 긴 남부 지방으로 갈수록 개방적인 구조가 나타난다.

빈출 자료 02 월별 자연재해 발생 횟수 및 원인별 피해액 | 연계 문제 → 55쪽 11번

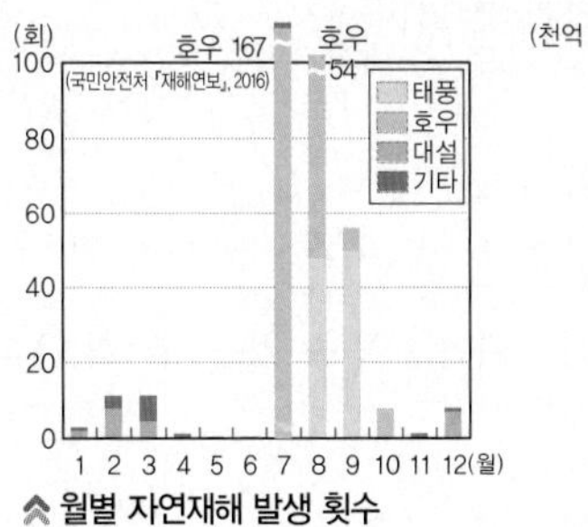

▲ 월별 자연재해 발생 횟수

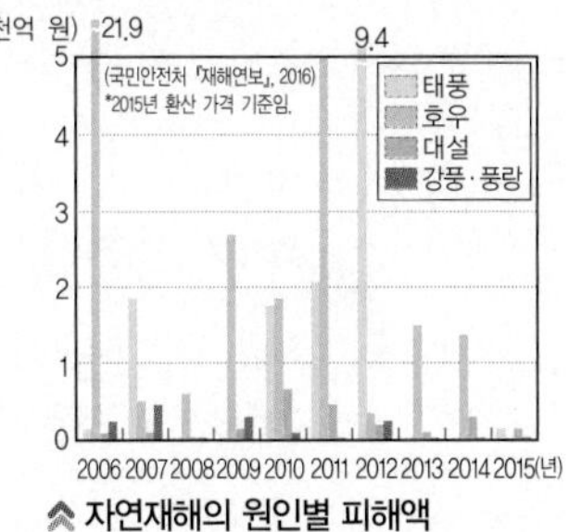

▲ 자연재해의 원인별 피해액

| 자료 분석 | 태풍은 8~9월에 주로 발생하며 남부 지방의 피해가 크다. 호우는 7~8월에 주로 발생하며 중부 지방의 피해가 크다. 대설은 주로 이른 봄과 겨울에 발생하며, 영동 지방, 울릉도, 서해안 일대 등 일부 지역에만 영향을 미친다.

빈출 자료 03 식생 분포와 성대 토양 | 연계 문제 → 57쪽 22번

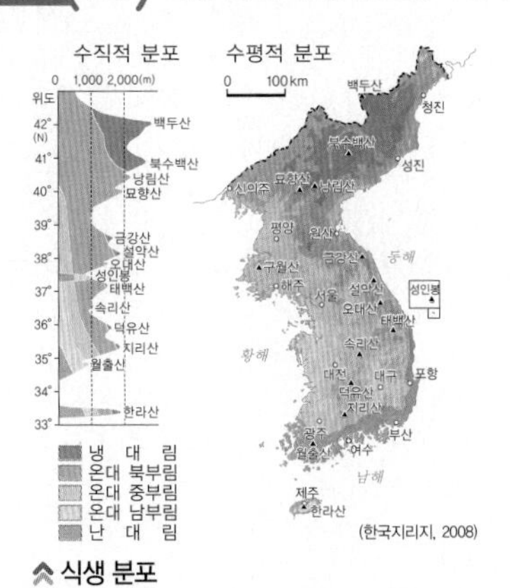

▲ 식생 분포

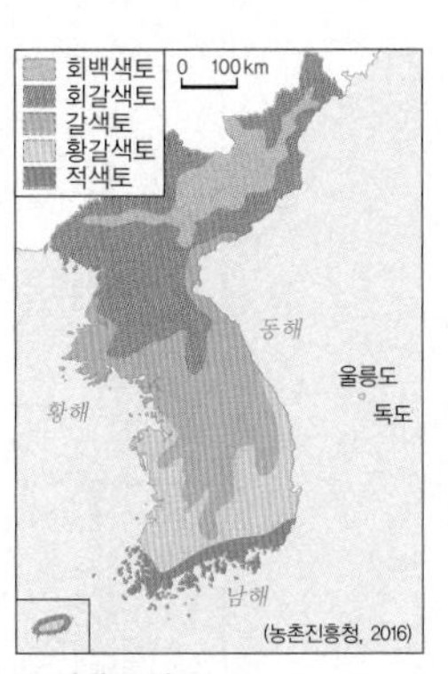

▲ 성대 토양

| 자료 분석 | 우리나라의 식생은 남부 지방에서 북부 지방으로 가면서 난대림, 온대림, 냉대림이 차례대로 분포한다. 저위도로 갈수록 기온이 점차 높아지므로 같은 식생의 분포 고도 한계는 점차 높아진다. 해발 고도에 따른 기온 분포의 영향으로 제주도에서는 식생의 수직적 분포를 관찰할 수 있다. 기후와 식생의 영향을 받아 형성되는 토양을 성대 토양이라고 하는데, 회백색토, 갈색 삼림토, 적색토 등이 있다.

자주 나오는 오답 선택지

빈출 자료 01에서 자주 나오는 오답 선택지

① 북부 지방에서는 개방적인(→ 폐쇄적인) 가옥 구조, 남부 지방에서는 폐쇄적인(→ 개방적인) 가옥 구조가 나타난다.

② 관북 지방의 전통 가옥에는 부엌의 열기를 난방에 활용할 수 있도록 한 고팡(→ 정주간)이 있다.

③ 제주도(→ 울릉도)의 전통 가옥에서는 우데기를 볼 수 있다.

④ 눈이 많이 내리는 울릉도에서는 가옥에 방설용 외벽인 정주간(→ 우데기)을 설치했다.

⑤ 겨울이 온화한 관북 지방(→ 제주도)에는 취사만을 목적으로 하는 아궁이가 있다.

빈출 자료 02에서 자주 나오는 오답 선택지

① 대설(→ 태풍)은 여름과 가을에 주로 발생하며, 태풍(→ 대설)은 주로 겨울에 발생한다. 가뭄(→ 호우)은 대부분 여름에 발생하고, 피해 발생 횟수가 가장 많다.

② 피해 발생 시기가 12~2월이며, 피해액 규모가 대체로 작은 자연재해는 태풍(→ 대설)이다.

③ 장마 전선이 우리나라에 장기간 정체할 때는 가뭄(→ 호우)에 따른 피해가 자주 발생한다.

④ 대설은 겨울에 집중되며, 북동 기류가 유입될 때 소백산맥 서사면(→ 영동 지방)에 많은 눈이 내린다.

빈출 자료 03에서 자주 나오는 오답 선택지

① 최한월 평균 기온이 0℃ 이상인 남해안 일대에는 냉대림(→ 난대림)이 분포한다.

② 우리나라 대부분의 지역에는 난대림(→ 온대림)이 넓게 분포한다.

③ 한라산의 저지대에서는 냉대림(→ 난대림)이 나타난다.

④ 한라산은 백두산보다 식생의 수평적(→ 수직적) 분포가 더 뚜렷하다.

⑤ 토양의 생성 기간이 길어 단면이 뚜렷하게 발달한 토양을 미성숙토(→ 성숙토)라고 한다.

⑥ 성숙 토양은 성대 토양과 미성숙토(→ 간대 토양)로 구분된다.

⑦ 개마고원 일대에는 성대 토양인 갈색 삼림토(→ 회백색토)가 분포한다.

Ⅲ

울쏘 시험에 꼭 나오는 문제

개념 확인 문제

01 다음 중 옳은 것에 ○표 하시오.

(1) 우리나라는 여름철 기온이 높고 강수량이 풍부하여 벼농사가 발달하였지만, 계절에 따른 강수량 변동이 심해 연 강수량에 비해 물 자원 이용률이 (높다 / 낮다).

(2) 범람원 지대의 사람들은 지대가 다소 높은 (자연 제방 / 배후 습지)에 주로 거주하였는데, 홍수에 대비하기 위해 (터를 돋운 후 지은 집 / 지붕을 덮은 집)을 짓고 살았다.

(3) 일조 시간이 (긴 / 짧은) 서해안 일부 지역에서는 천일제염업이 이루어지고, 경북 (내륙 / 해안) 지역에서는 사과 재배가 활발하다.

(4) 바람이 강하게 부는 제주도에서는 바람의 저항을 줄이기 위해 지붕의 경사를 (낮게 / 높게) 하고, 지붕을 그물망처럼 줄로 엮었다.

02 다음 설명에 해당하는 전통 가옥을 《보기》에서 골라 그 기호를 쓰시오.

《보기》

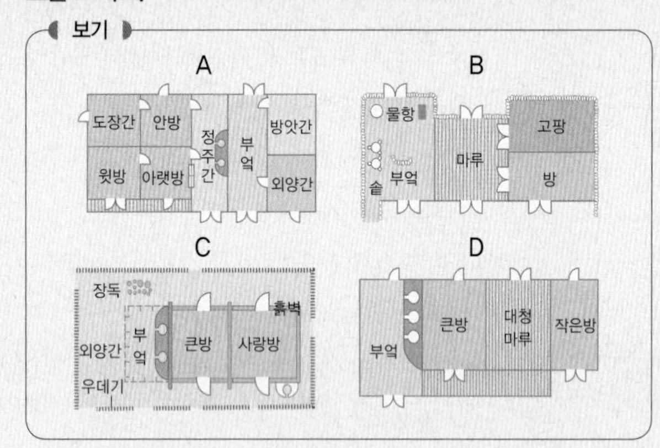

(1) 부엌과 방 사이의 벽이 없는 공간으로, 부엌에서 발생하는 온기를 활용할 수 있는 독특한 구조가 나타나는 관북 지방의 전통 가옥은?

(2) 눈이 많이 내리는 지역으로 폭설에 대비한 시설을 갖춘 전통 가옥은?

(3) 부엌에 난방 목적이 아닌 취사만을 목적으로 하는 아궁이가 있는 가옥은?

03 다음 글의 빈칸에 공통으로 들어갈 자연재해를 쓰시오.

(　　　)은/는 강수량이 부족한 기간이 지속되어 나타나는 물 부족 현상이다. (　　　)은/는 다른 자연재해보다 진행 속도가 느리지만 피해 범위는 넓다. 우리나라에서는 주로 봄철에 발생하며, 장마 전선이 늦게 북상하거나 충분히 비를 내리지 못하고 북상하면 여름철에도 발생한다.

01 기후와 주민 생활

01 (가), (나) 지방에 대한 학생들의 발표 내용 중 옳은 것은?

(가) 지방의 김치

(나) 지방의 김치

① 갑, 을
② 갑, 병
③ 을, 병
④ 을, 정
⑤ 병, 정

(빈출 문제) 연계 자료 → 51쪽 빈출 자료 01

02 (가), (나) 전통 가옥을 볼 수 있는 지역의 기후 그래프를 A～D에서 고른 것은?

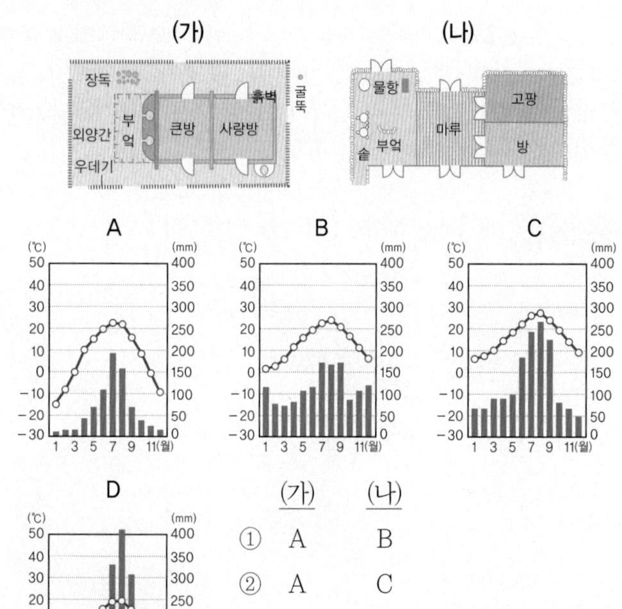

	(가)	(나)
①	A	B
②	A	C
③	B	C
④	B	D
⑤	C	D

유사 선택지 문제

02_ ❶ 방설벽인 (　　　)은/는 울릉도의 전통 가옥에서 나타난다.

02_ ❷ (　　　) 지방의 전통 가옥에는 정주간이 있다.

03 지도는 지역별 김장 시기를 나타낸 것이다. 이에 대한 설명으로 옳은 것은?

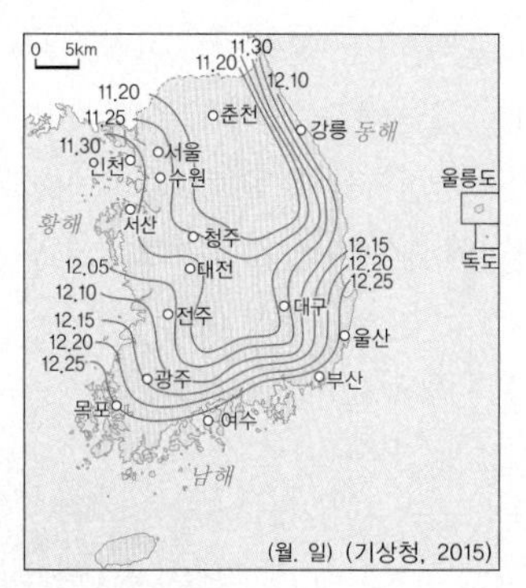

① 고위도일수록 김장 시기가 늦다.
② 춘천은 강릉보다 김장 시기가 늦다.
③ 광주는 대구보다 김장 시기가 늦다.
④ 동위도의 서해안은 동해안보다 김장 시기가 늦다.
⑤ 김장 시기가 이른 지역일수록 개나리꽃의 개화 시기가 이르다.

04 다음 글의 ㉠~㉤에 대한 설명으로 적절하지 않은 것은?

> 바람은 주민 생활 전반에 영향을 주었다. 고온 다습한 ㉠ 여름 계절풍의 영향으로 벼농사가 발달하였으며, 한랭한 겨울 계절풍을 피해서 ㉡ 배산임수 지역에 마을이 입지하였다. 한편 강한 바람이 자주 부는 곳에서는 방풍림을 조성하거나 가옥을 지을 때 바람에 대비하였다. 제주도에서는 집의 입구에 돌담으로 쌓은 곡선 형태의 (㉢)을/를 조성하여 집 안으로 들어오는 바람을 누그러뜨렸다. 황해의 섬 지방에서는 (㉣) 바람을 극복하기 위해 'ㄷ'자 형태로 집을 짓고 마당에 지붕을 덮기도 하였으며, ㉤ 호남 지방에서는 까대기를 설치하여 바람과 눈이 집 안으로 들어오는 것을 막았다.

① ㉠이 불 때는 남고북저형의 기압 배치가 나타난다.
② ㉡의 가옥들은 주로 북향을 선호한다.
③ ㉢에 들어갈 내용으로는 '올레'가 적절하다.
④ ㉣은 겨울철에 부는 북서 계열의 바람이다.
⑤ ㉤에는 광주광역시, 전라북도, 전라남도가 포함된다.

05 지도에 표시된 세 지역의 지리적 특색을 파악하기 위한 탐구 주제로 가장 적절한 것은?

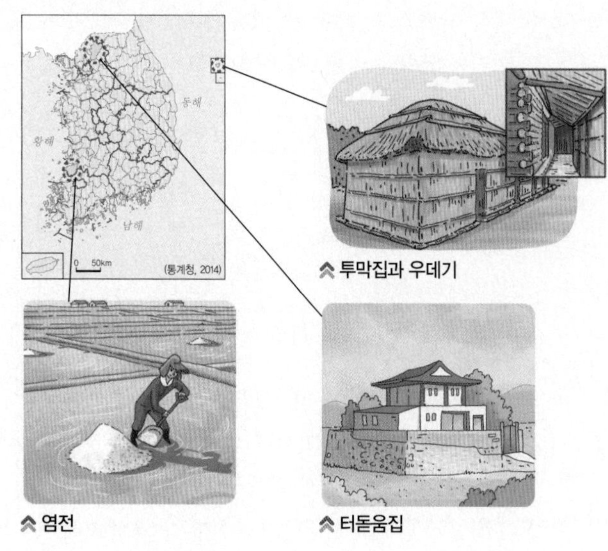

투막집과 우데기
염전
터돋움집

① 기온과 주민 생활
② 강수와 주민 생활
③ 계절풍과 주민 생활
④ 용암 대지의 지리적 특색
⑤ 고위 평탄면의 지리적 특색

02 기후가 경제생활에 미치는 영향

06 다음 글의 밑줄 친 (가)의 사례로 적절한 것만을 《보기》에서 있는 대로 고른 것은?

> (가) 날씨는 우리 삶의 가장 기본적인 요소 중의 하나로 경제생활에 큰 영향을 준다. 날씨의 영향을 직접적으로 받는 1차 산업뿐만 아니라 계절상품을 생산하고 판매하는 제조업과 각종 서비스업에도 큰 영향을 준다.

《보기》
ㄱ. 겨울에는 스키 용품의 판매가 증가한다.
ㄴ. 편의점은 날씨에 따라 진열되는 상품이 달라진다.
ㄷ. 기온이 너무 높으면 폭염, 너무 낮으면 한파가 발생한다.
ㄹ. 택배 및 운송 서비스업에서는 비가 내릴 때 할증 요금을 받기도 한다.

① ㄱ, ㄴ ② ㄴ, ㄹ ③ ㄱ, ㄴ, ㄹ
④ ㄱ, ㄷ, ㄹ ⑤ ㄴ, ㄷ, ㄹ

시험에 꼭 나오는 문제

07 다음은 한국지리 수업의 한 장면이다. 교사의 질문에 대한 대답으로 가장 적절한 것은?

- 교사: 다음 자료를 보고 알 수 있는 기후가 경제생활에 미치는 영향에 대해 발표해 볼까요?

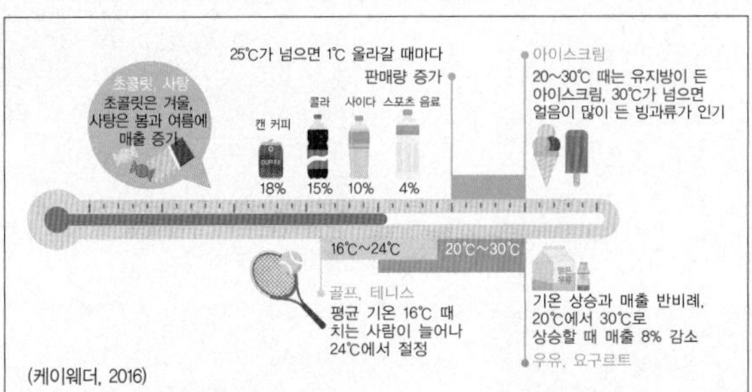

(케이웨더, 2016)

최근 날씨 경영의 영역이 점차 넓어지면서 기업들은 기상 정보를 매출 확대의 기회로 삼고 있다. 즉 장기간 축적된 기상 정보를 경영 정보와 접목하여 날씨에 따라 변하는 고객의 구매 경향을 분석하고, 그 정보를 광고 시장 관리 등에 활용하고 있다.

① 갑: 지구 온난화로 새로운 상품들이 등장합니다.
② 을: 날씨와 특정 상품의 판매량은 상관관계가 높습니다.
③ 병: 기후가 다른 지역은 판매되는 음료의 종류가 다릅니다.
④ 정: 강수량은 기온보다 상품 판매에 미치는 영향이 큽니다.
⑤ 무: 마케팅을 통해 기후 제약을 극복하여 제품 판매를 늘릴 수 있습니다.

08 지도의 A~D 지역 축제가 개최되는 시기가 이른 순서대로 옳게 나열한 것은?

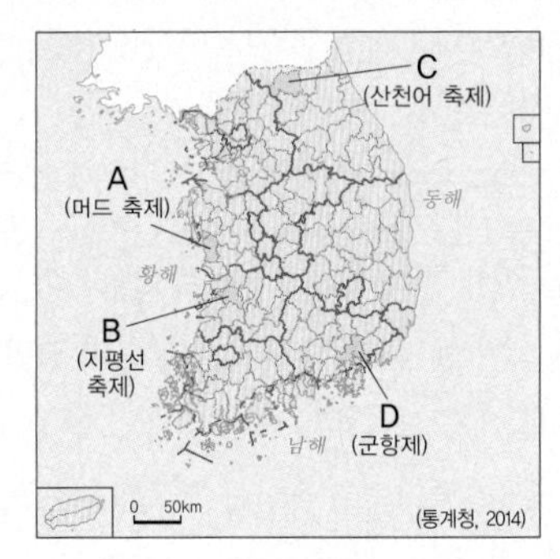

(통계청, 2014)

① A - B - C - D ② A - D - B - C
③ C - A - D - B ④ D - A - B - C
⑤ D - C - A - B

09 다음 글의 밑줄 친 ㉠~㉣에 대한 옳은 설명만을 《보기》에서 있는 대로 고른 것은?

제주도에서는 ㉠ 밭과 밭의 경계를 돌담으로 쌓았는데, 이를 '밭담'이라고 한다. 밭담을 쌓는 것은 많은 ㉡ 돌을 효과적으로 제거하고 정리하는 방법이었으며, 얼기설기 쌓은 밭담은 ㉢ 바람에 무너지지 않으면서 풍속을 줄여 흙이 유실되는 것을 막았다. 아울러 방목한 가축들이 침입하여 농작물이나 시설물을 훼손하는 것을 막아주고, 토지의 경계 구실도 하였다. 최근 밭담은 ㉣ 문화 및 관광 자원으로서의 가치를 인정받아 2014년 국제 연합 식량 농업 기구(FAO)의 세계 중요 농업 유산으로 지정되었다.

《보기》
ㄱ. ㉠ – 제주도의 농경지는 논보다 밭의 비중이 높다.
ㄴ. ㉡ – 주로 화강암이다.
ㄷ. ㉢ – 일 년 내내 북서풍보다 남동 · 남서풍의 풍속이 세다.
ㄹ. ㉣ – 밭담 관련 상표 개발을 통해 주민 소득을 높일 수 있다.

① ㄱ, ㄹ ② ㄴ, ㄷ ③ ㄱ, ㄴ, ㄷ
④ ㄱ, ㄴ, ㄹ ⑤ ㄴ, ㄷ, ㄹ

03 기후 변화와 자연재해

10 (가), (나)를 비교할 때 (나)로 인해 우리나라에서 나타난 기후 변화의 특징을 그림의 A~E에서 고른 것은?

(가)

이산화 탄소의 양이 정상일 때
태양
❶ 태양 에너지 유입
❷ 지구의 표면은 태양 복사 에너지에 의해 가열
❸ 지구 대기에서 방출된 에너지는 대기에 있는 이산화 탄소에 의해 일부 흡수
❹ 지구 대기에서 방출된 에너지
대기

(나)

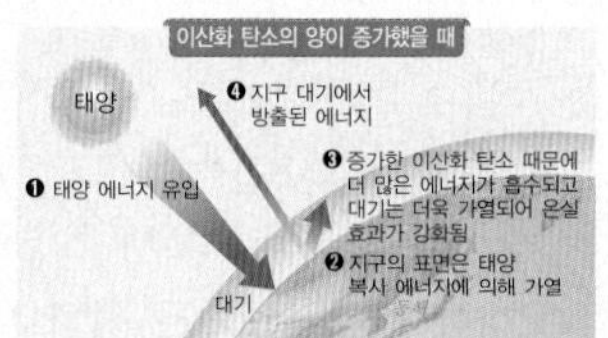

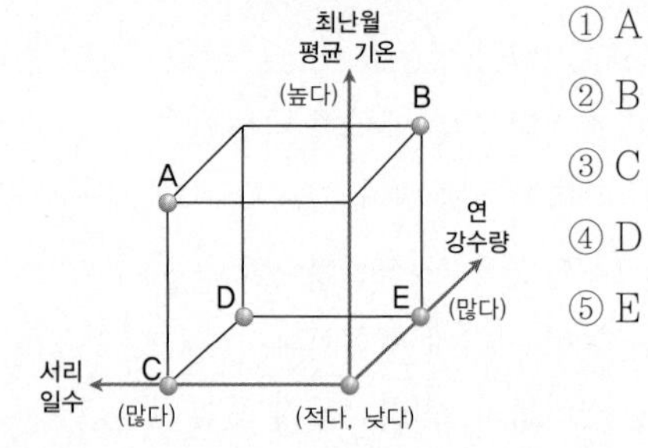

① A
② B
③ C
④ D
⑤ E

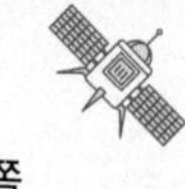

(빈출 문제) 연계 자료 → 51쪽 빈출 자료 02

11 다음 자료의 (가)에 대한 설명으로 옳은 것만을 《보기》에서 있는 대로 고른 것은?

(가)는 폭풍우를 동반하는 열대 저기압으로 열대 해상에서 발생하여 중위도 지역으로 북상한다. 우리나라에 영향을 미치는 (가)는 1년에 약 3개 정도인데, 8~9월에 주로 발생한다.

▲ (가)의 이동 경로

《보기》
ㄱ. 편서풍은 (가)의 진행 방향에 영향을 준다.
ㄴ. (가)는 농경지와 가옥의 침수 피해를 유발한다.
ㄷ. (가)는 남해안의 적조 현상 해소에 도움을 주기도 한다.
ㄹ. (가)는 우리나라의 남부 지방보다는 중부 지방에 피해를 입히는 경우가 더 많다.

① ㄱ, ㄴ ② ㄱ, ㄹ ③ ㄷ, ㄹ
④ ㄱ, ㄴ, ㄷ ⑤ ㄴ, ㄷ, ㄹ

유사 선택지 문제

11_ ❶ 태풍은 적도 부근의 바다에서 발생한다. (○ / ×)
11_ ❷ 태풍은 강한 바람과 많은 비를 동반하여 홍수, 해일, 산사태, 건물 파손 등의 피해를 준다. (○ / ×)

12 다음 글의 ㉠~㉢에 들어갈 내용으로 옳은 것은?

과거 100년간 우리나라의 기온 증가율은 1℃ 이상으로 세계 평균을 웃돌고 있다. 이에 따라 겨울철 지속 기간이 (㉠)하고 여름철 지속 기간이 증가하여 농업 및 어업 환경에 영향을 미치고 있다. 농작물 재배 가능 지역이 점차 (㉡)하고 있으며, 냉대림의 분포 면적이 축소되고 상대적으로 난대림의 분포 면적이 확대되고 있으며, 고산 식물의 분포 고도 하한선이 (㉢)하고 있다.

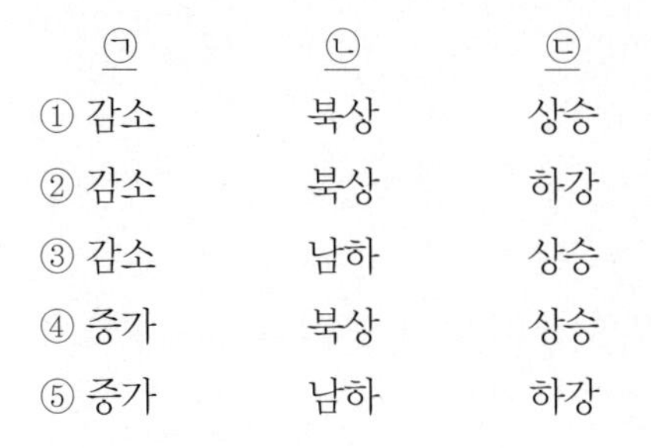

	㉠	㉡	㉢
①	감소	북상	상승
②	감소	북상	하강
③	감소	남하	상승
④	증가	북상	상승
⑤	증가	남하	하강

13 그래프는 서울의 자연 계절 변화를 예측한 것이다. 1920년대와 비교한 2090년대의 상대적 특징으로 옳은 것은?

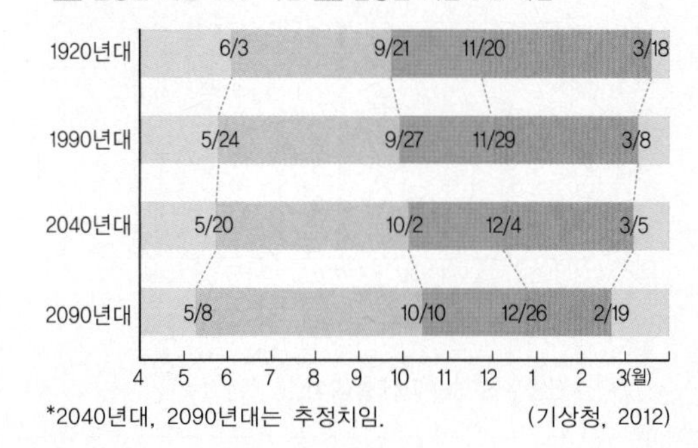

① 봄은 늦어지고 가을은 빨라진다.
② 여름은 짧아지고 겨울은 길어진다.
③ 산에 단풍이 드는 시기가 앞당겨진다.
④ 농작물의 생육 가능 기간이 길어진다.
⑤ 일 년 중 난방이 필요한 날의 수가 증가한다.

14 그래프는 어느 자연재해의 월별 발생 횟수를 나타낸 것이다. 이 자연재해에 대한 설명으로 옳은 것은?

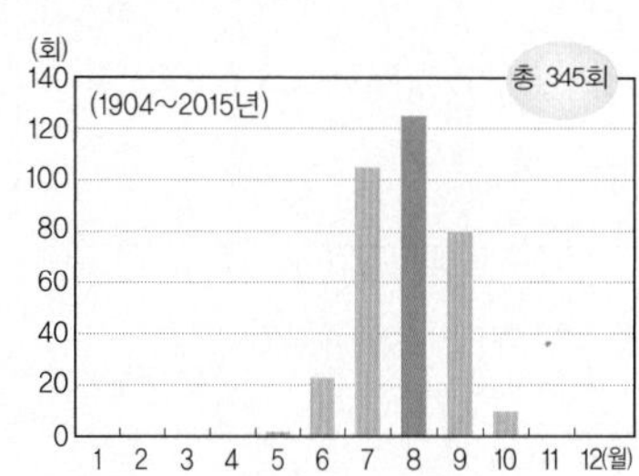

① 각종 용수 부족을 초래한다.
② 대기 중 먼지의 농도를 높인다.
③ 한랭 건조한 계절에 주로 발생한다.
④ 진행 속도는 느리지만 피해 면적이 넓다.
⑤ 강풍과 집중 호우를 동반하여 풍수해를 일으킨다.

15 그래프의 (가)~(다) 자연재해에 대한 대책으로 옳은 것을 《보기》에서 고른 것은? (단, (가)~(다)는 대설, 태풍, 호우 중 하나임.)

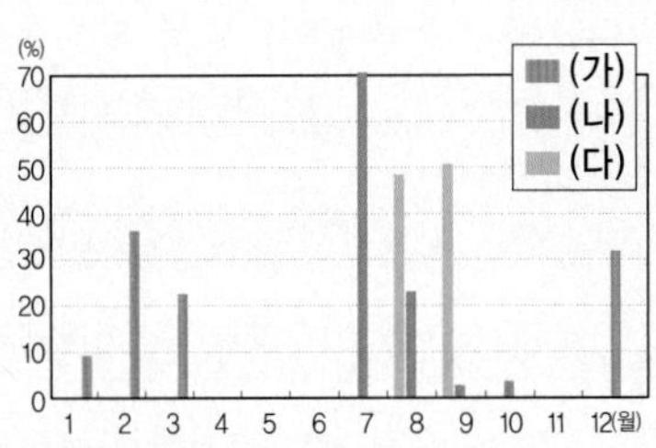

*최근 10년간(2006~2015) 발생한 자연재해의 피해액을 기준으로 함.
(국민 안전처, 2016)

⌃ 월별 자연재해 피해 발생 비중

《보기》
ㄱ. 비닐하우스 보강 지지대 설치, 스노타이어 준비 등
ㄴ. 배수로 정비, 고지대 대피, 보 · 저수지 · 댐 건설 등
ㄷ. 정확한 이동 경로 예보, 유리창에 테이프 붙이기 등

	(가)	(나)	(다)
①	ㄱ	ㄴ	ㄷ
②	ㄱ	ㄷ	ㄴ
③	ㄴ	ㄱ	ㄷ
④	ㄴ	ㄷ	ㄱ
⑤	ㄷ	ㄴ	ㄱ

16 그래프는 자연재해의 원인별 · 도별 피해액을 나타낸 것이다. (가)~(다) 자연재해로 옳은 것은?

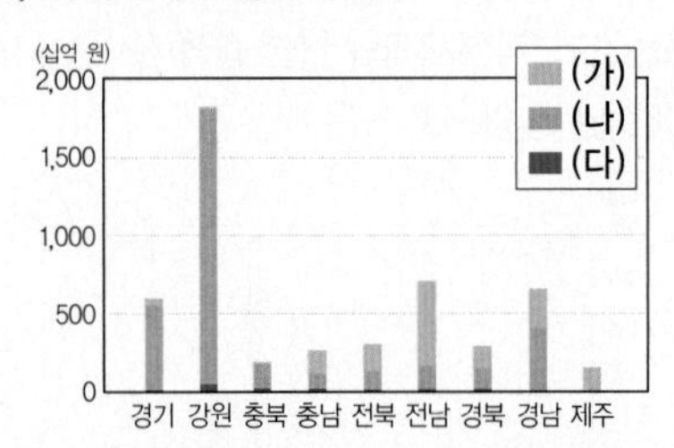

*2006~2015년의 누적치이며, 2015년의 환산 가격 기준임.
(국민 안전처, 2016)

	(가)	(나)	(다)
①	대설	태풍	호우
②	대설	호우	태풍
③	태풍	대설	호우
④	태풍	호우	대설
⑤	호우	태풍	대설

17 다음 자료에서 설명하는 환경 관련 국제 협약(의정서)으로 옳은 것은?

2015년 12월 제21차 유엔 기후 변화 협약 당사국 총회에서 채택된 새로운 기후 협약이다. 이 협약은 모든 당사국에 온실가스 배출 감축 의무를 부여한 것이 특징이다.

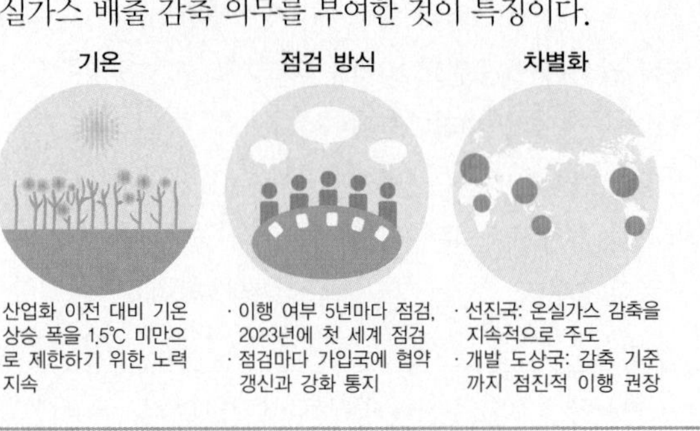

① 바젤 협약 ② 파리 협정
③ 람사르 협약 ④ 교토 의정서
⑤ 몬트리올 의정서

18 다음 자료의 (가) 현상에 대한 설명으로 옳지 않은 것은?

• 서울에서 약 100km 남쪽에 있는 천안의 기온은 서울보다 따뜻할 것 같지만, 4월 주간 기온을 살펴보니 오히려 추운 날이 더 많았다.
• 월평균 기온을 살펴봐도 천안이 서울보다 뚜렷하게 더 낮다.
• 천안보다 고위도에 있는 서울의 기온이 더 높은 것은 ___(가)___ 현상 때문이다.

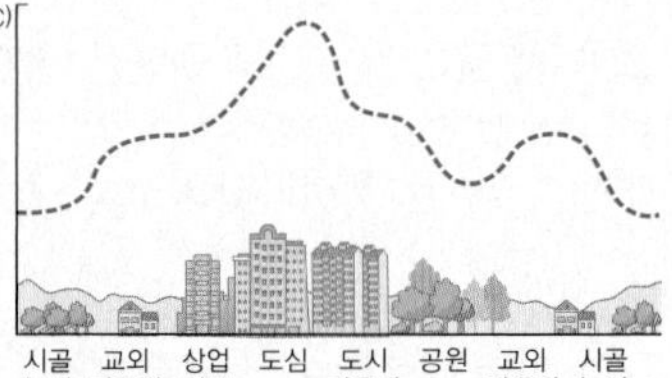

⌃ (가) 현상

① (가) 현상은 도시 열섬 현상이다.
② (가) 현상은 도시의 녹지 면적이 증가할수록 심화된다.
③ (가) 현상은 서울 도심의 기온이 주변부에 비해 높은 현상이다.
④ (가) 현상은 고층 건물과 자동차로 인한 인공 열 발생량이 많은 지역에서 심화된다.
⑤ (가) 현상은 지표면이 콘크리트와 아스팔트로 포장된 비율이 높은 지역에서 심화된다.

19 다음 자료의 밑줄 친 (가)에 해당하는 자연재해로 옳은 것은?

북쪽의 찬 공기와 남쪽의 더운 공기가 만나면 대기가 불안정해져 집중 호우가 발생하며, 이로 인해 ___(가)___ 이/가 발생한다.

① 가뭄 ② 태풍 ③ 대설
④ 홍수 ⑤ 황사

20 다음 자료는 한반도 주변 해역의 어종 변화를 나타낸 것이다. 이와 같은 원인으로 나타날 것으로 예상되는 지역별 변화로 옳은 것은?

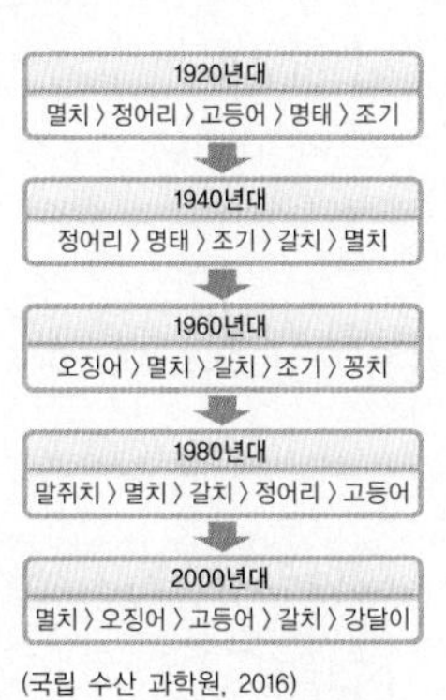

(국립 수산 과학원, 2016)

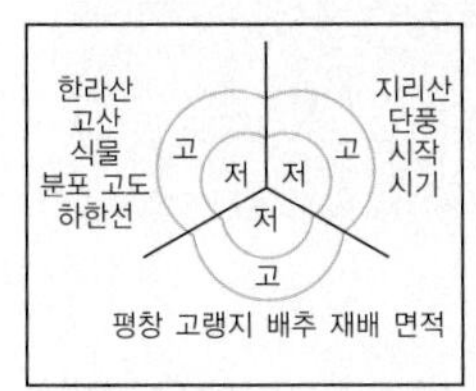

*단, 그림의 음영 부분이 나타날 현상의 특징임.
**고는 '높아짐, 빨라짐, 넓어짐'을 의미하며, 저는 '낮아짐, 늦어짐, 좁아짐'을 의미함.

① ② ③ ④ ⑤

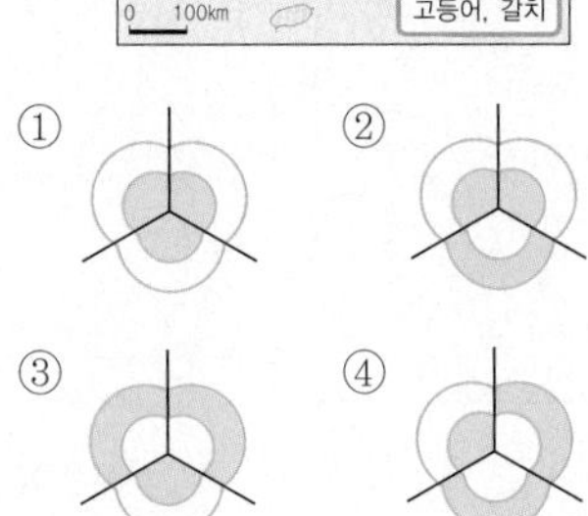

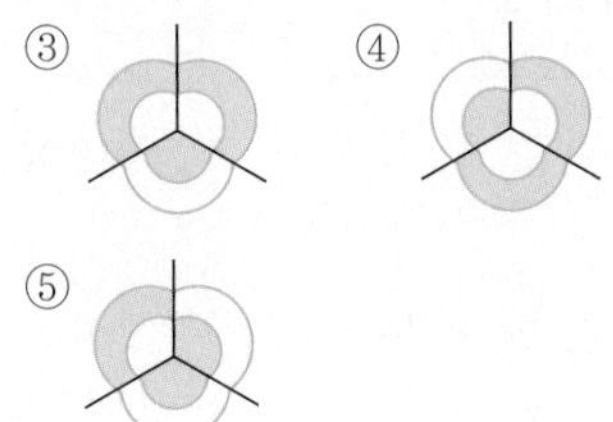

21 어떤 지역이 (가)에서 (나)로 변화할 때 (가) 시기와 비교하여 (나) 시기의 상대적 특징으로 옳은 것은?

(가) 도시화 이전: 51% 증발, 9% 유출, 40% 침투
(나) 도시화 이후: 30% 증발, 47% 유출, 23% 침투

① 도시의 평균 기온이 낮아진다.
② 도시의 상대 습도가 높아진다.
③ 여름철 냉방용 전력 소비량이 감소한다.
④ 강수 시 하천 유량 증가 속도가 빨라진다.
⑤ 토양층으로 흡수되는 빗물의 양이 증가한다.

(빈출 문제) 연계 자료 → 51쪽 빈출 자료 03

22 그림은 한라산에서 볼 수 있는 식생의 수직적 분포를 나타낸 것이다. 이에 대한 옳은 설명만을 《보기》에서 있는 대로 고른 것은?

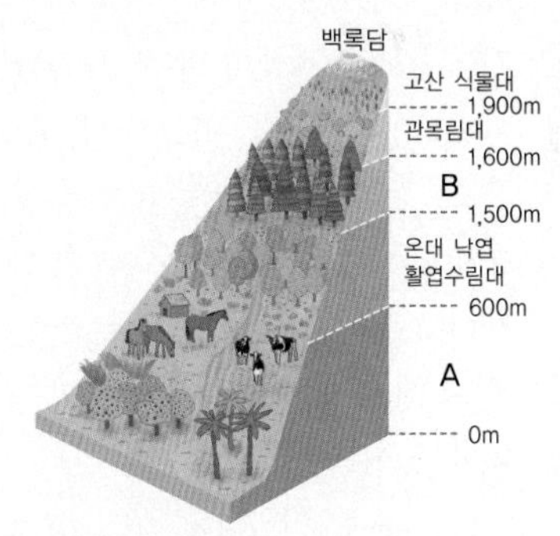

《보기》
ㄱ. A 식생은 남해안에서도 볼 수 있다.
ㄴ. B 식생의 분포 고도 하한선은 북쪽으로 갈수록 높아진다.
ㄷ. 식생의 수직적 분포는 강수량보다 기온의 영향이 크다.
ㄹ. 식생의 수직적 분포는 한라산보다 백두산에서 더 잘 나타난다.

① ㄱ, ㄴ ② ㄱ, ㄷ ③ ㄴ, ㄹ
④ ㄱ, ㄴ, ㄷ ⑤ ㄴ, ㄷ, ㄹ

유사 선택지 문제

22_ ❶ 냉대림이 나타나는 고도는 한라산이 백두산보다 높다. (○ / ×)
22_ ❷ 식생은 위도의 영향으로 수직적으로 분포한다. (○ / ×)

23 그래프와 같은 현상을 완화하기 위한 대책으로 옳지 않은 것은?

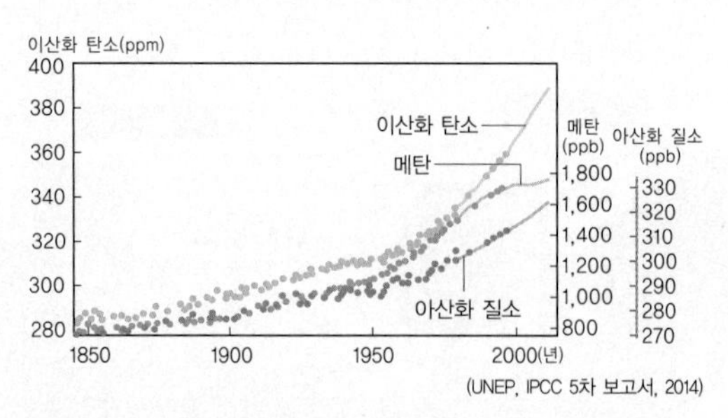

① 일회용 제품의 사용을 늘린다.
② 쓰레기 분리 배출을 생활화한다.
③ 자가용보다는 대중교통을 이용한다.
④ 탄소 발자국을 줄이는 제품을 소비한다.
⑤ 사용하지 않는 전기 기기는 플러그를 뽑아 둔다.

24 다음 글의 밑줄 친 ㉠~㉤에 대한 설명으로 옳지 않은 것은?

> 우리나라는 산업화 이후 ㉠ 도시 지역의 확대, 도로와 주택 건설, 경작지 확대 등으로 식생이 많이 파괴되었으나, 최근 식생 회복을 위해 다양한 노력을 하고 있다. 자연 생태계가 잘 보존된 곳을 국립 공원으로 지정하여 초목 채집을 제한하거나 ㉡ 나무 심기와 숲 가꾸기 사업을 꾸준히 전개하였다. 토양은 한번 오염되거나 침식되면 회복하는 데 ㉢ (오랜 시간 / 짧은 시간)이 걸린다. 따라서 토양 유실을 막기 위해 계단식 경작이나 ㉣ 등고선식 경작을 하고 있으며, ㉤ 토양 보존을 위해 노력하고 있다.
>
> (만 ha) 평균 임목 축적량 / 삼림 면적 (㎥/ha)
> 660, 655, 650, 645, 640, 635, 630, 625, 620 / 160, 140, 120, 100, 80, 60, 40, 20, 0
> 146, 633
> 1975 1985 1995 2005 2015(년)
> (산림청, 2016)

① ㉠으로 인해 삼림 면적이 감소하고 있다.
② ㉡의 영향으로 임목 축적량은 증가하고 있다.
③ ㉢에는 '짧은 시간'이 적절하다.
④ ㉣은 이랑 사이에 빗물이 모여 땅속으로 침투하기 때문에 토양의 침식 방지에 유리한 경작 방식이다.
⑤ ㉤을 위해 퇴비 및 유기질 비료 사용, 객토 사업 등을 하고 있다.

서술형 문제

25 지도를 보고 물음에 답하시오.

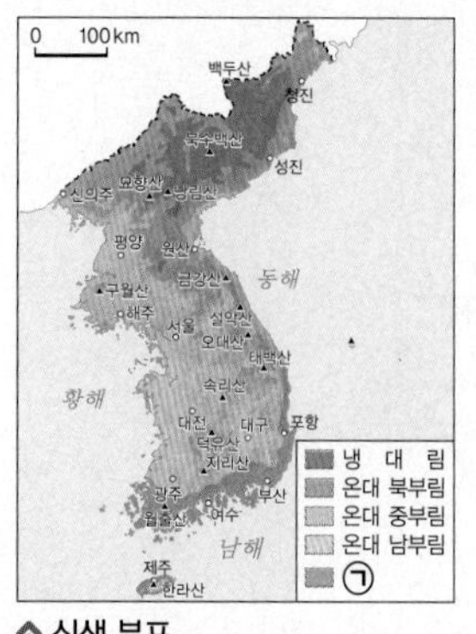

▲ 식생 분포

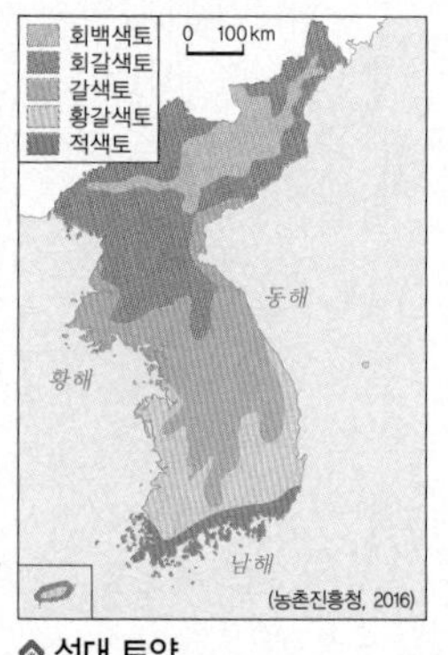

▲ 성대 토양

(1) ㉠에 들어갈 식생을 쓰시오.

(2) 식생 분포와 성대 토양의 분포가 대체로 일치하는 이유를 서술하시오.

26 그래프를 보고 물음에 답하시오.

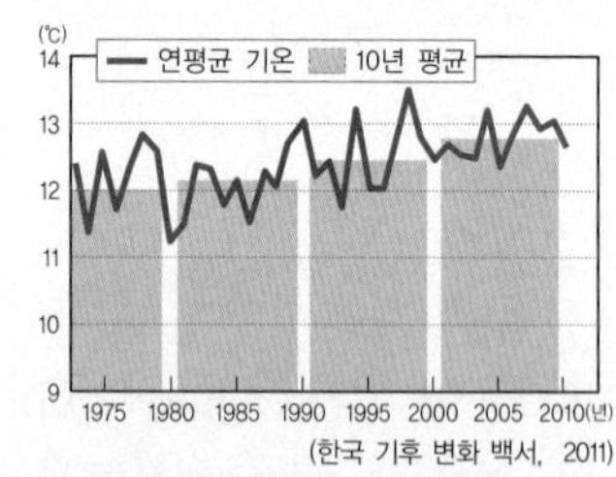

▲ 우리나라의 연평균 기온 변화 (1973~2010년)

(1) 그래프와 같은 현상이 나타나게 된 전 지구적 기후 변화를 무엇이라고 하는지 쓰시오.

(2) 1980년과 비교하여 2010년에 한강의 결빙 일수가 어떻게 변화하였을지 추론하여 서술하시오.

27 다음 자료는 어떤 자연재해에 대한 보고서 중 일부이다. 이를 보고 물음에 답하시오.

> • 특징: 다른 자연재해보다 진행 속도가 느리지만 피해 범위는 넓다.
> • 발생 시기: 우리나라에서는 주로 봄철에 발생한다.
> • 대책: ____________

(1) 위 보고서는 어떤 자연재해에 대한 것인지 쓰시오.

(2) 밑줄 친 부분에 들어갈 알맞은 내용을 서술하시오.

| 평가원 |

01 다음은 한국지리 수업 시간에 제출한 수행 평가 과제물이다. ㉠~㉢에 대한 옳은 설명을 《보기》에서 고른 것은?

주제: 계절에 따라 나타나는 다양한 기후 현상
중국 내륙 건조 지역에서 발생하는 황사(黃沙)는 ㉠ 편서풍을 타고 우리나라에 사흘 이내에 도달한다. 기상청에 따르면 4~6월 국내에 유입되는 황사의 80% 정도가 이들 지역에서 발원한 것이라고 한다.
㉡ 태풍이 강력한 기세로 한반도를 향해 북상함에 따라 경로와 규모에 주의를 기울이고 있다. 베란다 창문에 테이프를 붙이거나 젖은 신문지를 붙여두면 강풍에 의한 안전사고를 예방하는 데 도움이 된다.
오늘 낮 최고 기온은 서울 30.8℃, 홍천 31.5℃인 반면, 동해안 지역은 강릉 21.8℃, 속초 20.2℃로 동서 지역 간에 큰 기온 차를 보였다. 이는 늦봄에서 초여름 사이 영서 지방에 주로 나타나는 ㉢ 높새바람 때문이다.

《보기》

ㄱ. ㉠은 육지와 바다의 비열 차로 인해 발생한다.
ㄴ. ㉡은 우리나라를 통과할 때 대류성 강수를 동반한다.
ㄷ. ㉢이 지속되면 영서 지방에 가뭄이 발생할 수 있다.
ㄹ. 우리나라 부근에서 ㉡의 진행 방향은 ㉠의 영향을 받는다.

① ㄱ, ㄴ ② ㄱ, ㄷ ③ ㄴ, ㄷ ④ ㄴ, ㄹ ⑤ ㄷ, ㄹ

| 평가원 |

02 다음은 기후 단원에 대한 한국지리 수업 장면이다. 발표 내용이 가장 적절한 학생을 고른 것은?

〈기후 변화 전망〉

구분	결빙 일수(일)	식물 성장 가능 기간(일)
1981~2010년	21.0	245.2
2021~2040년	13.9	253.7
2041~2070년	8.8	257.3

식물 성장 가능 기간: 일 평균 기온이 5℃보다 높은 날이 6일 이상 지속된 첫 날부터 일 평균 기온이 5℃ 미만인 날이 6일 이상 지속된 첫 날까지 사이의 연중 일수
(2017) (통계청)

① 갑 ② 을 ③ 병 ④ 정 ⑤ 무

| 수능 |

03 (가)~(다)에 대한 옳은 설명을 《보기》에서 고른 것은? (단, (가)~(다)는 부산, 인천, 제주 중 하나임.)

〈계절별 기온〉

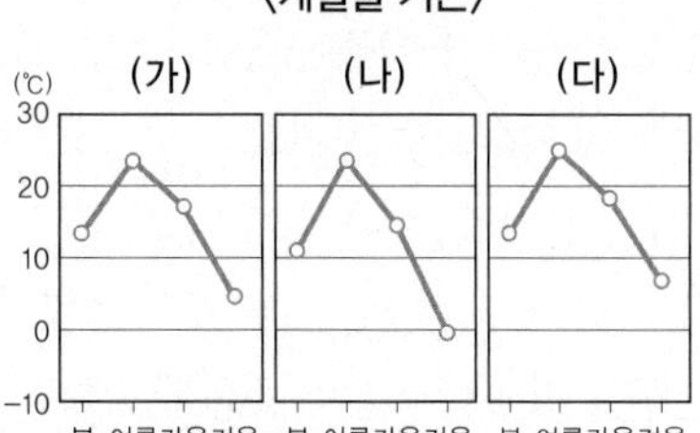

*1981~2010년의 평년값임.

〈계절별 기온 변화〉

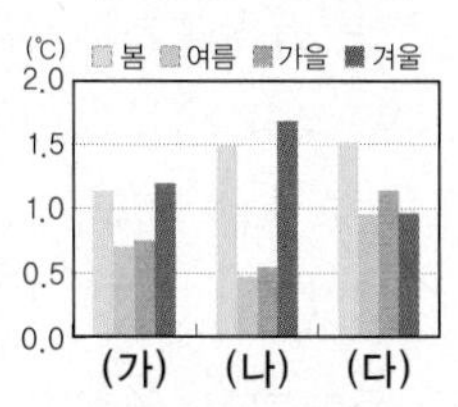

*1981~2010년의 평년값에서 1931~1960년 평년값을 뺀 값임.
(기상청)

《보기》

ㄱ. (가)는 부산, (나)는 인천이다.
ㄴ. (나)는 (다)보다 무상 일수가 많다.
ㄷ. (가)~(다)의 겨울 기온은 위도가 높을수록 더 크게 상승했다.
ㄹ. 인천은 봄 기온, 제주는 겨울 기온이 가장 크게 상승했다.

① ㄱ, ㄴ ② ㄱ, ㄷ ③ ㄴ, ㄷ ④ ㄴ, ㄹ ⑤ ㄷ, ㄹ

| 평가원 |

04 다음 자료의 (가), (나) 자연재해에 대한 설명으로 옳은 것은?

〈(가), (나)의 월별 발생 횟수 비중〉

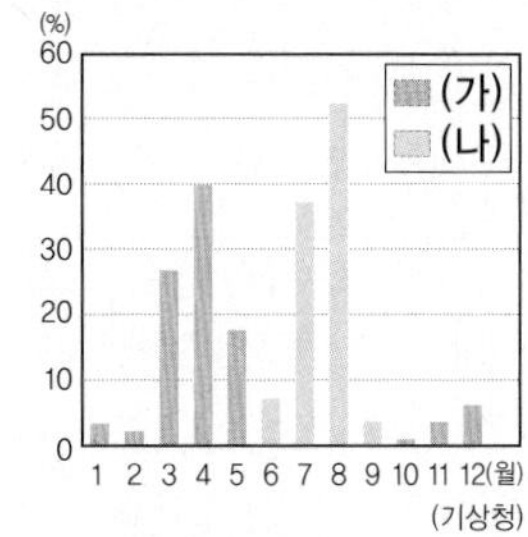

(기상청)

*1981~2010년 서울, 부산, 대구, 인천, 광주의 측정값임.

〈재해 대응 행동 요령〉

(가)
• 창문을 닫고 공기 정화기를 사용한다. • 외출 시 보호 안경, 마스크, 긴 소매 의복을 착용한다. • 비닐하우스, 온실 등 시설물의 출입문과 환기창을 닫는다.
(나)
• 환기가 잘되도록 출입문을 개방한다. • 비닐하우스, 축사 천장 등에 분무 장치를 설치한다. • 가벼운 옷차림을 한다.

① (가)는 열대 해상에서 발생하여 고위도로 이동한다.
② (가)는 북동풍이 태백산맥을 넘을 때 나타나는 푄 현상 때문에 주로 발생한다.
③ (나)를 대비한 전통 가옥 시설로 우데기가 있다.
④ (나)는 남고북저형 기압 배치가 전형적으로 나타나는 계절에 주로 발생한다.
⑤ (가)는 강수, (나)는 기온과 관련된 재해이다.

Ⅳ. 거주 공간의 변화와 지역 개발

08 촌락의 변화와 도시 발달 ~ 도시 구조와 대도시권

출제 경향
★촌락의 변화
★도시 발달과 도시 체계
★도시 내부 구조의 특징
★대도시권의 공간 구조

01 촌락의 변화와 도시 발달

1. 촌락의 형성과 변화

(1) 전통 촌락의 특징: 1차 산업 종사자 비중이 높고, 인구 밀도가 낮음, 국토 공간에서 넓은 면적을 차지함

(2) 전통 촌락의 입지: 도시보다 지형, 기후 등 자연적 조건의 영향력이 큼, 최근 상업적 농업 발달, 영농 기술 발달 등으로 산업, 교통 등 사회·경제적 조건의 중요성이 커짐

입지 요인		입지 장소
물	용수 확보	제주도의 용천(샘)이 분포하는 해안 취락, 선상지의 선단 취락
	피수	범람원에서는 주로 가옥이 자연 제방에 입지
교통	육상 교통	역원 취락 예 조치원, 퇴계원, 역삼동 등
	하천 교통	수운 요충지, 나루터 취락 예 노량진, 마포 등
방어		지형적으로 방어에 유리한 지역인 국경 및 해안 지역 예 중강진, 통영 등

2. 촌락의 변화

(1) 원인: 산업화와 도시화에 따른 청장년층 중심의 이촌 향도

(2) 영향

① 대도시와 멀고 접근성이 낮은 촌락: 청장년층 중심의 인구 유출로 인구 감소, 노동력 고령화, 노동력 부족 발생

② 대도시와 가깝고 접근성이 높은 촌락: 청장년층 중심의 인구 유입 활발, 상업적 농업 확대, 도시적 경관이 증가하고 겸업농가 비율이 높아짐

3. 도시 발달과 도시 체계

(1) 도시 발달 과정: 1960년대 이후 도시화가 빠르게 진행됨

1960년대	서울, 부산, 대구 등 대도시가 빠르게 성장
1970년대	남동 연안의 포항, 울산, 창원 등이 공업 도시로 성장
1980년대 이후	서울 주변의 성남·안산·고양 등, 부산 주변의 김해·양산, 대구 주변의 경산 등 위성 도시가 빠르게 성장

(2) 도시 체계: 도시 간 상호 작용에 의해 나타나는 도시 간의 계층 질서 빈출 자료 01

① 도시 계층 구조의 형성: 도시(중심지)의 영향력에 따라 계층 구조가 형성됨

중심지 계층	최소 요구치	재화의 도달 범위	중심지 기능	중심지 수	중심지 간의 거리
저차 중심지	작다	좁다	적다	많다	가깝다
고차 중심지	크다	넓다	많다	적다	멀다

② 우리나라 도시 체계의 특징: 인구 규모 1위 도시인 서울의 인구가 인구 규모 2위 도시인 부산의 인구보다 2배 이상 많은 종주 도시화 현상이 뚜렷하게 나타남

02 도시 구조와 대도시권

1. 도시 내부의 지역 분화와 도시 내부 구조

(1) 도시 내부의 지역 분화: 도시가 성장하면서 도시 내부가 기능에 따라 상업·공업·주거 지역 등으로 분화되는 현상

(2) 지역 분화의 요인: 접근성과 지대 및 지가의 차이

접근성	통행이 발생한 지역에서 특정 지역으로 접근할 수 있는 가능성으로, 위치, 거리, 교통 등의 영향을 받음
지대	토지 이용을 통해 얻을 수 있는 수익 또는 타인의 토지를 이용하고 지불해야 하는 비용, 접근성이 높을수록 지대가 높아짐
지가	토지의 가격, 접근성과 지대 및 지가는 비례하는 경향이 있음

(3) 지역 분화 과정: 집심 현상과 이심 현상으로 지역 분화 발생

집심 현상	지대 지불 능력이 높은 상업·업무 기능이 도심에 집중하는 현상
이심 현상	지대 지불 능력이 낮은 주택, 학교, 공장 등이 도심에서 주변 지역으로 이동하는 현상

(4) 도시 내부 구조 빈출 자료 02

도심	• 접근성이 좋고 지대가 높아 토지 이용이 집약적임 • 중심 업무 기능, 전문 상업 기능이 밀집하여 주간 인구 지수가 높음, 상주인구는 주변 지역에 비해 적음, 인구 공동화 현상
부도심	• 도심의 기능을 일부 분담하여 도심의 과밀화를 완화함 • 도심과 주변 지역을 연결하는 교통의 결절점에 형성
중간 지역	• 도심과 주변 지역 사이에 위치 • 상업, 주거, 공업 기능이 혼재되어 있음
주변(외곽) 지역	• 도시의 변두리에 위치, 주택, 학교, 공장 등이 입지함 • 상주인구가 많고 도심보다 주간 인구 지수가 낮음
개발 제한 구역	녹지를 보존하고 도시의 무질서한 팽창을 방지하기 위해 설정함, 개인의 사유 재산권 행사가 제한됨

2. 대도시권의 형성

(1) 대도시권: 기능적으로 상호 밀접한 관계를 갖는 대도시와 그 주변 지역 → 대도시로의 통근·통학이 가능한 범위

(2) 대도시권의 형성 과정: 대도시의 인구와 기능이 과밀화됨 → 대도시와 주변 지역 간의 교통망이 확충되면서 대도시의 주거 기능과 산업 시설이 주변 지역으로 분산됨 → 대도시와 그 주변 지역이 하나의 일일생활권이 됨

(3) 대도시권의 공간 구조 빈출 자료 03

중심 도시		대도시권의 중심 지역, 다핵 구조가 나타남
통근 가능권	교외 지역	• 중심 도시와 경계가 맞닿은 지역 • 대도시의 주거·공업 기능 등이 확대됨
	대도시 영향권	도시 경관은 미약하지만 통근 형태와 토지 이용이 중심 도시의 영향을 받음
	배후 농촌 지역	• 중심 도시로의 최대 통근 가능 지역 • 상업적 원예 농업 발달

(4) 대도시권 확대에 따른 배후 농촌 지역의 변화: 도시적 토지 이용 증가, 토지 이용의 집약도 상승, 겸업농가 증가

빈출 특강

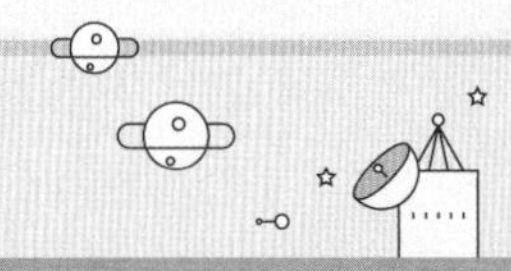

대표 유형

빈출 자료 01) 인구 규모 10대 도시의 순위와 인구 변화 | 연계 문제 → 64쪽 08번

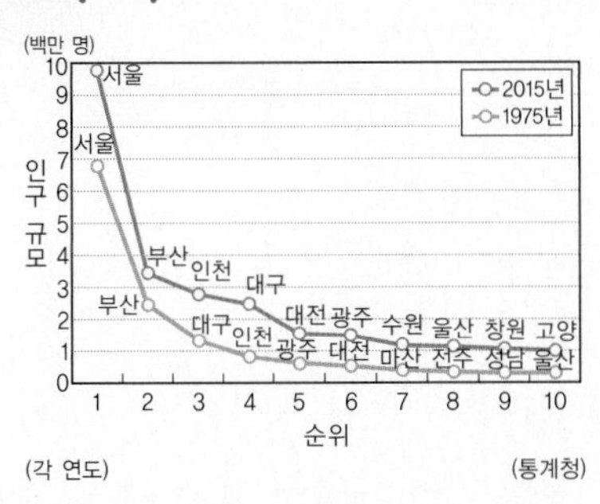

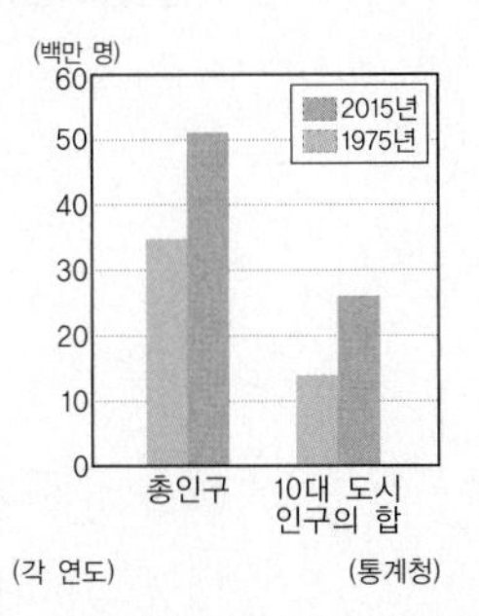

| 자료 분석 | • 1975년에 수도권에 위치하는 10대 도시는 서울, 인천, 성남의 3개였으나 2015년에는 서울, 인천, 수원, 고양의 4개로 그 수가 늘어났다. 반면 호남권은 1975년 광주, 전주 2개였으나 2015년에는 광주 1개이다. 충남은 두 시기 모두 1개, 영남권은 두 시기 모두 4개로 변화가 없다.

• 총인구에서 차지하는 10대 도시의 인구 비율은 1975년에는 50% 미만이었지만 2015년에는 50% 이상으로 높아졌다. 이는 대도시 중심으로 도시가 성장했음을 의미한다.

빈출 자료 02) 도심과 주변 지역의 특성 | 연계 문제 → 64쪽 09번

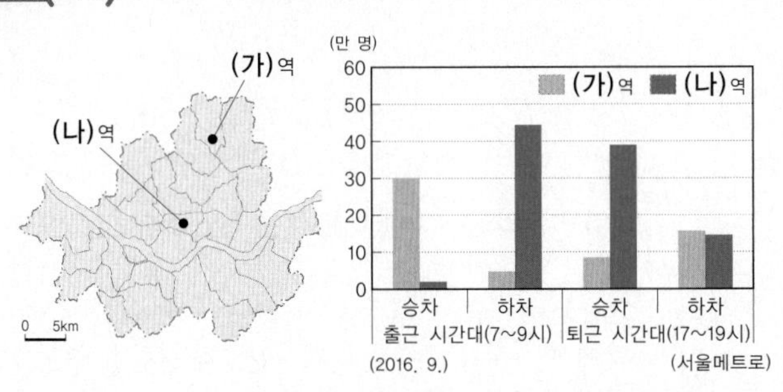

| 자료 분석 | (가)역은 대도시의 주변 지역, (나)역은 대도시의 도심에 위치한다. 도심은 주변 지역에 비해 유동 인구가 많고 출근 시간대에는 유입 인구가, 퇴근 시간대에는 유출 인구가 많다. 도심은 대기업 본사가 밀집해 있어 생산자 서비스업이 발달하였고, 접근성이 좋아 지대와 지가가 높다.

빈출 자료 03) 대도시권의 공간 구조 | 연계 문제 → 65쪽 12번

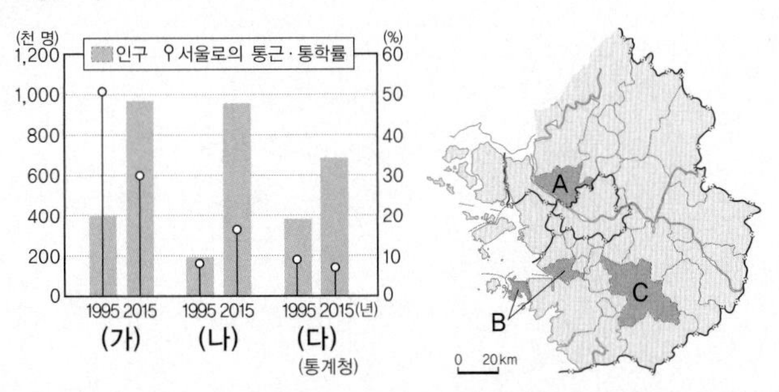

| 자료 분석 | 1995~2015년에 (가)는 인구가 빠르게 증가하였고 2015년 기준 서울로의 통근·통학률이 가장 높으므로 서울과 가까운 고양시(A)이다. (나)는 인구가 빠르게 증가하였지만 2015년 기준 서울로의 통근·통학률은 (가)에 비해 낮고 (다)에 비해 높으므로 최근 서울의 교외화 현상으로 인구가 급증한 용인시(C)이다. (다)는 인구가 증가하였고 서울로의 통근·통학률이 낮아졌으므로 공업 기능이 발달한 안산시(B)이다.

자주 나오는 오답 선택지

빈출 자료 01)에서 자주 나오는 오답 선택지

① (㉠)(으)로서 서울의 지위는 유지되었다.
→ 종주 도시

② 10대 도시 중 영남권에 위치하는 도시의 수는 2015년이 1975년보다 많다.
→ 변화가 없다

③ 총인구에서 10대 도시 인구의 합이 차지하는 비중은 2015년이 1975년에 비해 낮다.
→ 높다

④ 2015년 기준 6대 광역시 중에서 1975년에 비해 2015년에 인구가 가장 많이 증가한 도시는 부산이다.
→ 인천

→ 이 기간에 부산은 약 100만 명 증가하였지만 인천은 약 200만 명 증가하였다.

빈출 자료 02)에서 자주 나오는 오답 선택지

① (가)역의 승차 인원은 출근 시간대보다 퇴근 시간대에 많다.
→ 적다

→ (가)역 주변은 주변 지역으로, 출근 시간대에는 승차 인원이 하차 인원보다 많고, 퇴근 시간대에는 승차 인원보다 하차 인원이 많다.

② (가)역 주변은 (나)역 주변에 비해 토지 이용의 집약도가 높다.
→ 낮다

③ 구의 면적에서 차지하는 상업지 면적의 비율은 (가)가 (나)보다 높다.
→ 낮다

→ (나)역 주변은 도심으로 상업지 면적의 비율이 높다.

④ (가)역 주변 지역은 (나)역 주변 지역보다 생산자 서비스업체 수가 많다.
→ 적다

→ 생산자 서비스업은 도심에 집중하므로 (나)역 주변에 많다.

⑤ (가)역 주변 지역의 평균 지가는 (나)역 주변의 평균 지가보다 높다.
→ 낮다

빈출 자료 03)에서 자주 나오는 오답 선택지

① A~C 중에서 1기 신도시가 조성된 곳은 (㉠)이다.
→ A

→ A는 고양시로, 1기 신도시인 일산이 있다.

② A~C 중에서 지역 내 제조업이 발달하여 자족 기능이 높아 상대적으로 서울로의 통근·통학률이 가장 낮은 곳은 (㉡)이다.
→ B

→ B는 안산이다.

③ (나)는 (다)보다 주간 인구 지수가 높다.
→ 낮다

④ (가)는 주로 서울의 공업 기능을 분담하는 위성 도시이다.
→ (다)

→ 공업 기능을 분담하는 도시는 일자리가 많다. 그런데 (가)는 서울로의 통근·통학률이 높으므로 공업 기능보다는 주거 기능을 분담하는 위성 도시이다.

Ⅳ

올쏘 시험에 꼭 나오는 문제

개념 확인 문제

01 빈칸에 들어갈 알맞은 말을 쓰시오.

(1) 촌락에서 산지 남사면의 (   ) 지역은 겨울철에 (   )을/를 피할 수 있고, 생활용수를 구하기 쉬워 가옥의 입지에 유리하다.

(2) 제주도에서 해안 지역에 취락이 집중 분포하는 이유는 내륙 지역은 (   )이/가 부족하여 생활용수를 구하기 어려운 반면 해안 지역은 (   )이/가 분포하여 물을 구하기 쉽기 때문이다.

(3) 특정 장소에 가옥이 밀집하여 협동 노동에 유리한 촌락을 (   ), 가옥이 분산하여 분포하여 가옥 간 거리가 먼 촌락을 (   )(이)라고 한다.

(4) 중심지로부터 재화와 서비스를 제공받는 지역을 (   )(이)라고 한다.

(5) (   )(이)란 한 국가나 지역에서 1위 도시의 인구 규모가 2위 도시의 인구 규모보다 2배 이상일 경우 1위 도시를 일컫는 말이다.

(6) 도시 내부 지역이 기능에 따라 여러 지역으로 분화되는 현상을 (   )(이)라고 한다.

(7) 기업 본사, 백화점 등이 도심에 집중하는 현상을 (   ) 현상, 이러한 영향으로 주거 기능과 공장 기능 등이 주변 지역으로 이전하는 현상을 (   ) 현상이라고 한다.

(8) 도시 내부 구조에서 도심은 상대적으로 주간 인구 지수가 (   )고, 주변(외곽) 지역은 주간 인구 지수가 (   )다.

(9) 통행이 발생한 지역에서 특정 지역으로 접근할 수 있는 가능성을 (   )(이)라고 한다.

(10) (   )은/는 도시 중심부에 위치하여 접근성, 지가, 지대가 도시 내에서 가장 높다.

02 그림은 대도시권의 공간 구조를 나타낸 것이다. 이를 보고 물음에 답하시오.

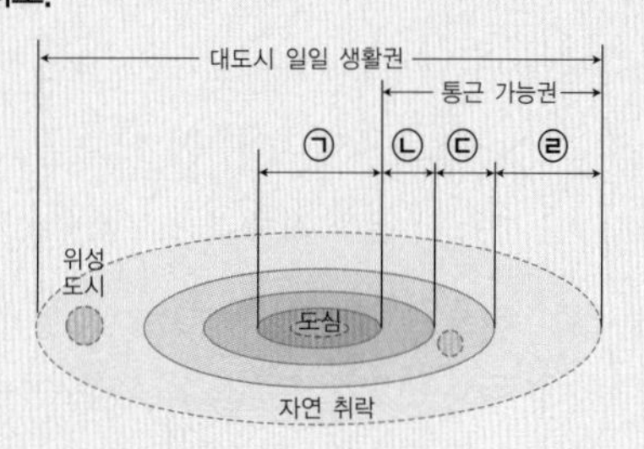

(1) ㉠~㉣에 들어갈 알맞은 말을 쓰시오.

(2) ㉡은 ㉣보다 주간 인구 지수가 높다. (○ / ×)

(3) ㉡은 ㉢보다 중심 도시로 통근하는 인구 비율이 높다. (○ / ×)

(4) ㉣의 범위는 교통이 발달하면 확대된다. (○ / ×)

01 촌락의 변화와 도시 발달

01 지도의 (가) 지역에 비해 (나) 지역에 마을이 많이 입지하게 된 가장 중요한 입지 조건은?

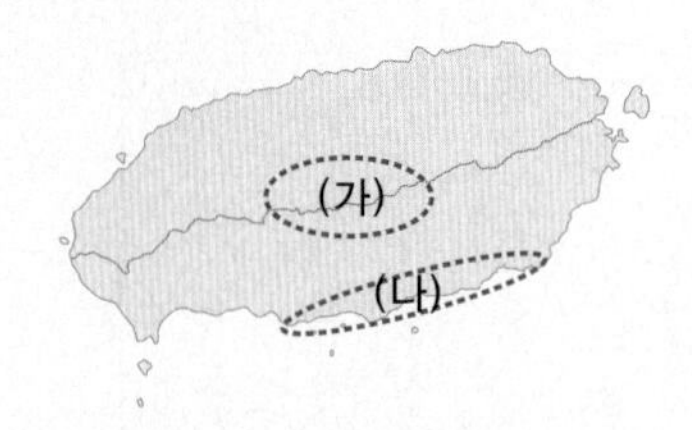

① 논의 면적이 넓다.
② 태풍의 피해가 적다.
③ 땔감을 구하기 쉽다.
④ 생활용수 확보에 유리하다.
⑤ 홍수 피해 방지에 유리하다.

02 다음 글의 ㉠~㉣에 대한 옳은 설명을 《보기》에서 고른 것은?

> 촌락에 거주하는 주민들은 대부분 1차 산업을 중심으로 생활하고, 마을 주민들은 공동 작업을 많이 하여 [㉠]. 촌락은 그 기능에 따라 ㉡ 농촌, 어촌, 산지촌 등으로 구분할 수 있으며 ㉢ 자연환경에 기반을 둔 생산 활동이 이루어져 자연환경을 이용하고 적응하는 과정에서 다양한 문화가 발달하였다. 예를 들어 촌락은 주로 ㉣ 남향의 배산임수 입지를 선호한다.

《보기》

ㄱ. ㉠에는 '도시에 비해 동질성이 크고 공동체 의식이 강하다'라는 내용이 들어갈 수 있다.
ㄴ. ㉡에서 산지촌은 농촌에 비해 논농사 비율이 높고 가옥 밀도가 높다.
ㄷ. ㉢은 생산 활동에 미치는 기후와 지형의 영향이 크기 때문이다.
ㄹ. ㉣은 가까운 곳에 하천이 있어 수상 교통에 유리하기 때문이다.

① ㄱ, ㄴ ② ㄱ, ㄷ ③ ㄴ, ㄷ
④ ㄴ, ㄹ ⑤ ㄷ, ㄹ

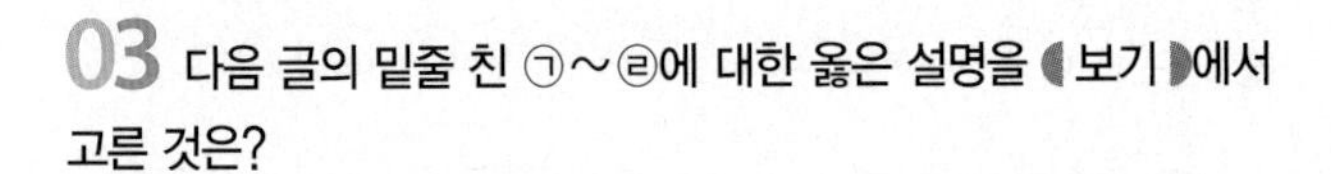

03 다음 글의 밑줄 친 ㉠~㉣에 대한 옳은 설명을 《 보기 》에서 고른 것은?

> 촌락의 입지에는 물, 지형, 기후 등의 자연적 조건과 산업, 교통, 방어 등의 사회 · 경제적 조건이 영향을 끼친다. ㉠ 제주도에서는 용천대를 따라 촌락이 형성되었고, ㉡ 범람원에서는 자연 제방에 촌락이 형성되었다. 하천이나 도로, 철도 등이 있어 교통이 편리한 곳도 일찍부터 촌락이 발달하였다. 육상 교통로에는 역원 취락이 형성되었고, ㉢ 수운의 요충지를 따라 나루터 취락이 형성되었다. 한편, ㉣ 지형적으로 방어에 유리한 지역이나 국경 및 해안 지역에는 병영촌이 발달하였다.

《 보기 》
- ㄱ. ㉠-주된 원인은 샘이 분포하여 생활용수를 확보할 수 있기 때문이다.
- ㄴ. ㉡-배후 습지보다 해발 고도가 높아 침수 위험이 낮기 때문이다.
- ㄷ. ㉢-선박이 대형화되면서 과거보다 기능이 강화되고 있다.
- ㄹ. ㉣-노량진, 삼랑진, 마포 등을 사례로 들 수 있다.

① ㄱ, ㄴ ② ㄱ, ㄷ ③ ㄴ, ㄷ ④ ㄴ, ㄹ ⑤ ㄷ, ㄹ

04 그래프는 지도에 표시된 A 지역의 인구 변화를 나타낸 것이다. 1975년과 비교한 2016년 A 지역의 특징에 대한 옳은 추론을 《 보기 》에서 고른 것은?

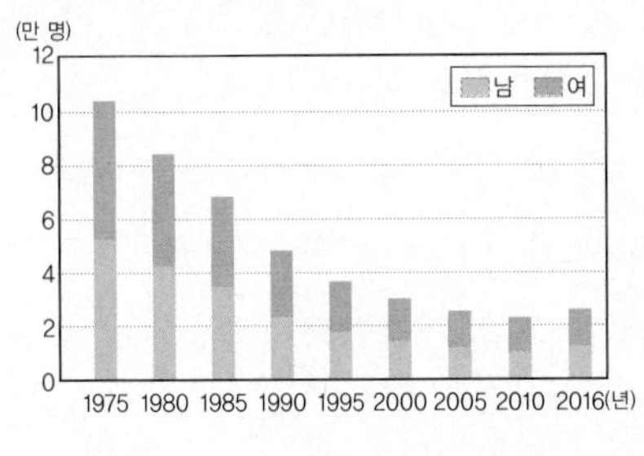

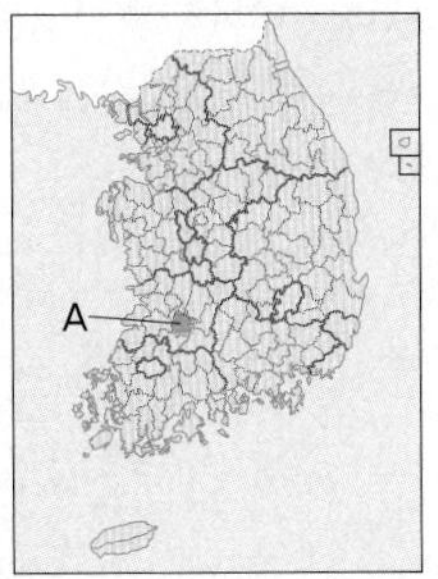

《 보기 》
- ㄱ. 영농의 기계화가 확산되었을 것이다.
- ㄴ. 주택 부족 문제가 심화되었을 것이다.
- ㄷ. 20~40대 연령층의 성비가 높아졌을 것이다.
- ㄹ. 도시 근로자 가구 소득 대비 이 지역의 농가 소득 비율은 높아졌을 것이다.

① ㄱ, ㄴ ② ㄱ, ㄷ ③ ㄴ, ㄷ ④ ㄴ, ㄹ ⑤ ㄷ, ㄹ

05 지도의 (가), (나) 촌락에 대한 옳은 설명을 《 보기 》에서 고른 것은?

(가)

(나)

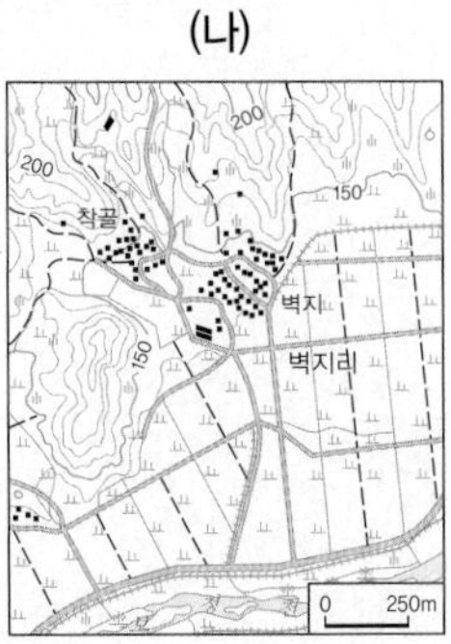

《 보기 》
- ㄱ. (가)는 경지가 좁게 분포하는 산간 및 구릉 지역에서 전형적으로 나타난다.
- ㄴ. (나)는 벼농사가 주로 이루어지는 지역에서 전형적으로 나타난다.
- ㄷ. (가)는 (나)보다 협동 노동에 유리하다.
- ㄹ. (나)는 (가)보다 가옥과 경지의 결합도가 높다.

① ㄱ, ㄴ ② ㄱ, ㄷ ③ ㄴ, ㄷ ④ ㄴ, ㄹ ⑤ ㄷ, ㄹ

06 사진은 서로 다른 기능을 수행하는 촌락을 나타낸 것이다. (가), (나) 촌락에 대한 옳은 설명을 《 보기 》에서 고른 것은? (단, (가), (나)는 농촌과 산지촌 중 하나임.)

(가)

(나)

《 보기 》
- ㄱ. (가)는 (나)보다 밭농사 비중이 높다.
- ㄴ. (가)는 (나)보다 공동체 의식이 강하다.
- ㄷ. (나)는 (가)보다 촌락의 규모가 크다.
- ㄹ. (나)는 (가)보다 임업 소득의 비중이 높다.

① ㄱ, ㄴ ② ㄱ, ㄷ ③ ㄴ, ㄷ ④ ㄴ, ㄹ ⑤ ㄷ, ㄹ

시험에 꼭 나오는 문제

07 그래프는 ○○군의 두 시기 인구 구조를 나타낸 것이다. (가) 시기와 비교한 (나) 시기 ○○군의 특징으로 옳지 않은 것은? (단, 두 시기는 1970년과 2017년 중 하나임.)

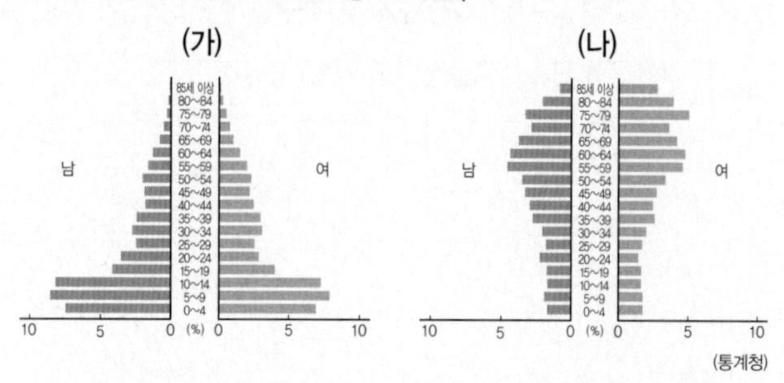

① (가) 시기는 (나) 시기보다 노동력 부족 문제가 뚜렷하였다.
② (가) 시기는 (나) 시기보다 유소년층 인구 비중이 뚜렷하게 높다.
③ (나) 시기는 (가) 시기보다 다문화 가정의 비율이 높다.
④ (나) 시기는 (가) 시기보다 농가 호당 소득이 높다.
⑤ (가)에서 (나)로 변화한 주요 원인은 도시에 비해 낮은 소득과 일자리 부족 때문이다.

(빈출 문제) 연계 자료 → 61쪽 빈출 자료 01

08 그래프는 두 시기의 도시 순위와 인구를 나타낸 것이다. 이에 대한 분석으로 옳지 않은 것은?

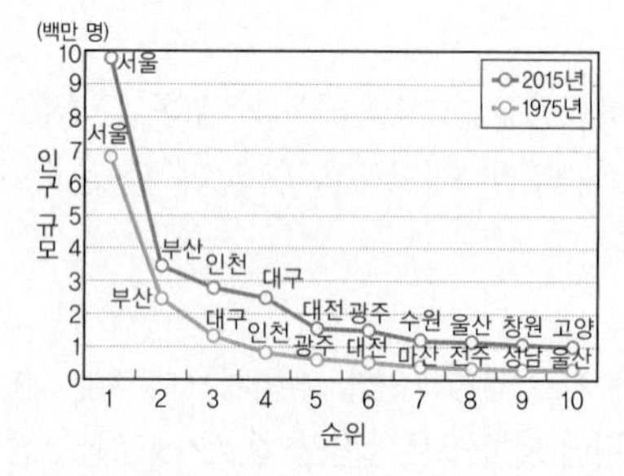

① 두 시기 모두 종주 도시화 현상이 나타난다.
② 1975~2015년에 인구가 가장 많이 증가한 도시는 영남권에 위치한다.
③ 10대 도시 중 영남권에 위치한 도시의 수는 1975년과 2015년이 같다.
④ 1975~2015년에 10대 도시에서 수도권의 인구가 차지하는 비중이 높아졌다.
⑤ 1975~2015년에 인구 규모 100만 명 이상의 도시 수는 2배 이상 증가하였다.

유사 선택지 문제

08_ ❶ 1975년 대비 2015년 대구와 광주는 순위와 인구 모두 감소하였다. (○ / ×)

08_ ❷ 1975년 대비 2015년 1위 도시와 2위 도시 간 인구 규모 격차가 더 커졌다. (○ / ×)

02 도시 구조와 대도시권

(빈출 문제) 연계 자료 → 61쪽 빈출 자료 02

09 그림은 대도시에 위치한 두 지역을 나타낸 것이다. (가)와 비교한 (나)의 상대적 특성으로 옳은 것은?

(가) (나)

① 주거 기능이 발달하였다.
② 상업지의 최고 지가가 높다.
③ 생산자 서비스업의 비중이 높다.
④ 상업 및 업무 기능이 발달하였다.
⑤ 출근 시간대에 유입 인구가 유출 인구보다 많다.

유사 선택지 문제

09_ ❶ (가) 지역은 (나) 지역보다 토지 이용의 집약도가 높다. (○ / ×)

09_ ❷ (가) 지역은 (나) 지역보다 출근 시간대에 유출 인구가 많다. (○ / ×)

10 그림은 도시 내부 구조를 모식적으로 나타낸 것이다. 이에 대한 설명으로 옳지 않은 것은? (단, A~E는 도심, 부도심, 주변(외곽) 지역, 위성 도시, 개발 제한 구역 중 하나임.)

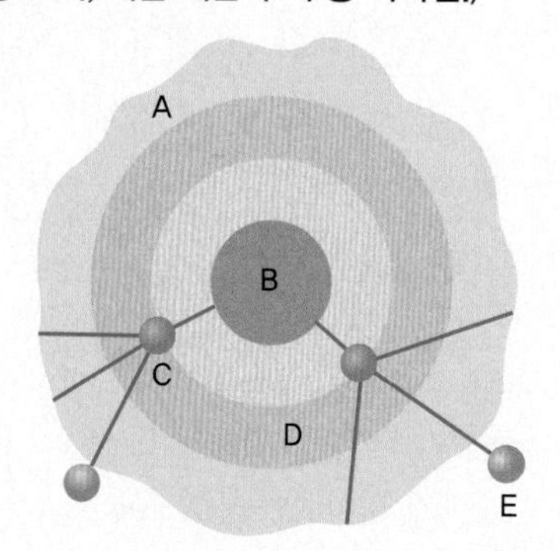

① A는 도시의 지나친 팽창을 막기 위해 설정한 공간이다.
② E는 인접한 대도시의 주거·공업 기능 등을 분담한다.
③ B는 D보다 접근성이 좋고 고층 건물이 밀집한다.
④ B는 D보다 주거 및 공업 기능의 이심 현상이 활발하다.
⑤ C는 B보다 인구 공동화 현상이 뚜렷하게 나타난다.

11 그래프는 서울에 위치한 세 지역의 상주인구와 주간 인구 지수를 나타낸 것이다. (가)~(다) 지역에 대한 옳은 설명만을 《보기》에서 있는 대로 고른 것은? (단, 세 지역은 강남구, 송파구, 종로구 중 하나임.)

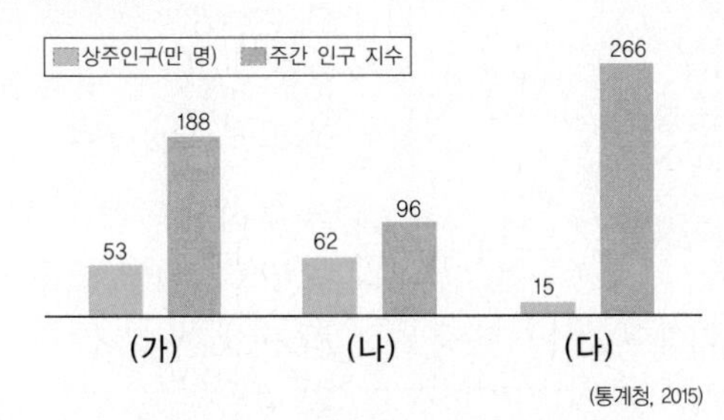

(통계청, 2015)

《보기》
ㄱ. (다)의 일부는 서울의 중심부에 위치한다.
ㄴ. (나)는 (가)보다 일자리가 적다.
ㄷ. (나)의 주간 인구는 (가)의 주간 인구보다 많다.
ㄹ. (가)와 (다)는 모두 출근 시간대에 유입 인구가 유출 인구보다 많다.

① ㄱ, ㄴ ② ㄱ, ㄷ ③ ㄷ, ㄹ
④ ㄱ, ㄴ, ㄹ ⑤ ㄴ, ㄷ, ㄹ

빈출 문제 연계 자료 → 61쪽 빈출 자료 03

12 그래프는 지도에 표시된 세 지역의 용도별 토지 이용 비중을 나타낸 것이다. (가)~(다) 지역에 대한 추론으로 옳은 것은?

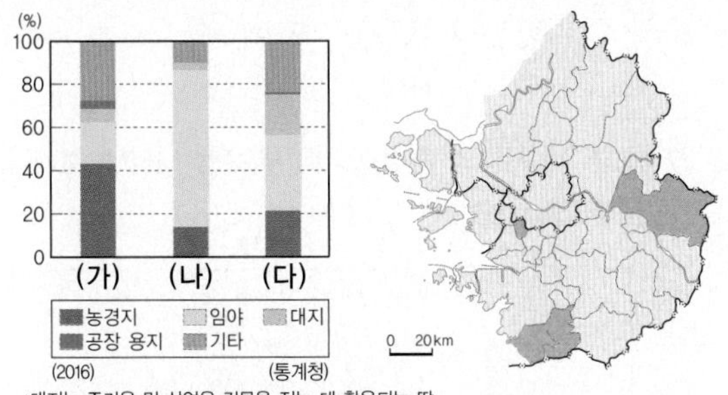

*대지는 주거용 및 상업용 건물을 짓는 데 활용되는 땅

① (가)는 (나)보다 2차 산업 종사자 비율이 높을 것이다.
② (가)는 (다)보다 인구 밀도가 높을 것이다.
③ (나)는 (가)보다 지역 내 경지율이 높을 것이다.
④ (나)는 (다)보다 아파트에 거주하는 인구 비율이 높을 것이다.
⑤ (다)는 (가)보다 주간 인구 지수가 높을 것이다.

유사 선택지 문제

12_ ❶ (가)는 (다)보다 서울로의 통근 · 통학률이 높을 것이다. (○ / ×)

12_ ❷ (다)는 서울의 주거 기능을 분담하는 위성 도시이다. (○ / ×)

13 그래프는 지도에 표시된 세 지역의 인구 변화를 나타낸 것이다. (가)~(다) 지역의 특징을 《보기》에서 골라 바르게 연결한 것은?

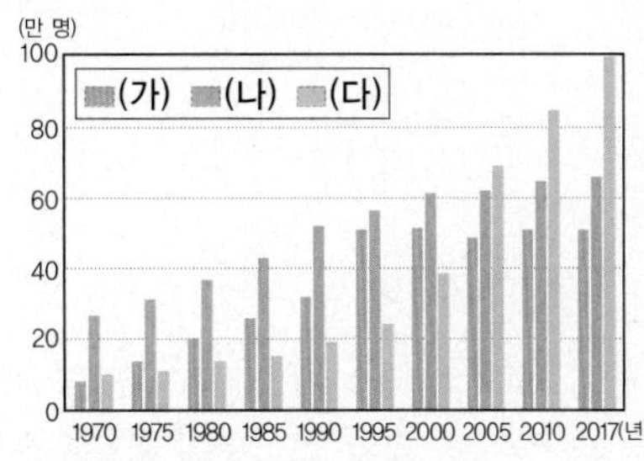

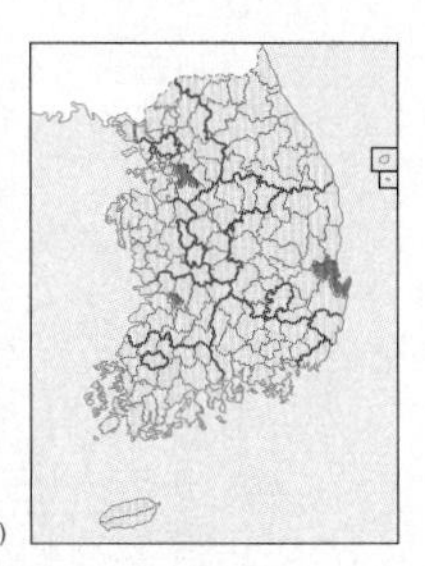

《보기》
ㄱ. 서울의 인구 분산을 목적으로 신도시가 건설되었다.
ㄴ. 철광석과 석탄을 원료로 하는 대규모 제철소가 입지하고 있다.
ㄷ. 전통적인 지방 생활의 중심지로 전북 도청 소재지이다.

	(가)	(나)	(다)
①	ㄱ	ㄴ	ㄷ
②	ㄱ	ㄷ	ㄴ
③	ㄴ	ㄱ	ㄷ
④	ㄴ	ㄷ	ㄱ
⑤	ㄷ	ㄱ	ㄴ

14 그래프는 지도에 표시된 두 지역의 인구 변화를 나타낸 것이다. 이 도시들의 인구가 빠르게 증가하게 된 공통적인 요인으로 가장 적절한 것은?

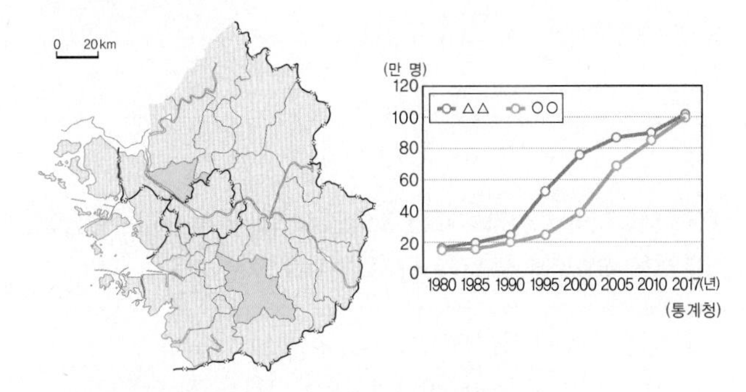

① 이촌 향도 현상에 따른 촌락의 인구 유입
② 대규모 공업 시설 입지에 따른 일자리 증가
③ 균형 개발 정책에 따른 공공 기관의 입지 증가
④ 시설 재배 면적 증가에 따른 외국인 노동자 유입
⑤ 대도시의 주거 기능 분담에 따른 아파트 단지 건설

15 그림은 대도시권의 공간 구조를 나타낸 것이다. A~D 지역에 대한 설명으로 옳은 것은? (단, A~D는 교외 지역, 위성 도시, 중심 도시, 배후 농촌 지역 중 하나임.)

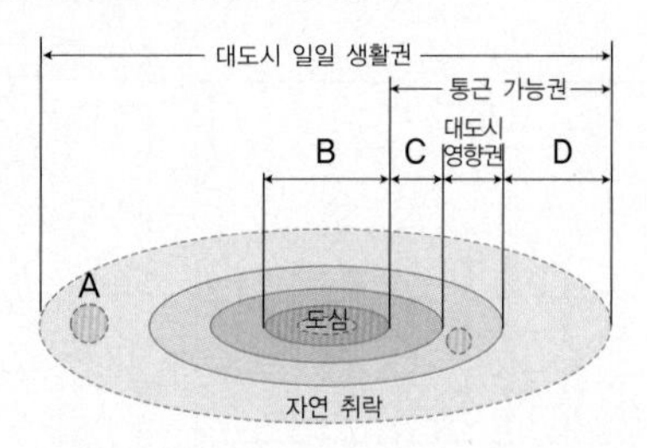

① A는 교통의 결절점에 발달하며 주로 B의 도심 기능을 일부 분담한다.
② B의 주간 인구 지수는 대도시권이 확대될수록 낮아지는 경향이 나타난다.
③ B의 내부 구조는 도심과 주변 지역으로 구성된 단핵 구조를 갖추고 있다.
④ C는 D보다 중심 도시로 통근하는 비율이 높다.
⑤ D는 C보다 토지 이용의 집약도가 높다.

16 두 지도의 공통적인 제목으로 옳은 것은?

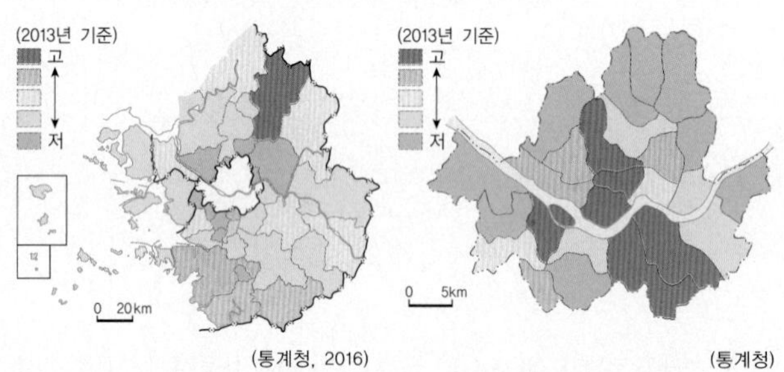

① 주간 인구 지수
② 출근 시간대 유출 인구
③ 1차 산업 종사자 비율
④ 아파트 거주 인구 비율
⑤ 2005~2013년 인구 증가율

17 대도시의 도심에서 주변 지역으로 학교가 이전하는 현상에 대한 옳은 설명만을 《 보기 》에서 있는 대로 고른 것은?

《 보기 》
ㄱ. 이심 현상의 사례에 해당한다.
ㄴ. 도심의 주거 기능이 약화되면서 나타나는 현상이다.
ㄷ. 학교는 도심에서 업무 기능보다 지대 지불 능력이 높다.
ㄹ. 주변 지역에서는 학생의 통학 거리가 증가하게 될 것이다.

① ㄱ, ㄴ　② ㄱ, ㄷ　③ ㄷ, ㄹ　④ ㄱ, ㄴ, ㄹ　⑤ ㄴ, ㄷ, ㄹ

18 다음 자료는 서울 근교에 위치한 ◇◇ 지역의 변화에 대한 것이다. 이 지역에서 2015년 대비 1995년에 수치가 높은 항목은?

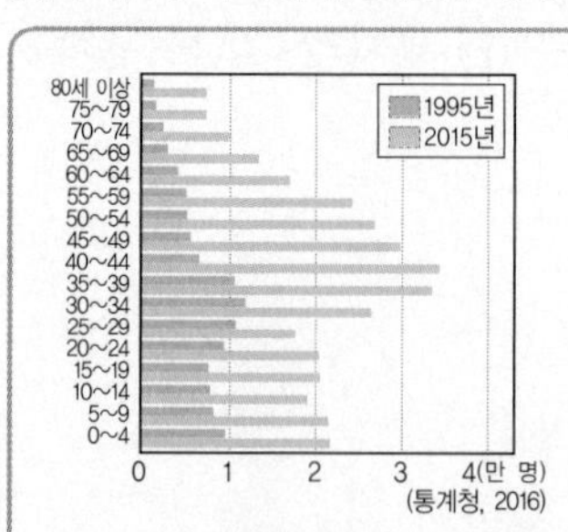

비옥한 평야와 질 좋은 쌀로 유명했던 ◇◇은/는 수도권 서북부 지역의 균형 발전을 위한 개발 거점으로 성장해 왔으며, 기반 시설 확충 및 주택 공급을 목적으로 한 대단위 택지 개발로 인구가 급증하였다.

① 겸업농가 비율
② 경지 면적 비율
③ 토지 이용의 집약도
④ 아파트 거주 인구 비율
⑤ 서울로 통근하는 인구 비율

서술형 문제

19 다음 자료의 ㉠과 같은 현상을 무엇이라고 하는지 쓰고, ㉠ 현상으로 인해 나타나는 교통 문제를 서술하시오.

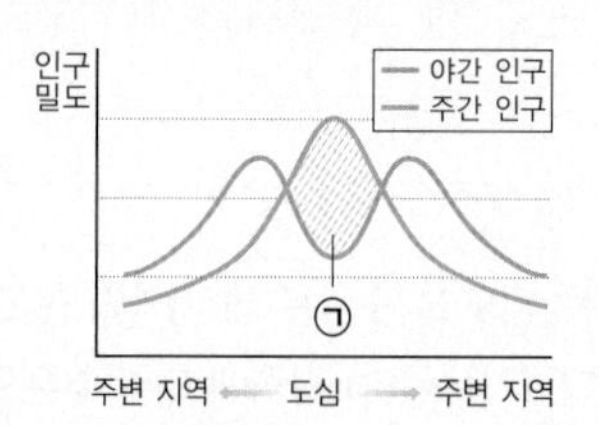

20 그래프는 세 지역의 서비스 사업체 수를 나타낸 것이다. 이를 보고 물음에 답하시오.

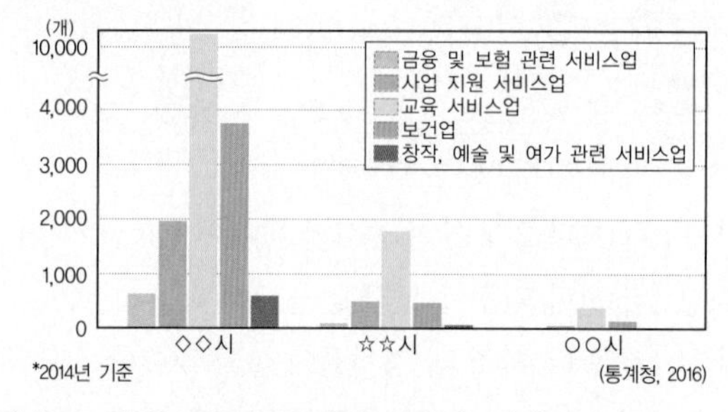

(1) 다음 표의 ㉠~㉣에 들어갈 알맞은 말을 쓰시오.

구분	배후지의 면적	중심지 기능
◇◇시	㉠	㉢
○○시	㉡	㉣

(2) 배후지의 개념을 쓰고, 배후지의 면적이 (1)과 같이 중심지에 따라 다르게 나타나는 이유를 서술하시오.

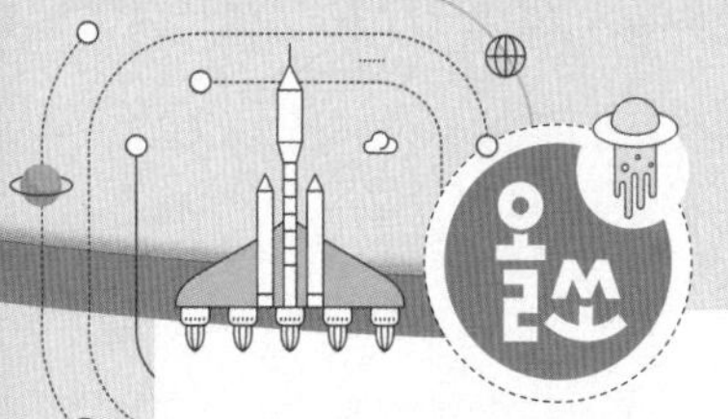

올쏘 상위 4% 문제

| 평가원 응용 |

01 다음 대구광역시의 (가), (나)구에 대한 옳은 설명만을 《보기》에서 있는 대로 고른 것은?

〈대구의 구별 상주인구와 통근 · 통학 순 유입 인구의 변화〉

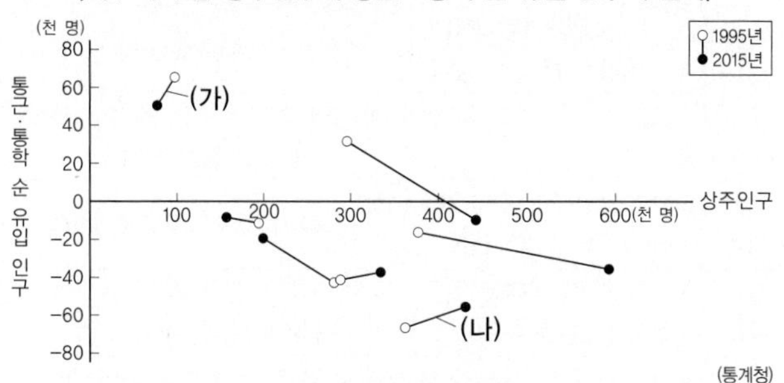

*통근·통학 순 유입 인구 = 통근·통학 유입 인구 − 통근·통학 유출 인구

《보기》
ㄱ. (가)는 (나)보다 주간 인구 지수가 높다.
ㄴ. (가)는 (나)보다 구내 상업 용지의 면적 비율이 높다.
ㄷ. (나)는 (가)보다 인구 공동화 현상이 잘 나타난다.
ㄹ. (나)는 (가)보다 거주자의 평균 통근 거리가 멀다.

① ㄱ, ㄴ ② ㄱ, ㄷ ③ ㄷ, ㄹ
④ ㄱ, ㄴ, ㄹ ⑤ ㄴ, ㄷ, ㄹ

| 수능 응용 |

02 다음 자료는 부산광역시 A~C구의 인구와 종사자 현황을 나타낸 것이다. 이에 대한 설명으로 옳지 않은 것은?

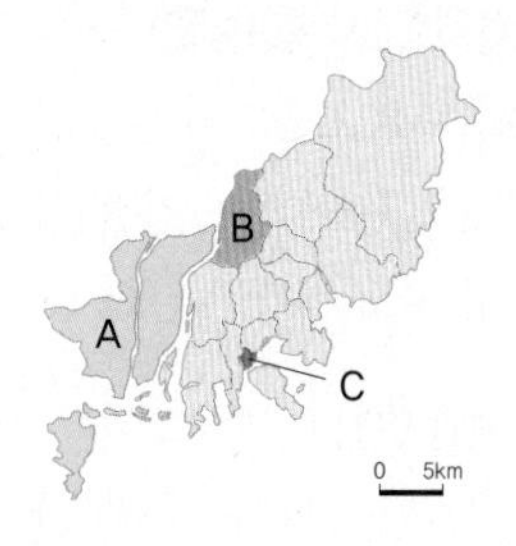

(단위: 명)

구분	인구		종사자	
	상주 인구	통근 · 통학 순 이동	전체 산업	제조업
A	86,505	79,825	114,531	72,339
B	294,147	−69,623	56,412	2,401
C	43,685	41,683	69,241	1,428

* 통근 · 통학 순 이동=통근 · 통학 유입 인구−통근 · 통학 유출 인구
(2015) (통계청)

① A는 B보다 주간 인구 지수가 높다.
② A는 C보다 서비스업 종사자 비율이 높다.
③ B는 A보다 인구 밀도가 높다.
④ B는 C보다 초등학교 학급 수가 많다.
⑤ C는 A보다 상업지의 평균 지가가 높다.

| 평가원 응용 |

03 그래프는 수도권 내에서 서울과 32개 시 · 군 간의 통근 · 통학 양상을 나타낸 것이다. 이에 대한 옳은 설명을 《보기》에서 고른 것은? (단, A~C는 지도에 표시된 3개 시 중 하나임.)

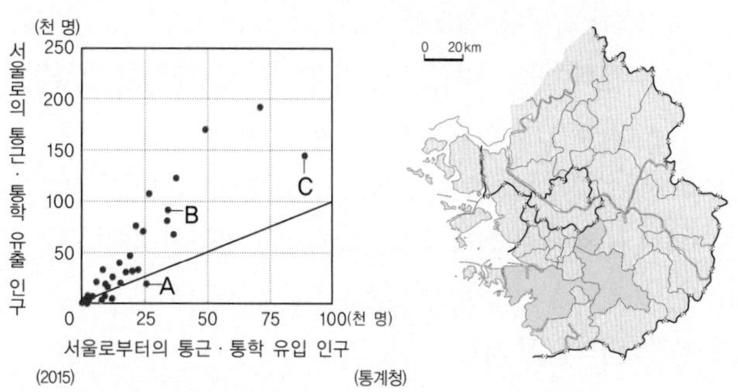

《보기》
ㄱ. A는 B보다 제조업이 발달하였다.
ㄴ. B는 C보다 서울과의 지리적 거리가 가깝다.
ㄷ. C는 A보다 총인구가 많다.
ㄹ. A~C 모두 서울과의 통근 · 통학에서 순 유출을 보인다.

① ㄱ, ㄴ ② ㄱ, ㄷ ③ ㄴ, ㄷ
④ ㄴ, ㄹ ⑤ ㄷ, ㄹ

| 평가원 응용 |

04 (가), (나) 지역의 상대적 특성으로 옳은 것은?

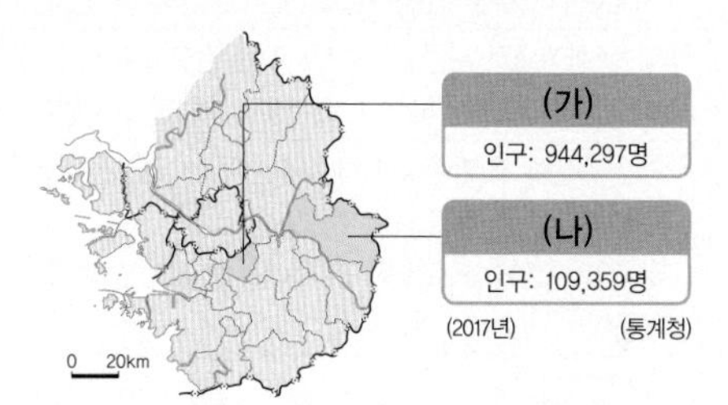

①

②
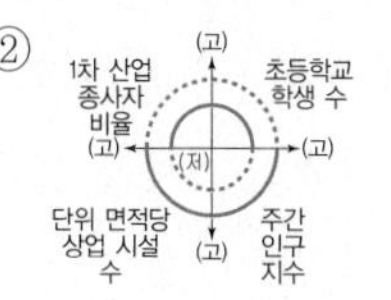

③
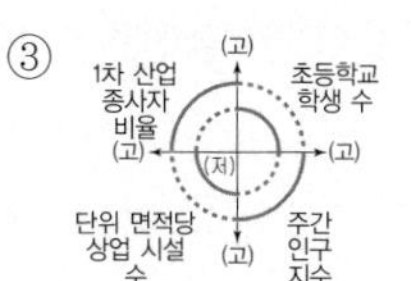

④
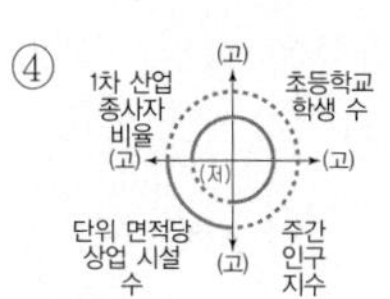

⑤
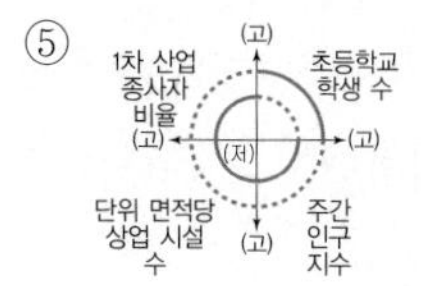

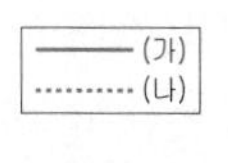

*(고)는 많음, 높음을 의미함.
(저)는 적음, 낮음을 의미함.

09 도시 계획과 재개발 ~ 지역 개발과 공간 불평등

출제 경향
★도시 재개발 방법의 특징과 문제점
★지역 개발 방식과 우리나라 국토 개발과의 관련성 및 영향

01 도시 계획과 재개발

1. 도시 계획과 주민 생활

(1) 도시 계획의 의미와 필요성

① 도시 계획: 도시 주민의 주거와 다양한 활동을 합리적으로 배치하기 위해 계획을 수립하고 실천에 옮기는 것

② 도시 계획의 필요성: 급속한 산업화와 도시화로 발생한 도시 문제를 완화하거나 해소하고, 미래에 일어날 수 있는 문제들을 예방할 수 있음

(2) 우리나라의 도시 계획

① 도입 배경: 산업화와 도시화를 추진하기 위해 도입

② 1980년대: 도시를 종합적으로 개발하기 위해 도시 기본 계획을 제도화함

③ 근래의 도시 계획: 생태 도시, 문화 도시, 건강 도시 등 살기 좋은 마을 만들기에 대한 관심이 커짐

2. 도시 재개발과 주민 생활의 변화

(1) 도시 재개발의 의미와 필요성

① 의미: 환경이 열악한 지역의 도시 환경을 개선하는 사업

② 필요성: 도시화 과정에서 기반 시설 부족 및 불량 주택 문제 발생, 쾌적한 환경에 대한 욕구 증대

(2) 도시 재개발의 방법 빈출 자료 01

철거 재개발	• 노후화된 기존의 시설을 완전히 철거하고 새로운 시설물로 대체하는 방법 • 원거주민의 재정착률이 낮고, 자원이 낭비되는 문제점이 있음
보존 재개발	역사·문화적으로 보존할 가치가 있는 건축물이 많은 지역에서 도시 시설을 정비·개선하거나 보존할 건축물을 보수하는 개발 방식
수복 재개발	• 기존 건물을 최대한 유지하는 수준에서 필요한 부분만 수리·개조하여 부족한 점을 보완하는 방법 • 지역의 변형을 최소화함으로써 거주민이 안정적으로 생활할 수 있음

(3) 도시 재개발의 영향과 바람직한 개발 방향

① 도시 재개발이 주민 생활에 미친 영향

• 지역의 경제적 가치가 상승하고 각종 시설이 증가하여 주민 생활이 편리해짐

• 철거 재개발의 경우 원거주민들의 삶터와 공동체가 파괴될 수 있음

② 바람직한 개발 방향: 도시 재개발과 관련이 있는 단체, 주민, 행정 기관 등이 민주적 협의를 통해 재개발 진행, 재개발에 공공적인 목적 도입 및 원거주민의 재정착률 향상을 위한 노력 필요, 기존 환경을 유지하면서 공동체를 정비하는 개발 방식 추구 등

02 지역 개발과 공간 불평등

1. 지역 개발 방식

구분	불균형 개발 방식 (성장 거점 개발 방식)	균형 개발 방식
추진 방식	주로 중앙 정부 주도의 하향식 개발	주로 지역 주민의 의사를 바탕으로 진행되는 상향식 개발
개발 방법	투자의 효율성이 큰 지역을 선정하여 집중적으로 투자함	낙후 지역에 우선적으로 투자함
개발 목표	• 경제 성장의 극대화 • 경제적 효율성 추구	• 지역 간 균형 발전 • 경제적 형평성 추구
장점	투자 재원이 적은 국가에서 자원의 효율적 투자 가능	지역 간 균형 성장, 지역 주민의 의사 반영
단점	• 지역 주민의 참여도가 낮음 • 파급 효과보다 역류 효과가 클 경우 지역 격차가 심화됨	• 투자의 효율성이 낮음 • 지역 이기주의가 초래될 수 있음

2. 우리나라의 국토 개발 빈출 자료 02

(1) 제1차 국토 종합 개발 계획(1972~1981년)

① 방식: 성장 거점 개발 방식

② 정책: 수출 주도형 공업화, 물 자원 종합 개발, 산업 기반 시설을 중심으로 한 사회 간접 자본 확충 등

(2) 제2차 국토 종합 개발 계획(1982~1991년)

① 방식: 광역 개발 방식

② 정책: 국토의 다핵 구조 형성, 인구의 지방 분산 유도, 국민 복지 향상, 자연환경 보전 등

(3) 제3차 국토 종합 개발 계획(1992~1999년)

① 방식: 균형 개발 방식

② 정책: 지방 육성과 수도권 집중 억제, 신산업 지대 조성, 남북 교류 지역의 개발 및 관리 등

(4) 제4차 국토 종합 계획(2000~2020년): 균형 국토, 개방 국토, 녹색 국토, 통일 국토, 혁신 도시 정책 실시 빈출 자료 03

(5) 제4차 국토 종합 계획 2차 수정 계획(2011~2020년): 지역 특화 및 광역적 협력 강화, 자연 친화적·안전한 국토 공간 조성, 지역별 특화 발전 추구, 세계적인 국토 경쟁력 강화 등

3. 공간 및 환경 불평등과 바람직한 지역 개발 방법

(1) 공간 불평등: 수도권과 비수도권 간 격차, 도시와 농촌 간 격차

(2) 환경 불평등: 오염 물질의 지역 간 이동 → 개발에 따른 수혜 지역과 피해 지역이 일치하지 않을 때 발생

(3) 바람직한 지역 개발: 수도권의 기능 중 일부를 지방으로 이전하여 수도권과 지방 간 격차 완화, 지역 간 협력을 통한 상호 보완적인 지역 개발, 지속 가능한 국토 공간 조성 등

빈출 특강

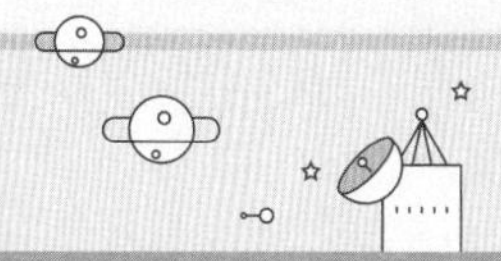

대표 유형

빈출 자료 01 도시 재개발 방법 | 연계 문제 → 71쪽 03번

> (가) 대구 중구에서는 원도심 지역을 활성화하기 위하여 중구의 거리, 건축물 등이 지닌 역사적 특성을 살려 근대 역사 문화 벨트를 조성하였다. 일제 강점기의 항일 운동 정신을 느끼고 저항의 흔적을 찾아볼 수 있는 '근대 골목 관광' 프로그램을 진행하여 관광객들에게 역사적 의미를 알리고 있다.
>
> (나) 서울 관악구에서는 2001년부터 ○○ 지역 재개발 사업을 추진하였다. 이 사업에서는 달동네 지역을 전면 철거하고 아파트 단지를 신축하는 방식을 채택하였다. 이 사업이 시행된 결과 주택의 유형만 바뀐 게 아니라 거주하는 주민들도 대부분 바뀌었다.

| 자료 분석 | (가)는 보존 재개발이다. 보존 재개발은 도시 시설을 정비 · 개선하거나 보존할 건축물을 보수하는 방식을 말한다. (나)는 철거 재개발이다. 철거 재개발은 노후화된 건물을 철거하고 새로운 시가지로 조성하는 방식으로 지역을 빠르고 효율적으로 구조화하여 이용할 수 있다는 장점이 있지만, 원거주민의 낮은 재정착률과 자원 낭비 등의 문제점이 있다.

빈출 자료 02 우리나라의 국토 종합 (개발) 계획 | 연계 문제 → 73쪽 12번

구분	개발 전략 및 정책	특징 및 문제점
제1차 국토 종합 개발 계획 (1972~1981년)	• 대규모 공업 기반 구축 • 교통, 통신, 수자원 및 에너지 공급망 정비	• 수도권, 남동 임해 공업 벨트 중심 발달 • 경부축(서울~부산) 중심으로 인구와 산업 집중 → 지역 격차 심화
제2차 국토 종합 개발 계획 (1982~1991년)	• 국토의 다핵 구조 형성과 지역 생활권 조성 • 지역 기능 강화를 위한 사회 간접 자본 확충	• 국토의 균형 발전 추구 • 구체적 집행 수단 결여 → 국토 불균형 지속 및 환경 문제
제3차 국토 종합 개발 계획 (1992~1999년)	• 지방 육성과 수도권 집중 억제 • 신산업 지대 조성과 신산업 구조의 고도화	• 서해안 신산업 지대와 지방 도시 육성 • 개발 지향적 사고, 난개발 방지 • 세계화, 개방화, 지방화 여건 반영 미흡
제4차 국토 종합 계획(2000~2020년)	• 개방형 통합 국토축 형성 • 지역별 경쟁력 고도화	• 지역 균형 발전 개발 촉진 • 국토 환경의 적극적인 보전을 위해 개발과 환경의 조화 전략 제시
제4차 국토 종합 계획 2차 수정 계획(2011~2020년)	• 지역 특화 및 광역적 협력 강화 • 자연 친화적, 안전한 국토 조성	• 지역별 특화 발전 추구 • 세계적 국토 경쟁력 강화

| 자료 분석 | 제1차 국토 종합 개발 계획은 성장 거점 개발 방식을 채택하여 성장 가능성이 높은 수도권과 남동 연안 지역을 거점으로 한 개발이 진행되었다. 제2차 국토 종합 개발 계획은 광역 개발 방식을 채택하였고 수도권 과밀화를 해소하려고 노력하였다. 제3차 국토 종합 개발 계획 이후부터는 균형 개발 방식을 채택하였으나 지역 간 불균형 문제가 여전히 남아 있다.

빈출 자료 03 혁신 도시 | 연계 문제 → 73쪽 13번

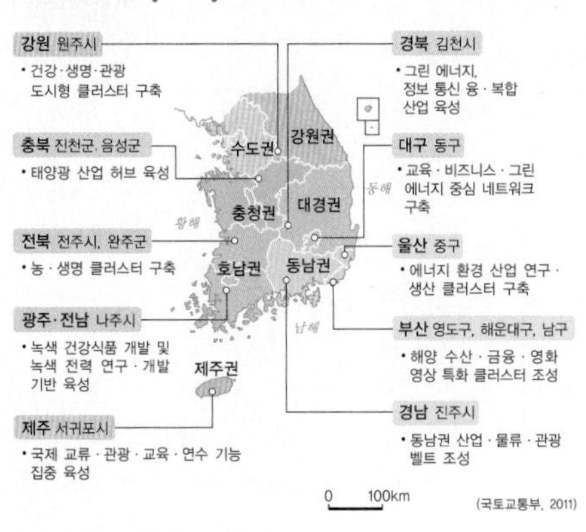

| 자료 분석 | 수도권에 소재하는 공공 기관의 지방 이전을 계기로 지방의 성장 거점 지역에 조성되는 미래형 도시이다. 공공 기관 청사 및 이와 관련된 기업, 학교, 연구소 등이 함께 입지하도록 계획되었다. 제4차 국토 종합 계획 때에 시작되었으며 현재 많은 공공 기관의 지방 이전이 이루어졌고, 이로 인해 지방 도시가 성장하는 효과도 가져왔다.

자주 나오는 오답 선택지

빈출 자료 01 에서 자주 나오는 오답 선택지

① (가)는 (㉠) 재개발, (나)는 (㉡) 재개발이다.
→ ㉠ 보존 → ㉡ 철거

② 개발의 결과 (가)는 (나)보다 건물의 평균 층수가 높다.
→ 낮다
→ (나)는 주로 아파트가 건설되므로 (가) 개발에 비해 개발 이후 건물의 평균 층수가 높다.

③ (가)는 (나)보다 원거주민의 거주 지속 가능성이 낮다.
→ 높다

④ (가)는 (나)보다 투입 자본의 규모가 크다.
→ 작다
→ 투입 자본의 규모는 철거 재개발이 보존 재개발보다 크다.

⑤ (가)는 (나)에 비해 자원이 낭비되는 문제점이 발생한다.
→ (나)는 (가)에
→ 자원 낭비의 문제점은 보존 재개발보다 철거 재개발에서 뚜렷하게 발생한다.

빈출 자료 02 에서 자주 나오는 오답 선택지

① 제2차 국토 종합 개발 계획은 투자 효과가 큰 지역을 선정하여 집중 투자하는 방식을 채택하였다.
→ 제1차
→ 투자 효과가 큰 지역을 선정하여 집중 투자하는 방식은 성장 거점 개발 방식으로 제1차 국토 종합 개발 계획에서 채택되었다.

② 고속 국도, 항만, 다목적 댐 등을 건설하여 산업 기반을 조성한 것은 제3차 국토 종합 개발 계획 시기에 이루어졌다.
→ 제1차
→ 산업 기반 조성이 활발했던 때는 제1차 국토 종합 개발 계획 시기이다.

③ 제3차 국토 종합 개발 계획에서는 혁신 도시와 기업 도시를 지정 및 육성하였다.
→ 제4차 국토 종합 계획

④ 성장 거점 개발 방식은 지역 주민의 참여를 기반으로 진행되는 상향식 개발 방식이다.
→ 균형 개발 방식
→ 성장 거점 개발 방식은 주로 중앙 정부가 주도하는 하향식 개발 방식이다.

빈출 자료 03 에서 자주 나오는 오답 선택지

① 공공 기관의 지방 이전 정책인 (㉠) 정책은 수도권 집중을 해소하고 낙후된 지방 경제를 활성화하기 위한 정책이다.
→ ㉠ 혁신 도시

② 혁신 도시 정책은 제3차 국토 종합 개발 계획 때부터 추진되었다.
→ 제4차 국토 종합 계획

③ 혁신 도시 정책은 민간 기업이 주도적으로 참여하여 개발하며 특정 산업 중심의 자급 자족형 복합 도시를 추구한다.
→ 기업 도시
→ 혁신 도시 정책은 정부 주도로 진행되었다.

IV

시험에 꼭 나오는 문제

개념 확인 문제

01 도시 재개발 방법과 주요 특징을 바르게 연결하시오.

(1) 철거 재개발 • • ㉠ 역사·문화적으로 보존할 가치가 있는 건축물이 많은 지역에서 도시 시설을 정비·개선함

(2) 수복 재개발 • • ㉡ 기존의 시설을 완전히 철거하고 새로운 시설물로 대체하는 방법

(3) 보존 재개발 • • ㉢ 필요한 부분만 수리·개조하여 부족한 점을 보완하는 방법

02 우리나라의 국토 종합 (개발) 계획과 주요 특징을 바르게 연결하시오.

(1) 제1차 국토 종합 개발 계획 • • ㉠ 성장 거점 개발 방식을 채택하고 산업 기반 시설을 조성함

(2) 제2차 국토 종합 개발 계획 • • ㉡ 균형·개방·녹색·통일 국토를 추구하고 혁신 도시 정책을 실시함

(3) 제3차 국토 종합 개발 계획 • • ㉢ 광역 개발 방식을 채택하고 국토의 다핵 구조 형성에 초점을 둠

(4) 제4차 국토 종합 계획 • • ㉣ 균형 개발 방식을 채택하고 지방 육성과 수도권 집중 억제 정책을 추진함

03 빈칸에 들어갈 알맞은 말을 쓰시오.

(1) 환경이 열악한 지역의 도시 환경을 개선하는 사업을 (　　　)(이)라고 한다.

(2) 투자가 이루어진 지역의 성장 효과가 주변으로 확산되어 주변 지역의 성장을 기대하는 효과를 (　　　) 효과, 그 반대로 주변 지역에서 성장 거점 지역으로 인구, 시설 등이 집중되어 주변 지역의 발전을 저해하는 효과를 (　　　) 효과라고 한다.

(3) 하수 처리장, 쓰레기 소각장 등 기피 시설이 자기 지역에 입지하는 것을 반대하는 현상을 (　　　) 현상이라고 한다.

(4) 도서관, 공원 등 선호 시설을 자기 지역에 입지해야 한다고 주장하는 현상을 (　　　) 현상이라고 한다.

(5) 미래 세대가 그들의 필요를 충족시킬 가능성을 손상시키지 않는 범위에서 현재 세대의 성장을 추구하는 발전을 (　　　) 발전이라고 한다.

(6) 성장 가능성이 높은 지역에 집중 투자하는 개발 방식을 (　　　) 개발 방식이라고 한다.

01 도시 계획과 재개발

01 그림은 ◇◇ 지역 재개발을 둘러싼 다양한 입장이다. 이에 대한 옳은 설명을 《보기》에서 고른 것은?

《보기》
ㄱ. 갑과 병은 재개발에 찬성하는 입장이다.
ㄴ. ◇◇ 지역 재개발은 수복 재개발 방식을 채택하였다.
ㄷ. 을은 재개발로 원래 거주하던 곳을 떠나야 하는 주민의 입장에 해당한다.
ㄹ. 도심 노후화 문제를 해결하기 위한 도시 재개발을 둘러싼 갈등이 나타나 있다.

① ㄱ, ㄴ ② ㄱ, ㄷ ③ ㄴ, ㄷ ④ ㄴ, ㄹ ⑤ ㄷ, ㄹ

02 (가), (나)에 해당하는 지역을 지도의 A~C에서 고른 것은?

(가) 영남 내륙 지역의 중심 도시로 도심에 근대 역사 자원이 많이 남아 있지만, 도심 공동화 현상이 심각해지면서 수십 년 동안 방치되었다. 국채 보상 운동 기념 공원, 3·1 만세 운동길(90계단) 등 근대 역사 문화 벨트를 조성하고 '근대 골목 관광'을 진행하여 관광객들에게 역사적 의미를 알리고 있다.

(나) 1899년 개항으로 본격적인 도시의 모습을 갖추기 시작하였다. 일제 강점기에 호남평야에서 수탈된 쌀을 일본으로 실어가던 주요 항구로 ○○ 세관, △△은행 등 근대적 건물이 세워졌다. 산업화 과정에서 소외되어 도시의 경관들이 옛 모습 그대로 많이 남게 되었다. 이러한 지역 특성을 살려 근대 건축물을 문화 예술 공간으로 탈바꿈하였다.

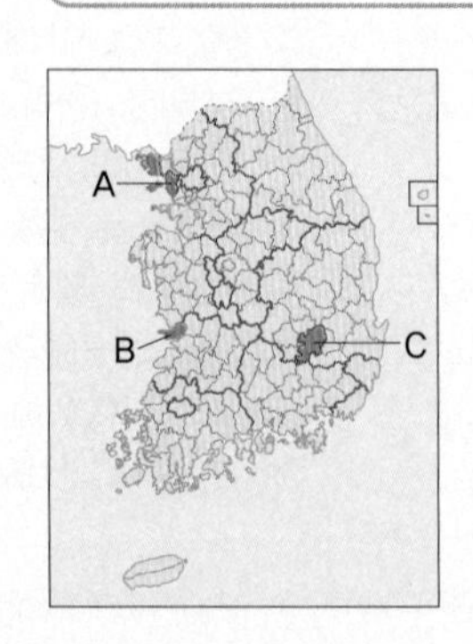

	(가)	(나)
①	A	B
②	A	C
③	B	C
④	C	A
⑤	C	B

(빈출 문제) 연계 자료 → 69쪽 빈출 자료 01

03 (가), (나) 도시 재개발에 대한 옳은 설명을 《보기》에서 고른 것은?

(가) 하늘 아래 첫 동네로 불리던 서울 관악구 △△의 달동네 모습이 사라졌다. 과거 도시 철거민들이 밀집하여 거주했던 이곳은 대규모 아파트 단지가 건설되면서 새로운 모습의 주거 지역으로 변모하였다.

(나) 부산의 피란민 역사를 간직한 사하구 ○○ 마을이 탈바꿈하고 있다. 빈집들 중 일부가 갤러리와 카페 공간으로 개조되고, 골목길 곳곳에 주민과 대학생들이 만든 조형물이 설치되어 문화 예술 체험 공간으로 재정비되었다.

《보기》

ㄱ. (가)는 재개발로 건물의 평균 층수가 높아졌다.
ㄴ. (나)는 재개발로 마을을 찾는 관광객이 증가하였다.
ㄷ. (가)는 (나)보다 개발 이후 원거주민의 재정착률이 높다.
ㄹ. (나)는 (가)보다 기존의 건축물을 재활용하는 비율이 낮다.

① ㄱ, ㄴ ② ㄱ, ㄷ ③ ㄴ, ㄷ
④ ㄴ, ㄹ ⑤ ㄷ, ㄹ

유사 선택지 문제

03_ ❶ (나)는 (가)보다 재개발로 인해 거주하던 지역을 떠나는 인구 비율이 높다. (○ / ×)

03_ ❷ (나)는 (가)보다 원래 거주하던 주민들의 공동체 특징이 더 잘 유지된다. (○ / ×)

04 (가), (나) 지역 개발의 공통적인 특색으로 옳은 것은?

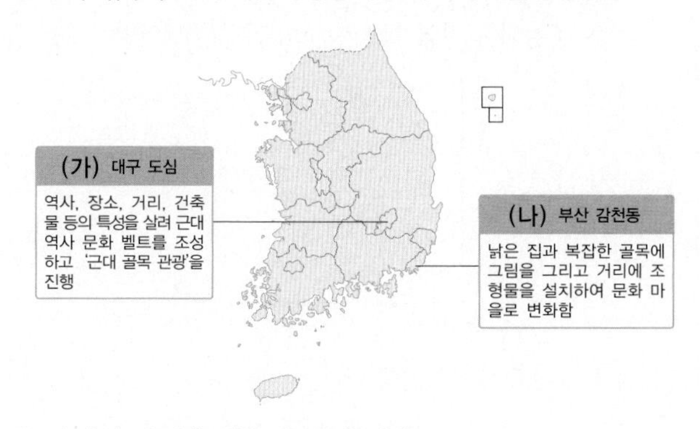

① 지역의 특성을 활용한 지역 개발
② 경제적 효율성을 우선시하는 지역 개발
③ 지역 간 상호 보완을 이루려는 지역 개발
④ 지역 간 갈등을 완화하기 위한 지역 개발
⑤ 생산 기반 조성을 통한 경제 성장을 꾀하는 지역 개발

05 (가), (나) 지역 개발 방식의 상대적 특징으로 옳은 것은?

(가) 시가지가 형성된 지 오래되어 노후화된 지역의 건물을 철거하여 새로운 시가지로 조성하는 재개발 방식이다. 지역을 빠르고 효율적으로 구조화하여 이용할 수 있다.

(나) 기존의 건물과 환경을 최대한 살리면서 노후·불량화의 요인만을 부분적으로 보수하고 정비하는 재개발 방식이다. 지역의 변형을 최소화한다.

①
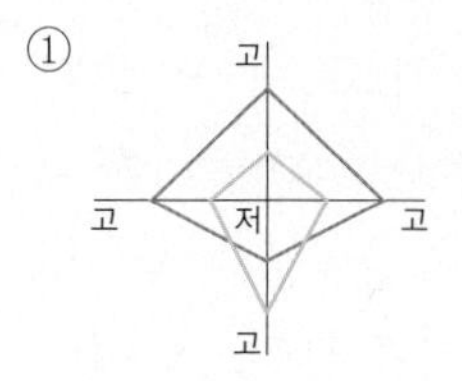

②
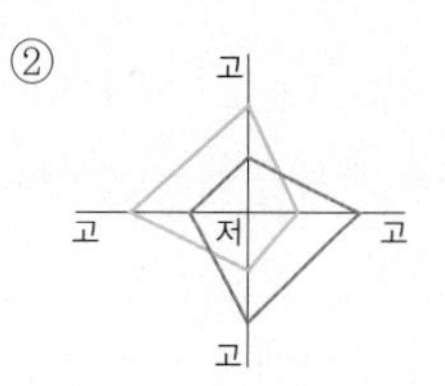

③
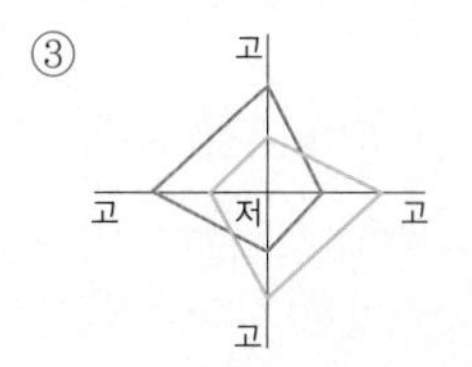

④
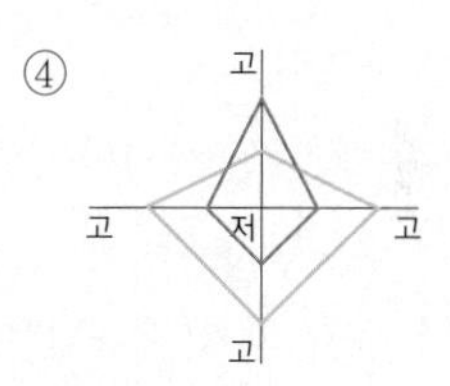

⑤
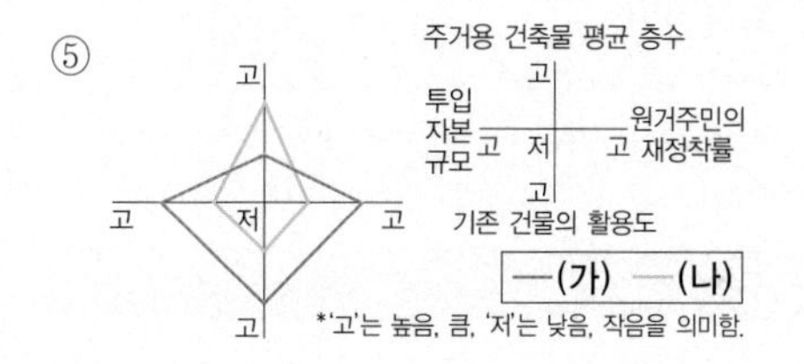

06 (가)~(다)는 서울의 시기별 도시 계획이다. 이를 순서대로 바르게 나열한 것은?

(가) 인구 급증에 대비하여 상하수도를 확충하고 도로 및 하천의 정비 사업 시행

(나) 도시의 양적 성장 대신 질적 변화를 추구하여 청계천 복원, 대중교통 시스템 개선

(다) 도심 환경 개선 사업과 서울의 인구 및 기반 시설 포화에 대비하여 부도심 개발 및 교통 시설 정비

① (가)>(나)>(다) ② (가)>(다)>(나)
③ (나)>(가)>(다) ④ (나)>(다)>(가)
⑤ (다)>(가)>(나)

시험에 꼭 나오는 문제

07 그래프는 서울의 주택 유형별 증감 추세를 나타낸 것이다. 이에 대한 설명으로 옳지 않은 것은?

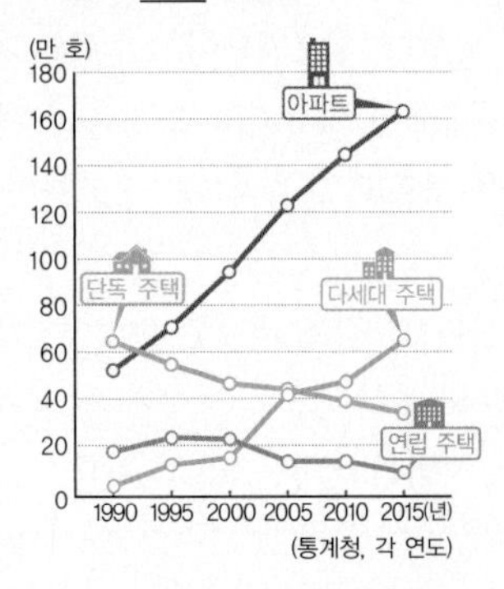

(통계청, 각 연도)

① 1990~2015년에 아파트의 수는 지속적으로 증가하였다.
② 주거용 건축물의 평균 층수는 2000년이 2015년보다 높을 것이다.
③ 서울의 주택에서 차지하는 단독 주택의 비율은 지속적으로 감소하였다.
④ 서울의 주택에서 차지하는 다세대 주택의 비율은 2015년이 1990년보다 높다.
⑤ 서울의 주거 지역 재개발은 수복 재개발보다 철거 재개발이 활발하였을 것이다.

02 지역 개발과 공간 불평등

08 다음 자료는 지역 개발 과정에서 나타날 수 있는 현상이다. (가), (나) 현상에 대한 옳은 설명을 《 보기 》에서 고른 것은?

(가) (나)

《 보기 》
ㄱ. (가)는 님비 현상에 해당한다.
ㄴ. (나)는 선호 시설을 유치하려는 현상이다.
ㄷ. (가), (나)는 지역 개발에 따른 이익과 손해가 일치할 때 발생한다.
ㄹ. (가), (나)는 성장 거점 개발 방식을 채택할 때 나타날 가능성이 크다.

① ㄱ, ㄴ ② ㄱ, ㄷ ③ ㄴ, ㄷ
④ ㄴ, ㄹ ⑤ ㄷ, ㄹ

09 자료에 대한 옳은 설명을 《 보기 》에서 고른 것은?

〈석탄 화력 발전소 현황〉 〈1인당 지역 내 총생산〉

0 50km
●운전 53기
●건설 11기
●계획 9기
(OO 뉴스, 2016)

0 50km *세종특별자치시는 과거 행정 구역을 기준으로 충북 및 충남에 포함됨.
(백만 원, 2014년 기준)
35 이상
30~35
25~30
22~25
22 미만
(통계청, 2016)

《 보기 》
ㄱ. 화력 발전소는 주로 내륙 지역에 입지하고 있다.
ㄴ. 1인당 지역 내 총생산은 도(道)가 낮고 광역시가 높다.
ㄷ. 충청남도는 화력 발전소가 많고, 1인당 지역 내 총생산도 높은 편이다.
ㄹ. 강원도는 서울보다 화력 발전소는 많지만 1인당 지역 내 총생산은 적다.

① ㄱ, ㄴ ② ㄱ, ㄷ ③ ㄴ, ㄷ
④ ㄴ, ㄹ ⑤ ㄷ, ㄹ

10 다음은 한국지리 수업 장면이다. 교사의 질문에 옳게 답한 학생을 고른 것은?

교사: 그래프는 가상 국가에서 성장 가능성이 높은 중심 지역에 집중 투자한 결과 나타난 발전 수준의 차이를 나타낸 것입니다. 이 국가에서 채택하였을 것으로 추정되는 지역 개발 방식의 특징은 무엇일까요?

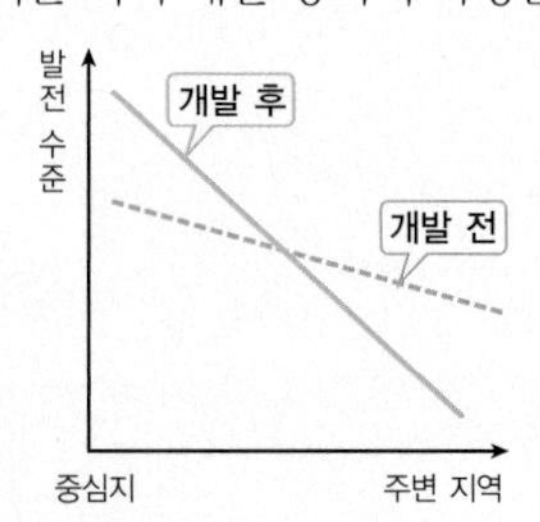

갑: 주로 선진국에서 채택합니다.
을: 지역 간 고른 성장을 추구합니다.
병: 효율성보다는 형평성을 추구합니다.
정: 단기간에 높은 성장을 기대할 수 있습니다.
무: 주민의 기본 수요를 우선적으로 충족시키려고 합니다.

① 갑 ② 을 ③ 병 ④ 정 ⑤ 무

11 표는 두 지역 개발 방식을 비교한 것이다. (가), (나) 지역 개발 방식에 대한 옳은 설명을 《보기》에서 고른 것은?

구분	(가)	(나)
추진 방식	하향식	상향식
개발 주체	중앙 정부	지방 정부 및 지역 주민
개발 방법	투자 효과가 큰 지역을 선정하여 집중 투자	낙후 지역에 우선적으로 투자

《보기》
ㄱ. (가)는 (나)보다 짧은 시간에 개발 효과가 나타난다.
ㄴ. (가)는 (나)보다 지역 간 성장 불균형 해결에 적합하다.
ㄷ. (나)는 (가)보다 지역 간 고른 성장을 유도할 수 있다.
ㄹ. (나)는 (가)에 비해 역류 효과가 발생할 가능성이 크다.

① ㄱ, ㄴ ② ㄱ, ㄷ ③ ㄴ, ㄷ
④ ㄴ, ㄹ ⑤ ㄷ, ㄹ

(빈출 문제) 연계 자료 → 69쪽 빈출 자료 02

12 다음 글의 밑줄 친 ㉠~㉢에 대한 옳은 설명만을 《보기》에서 있는 대로 고른 것은?

우리나라는 1970년대에 ㉠ 특정 지역에 자본을 집중 투자하여 효율성을 높이는 개발 방식을 채택하였다. 그 결과 ㉡ 지역 간 격차가 커지는 문제가 발생하였다. ㉢ 이러한 지역 간의 성장 격차 문제를 해결하고자 노력하였으나, 여전히 문제점이 지속되고 있다.

《보기》
ㄱ. ㉠ 개발 방식의 채택 결과 역류 효과가 발생하였다.
ㄴ. ㉠의 특정 지역 사례로 강원 및 충북 내륙 지역을 들 수 있다.
ㄷ. ㉡의 사례로 수도권과 비수도권 간의 격차 확대를 들 수 있다.
ㄹ. ㉢의 사례로 혁신 도시 추진 정책을 들 수 있다.

① ㄱ, ㄴ ② ㄱ, ㄷ ③ ㄷ, ㄹ
④ ㄱ, ㄷ, ㄹ ⑤ ㄴ, ㄷ, ㄹ

유사 선택지 문제

12_ ❶ ㉠은 성장 거점 개발 방식이다. (○ / ×)
12_ ❷ 제1차 국토 종합 개발 계획은 성장 거점 개발, 제2차 국토 종합 개발 계획은 균형 개발, 제3차 국토 종합 개발 계획은 광역 개발 방식을 채택하였다. (○ / ×)

(빈출 문제) 연계 자료 → 69쪽 빈출 자료 03

13 지도에 대한 옳은 설명을 《보기》에서 고른 것은?

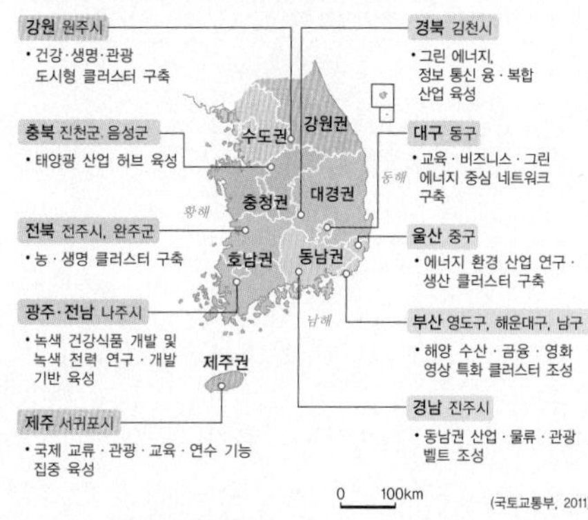

《보기》
ㄱ. 민간 기업이 주도적으로 도시 개발에 참여한다.
ㄴ. 제4차 국토 종합 계획 때부터 추진된 정책이다.
ㄷ. 도시와 촌락의 성장 격차 완화를 위해 추진하였다.
ㄹ. 공공 기관 및 이와 관련된 기업, 연구소 등이 함께 입지하도록 계획되었다.

① ㄱ, ㄴ ② ㄱ, ㄷ ③ ㄴ, ㄷ
④ ㄴ, ㄹ ⑤ ㄷ, ㄹ

유사 선택지 문제

13_ ❶ 지도에 표시된 지역은 수도권 집중을 해소하고 낙후된 지방 경제를 활성화하기 위한 정책이다. (○ / ×)
13_ ❷ 지도에 표시된 지역은 2차 산업 발달을 위한 산업 용지 공급을 통해 자족적 복합 기능을 갖춘 도시를 육성하기 위한 정책이다. (○ / ×)

14 그래프는 공간 불평등을 나타낸 것이다. ㉠~㉢ 권역으로 옳은 것은?

〈권역별 지역 내 총생산〉

강원·제주권 3.5, ㉢ 9.2, ㉡ 12.6, ㉠ 25.3, 수도권 49.4(%), 2015년

(통계청)

〈권역별 인구 비중 변화〉

(%) 수도권 49.5, ㉠ 25.6, ㉡ 10.7, ㉢ 10.0, 강원·제주권 4.2

1970 1975 1980 1985 1990 1995 2000 2005 2010 2015(년)

*그래프 내의 수치는 2015년 인구 비중임. (통계청)

	㉠	㉡	㉢
①	영남권	충청권	호남권
②	영남권	호남권	충청권
③	충청권	영남권	호남권
④	충청권	호남권	영남권
⑤	호남권	영남권	충청권

15 그림은 제4차 국토 종합 계획 2차 수정 계획을 나타낸 것이다. (가)에 들어갈 내용으로 옳지 않은 것은?

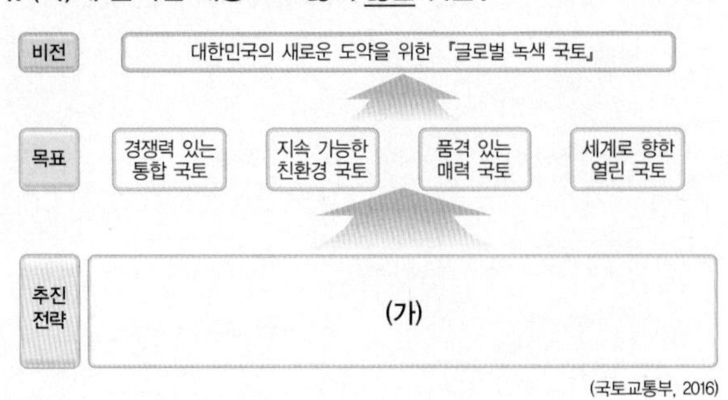

(국토교통부, 2016)

① 자연 친화적이고 안전한 국토 공간 조성
② 쾌적하고 문화적인 도시 · 주거 환경 조성
③ 세계로 열린 신성장 해양 국토 기반 구축
④ 대규모 공업 단지 건설을 통한 생산 기반 조성
⑤ 국토 경쟁력 제고를 위한 지역 특화 및 광역적 협력 강화

16 다음 글에 나타난 정책의 공통적인 목적으로 가장 적절한 것은?

- 강원도는 학교 통폐합에 따라 지역 내 학교 학생들의 통학 여건 개선을 위해 '강원 에듀 버스'를 운영한다.
- 경상북도는 일손이 부족한 농가와 도시 지역에서 취업에 어려움을 겪는 사람들을 연계해 주는 '스마트 두레 공동체' 사업을 실시한다.
- 전라남도 영광군은 농어촌 지역에서 대중 교통수단을 이용하기 어려운 문제를 해결하기 위해 '행복 택시' 제도를 운용한다.

① 도시와 촌락의 경제적 소득 격차를 줄인다.
② 저소득 계층에 대한 경제적 지원을 확대한다.
③ 촌락에 거주하는 학생의 통학 편리성을 높인다.
④ 농어촌 지역에 거주하는 주민의 삶의 질을 높인다.
⑤ 촌락에 거주하는 고령 인구의 이동성을 향상시킨다.

17 지역 개발과 공간 및 환경 불평등에 대한 내용으로 옳지 않은 것은?

① 성장 거점 개발 방식은 파급 효과를 추구한다.
② 세종특별자치시는 행정 중심 복합 도시로 개발되었다.
③ 기업 도시는 민간 주도의 자족적 복합 기능 도시이다.
④ 제1차 국토 종합 개발 계획부터 균형 개발 방식이 시행되었지만 수도권의 인구 집중도는 높아졌다.
⑤ 환경 불평등은 오염 물질의 지역 간 이동으로 인해 개발 사업의 경제적 수혜 지역과 환경 오염의 부담 지역이 일치하지 않을 때 발생한다.

18 교사의 질문에 대한 학생의 답변으로 옳은 것은?

다음과 같은 특징이 나타나는 국토 종합 개발 계획에 대한 특징을 발표해 보세요.

〈주요 정책 및 특징〉
- 지방 육성과 수도권 집중 억제
- 신산업 지대 조성과 통합적 고속 교류망 구축
- 분산형 개발과 환경 보전

① 갑: 균형 개발 정책을 채택하였습니다.
② 을: 지방 중심 도시로 공공 기관이 이전하였습니다.
③ 병: 수도권과 남동 연안 지역에 집중적인 투자가 이루어졌습니다.
④ 정: 물 자원의 종합 개발 등 생산 기반 확충에 중점을 두었습니다.
⑤ 무: 지역 간 형평성보다 경제적 효율성을 우선시하는 지역 개발이 이루어졌습니다.

서술형 문제

19 그림은 두 개발 방식에 대한 것이다. 이를 보고 물음에 답하시오. (단, (가), (나)는 성장 거점 개발 방식, 균형 개발 방식 중 하나임.)

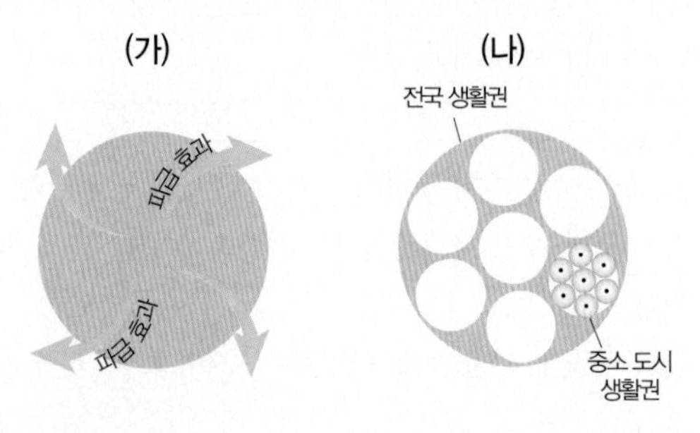

(1) (가) 개발 방식이 채택되었던 국토 종합 개발 계획의 시기를 쓰시오.

(2) (가)의 파급 효과 개념을 서술하시오.

(3) (가) 개발 방식의 장점과 단점을 한 가지씩 서술하시오.

(4) (나) 개발 방식의 특징과 장점을 한 가지씩 서술하시오.

올쏘 상위 4% 문제

| 평가원 응용 |

01 다음은 사이버 학습 장면의 일부이다. 답글의 내용이 옳은 학생을 고른 것은?

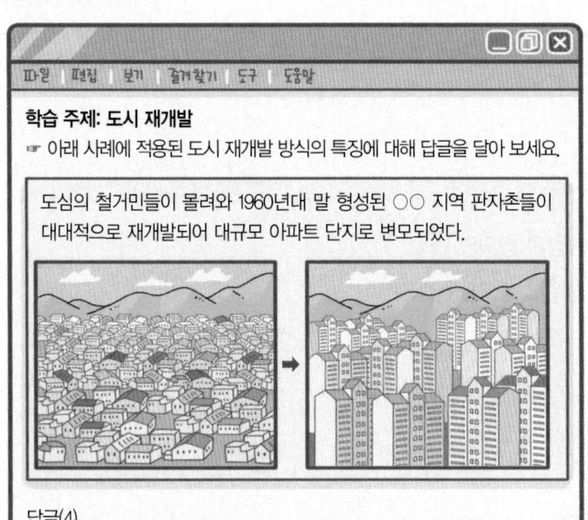

답글(4)
ㄴ 갑: 원거주민 모두에게 골고루 혜택이 돌아가요.
ㄴ 을: 수복 재개발 방식보다 투입 자본의 규모가 커요.
ㄴ 병: 건물의 고층화로 토지 이용의 효율성이 높아져요.
ㄴ 정: 역사 · 문화적으로 보존이 필요한 지역에서 주로 행해져요.

① 갑, 을 ② 갑, 병 ③ 을, 병
④ 을, 정 ⑤ 병, 정

| 평가원 응용 |

02 (가)~(라)에 대한 옳은 설명을 《보기》에서 고른 것은?

구분	제1차 국토 종합 개발 계획(1972~1981년)	제2차 국토 종합 개발 계획(1982~1991년)	제3차 국토 종합 개발 계획(1992~1999년)
개발 방식	(가)	광역 개발	(다)
개발 목표	국토 이용 관리의 효율화	(나)	지방 분산형 국토 개발
주요 개발 전략	사회 간접 자본 확충	인구의 지방 분산 유도	(라)

《보기》
ㄱ. (가)는 투자의 형평성보다는 효율성을 우선시하는 개발 방식이다.
ㄴ. (나)를 달성하기 위해 개발 제한 구역을 처음으로 설정하였다.
ㄷ. (다)는 (가)보다 지역 간 성장 격차를 줄이는 데 도움이 된다.
ㄹ. (라)의 영향으로 남동 연안 지역에 대규모 국가 산업 단지가 집중적으로 조성되었다.

① ㄱ, ㄴ ② ㄱ, ㄷ ③ ㄴ, ㄷ
④ ㄴ, ㄹ ⑤ ㄷ, ㄹ

| 수능 응용 |

03 (가)~(라)에 대한 옳은 설명을 《보기》에서 고른 것은?

〈국토 종합 (개발) 계획〉

구분	제1차 국토 종합 개발 계획 (1972~1981)	제2차 국토 종합 개발 계획 (1982~1991)	제3차 국토 종합 개발 계획 (1992~1999)	제4차 국토 종합 계획 (2000~2020)
개발 방식	거점 개발	광역 개발	(가)	
기본 목표	사회 간접 자본 확충	인구의 지방 정착 유도	지방 분산형 국토 골격 형성	균형, 녹색, 개방, 통일 국토
개발 전략	(나)	(다)	(라)	개방형 통합 국토축 형성

《보기》
ㄱ. (가)－낙후된 지역에 우선적으로 투자하는 방식이다.
ㄴ. (나)－고속 국도, 항만, 다목적 댐 등을 건설하여 산업 기반을 조성하였다.
ㄷ. (다)－혁신 도시와 기업 도시를 지정 및 육성하였다.
ㄹ. (라)－수도권 개발을 촉진하기 위한 정책이 실시되었다.

① ㄱ, ㄴ ② ㄱ, ㄷ ③ ㄴ, ㄷ
④ ㄴ, ㄹ ⑤ ㄷ, ㄹ

| 평가원 응용 |

04 (가), (나) 도시 재개발 사례의 상대적 특징이 그림과 같이 나타날 때, A, B에 들어갈 항목으로 옳은 것은?

(가) 대구 중구에서는 원도심 지역을 활성화하기 위하여 중구의 거리, 건축물 등이 지닌 역사적 특성을 살려 근대 역사 문화 벨트를 조성하였다. 일제 강점기의 항일 운동 정신을 느끼고 저항의 흔적을 찾아볼 수 있는 '근대 골목 관광' 프로그램을 진행하여 관광객들에게 역사적 의미를 알리고 있다.
(나) 서울 관악구에서는 2001년부터 ○○ 지역 재개발 사업을 추진하였다. 이 사업에서는 달동네 지역을 전면 철거하고 아파트 단지를 신축하는 방식을 채택하였다. 이 사업이 시행된 결과 주택의 유형만 바뀐 게 아니라 거주하는 주민들도 대부분 바뀌었다.

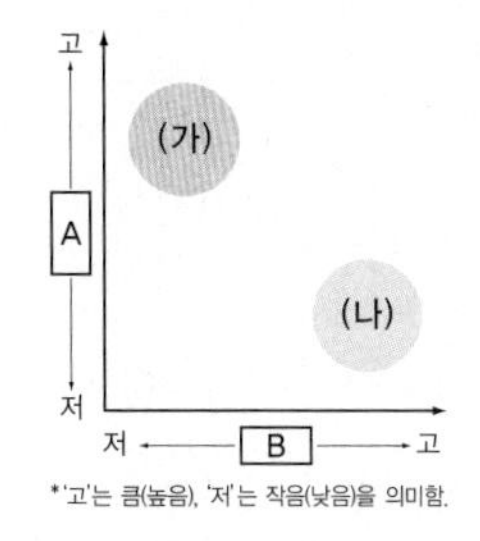

*'고'는 큼(높음), '저'는 작음(낮음)을 의미함.

	A	B
①	투입 자본 규모	원거주민의 재정착률
②	투입 자본 규모	기존 건물 활용도
③	원거주민의 재정착률	기존 건물 활용도
④	기존 건물 활용도	투입 자본 규모
⑤	기존 건물 활용도	원거주민의 재정착률

10 V. 생산과 소비의 공간
자원의 의미와 자원 문제 ~ 농업의 변화와 농촌 문제

출제 경향
★1차 에너지 및 신 · 재생 에너지의 소비와 생산 특성
★주요 작물의 지역별 생산 특성

01 자원의 의미와 자원 문제

1. 자원의 특성과 분류

(1) 자원의 특성: 가변성, 유한성, 편재성

(2) 자원의 분류

① 의미에 따른 분류: 좁은 의미의 자원과 넓은 의미의 자원

② 재생 가능성에 따른 분류

- 재생 불가능한 자원: 석탄, 석유, 천연가스 등
- 재생 가능한 자원: 수력, 풍력, 태양광, 조력 등

2. 자원의 분포와 이용

(1) 주요 광물 자원의 분포와 이용

철광석	• 강원도에 분포, 수요량의 대부분을 해외에서 수입 • 제철 공업의 원료로 이용됨
텅스텐	• 강원도에 분포, 값싼 중국산이 수입되면서 폐광되었음 • 특수강 및 합금용 원료로 이용됨
석회석	• 강원도, 충청북도 등의 고생대 조선 누층군에 분포 • 시멘트 공업의 원료로 이용됨
고령토	• 경상남도 하동 등 • 도자기, 내화 벽돌, 화장품 등의 원료로 이용됨

(2) 에너지 자원의 분포와 이용

① 에너지 자원의 소비 구조 변화: 산업이 발달하면서 석탄과 석유의 소비 비중 증가

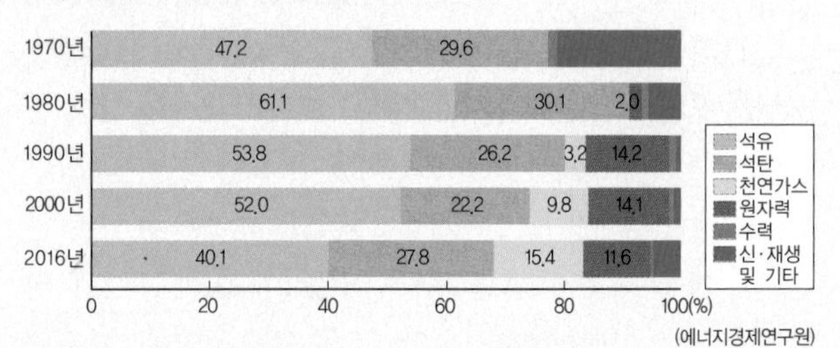

⌃ 1차 에너지 소비 구조의 변화

② 주요 에너지 자원의 분포와 수급 빈출 자료 (01)

석탄	• 무연탄: 고생대 평안 누층군에 분포 • 1980년대 후반 석탄 산업 합리화 정책으로 국내 생산량 급감
석유	• 신생대 지층에 주로 매장되어 있음, 수요량의 대부분을 수입 • 2016년 현재 우리나라에서 가장 많이 소비됨
천연가스	• 수요량의 대부분을 수입, 울산 앞바다에서 소량 생산됨 • 연소 시 대기 오염 물질 배출량이 적음

(3) 전력의 생산과 분포

수력	• 유량이 풍부하고 낙차가 큰 하천 중 · 상류에 입지 • 대기 오염 물질 배출량이 적음, 기후적 제약이 큼
화력	• 소비지와 가까운 지역에 입지 → 수도권, 충남 서해안, 남동 임해 공업 지역 등 • 입지가 비교적 자유로우나 연료비가 많이 듦
원자력	• 지반이 견고하고 냉각수가 풍부한 곳에 입지 • 방사성 폐기물의 처리 및 방사능 유출 문제

(4) 신 · 재생 에너지 빈출 자료 (02)

① 태양광: 일조량이 풍부한 지역 → 호남 서해안, 영남 내륙

② 풍력: 바람이 많은 해안이나 산지 → 제주, 대관령, 영덕 등

③ 조력: 조수 간만의 차 이용 → 시화호 조력 발전소

02 농업의 변화와 농촌 문제

1. 농업의 입지와 변화

(1) 농업의 입지 요인

① 자연적 요인: 기온, 강수량, 무상 일수, 토양 등

② 사회적 요인: 소비 시장과의 거리, 소비자의 기호, 정책 등

(2) 농업의 변화

① 농촌 인구의 감소: 이촌 향도 현상으로 청장년층 인구 유출 → 노동력 부족, 고령화, 경지 이용률 감소 등

② 경지의 변화: 농경지의 용도 전환, 휴경지 증가 · 그루갈이 감소 → 경지 이용률 감소, 가구당 경지 면적 증가 등

③ 영농의 다각화와 상업화: 주곡 작물의 재배 면적 감소

④ 세계 무역 기구(WTO) 및 자유 무역 협정(FTA)으로 농축산물 시장 개방

2. 주요 작물의 생산과 소비 변화 빈출 자료 (03)

쌀(벼)	• 중부와 남부 지방의 평야 지역에서 주로 재배 • 식생활 변화로 소비 감소, 재배 면적 축소
보리	• 주로 벼의 그루갈이 작물로 남부 지방에서 재배 • 식생활 변화 및 소비 감소로 재배 면적 급감
원예 작물	• 재배 면적의 비중 증가 • 근교 지역: 대도시와 가까운 지역 → 시설 재배 • 원교 지역: 대도시에서 멀지만 기후가 유리한 지역 → 노지 재배
낙농업	• 우유를 비롯한 유제품의 소비가 늘어남 • 경기도, 제주도, 대관령 등에서 주로 이루어짐

3. 농업의 문제점과 극복 방안

(1) 우리나라 농업의 문제점

① 도시와 농촌 간의 경제적 격차 확대

② 복잡한 유통 구조 및 불안정한 가격

③ 농약 및 화학 비료의 과다 사용 및 농산물 수입 개방

(2) 농업 문제의 극복 방안

① 장소 마케팅, 지리적 표시제, 농산물 브랜드화 → 농촌 소득 증대

② 농산물 유통 구조 개선, 전자 상거래 → 직거래 확대

③ 농산물의 고급화, 친환경 농업 → 농업의 경쟁력 확대

④ 농촌의 자연환경 보전, 관광 및 휴식 장소로서의 기능 강화 → 농촌의 역할 증대

빈출 특강

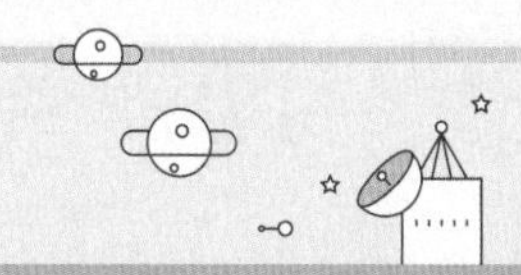

대표 유형

빈출 자료 01) 지역별 1차 에너지 공급 구조 | 연계 문제 → 80쪽 07번

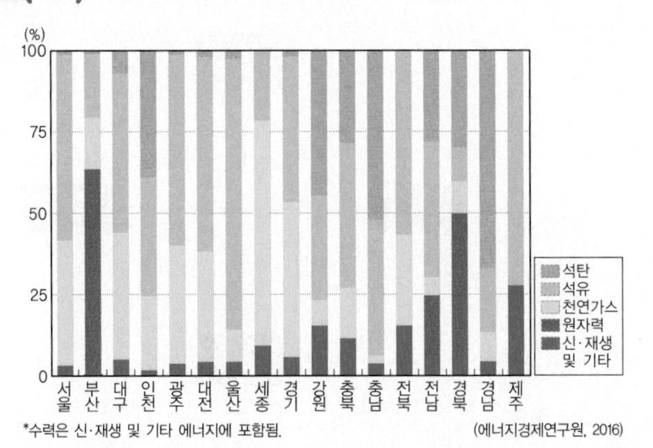

*수력은 신·재생 및 기타 에너지에 포함됨. (에너지경제연구원, 2016)

| 자료 분석 | 석탄은 제철 공업이 발달했거나 화력 발전소가 많은 경남과 충남에서 공급 비중이 높고, 석유는 정유 및 석유 화학 공업이 발달한 울산에서 공급 비중이 높다. 천연가스는 인구가 많은 서울과 경기에서 공급 비중이 높고, 원자력은 부산, 경북에서 공급 비중이 높다.

빈출 자료 02) 신 · 재생 에너지의 지역별 생산량 비중 | 연계 문제 → 80쪽 10번

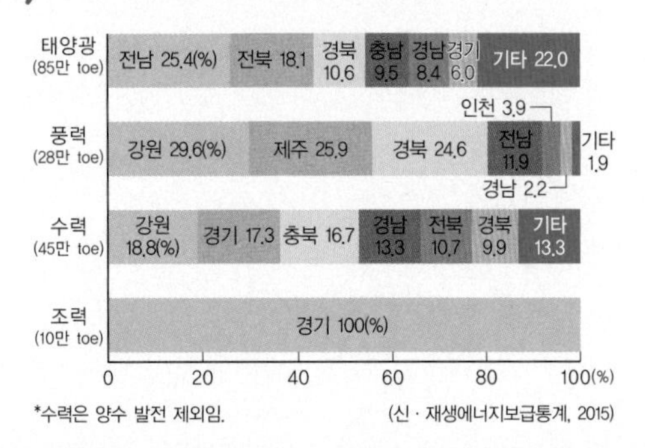

*수력은 양수 발전 제외임. (신 · 재생에너지보급통계, 2015)

| 자료 분석 | 태양광 발전은 일조량이 풍부한 지역에서 유리하며, 전남, 전북 등에서 생산량이 많다. 풍력 발전은 바람이 강한 산지나 해안 지역에서 유리하며, 강원, 제주, 경북 등에서 생산량이 많다. 수력 발전은 낙차가 큰 하천 중 · 상류 지역에서 유리하며, 다른 신 · 재생 에너지에 비해 여러 지역에서 비교적 고르게 생산된다. 조력 발전은 경기 안산의 시화호 조력 발전소에서만 이루어진다.

빈출 자료 03) 시 · 도별 주요 농산물 생산량 비중 | 연계 문제 → 81쪽 14번

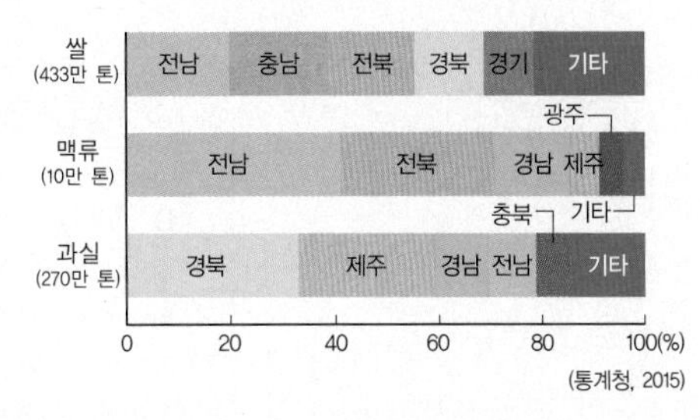

(통계청, 2015)

| 자료 분석 | 쌀은 평야가 넓은 전남, 충남, 전북 등에서 생산량이 많고, 맥류는 겨울철이 온화한 전남, 전북에서 생산량이 많다. 과실은 일조량이 풍부한 경북과 감귤을 많이 재배하는 제주에서 생산량이 많다.

자주 나오는 오답 선택지

빈출 자료 01)에서 자주 나오는 오답 선택지

① 최근 우리나라에서 공급 비중이 가장 높은 1차 에너지 자원은 석탄이다. → 석유

② 서울은 석유와 원자력의 공급 비중이 높다. → 천연가스

③ 정유 및 석유 화학 공업이 발달한 울산은 석탄의 공급 비중이 가장 높다. (석탄 → 석유) → 울산과 전남은 석유의 공급 비중이 높다.

④ 화력 발전소가 많이 입지해 있는 충남은 석유의 공급 비중이 가장 높다. (석유 → 석탄) → 화력 발전소, 제철소가 있는 충남은 석탄의 공급 비중이 높다.

⑤ 부산, 경북, 전남은 다른 시 · 도에 비하여 천연가스의 공급 비중이 높다. (천연가스 → 원자력) → 원자력 발전소는 부산, 전남, 경북에 있다.

⑥ 제주는 원자력의 공급 비중이 가장 높다. → 석유

빈출 자료 02)에서 자주 나오는 오답 선택지

① 태양광, 풍력, 수력, 조력 중 우리나라에서 생산량이 가장 많은 것은 수력이다. → 태양광

② 풍력 발전은 일조 시수가 긴 곳이 유리하다. (풍력 → 태양광)

③ 조력 발전소는 입지 선정에서 풍속이 가장 중요하다. (조력 → 풍력)

④ 풍력 발전량이 가장 많은 곳은 전남이며, 그다음으로 제주와 경북이 많다. (전남 → 강원)

⑤ 경기에서만 생산되는 신 · 재생 에너지는 수력이다. (수력 → 조력)

⑥ 풍력은 전남 > 전북 > 경북 > 충남 순으로 생산량 비중이 높다. (풍력 → 태양광)

빈출 자료 03)에서 자주 나오는 오답 선택지

① 쌀의 재배 면적은 감소하고, 맥류의 재배 면적은 증가하는 추세이다. → 감소

② 쌀, 맥류, 과실 중 전국에서 생산량이 가장 많은 작물은 과실이다. → 쌀

③ 쌀 생산량이 가장 많은 도(道)는 강원이다. → 전남

④ 맥류 생산량이 가장 많은 도(道)는 경기이다. → 전남

⑤ 과실 생산량이 가장 많은 도(道)는 전남이다. → 경북

올쏘 시험에 꼭 나오는 문제

개념 확인 문제

01 빈칸에 들어갈 알맞은 말을 쓰시오.

(1) 자원의 특성으로는 유한성, (　　　　), 편재성이 있다.
(2) 광물 자원 중 (　　　　)은/는 제철 공업의 주요 원료로 이용되며, 우리나라에서는 강원도에 소량 매장되어 있으나, 수요량의 대부분을 수입한다.
(3) 광물 자원 중 (　　　　)은/는 고생대 조선 누층군에 많이 매장되어 있다.
(4) 광물 자원 중 (　　　　)은/는 도자기, 내화 벽돌, 화장품 등의 주요 원료로 이용되며, 경상남도 하동 등에서 주로 생산된다.
(5) 최근 우리나라 1차 에너지 소비 구조에서 가장 높은 비중을 차지하는 에너지 자원은 (　　　　)이다.
(6) 석탄의 한 종류인 (　　　　)은/는 고생대 평안 누층군에 주로 매장되어 있다.
(7) 맥류의 한 종류인 (　　　　)은/는 주로 논의 그루갈이 작물로 재배된다.

02 다음 중 옳은 것에 ○표 하시오.

(1) 풍력, 수력 등은 대표적인 (재생 / 비재생) 자원이다.
(2) 무연탄은 고생대 (조선 누층군 / 평안 누층군)에 많이 매장되어 있다.
(3) (수력 / 화력 / 원자력) 발전은 폐기물 처리와 안전 문제를 둘러싸고 사회적 갈등이 생기기도 한다.
(4) 석탄은 천연가스보다 연소 시 대기 오염 물질 배출량이 (적다 / 많다).
(5) 석탄은 석유보다 수송용으로 사용되는 비중이 (낮다 / 높다).
(6) 휴경지의 증가, 그루갈이의 감소 등으로 인해 경지 이용률은 (감소 / 증가)하고 있다.

03 다음 설명이 옳으면 ○, 틀리면 ×에 표시하시오.

(1) 태양열, 조력은 사용량과 투자 정도에 따라 고갈 시기가 달라지는 비재생 자원이다. (○ / ×)
(2) 철광석은 국가 정책에 의해 1980년대 후반 이후 생산량이 급감하였다. (○ / ×)
(3) 석유는 가정용보다 수송용으로 사용되는 비중이 높다. (○ / ×)
(4) 천연가스는 냉동 액화 기술의 개발 이후 소비량이 급증하였다. (○ / ×)
(5) 태양광은 강원도, 풍력은 전라남도의 발전량이 가장 많다. (○ / ×)
(6) 보리는 강원도보다 전라남도에서 많이 재배된다. (○ / ×)
(7) 쌀의 재배 면적은 최근 빠르게 증가하고 있다. (○ / ×)

01 자원의 의미와 자원 문제

01 그림과 같이 자원을 구분할 때 A~D의 옳은 사례를 《보기》에서 고른 것은?

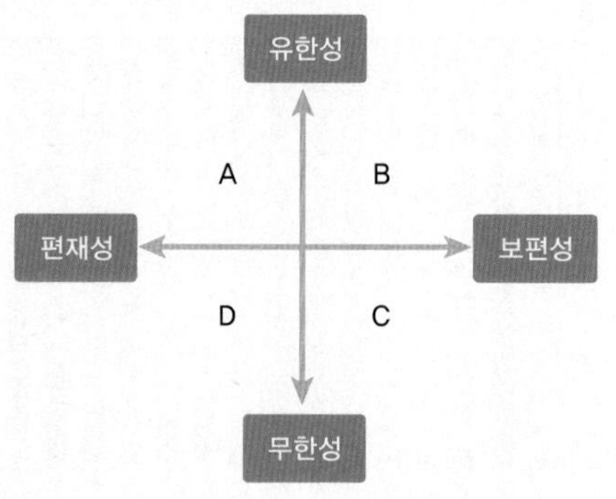

《 보기 》
ㄱ. A-석탄　　ㄴ. B-석유
ㄷ. C-바람　　ㄹ. D-텅스텐

① ㄱ, ㄴ　② ㄱ, ㄷ　③ ㄴ, ㄷ
④ ㄴ, ㄹ　⑤ ㄷ, ㄹ

02 다음 대화와 관계 깊은 자원의 유형 변화를 그림의 A~E에서 고른 것은?

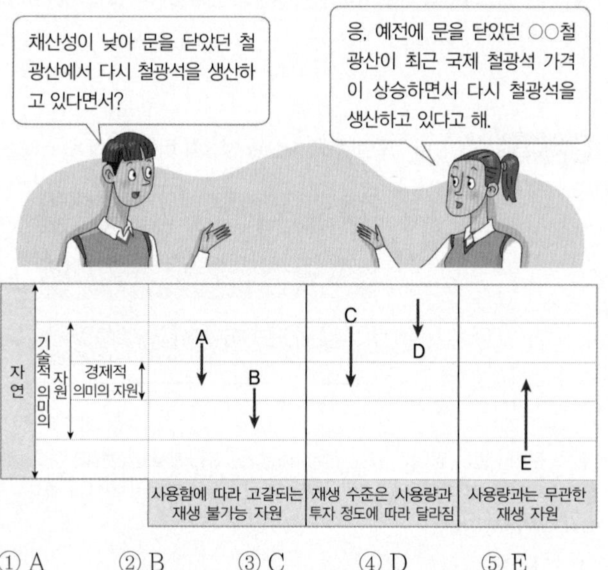

① A　② B　③ C　④ D　⑤ E

03 그래프는 A~D 자원의 지역별 생산 비중을 나타낸 것이다. 이에 대한 설명으로 옳은 것은? (단, A~D는 고령토, 무연탄, 석회석, 철광석 중 하나임.)

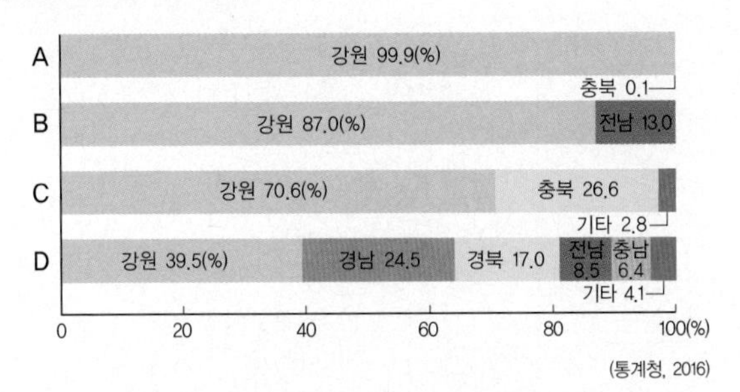

① A는 조선 누층군에 많이 매장되어 있다.
② C는 도자기, 내화 벽돌의 주원료로 이용된다.
③ A는 D보다 해외 수입량이 많다.
④ B는 C보다 가채 연수가 길다.
⑤ C는 금속 광물, D는 비금속 광물이다.

04 그래프는 우리나라의 1차 에너지 소비 구조의 변화를 나타낸 것이다. A~D 에너지에 대한 설명으로 옳은 것은? (단, A~D는 석유, 석탄, 원자력, 천연가스 중 하나임.)

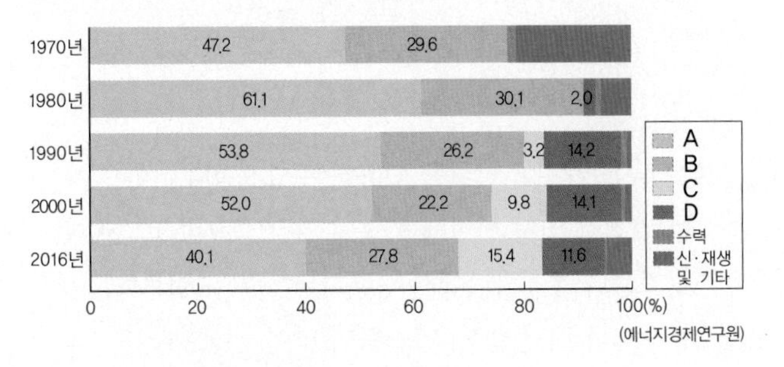

① A는 고생대 지층에 많이 매장되어 있다.
② D는 대부분 수송용으로 이용된다.
③ A는 B보다 국내 생산량이 많다.
④ B는 D보다 상업적으로 이용된 시기가 이르다.
⑤ A~C 중 연소 시 대기 오염 물질의 배출량이 가장 많은 에너지 자원은 C이다.

05 그래프는 최종 에너지의 부문별 소비 비중을 나타낸 것이다. A~C 에너지로 옳은 것은?

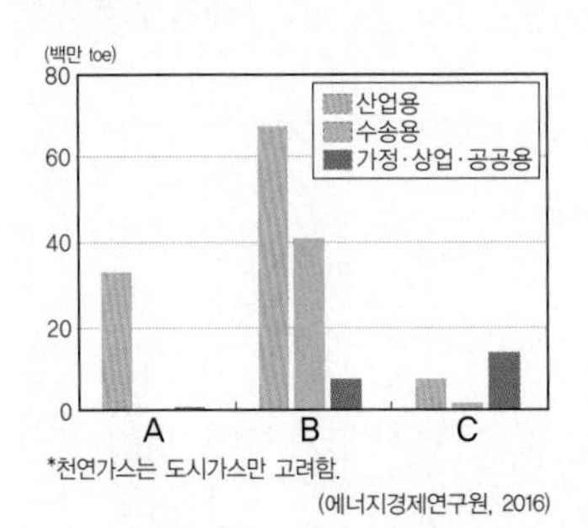

	A	B	C
①	석유	석탄	천연가스
②	석유	천연가스	석탄
③	석탄	석유	천연가스
④	석탄	천연가스	석유
⑤	천연가스	석유	석탄

06 그래프는 각각 우리나라의 1차 에너지 발전량 비중과 소비량 비중을 나타낸 것이다. (가)~(다)와 A~C를 바르게 연결한 것은? (단, (가)~(다)와 A~C는 석유, 석탄, 천연가스 중 하나임.)

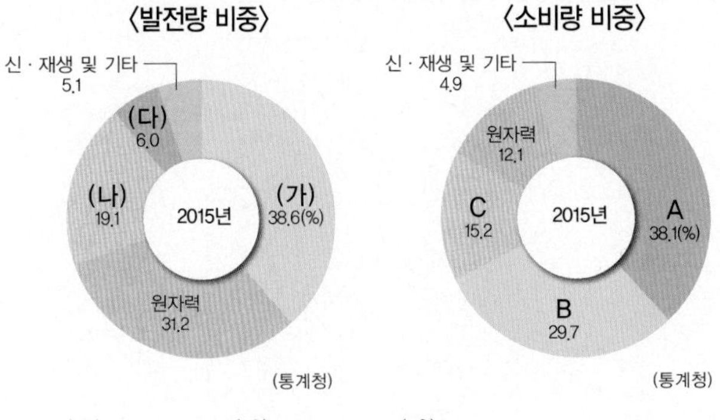

	(가)	(나)	(다)
①	A	B	C
②	A	C	B
③	B	A	C
④	B	C	A
⑤	C	A	B

시험에 꼭 나오는 문제

(빈출 문제) 연계 자료 → 77쪽 빈출 자료 01

07 그래프는 도(道)별 화석 에너지 공급 비중을 나타낸 것이다. 이에 대한 옳은 설명을 《보기》에서 고른 것은?

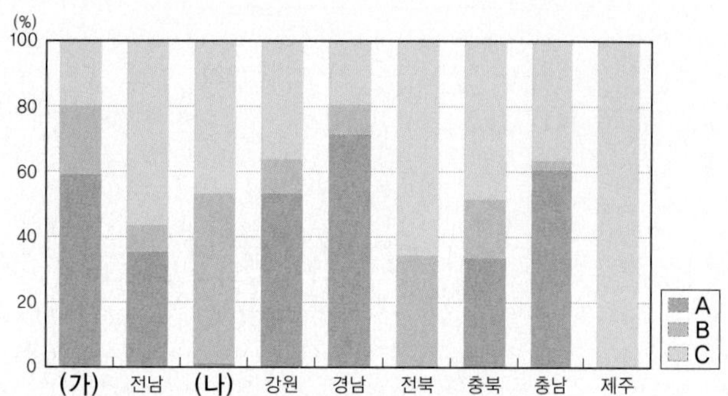

*수치는 각 지역의 세 화석 에너지 총 공급량에서 각 화석 에너지가 차지하는 비중임. (2015)

《보기》

ㄱ. (가)는 경북, (나)는 경기이다.
ㄴ. A는 B보다 산업용으로 이용되는 비중이 높다.
ㄷ. B는 C보다 우리나라 1차 에너지 소비 구조에서 차지하는 비중이 높다.
ㄹ. C는 A보다 화력 발전소의 연료로 많이 소비된다.

① ㄱ, ㄴ ② ㄱ, ㄷ ③ ㄴ, ㄷ
④ ㄴ, ㄹ ⑤ ㄷ, ㄹ

유사 선택지 문제

07_ ❶ A는 C보다 수송용으로 이용되는 비중이 높다. (○ / ×)
07_ ❷ B는 우리나라의 고생대 평안 누층군에 많이 매장되어 있다. (○ / ×)
07_ ❸ 충남은 석유보다 석탄 공급량이 많다. (○ / ×)

08 지도는 주요 발전 방식별 발전 설비 분포를 나타낸 것이다. A～C 발전 방식에 대한 설명으로 옳은 것은?

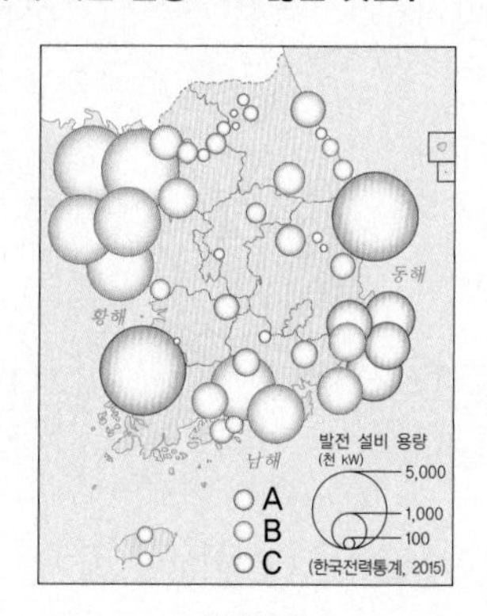

① A는 발전 후 방사성 폐기물 처리 문제가 발생한다.
② C는 계절별 발전량의 차이가 매우 크다.
③ A는 C보다 기후 조건이 발전량에 끼치는 영향이 적다.
④ B는 A보다 발전 시 온실가스 배출량이 많다.
⑤ C는 B보다 우리나라 총 발전량에서 차지하는 비중이 높다.

09 지도는 신·재생 에너지의 발전소 분포를 나타낸 것이다. A～C에 해당하는 신·재생 에너지로 옳은 것은?

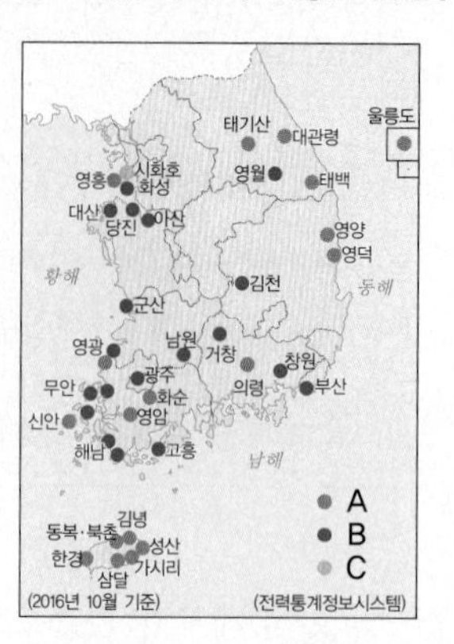

	A	B	C
①	조력	풍력	태양광
②	풍력	조력	태양광
③	풍력	태양광	조력
④	태양광	조력	풍력
⑤	태양광	풍력	조력

(빈출 문제) 연계 자료 → 77쪽 빈출 자료 02

10 그래프는 지도에 표시된 세 지역의 신·재생 에너지 생산량을 나타낸 것이다. 이에 대한 설명으로 옳은 것은? (단, A～C는 수력, 풍력, 태양광 중 하나임.)

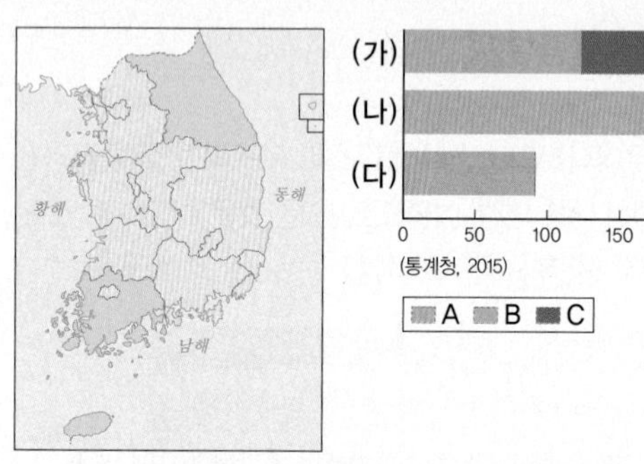

① A는 물을 가두어 낙차를 이용하여 발전한다.
② C는 발전소 입지 선정에 풍속이 가장 중요한 요인이다.
③ A는 C보다 우리나라에서 상용화된 시기가 이르다.
④ B는 A보다 전력 생산 시 소음이 많이 발생한다.
⑤ (가)는 전남, (나)는 제주, (다)는 강원이다.

유사 선택지 문제

10_ ❶ (A / B / C)는 바람이 일정하게 부는 지역에 발전소가 위치한다.
10_ ❷ (A / B / C)는 일조 시간이 에너지 생산량에 큰 영향을 준다.
10_ ❸ 전남은 수력보다 태양광 생산량이 많다. (○ / ×)

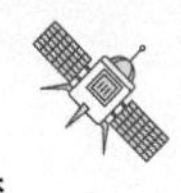

02 농업의 변화와 농촌 문제

11 표는 우리나라 농업의 변화를 나타낸 것이다. 이를 토대로 1980년과 비교한 2015년 우리나라 농업의 특성을 그림의 A~E에서 고른 것은?

(통계청)

구분	경지 면적 (천 ha)	농가 인구 (천 명)	농가(천 가구)		
			전업	겸업	합계
1980년	2,196	10,827	1,642	513	2,155
2000년	1,889	4,031	902	481	1,383
2015년	1,679	2,569	599	490	1,089

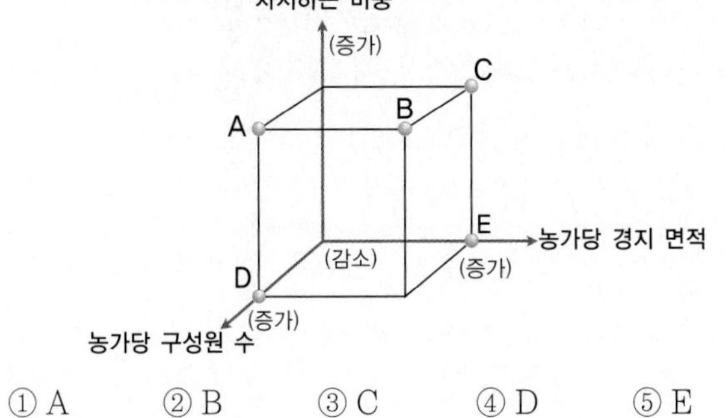

① A ② B ③ C ④ D ⑤ E

12 그래프는 지도에 표시된 두 지역의 상대적 특징을 나타낸 것이다. (가)에 비해 (나)에서 뚜렷하게 나타나는 특징을 《보기》에서 고른 것은?

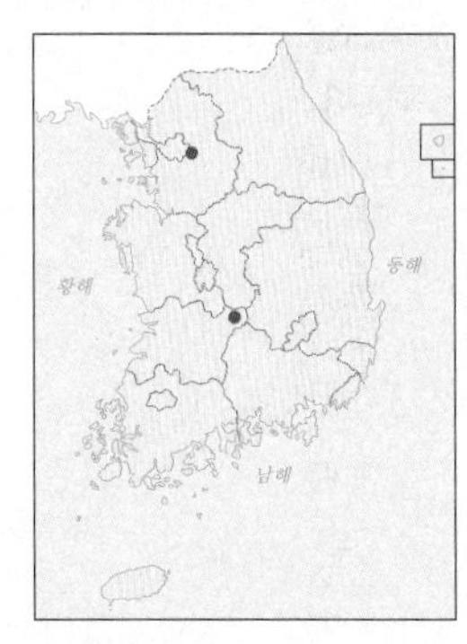

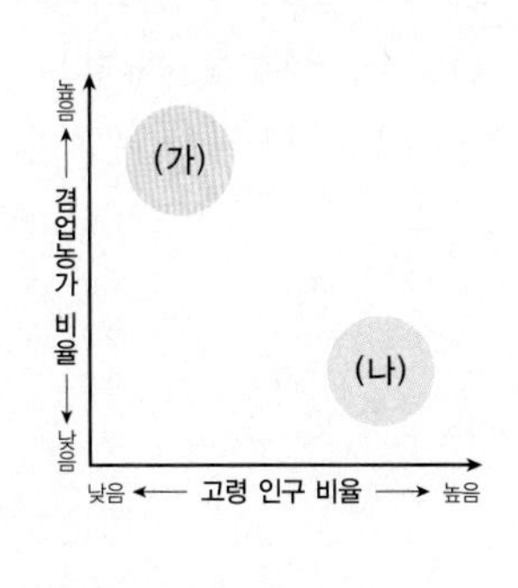

《보기》
ㄱ. 합계 출산율이 높다.
ㄴ. 경지 이용률이 높다.
ㄷ. 농업 종사자 비율이 높다.
ㄹ. 통폐합되는 초등학교가 많다.

① ㄱ, ㄴ ② ㄱ, ㄷ ③ ㄴ, ㄷ ④ ㄴ, ㄹ ⑤ ㄷ, ㄹ

13 지도는 도(道)별 주요 작물 재배 면적 비중을 나타낸 것이다. A~C 작물에 대한 설명으로 옳은 것은? (단, A~C는 벼, 맥류, 과수 중 하나임.)

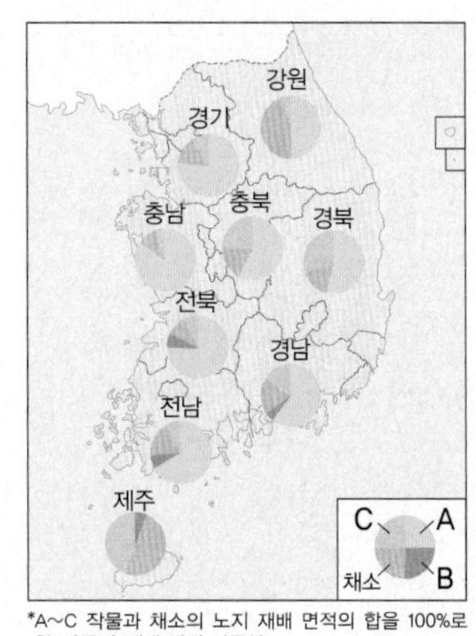

*A~C 작물과 채소의 노지 재배 면적의 합을 100%로 한 작물별 재배 면적 비중임.
(통계청, 2017)

① 최근 A의 재배 면적은 증가하고 있다.
② C의 소비량은 점차 감소하고 있다.
③ A는 B보다 1인당 소비량이 많다.
④ B는 주로 C의 그루갈이 작물로 재배된다.
⑤ C는 A보다 영농의 기계화에 유리하다.

(빈출 문제) 연계 자료 ➔ 77쪽 빈출 자료 03

14 표는 지도에 표시된 세 지역의 주요 작물 재배 면적을 나타낸 것이다. A~C 지역의 상대적인 특징을 그림과 같이 표현할 때 (가), (나)에 해당하는 지표로 옳은 것은?

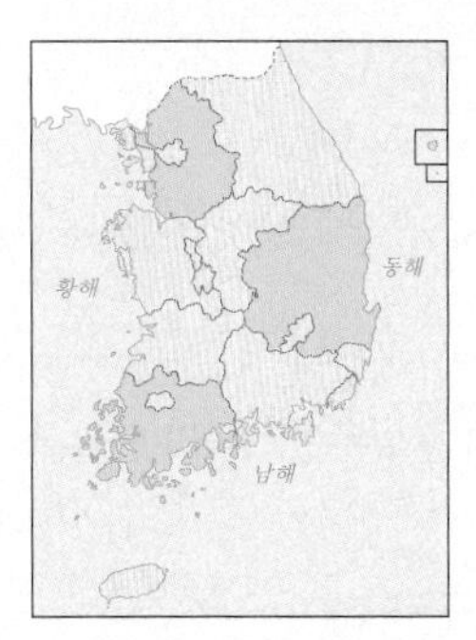

구분	벼	맥류	과수
A 지역	100.0	100.0	34.9
B 지역	51.7	1.7	17.1
C 지역	68.5	8.8	100.0

*수치가 가장 높은 지역의 값을 100으로 하였을 때의 상댓값임. (통계청, 2015)

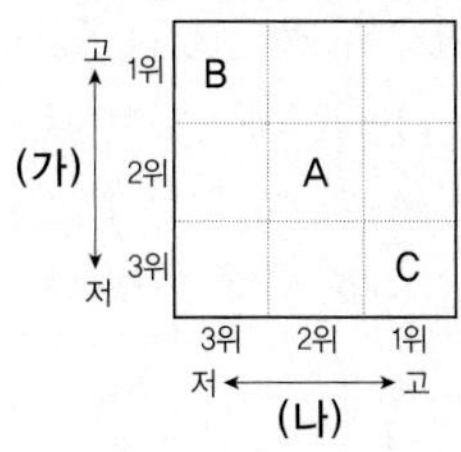

	(가)	(나)
①	농가 수	총 경지 면적
②	농가 수	겸업농가 비중
③	총 경지 면적	농가 수
④	겸업농가 비중	농가 수
⑤	겸업농가 비중	총 경지 면적

유사 선택지 문제

14_ ❶ 경기는 경북보다 과수 재배 면적이 넓다. (○ / ×)
14_ ❷ (경기 / 경북 / 전남)의 벼 재배 면적이 가장 넓다.
14_ ❸ 경기는 전남보다 겸업농가 비중이 높다. (○ / ×)

15 그래프는 도(道)별 농업 특성을 나타낸 것이다. (가)~(다) 지역과 A~C 지역을 바르게 연결한 것은?

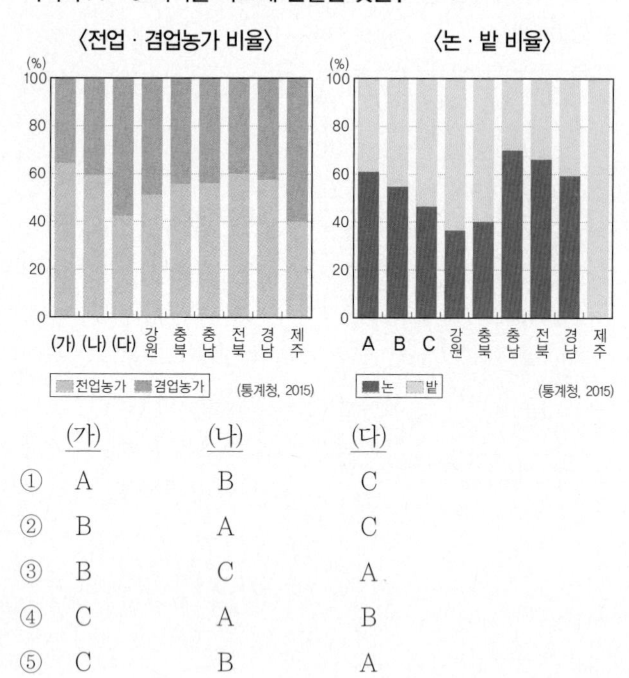

	(가)	(나)	(다)
①	A	B	C
②	B	A	C
③	B	C	A
④	C	A	B
⑤	C	B	A

16 지도의 A~E 중 지리적 표시제에 등록된 농산물의 연결이 옳지 않은 것은?

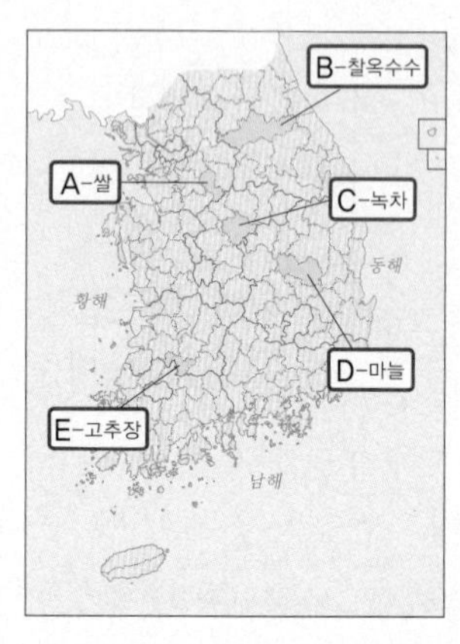

① A ② B ③ C
④ D ⑤ E

서술형 문제

17 그래프는 A~C 발전 방식의 권역별 설비 용량 비중을 나타낸 것이다. 이를 보고 물음에 답하시오. (단, A~C는 수력, 화력, 원자력 중 하나임.)

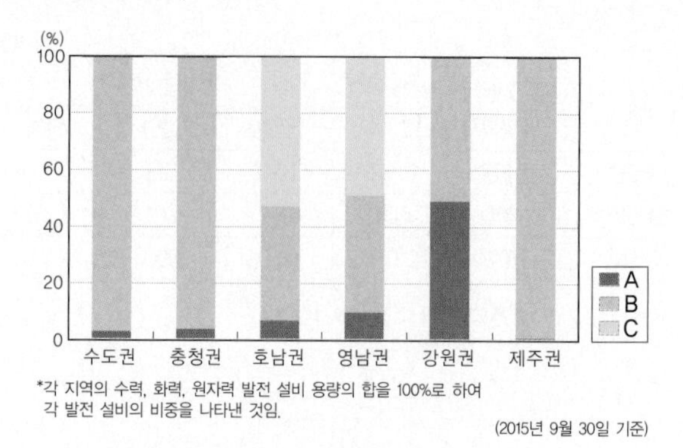

*각 지역의 수력, 화력, 원자력 발전 설비 용량의 합을 100%로 하여 각 발전 설비의 비중을 나타낸 것임.
(2015년 9월 30일 기준)

(1) A~C 발전 방식을 각각 쓰시오.

(2) B 발전 방식의 특징을 A와 비교하여 세 가지 서술하시오.

18 그래프는 지도에 표시된 세 지역의 A~D 작물 재배 면적 비중을 나타낸 것이다. 이를 보고 물음에 답하시오. (단, A~D는 벼, 과수, 맥류, 채소 중 하나임.)

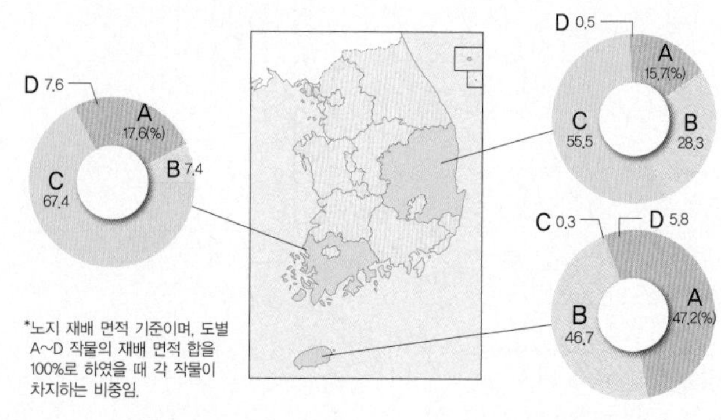

*노지 재배 면적 기준이며, 도별 A~D 작물의 재배 면적 합을 100%로 하였을 때 각 작물이 차지하는 비중임.

(1) A~D 작물을 각각 쓰시오.

(2) A~D 중 주로 벼의 그루갈이로 재배되는 작물의 이름을 쓰고, 이 작물의 특징을 주요 재배 지역과 소비량의 변화 측면에서 서술하시오.

상위 4% 문제

| 수능 응용 |

01 그래프는 A~C 에너지의 시도별 공급량을 나타낸 것이다. 이에 대한 옳은 설명을 《보기》에서 고른 것은? (단, A~C는 석유, 석탄, 천연가스 중 하나임.)

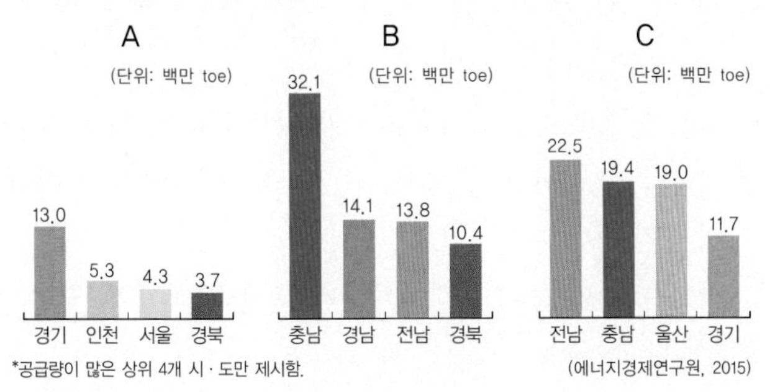

*공급량이 많은 상위 4개 시·도만 제시함. (에너지경제연구원, 2015)

《보기》
ㄱ. A는 고생대 지층에 많이 매장되어 있다.
ㄴ. B는 대부분 서남아시아에서 수입하고 있다.
ㄷ. B는 C보다 화력 발전의 연료로 많이 이용된다.
ㄹ. C는 A보다 연소 시 대기 오염 물질 배출량이 많다.

① ㄱ, ㄴ ② ㄱ, ㄷ ③ ㄴ, ㄷ
④ ㄴ, ㄹ ⑤ ㄷ, ㄹ

| 평가원 |

02 그래프는 권역별 신·재생 에너지 생산량을 나타낸 것이다. 이에 대한 설명으로 옳은 것은? (단, A~C는 조력, 태양광, 풍력 중 하나임.)

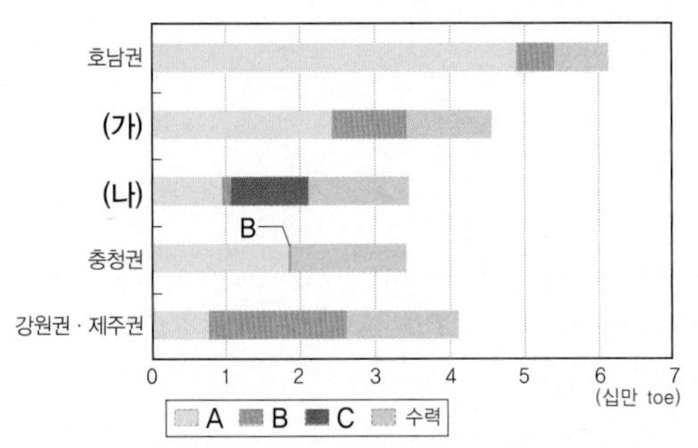

*수력은 양수 발전 제외임. (한국에너지관리공단, 2016)

① (가)는 수도권, (나)는 영남권이다.
② A는 일조 시수가 긴 곳이 입지에 유리하다.
③ B는 주로 대도시 지역에 입지한다.
④ C는 동해안이 서해안보다 유리하다.
⑤ A~C 중 생산량이 가장 많은 것은 B이다.

| 평가원 |

03 그래프는 지도에 표시된 네 지역의 농업 특성을 나타낸 것이다. (가)~(라) 지역에 대한 설명으로 옳은 것은?

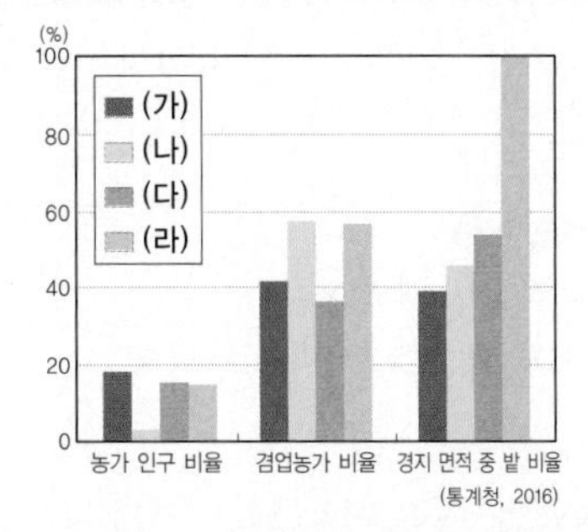

(통계청, 2016)

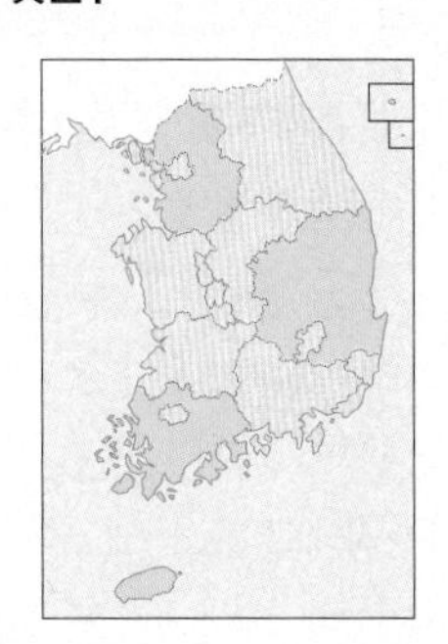

① (가)는 (나)보다 농가당 경지 면적이 좁다.
② (나)는 (다)보다 과수 재배 면적이 좁다.
③ (다)는 (라)보다 농가 인구가 적다.
④ (라)는 (가)보다 맥류 재배 면적이 넓다.
⑤ 쌀 생산량은 (나) > (다) > (가) > (라) 순으로 많다.

| 수능 응용 |

04 그래프는 세 도(道)의 작물별 재배 면적 비중을 나타낸 것이다. A~C 작물로 옳은 것은?

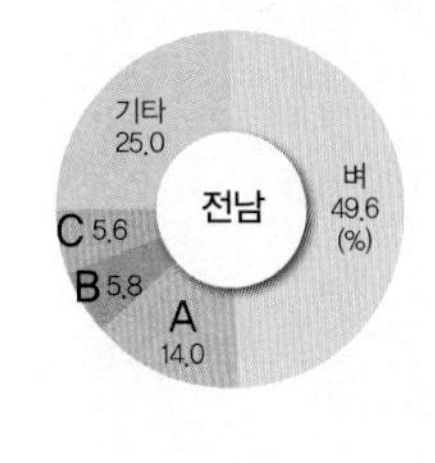

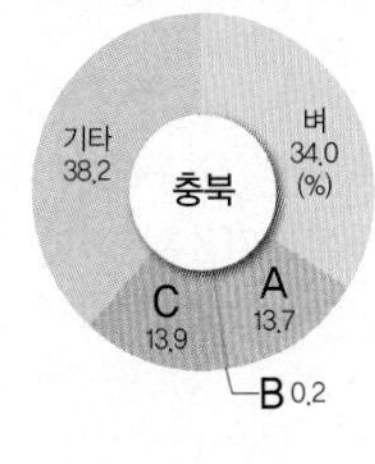

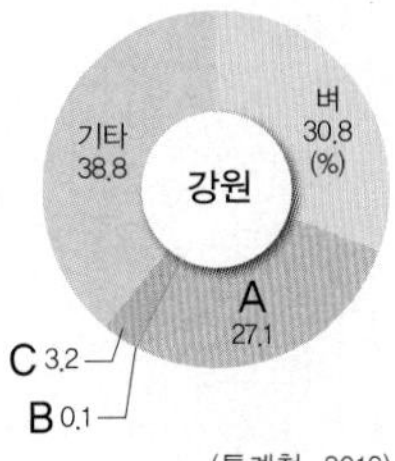

(통계청, 2016)

	A	B	C
①	채소	맥류	과수
②	채소	과수	맥류
③	맥류	채소	과수
④	과수	맥류	채소
⑤	과수	채소	맥류

공업의 발달과 지역 변화 ~ 서비스업의 변화와 교통 · 통신의 발달

출제 경향
★우리나라의 시기별 공업 발달
★공업별 입지 유형
★주요 공업 지역의 특성
★소매 업태 및 교통수단별 특성

01 공업의 발달과 지역 변화

1. 공업의 발달 과정과 특징

(1) 공업의 발달

1960년대	노동 집약적 경공업 발달
1970~1980년대	자본 · 기술 집약적 중화학 공업 발달
1990년대 이후	기술 · 지식 집약적 첨단 산업 발달, 탈공업화 진행

(2) 공업의 특징

① 공업 구조의 고도화: 경공업 → 중화학 공업 → 첨단 산업 중심으로 공업 구조가 변화

② 원료의 높은 해외 의존도: 임해 지역에 공업 발달

③ 공업의 이중 구조: 대기업과 중소기업 간의 격차가 큼

④ 공업의 지역적 편재: 수도권과 영남권을 중심으로 공업 발달

2. 공업의 입지 유형 빈출 자료 01

원료 지향형	제조 과정에서 원료의 무게나 부피가 감소하는 공업
	원료가 쉽게 부패 또는 변질되는 공업
시장 지향형	제조 과정에서 제품의 무게나 부피가 증가하는 공업
	소비자와의 잦은 접촉을 필요로 하는 공업
적환지 지향형	부피가 크거나 무거운 원료를 해외로부터 수입하는 공업
노동 지향형	생산비에서 노동비가 차지하는 비중이 큰 공업
집적 지향형	한 가지 원료로 여러 제품을 생산하는 계열화된 공업
	제품 생산에 많은 부품이 필요한 조립형 공업
입지 자유형	운송비에 비해 부가 가치가 큰 공업

3. 주요 공업 지역의 특징과 변화

(1) 주요 공업 지역

수도권 공업 지역	• 풍부한 자본, 넓은 소비 시장, 편리한 교통 등 • 우리나라 최대의 종합 공업 지역, 집적 불이익 발생
태백산 공업 지역	원료 지향형 공업 발달 → 시멘트 공업
충청 공업 지역	• 수도권에서 분산되는 공업 입지 • 서산(석유 화학), 당진(제철), 아산(자동차) 등
호남 공업 지역	• 대중국 교역의 거점 지역 • 제2의 임해 공업 지역으로 성장 가능성이 큼
영남 내륙 공업 지역	• 풍부한 노동력 → 노동 집약적 공업 발달 • 최근 공업의 첨단화 추진
남동 임해 공업 지역	• 우리나라 최대의 중화학 공업 지역 • 포항 · 광양(제철), 울산(자동차, 석유 화학, 조선), 거제(조선), 창원(기계), 여수(석유 화학) 등

(2) 공업 지역의 변화

① 공업 지역에서 집적 불이익 발생 → 주변 지역으로 공업 분산

② 기업 규모가 성장함에 따라 공간적 분업이 이루어짐

02 서비스업의 변화와 교통 · 통신의 발달

1. 상업 및 소비 공간의 입지

(1) 중심지(상점)의 입지 조건

① 최소 요구치: 중심지 기능을 유지하기 위한 최소한의 수요

② 재화의 도달 범위: 중심지 기능이 영향을 미치는 최대한의 공간 범위

③ 중심지의 성립 조건: 최소 요구치≤재화의 도달 범위

(2) 소매 업태별 특징

〈사업체 수〉

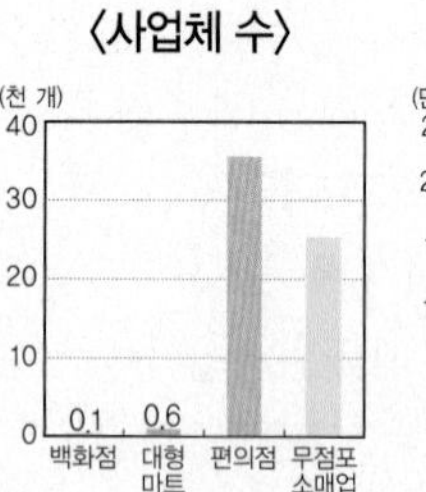

〈종사자 수〉

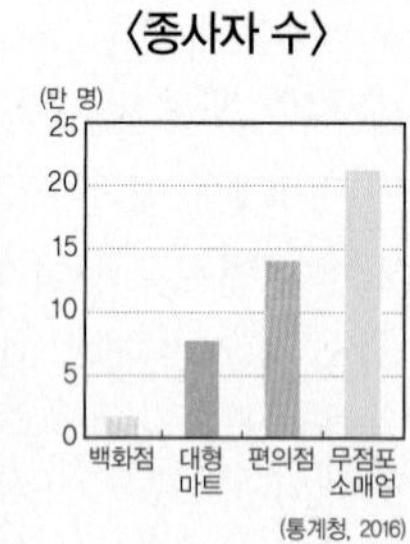

〈매출액〉

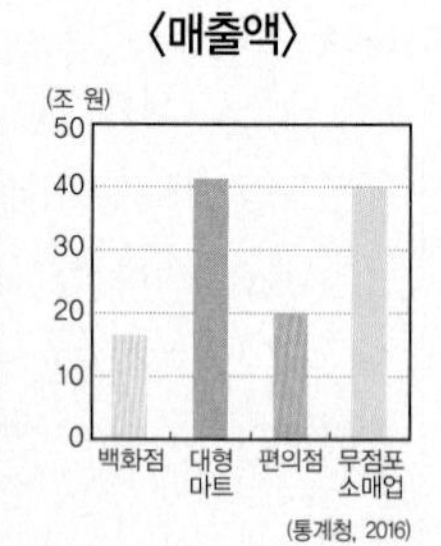

2. 서비스업의 변화

(1) 산업 구조의 변화 빈출 자료 02

전 공업화 사회	• 농업 중심 사회 • 주요 생산 요소: 토지, 노동력
공업화 사회	• 2차 산업 비중 크게 증가 • 주요 생산 요소: 자본
탈공업화 사회	• 2차 산업 비중 감소, 3차 산업 비중 증가 • 주요 생산 요소: 지식, 정보

(2) 서비스업의 분류

① 공급 주체: 공공 서비스업, 민간 서비스업

② 소비 주체: 소비자 서비스업, 생산자 서비스업

3. 운송비 구조와 교통수단별 특징 빈출 자료 03

(1) 총운송비 = 기종점 비용 + 주행 비용

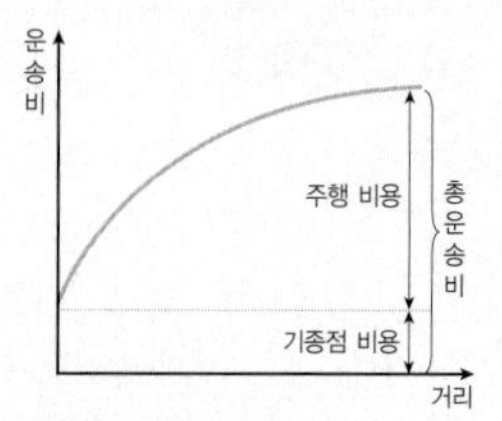

▲ 운송비 구조

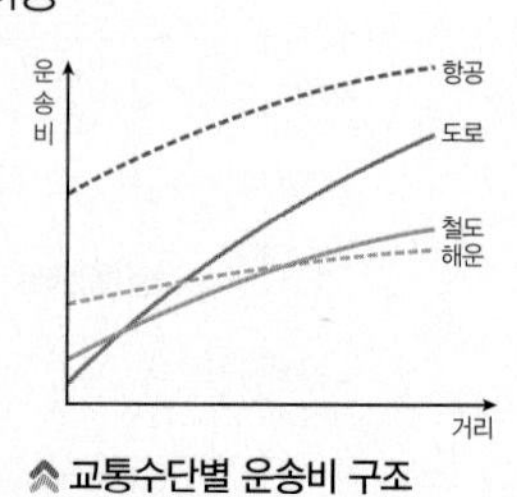

▲ 교통수단별 운송비 구조

(2) 교통수단별 특징

도로	• 기종점 비용은 저렴하나 주행 비용이 비쌈 • 기동성과 문전 연결성이 우수함
철도	• 정시성과 안전성이 좋음 • 운행 시 지형적 제약이 큼
해운	• 기종점 비용은 비싸나 주행 비용이 저렴함 • 장거리 대량 화물 수송에 유리함
항공	• 기상 조건의 제약이 큼 • 장거리 여객 수송과 고부가 가치 화물 수송에 유리함

빈출 특강

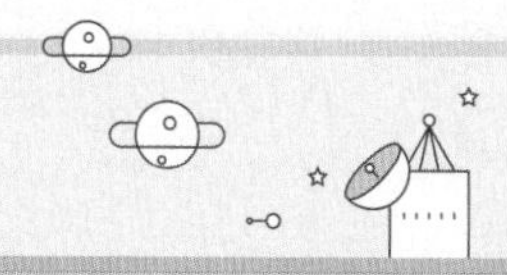

대표 유형

빈출 자료 01 주요 공업의 시 · 도별 출하액 비중
연계 문제 → 87쪽 04번

순위	섬유 제품(의복 제외)		1차 금속		화학 물질 및 화학 제품(의약품 제외)		자동차 및 트레일러	
	시 · 도	비중(%)	시 · 도	비중(%)	시 · 도	비중(%)	시 · 도	비중(%)
1	경기	26.5	경북	22.8	울산	24.3	경기	23.2
2	경북	18.1	전남	13.7	전남	24.0	울산	20.1
3	대구	15.1	충남	13.2	충남	16.0	충남	11.6
4	부산	7.4	울산	13.0	경기	12.6	경남	8.1
5	서울	6.2	경기	10.1	충북	5.8	광주	7.2

(통계청, 2016)

| 자료 분석 | 섬유 제품(의복 제외) 제조업은 노동력이 풍부한 경기 · 경북 · 대구, 1차 금속 제조업은 제철소가 있는 경북(포항)과 전남(광양), 화학 물질 및 화학 제품(의약품 제외) 제조업은 대규모 석유 화학 산업 단지가 있는 울산과 전남(여수)에서 발달하였다. 그리고 자동차 및 트레일러 제조업은 경기, 울산, 충남에서 발달하였다.

빈출 자료 02 우리나라의 산업 구조 변화와 지역별 산업 구조
연계 문제 → 89쪽 13번

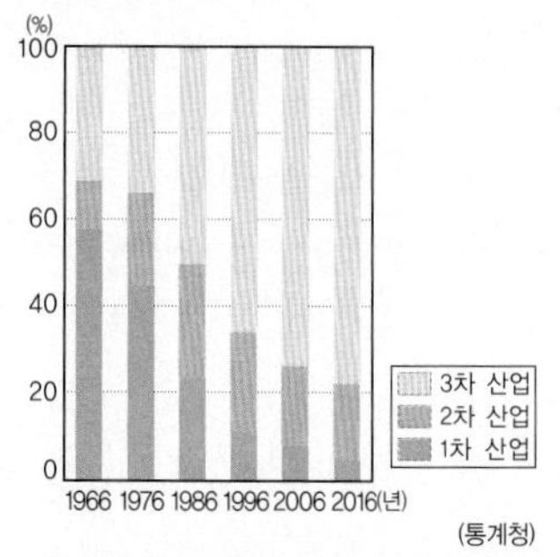

우리나라의 산업별 취업자 수 비중 변화

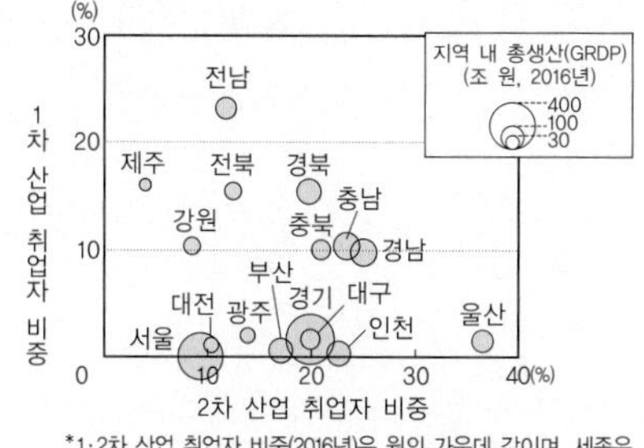

*1 · 2차 산업 취업자 비중(2016년)은 원의 가운데 값이며, 세종은 과거 행정 구역을 기준으로 충북 및 충남에 포함됨. (통계청)

시 · 도별 산업 구조와 지역 내 총생산

| 자료 분석 | 우리나라의 산업 구조는 1966년에는 농업 중심의 1차 산업 비중이 가장 높았으나, 이후 공업이 빠르게 성장하면서 2차 산업의 비중이 증가하였다. 1990년대 이후는 제조업 취업자 수 비중이 감소하고 서비스업 중심의 3차 산업 취업자 수 비중이 증가하면서 탈공업화 현상이 나타나고 있다.

우리나라의 시 · 도별 산업 구조를 살펴보면 1차 산업 취업자 비중은 전남이 가장 높고, 서울이 가장 낮다. 2차 산업 취업자 비중은 울산이 가장 높고, 제조업 발달이 미약한 제주가 가장 낮다. 3차 산업 취업자 비중(100에서 1 · 2차 산업 취업자 비중을 뺀 값)은 서울이 가장 높으며, 지역 내 총생산은 인구가 많은 경기와 서울이 많다.

빈출 자료 03 교통수단별 수송 분담률
연계 문제 → 90쪽 16번

〈여객〉 〈화물〉

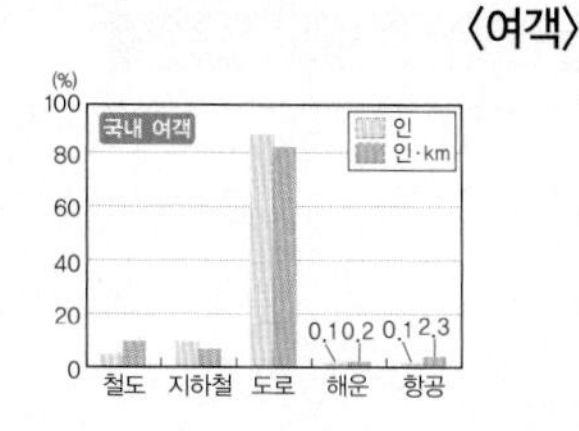

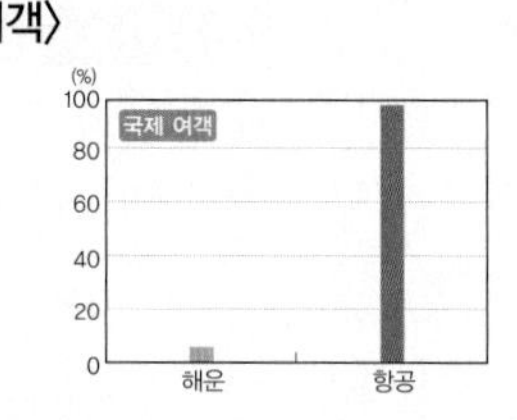

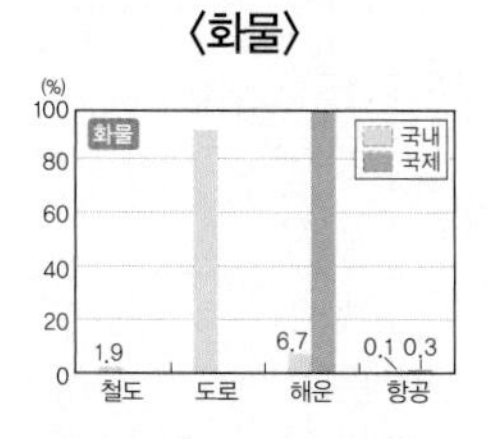

| 자료 분석 | 국내 여객 수송 분담률은 도로가 가장 높다. '인' 기준의 경우 철도가 지하철보다 여객 수송 분담률이 낮지만, '인 · km'인 경우 철도가 지하철보다 높다. 국제 여객 수송 분담률은 항공이 가장 높고, 국제 화물 수송 분담률은 해운이 가장 높다.

자주 나오는 오답 선택지

빈출 자료 01 에서 자주 나오는 오답 선택지

① 경기 > 경북 > 대구 순으로 출하액 비중이 높은 것은 1차 금속 제조업이다. → 섬유 제품(의복 제외) 제조업

② 자동차 및 트레일러 제조업은 경북의 출하액이 가장 많다. → 경기

③ 화학 물질 및 화학 제품(의약품 제외) 제조업이 발달한 대표적인 지역은 울산과 전남의 광양이다. → 여수

④ 섬유 제품(의복 제외) 제조업은 많은 부품을 필요로 하는 계열화된 조립형 공업이다. → 자동차 및 트레일러 제조업

⑤ 1차 금속 제조업은 노동력 의존도가 높아 임금이 저렴한 지역에 입지하려는 경향이 강하다. → 원료의 해외 (노동력) / → 적환지 (임금이 저렴한 지역)

빈출 자료 02 에서 자주 나오는 오답 선택지

① 1990년대 이후 우리나라의 산업 구조는 서비스업 취업자 수 비중이 감소하고, 제조업 취업자 수 비중이 증가하면서 탈공업화 현상이 나타나고 있다. → 제조업 (서비스업) / → 서비스업 (제조업)

② 시 · 도 중 1차 산업 취업자 비중은 전남이 가장 낮다. → 높다

③ 시 · 도 중 2차 산업 취업자 비중은 울산이 가장 낮고, 제주가 가장 높다. → 제주 (울산) / → 울산 (제주)

④ 충남은 경북에 비해 1차 산업 취업자 비중이 높다. → 낮다
→ 수도권에 있던 공장이 충남으로 이전하면서 충남에서 제조업이 발달하였다.

⑤ 시 · 도 중 3차 산업 취업자 비중은 서울이 가장 낮다. → 높다

⑥ 경기는 경남에 비해 지역 내 총생산이 적다. → 많다

빈출 자료 03 에서 자주 나오는 오답 선택지

① 국내 여객 수송 분담률은 철도가 가장 높다. → 도로
→ 도로는 국내 여객 수송 분담률이, 항공은 국제 여객 수송 분담률이 가장 높다.

② 국제 여객 수송 분담률은 해운이 항공보다 높다. → 낮다
→ 국제 여객 수송 분담률은 항공, 국제 화물 수송 분담률은 해운이 가장 높다.

③ 항공은 국내보다 국제 여객 수송 분담률이 낮다. → 높다

④ 인 · km 기준인 경우 철도가 지하철보다 국내 여객 수송 분담률이 낮다. → 높다
→ 지하철은 철도보다 주로 단거리 여객 수송에 이용된다.

시험에 꼭 나오는 문제

개념 확인 문제

01 빈칸에 들어갈 알맞은 말을 쓰시오.

(1) 우리나라의 공업 구조를 기업 규모면에서 살펴보면 사업체 수는 중소기업이 대기업보다 많지만, 생산액 비중은 대기업이 훨씬 많은 공업의 (   )이/가 나타난다.

(2) 제조 과정에서 제품의 부피나 무게가 증가하는 공업은 (   ) 지향형 공업에 해당한다.

(3) (   ) 공업 지역은 우리나라 최대의 종합 공업 지역으로, 첨단 산업이 발달하였다.

(4) (   )은/는 중심지 기능을 유지하기 위한 최소한의 수요를 말한다.

(5) 기동성과 문전 연결성이 우수하며, 국내 여객 수송 분담률이 가장 높은 교통수단은 (   ) 교통이다.

02 다음 중 옳은 것에 ○표 하시오.

(1) 제철 공업은 (적환지 / 노동) 지향형 공업, 섬유 공업은 (적환지 / 노동) 지향형 공업이다.

(2) 섬유 공업은 자동차 공업보다 사업체당 종사자 수와 출하액이 (적다 / 많다).

(3) 교통이 발달하면 재화의 도달 범위는 (좁아진다 / 넓어진다).

(4) 도로 교통은 철도 교통보다 국내 여객 수송 분담률이 (낮다 / 높다).

(5) 도로 교통은 해운 교통보다 기종점 비용이 (작다 / 크다).

(6) 철도 교통은 지형적 제약이 (작다 / 크다).

(7) 숙박 및 음식점업은 (소비자 서비스업 / 생산자 서비스업)에 해당한다.

03 다음 설명이 옳으면 ○, 틀리면 ×에 표시하시오.

(1) 자동차 공업은 많은 부품을 필요로 하는 계열화된 조립형 공업이다. (○ / ×)

(2) 섬유 공업은 초기 설비 투자 비용이 많이 드는 장치 산업이다. (○ / ×)

(3) 편의점은 백화점보다 최소 요구치가 크다. (○ / ×)

(4) 대도시의 도심 또는 부도심에 주로 입지하는 경향을 보이는 소매 업태는 대형 마트이다. (○ / ×)

(5) 소비자 서비스업은 생산자 서비스업에 비해 사업체당 종사자 수가 많다. (○ / ×)

(6) 전자 상거래는 전통적인 상거래 활동에 비해서 시·공간적 제약이 크다. (○ / ×)

(7) 국제 화물 수송 분담률이 가장 높은 교통수단은 철도이다. (○ / ×)

01 공업의 발달과 지역 변화

01 그래프를 보고 우리나라의 공업 구조에 대해 옳게 설명한 내용을 《보기》에서 고른 것은?

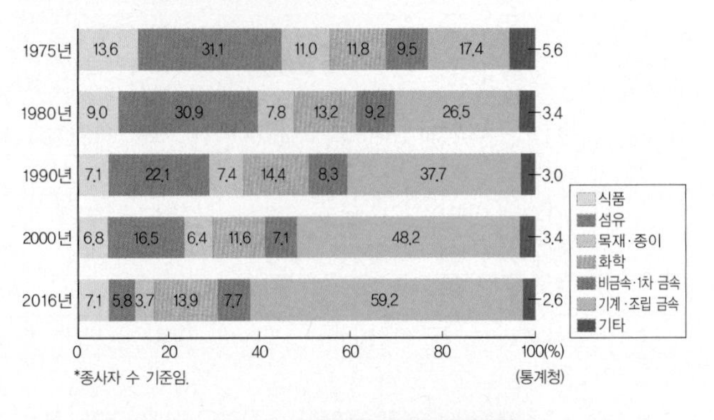

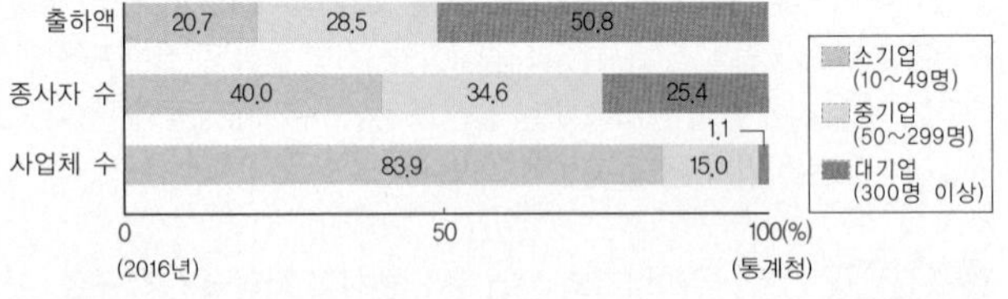

《보기》

ㄱ. 공업 구조가 고도화되고 있다.

ㄴ. 대기업은 소기업보다 노동 생산성이 높다.

ㄷ. 원료 지향형 공업의 비중이 높아지고 있다.

ㄹ. 소기업은 대기업보다 사업체 수 대비 고용 효과가 높다.

① ㄱ, ㄴ ② ㄱ, ㄷ ③ ㄴ, ㄷ ④ ㄴ, ㄹ ⑤ ㄷ, ㄹ

02 그래프는 주요 제조업의 시·도별 출하액 비중을 나타낸 것이다. A~C 지역으로 옳은 것은?

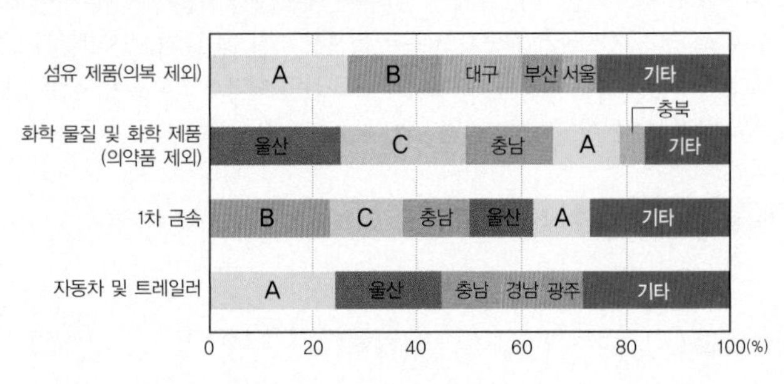

	A	B	C
①	경기	경북	전남
②	경기	전남	경북
③	경북	경기	전남
④	경북	전남	경기
⑤	전남	경기	경북

03 표는 공업의 입지 유형을 나타낸 것이다. (가), (나) 공업의 사례를 ㄱ~ㄷ에서 고른 것은?

공업	입지 유형
(가)	생산비에서 노동비가 차지하는 비중이 큰 공업
(나)	제품 생산에 많은 부품이 필요한 조립형 공업

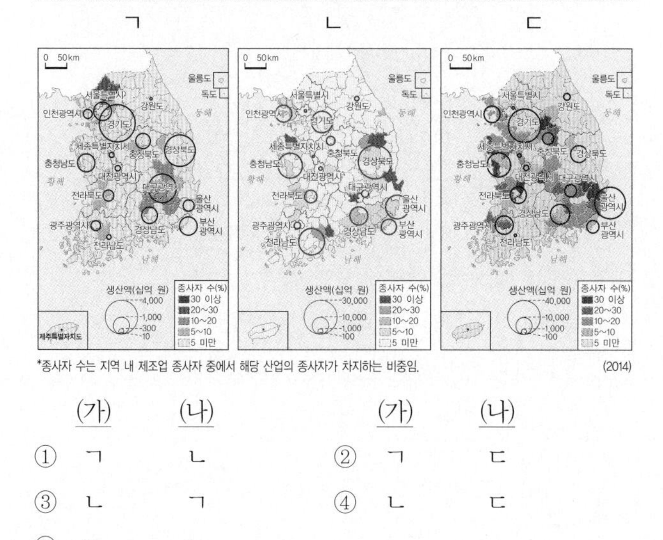

*종사자 수는 지역 내 제조업 종사자 중에서 해당 산업의 종사자가 차지하는 비중임. (2014)

	(가)	(나)		(가)	(나)
①	ㄱ	ㄴ	②	ㄱ	ㄷ
③	ㄴ	ㄱ	④	ㄴ	ㄷ
⑤	ㄷ	ㄴ			

(빈출 문제) 연계 자료 → 85쪽 빈출 자료 01

04 표는 A~D 제조업의 출하액이 많은 상위 5개 시·도를 나타낸 것이다. 이에 대한 설명으로 옳은 것은? (단, A~D는 1차 금속 제조업, 섬유 제품(의복 제외) 제조업, 자동차 및 트레일러 제조업, 코크스·연탄 및 석유 정제품 제조업 중 하나임.)

(2014)

순위 \ 제조업	A	B	C	D
1	울산	경북	경기	경기
2	전남	전남	경북	울산
3	충남	충남	대구	충남
4	인천	울산	서울	경남
5	부산	경기	부산	광주

① A는 대표적인 종합 조립 공업이다.
② B는 1960년대 우리나라의 공업화를 주도하였다.
③ A는 C보다 종사자당 출하액이 많다.
④ C는 B보다 완성된 제품의 무게가 무겁다.
⑤ D의 최종 제품은 B의 주요 재료로 이용된다.

유사 선택지 문제

04_ ❶ D는 제품 생산에 많은 부품이 필요한 공업이다. (○ / ×)
04_ ❷ C는 적환지 지향형 공업이다. (○ / ×)
04_ ❸ A는 C보다 초기 설비 투자 비용이 적은 공업이다. (○ / ×)

05 지도는 우리나라의 지역별 제조업에 관한 것이다. A~C 항목으로 옳은 것은?

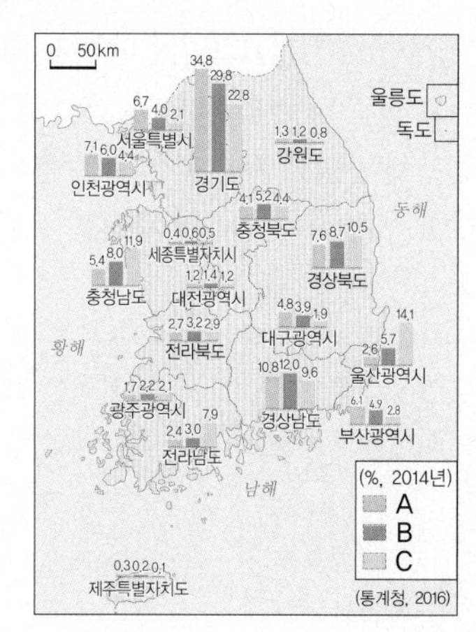

	A	B	C
①	출하액	사업체 수	종사자 수
②	사업체 수	출하액	종사자 수
③	사업체 수	종사자 수	출하액
④	종사자 수	사업체 수	출하액
⑤	종사자 수	출하액	사업체 수

06 그래프는 A~C 제조업의 권역별 출하액 비중을 나타낸 것이다. 이에 대한 설명으로 옳은 것은? (단, A~C는 1차 금속 제조업, 자동차 및 트레일러 제조업, 화학 물질 및 화학 제품(의약품 제외) 제조업 중 하나임.)

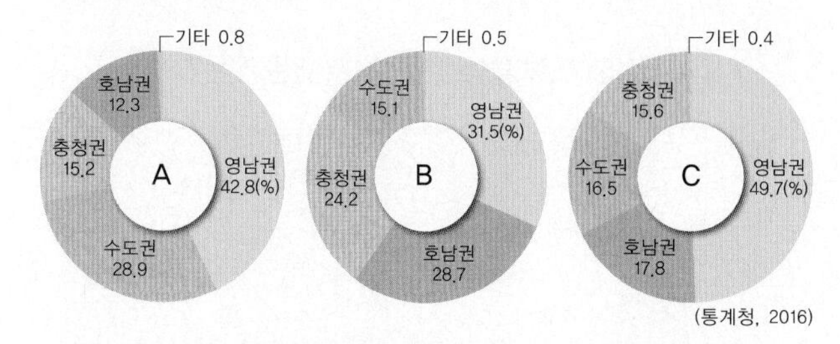

① A는 원료의 해외 의존도가 높은 기초 소재 공업이다.
② B는 대표적인 종합 조립 공업이다.
③ A와 B는 상호 보완성이 높아 인접하여 입지하는 것이 유리하다.
④ C의 최종 제품은 A의 주요 재료로 이용된다.
⑤ A~C는 모두 1960년대 우리나라의 주요 수출품을 생산하던 제조업이다.

시험에 꼭 나오는 문제

07 (가), (나) 공업 지역을 지도의 A~D에서 고른 것은?

- (가) 우리나라 최대의 종합 공업 지역으로 풍부한 자본과 넓은 소비 시장 등을 바탕으로 발달하였다. 최근 집적 불이익 현상으로 공업이 주변 지역으로 분산되고 있다.
- (나) 정부의 정책과 원료 수입 및 제품 수출에 유리한 조건을 바탕으로 우리나라 최대의 중화학 공업 지역으로 발달하였다.

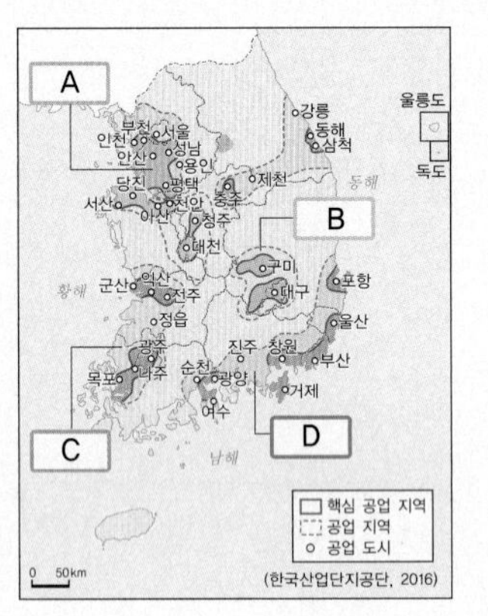

	(가)	(나)
①	A	C
②	A	D
③	B	C
④	D	A
⑤	D	B

08 다음 자료의 (가)에 들어갈 내용으로 옳은 것은?

① 적환지
② 최소 요구치
③ 공간적 분업
④ 산업 클러스터
⑤ 공업의 이중 구조

02 서비스업의 변화와 교통 · 통신의 발달

09 (가), (나)에 대한 옳은 설명을 《보기》에서 고른 것은?

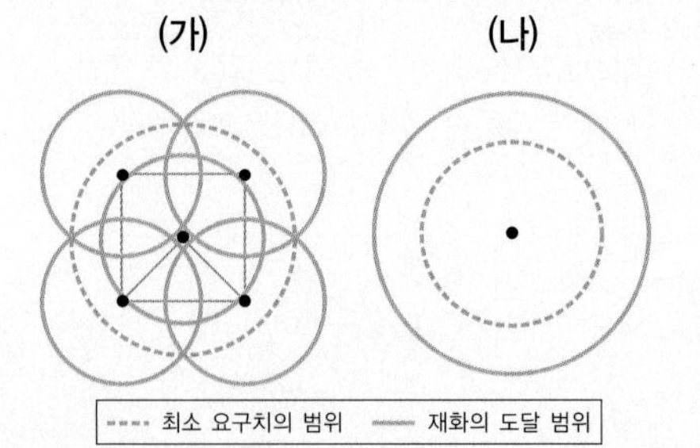

《보기》
ㄱ. (가)와 같은 경우 정기 시장이 형성된다.
ㄴ. (가)는 (나)보다 재화의 도달 범위가 넓다.
ㄷ. 교통이 발달하면 (가)에서 (나)로 변한다.
ㄹ. 주민의 소득이 증가하면 (가), (나)의 최소 요구치의 범위는 넓어진다.

① ㄱ, ㄴ
② ㄱ, ㄷ
③ ㄴ, ㄷ
④ ㄴ, ㄹ
⑤ ㄷ, ㄹ

10 (가), (나) 상점에 대한 옳은 설명만을 《보기》에서 있는 대로 고른 것은? (단, (가), (나)는 백화점, 편의점 중 하나임.)

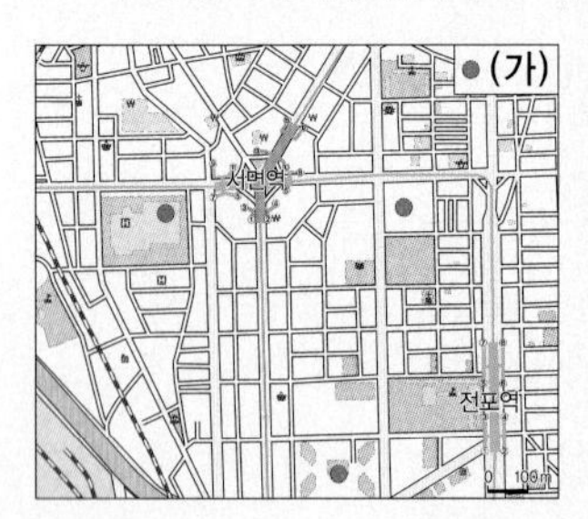

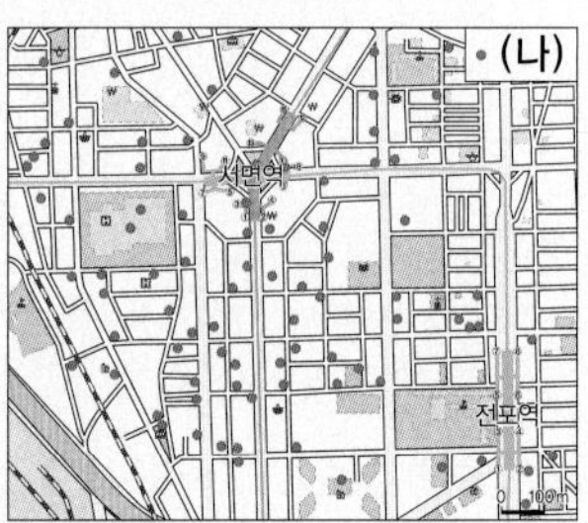

《보기》
ㄱ. (가)는 (나)보다 최소 요구치가 크다.
ㄴ. (가)는 (나)보다 재화의 도달 범위가 넓다.
ㄷ. (가)는 (나)보다 판매하는 상품의 종류가 많다.
ㄹ. (가)는 (나)보다 소비자의 평균 이동 거리가 짧다.

① ㄱ, ㄷ
② ㄴ, ㄹ
③ ㄱ, ㄴ, ㄷ
④ ㄱ, ㄷ, ㄹ
⑤ ㄴ, ㄷ, ㄹ

11 그래프의 A~D 소매 업태에 대한 설명으로 옳은 것은? (단, A~D는 백화점, 편의점, 대형 마트, 무점포 소매업 중 하나임.)

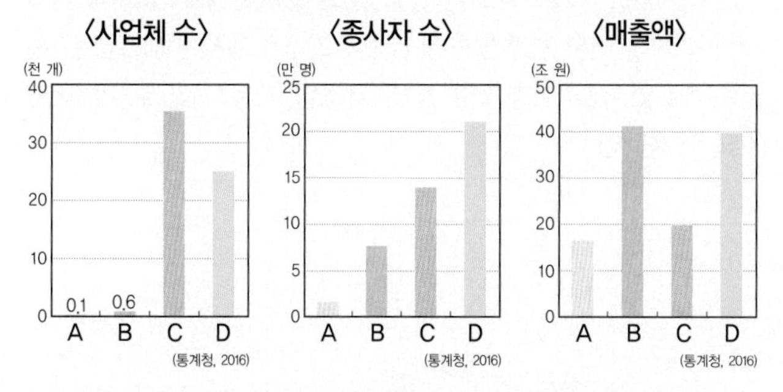

① A는 B보다 대도시 도심에 집중하려는 경향이 강하다.
② B는 C보다 자가용 이용 고객 비율이 낮다.
③ C는 A보다 업체당 매출액이 많다.
④ D는 B보다 소비자의 구매 활동의 시간적 제약이 크다.
⑤ A~D 중 고가 제품의 판매 비중은 C가 가장 높다.

12 그래프는 시 · 도별 산업 구조를 나타낸 것이다. A~C 지역으로 옳은 것은?

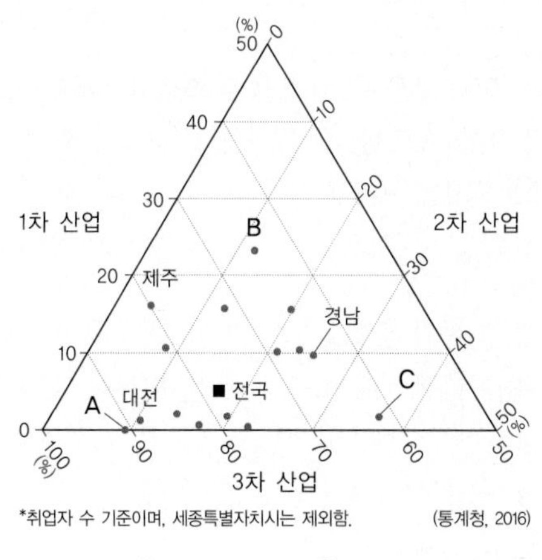

*취업자 수 기준이며, 세종특별자치시는 제외함. (통계청, 2016)

	A	B	C
①	서울	전남	울산
②	서울	울산	전남
③	전남	서울	울산
④	전남	울산	서울
⑤	울산	서울	전남

빈출 문제 연계 자료 → 85쪽 빈출 자료 02

13 그래프의 A~D에 대한 옳은 설명을 《보기》에서 고른 것은?

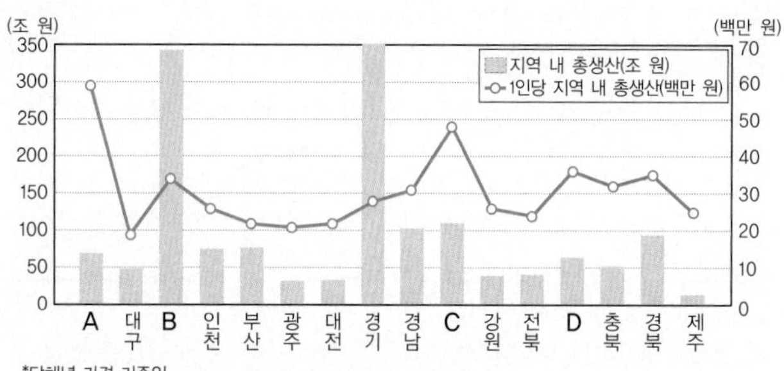

*당해년 가격 기준임.
**세종특별자치시는 과거 행정 구역을 기준으로 충북 및 충남에 포함됨. (2015)

《보기》
ㄱ. A는 서울, C는 전남이다.
ㄴ. B는 A보다 생산자 서비스업 종사자 비율이 높다.
ㄷ. D는 B보다 1차 산업 종사자 비율이 높다.
ㄹ. B−C 간 거리가 B−D 간 거리보다 멀다.

① ㄱ, ㄴ ② ㄱ, ㄷ ③ ㄴ, ㄷ
④ ㄴ, ㄹ ⑤ ㄷ, ㄹ

유사 선택지 문제

13_ ❶ 울산은 서울보다 1인당 지역 내 총생산이 많다. (○ / ×)
13_ ❷ 경기는 충남보다 지역 내 총생산이 많다. (○ / ×)
13_ ❸ 도(道) 중에서 1인당 지역 내 총생산이 가장 많은 지역은 제주이다. (○ / ×)

14 (가), (나) 서비스업에 대한 설명으로 옳은 것은?

(가)	(나)
• 기업의 생산 활동을 지원 • 금융업, 보험업, 사업 서비스업 등	• 개인 소비자가 이용 • 소매업, 음식업, 숙박업 등

① (가)는 (나)보다 전체 사업체 수가 많다.
② (가)는 (나)보다 사업체당 평균 종사자 수가 많다.
③ (나)는 (가)보다 지식 집약적인 성격이 강하다.
④ (나)는 (가)보다 도심에 입지하려는 경향이 강하다.
⑤ 경제가 발달할수록 (가)는 쇠퇴하고, (나)는 성장한다.

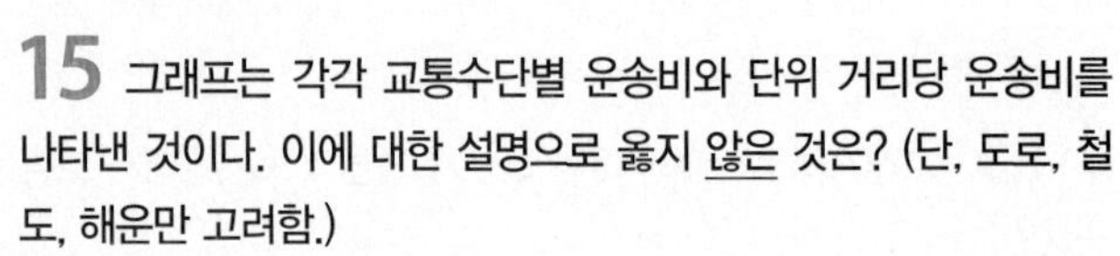

15 그래프는 각각 교통수단별 운송비와 단위 거리당 운송비를 나타낸 것이다. 이에 대한 설명으로 옳지 않은 것은? (단, 도로, 철도, 해운만 고려함.)

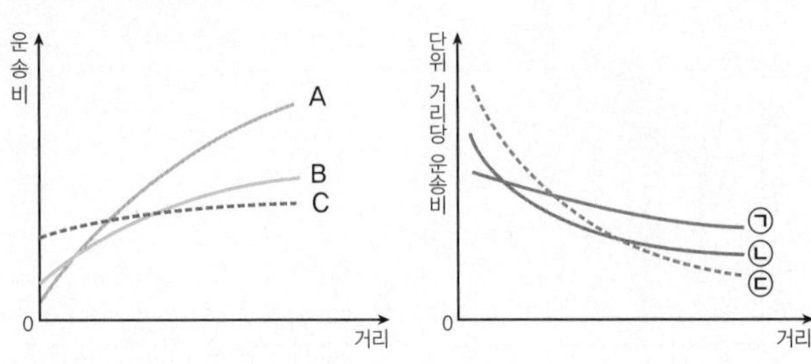

① A와 ㉠은 같은 교통수단이다.
② C는 A보다 기종점 비용이 비싸다.
③ ㉠은 ㉡보다 주행 비용 증가율이 높다.
④ B는 ㉢보다 평균 주행 속도가 빠르다.
⑤ A는 ㉢보다 기상 조건의 제약이 크다.

(빈출 문제) 연계 자료 → 85쪽 빈출 자료 03

16 그래프는 교통수단별 여객 수송 분담률을 나타낸 것이다. 이에 대한 설명으로 옳은 것은?

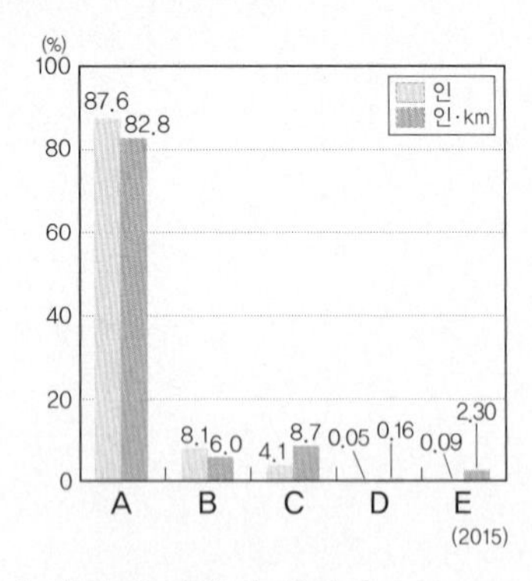

① A는 C보다 기종점 비용이 비싸다.
② B는 D보다 장거리 대량 화물 수송에 유리하다.
③ C는 B보다 국내 화물 수송 분담률이 높다.
④ D는 E보다 평균 운송 속도가 빠르다.
⑤ E는 A보다 문전 연결성이 좋다.

유사 선택지 문제

16_ ❶ A는 C에 비하여 지형적 제약이 크다. (○ / ×)
16_ ❷ D는 A에 비하여 주행 비용 증가율이 높다. (○ / ×)
16_ ❸ E는 국내 여객 수송 분담률이 가장 높다. (○ / ×)

서술형 문제

17 그래프는 어느 제조업의 도(道)별 종사자 수와 출하액을 나타낸 것이다. 이를 보고 물음에 답하시오. (단, 제시된 제조업은 1차 금속 제조업, 섬유 제품(의복 제외) 제조업, 자동차 및 트레일러 제조업 중 하나임.)

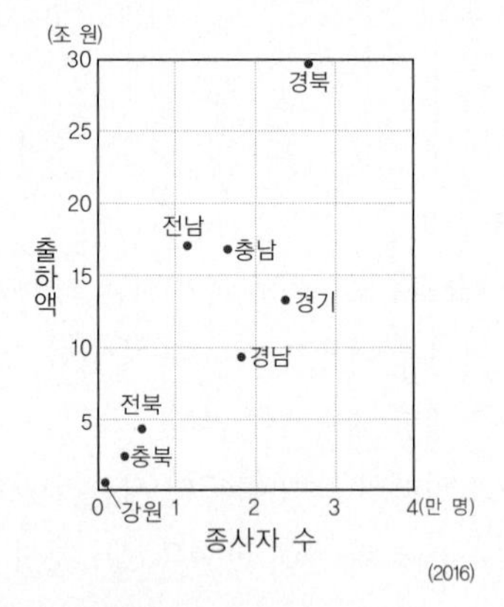

(1) 이 제조업이 무엇인지 쓰시오.

(2) 입지 유형을 포함하여 이 제조업의 특징을 두 가지 이상 서술하시오.

18 다음은 어느 교통수단에 대해 두 학생이 스무고개를 하고 있는 장면이다. 이를 보고 물음에 답하시오. (단, 교통수단은 도로, 철도, 해운, 항공 교통만 고려함.)

갑	을
• 한 고개: 지형의 제약을 크게 받습니까?	→ 아니요
• 두 고개: 기종점 비용이 가장 저렴합니까?	→ 예
• 세 고개: (가)	→ 예
• 네 고개: 국내 여객 수송 분담률이 가장 높습니까?	→ 예
⋮ ⋮	⋮

(1) 이 교통수단이 무엇인지 쓰시오.

(2) (가)에 적합한 질문 세 가지를 서술하시오.

울쓰 상위 4% 문제

정답 및 해설 40쪽

| 평가원 응용 |

01 그래프는 세 제조업의 권역별 출하액 비중을 나타낸 것이다. (가)~(다) 제조업으로 옳은 것은?

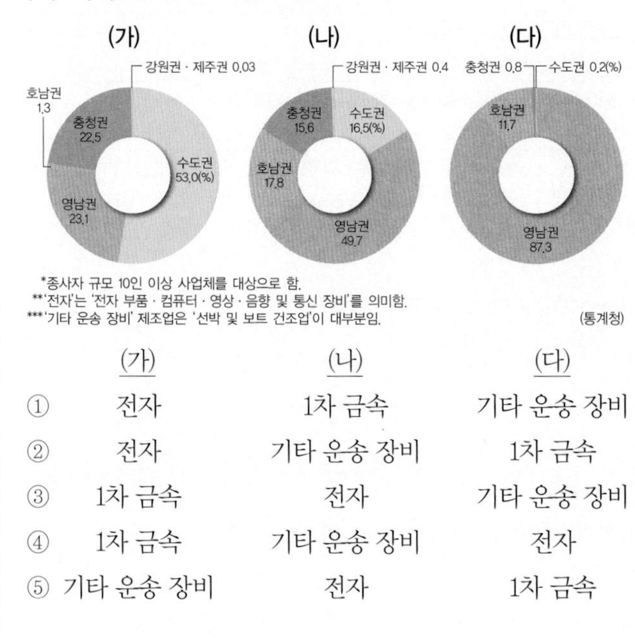

*종사자 규모 10인 이상 사업체를 대상으로 함.
**'전자'는 '전자 부품 · 컴퓨터 · 영상 · 음향 및 통신 장비'를 의미함.
***'기타 운송 장비' 제조업은 '선박 및 보트 건조업'이 대부분임.
(통계청)

	(가)	(나)	(다)
①	전자	1차 금속	기타 운송 장비
②	전자	기타 운송 장비	1차 금속
③	1차 금속	전자	기타 운송 장비
④	1차 금속	기타 운송 장비	전자
⑤	기타 운송 장비	전자	1차 금속

| 평가원 |

02 소매 업태 (가)와 비교한 (나)의 상대적 특성을 그림의 A~E에서 고른 것은? (단, (가), (나)는 대형 마트, 편의점 중 하나임.)

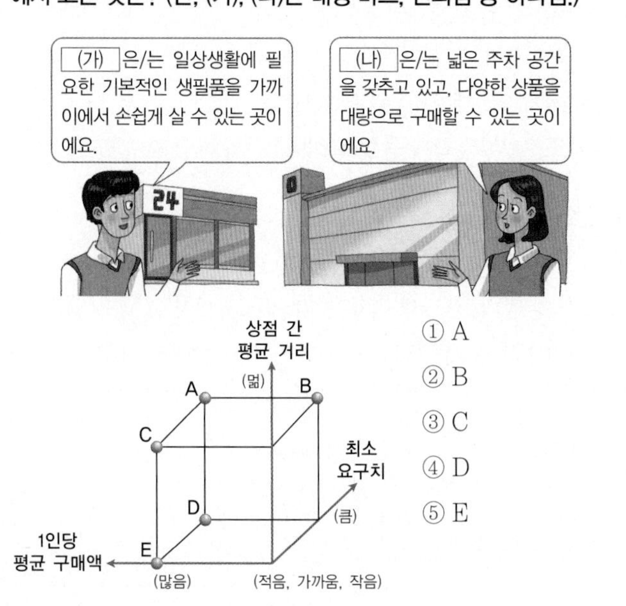

① A
② B
③ C
④ D
⑤ E

| 평가원 응용 |

03 다음 자료의 (가)~(라)에 대한 옳은 설명을 《보기》에서 고른 것은? (단, (가)~(라)는 서울, 울산, 전남, 제주 중 하나임.)

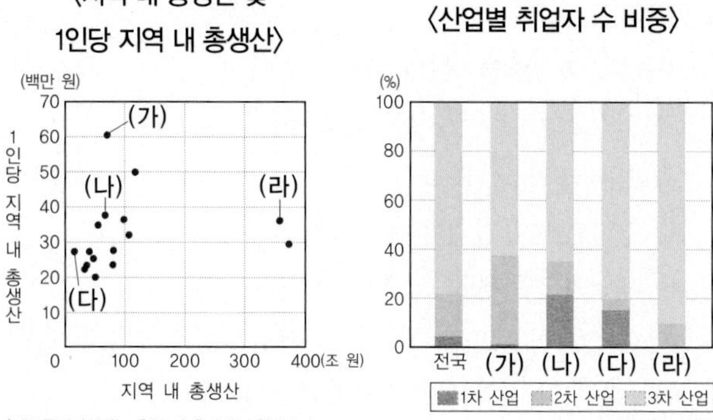

*세종특별자치시는 충북 및 충남에 포함됨.
(통계청, 2016)

《보기》
ㄱ. (가)에는 대규모 자동차 생산 공장이 위치한다.
ㄴ. (다)는 생산자 서비스업 사업체 수가 가장 많다.
ㄷ. (라)는 (나)보다 총인구가 많다.
ㄹ. (나)는 특별시, (다)는 광역시이다.

① ㄱ, ㄴ ② ㄱ, ㄷ ③ ㄴ, ㄷ
④ ㄴ, ㄹ ⑤ ㄷ, ㄹ

| 수능 |

04 그래프의 (가)~(다) 소매 업태에 대한 설명으로 옳은 것은? (단, (가)~(다)는 무점포 소매업체, 백화점, 편의점 중 하나임.)

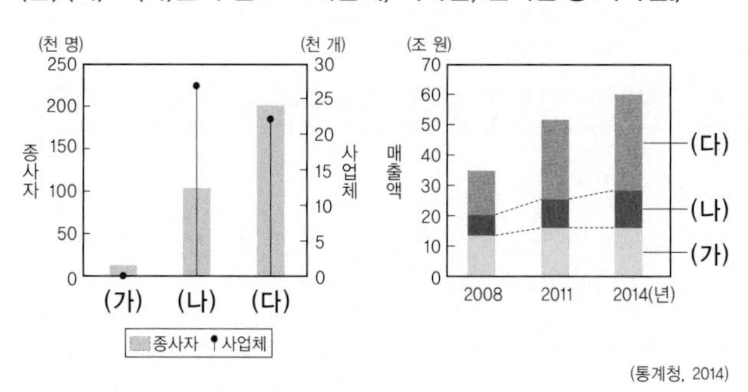

(통계청, 2014)

① (가)는 (나)보다 사업체 간 평균 거리가 멀다.
② (가)는 (다)보다 2008년부터 2014년까지 매출액 증가율이 높다.
③ (나)는 (가)보다 고가 제품의 판매 비중이 높다.
④ (나) 사업체는 (가) 사업체보다 2014년에 전국 대비 특별 · 광역시에 분포하는 비중이 높다.
⑤ (가)~(다) 중 2014년에 종사자당 매출액은 (다)가 가장 많다.

12 인구 분포와 인구 구조의 변화

출제 경향
★우리나라의 인구 분포 특성
★주요 지역별 인구 이동 특성
★주요 지역의 연령별·성별 인구 구조 특성

01 인구 분포와 인구 이동

1. 인구 분포

(1) 인구 분포에 영향을 미치는 요인

① 자연적 요인: 기후, 지형, 토양 등

② 사회·경제적 요인: 교통, 산업, 교육, 문화 등 → 과학 기술이 발달하고 경제가 성장하면서 영향력이 커짐

(2) 우리나라의 인구 분포

① 1960년대 이전: 남서부 평야 지역은 인구 밀도가 높고, 북동부 산지 지역은 인구 밀도가 낮음

② 현재: 수도권, 대도시, 남동 임해 지역은 인구 밀도가 높고, 산지 지역과 농어촌 지역은 인구 밀도가 낮음

2. 우리나라의 인구 이동 빈출 자료 01

(1) 1960~1980년대: 산업화, 도시화로 농촌에서 대도시 및 공업 도시로의 이촌 향도 현상이 나타남 → 대도시와 농촌 간의 인구 격차가 커짐

(2) 1990년대 이후: 수도권과 대도시로의 인구가 집중하고, 대도시의 교외화 현상도 함께 나타남. 대도시에서 주변 지역 또는 농촌 지역으로의 인구 이동이 나타남

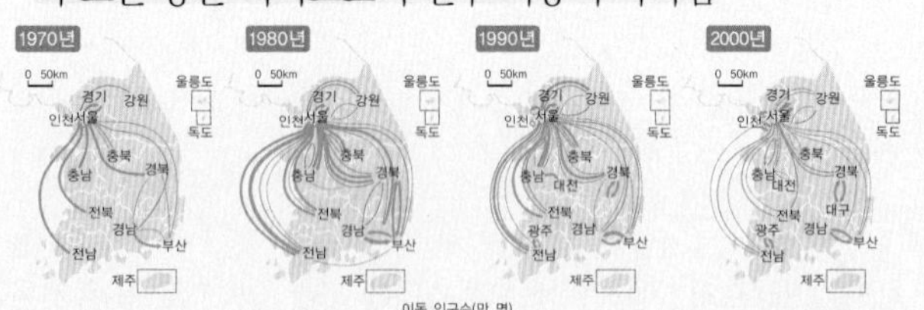

1970~2000년의 인구 이동

02 인구 성장

1. 인구 성장

(1) 의미: 한 지역이나 국가에서 일정 기간 발생한 인구의 양적인 변화

(2) 인구 성장=자연적 증감(출생자 수−사망자 수)+사회적 증감(전입자 수−전출자 수)

(3) 인구 변천 모형

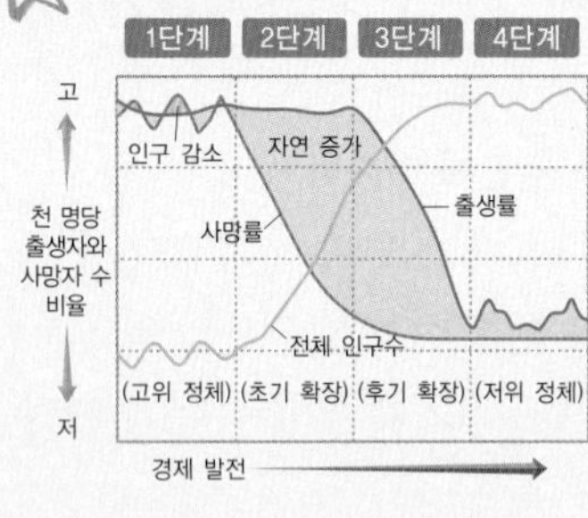

단계	특징
1단계	• 다산다사 • 인구 성장 정체
2단계	• 다산감사 • 사망률 급감
3단계	• 감산소사 • 출생률 감소
4단계	• 소산소사 • 노년층 비중 증가

2. 우리나라의 인구 성장 빈출 자료 02

시기	특징
조선 시대 이전	• 높은 출생률 • 질병 · 기근 · 자연재해 등으로 사망률도 높음
1920년대 이후	• 근대 의료 기술의 도입과 생활 수준 향상 • 사망률 감소
광복~1950년대	• 사회적 증가: 해외 동포의 귀국, 북한 주민의 월남 • 6·25 전쟁 후 출산 붐(baby boom) 현상 → 인구 증가율 높음
1960~1990년대	• 정부 주도의 산아 제한 정책 추진 • 출생률 급격히 감소
2000년대 이후	• 저출산으로 출산 장려 정책 추진 • 고령화 현상

03 인구 구조

1. 우리나라의 연령별 인구 구조 빈출 자료 03

(1) 유소년층 인구 비율 감소 ← 출생률 감소

(2) 노년층 인구 비율 증가 ← 평균 수명 증가, 사망률 감소

2. 인구 구조의 시기별 변화

(1) 1960년대 이전: 피라미드형 인구 구조가 나타남

(2) 1980년대 후반 이후: 종형으로 변화하였으며 점차 방추형으로 변화

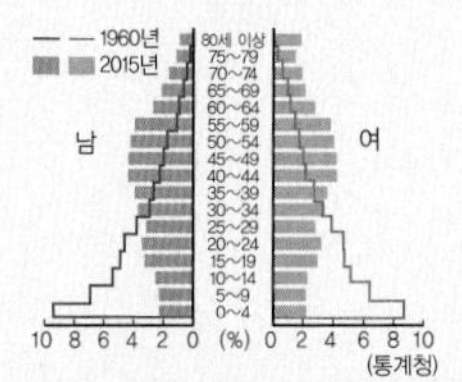

우리나라의 인구 피라미드 변화

3. 우리나라의 성별 인구 구조

(1) 연령별 성비 변화

① 출생 시에는 성비가 100 이상이나 노년층으로 갈수록 낮아짐

② 성비 불균형이 완화되고 있음 ← 남아 선호 사상 약화, 태아 성 감별 금지 등

(2) 지역별 성비

① 여초 지역: 대도시, 관광 도시 등

② 남초 지역: 중화학 공업 도시, 휴전선 부근의 군사 도시 등

4. 산업별 인구 구조

(1) 1차·2차·3차 산업의 종사자 비율로 표현함

(2) 1차 산업의 종사자 비율은 감소하고, 2차·3차 산업의 종사자 비율은 증가함

〈인구 부양비와 노령화 지수〉
• 총 부양비=유소년 부양비 + 노년 부양비
• 유소년 부양비=(유소년층 인구÷청장년층 인구)×100
• 노년 부양비=(노년층 인구÷청장년층 인구)×100
• 노령화 지수=(노년층 인구÷유소년층 인구)×100

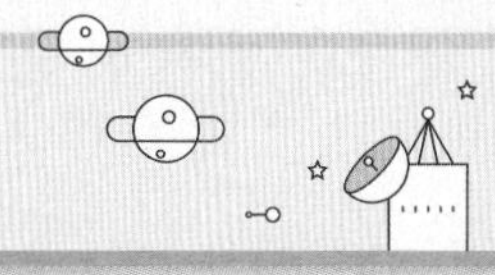

빈출 특강

대표 유형

빈출 자료 01) 인구 증감과 인구 순 이동 | 연계 문제 → 95쪽 04번

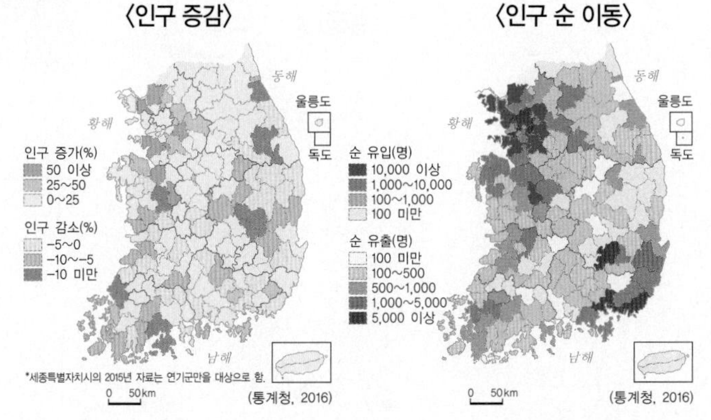

| 자료 분석 | 수도권의 위성 도시 및 충남의 일부 지역은 인구가 증가하였으나, 지방 중소 도시와 농촌은 인구가 감소하였다. 서울, 부산, 대구 등의 대도시는 교외화로 인해 최근 유입 인구보다 유출 인구가 많았으며, 대도시와 인접한 지역은 유입 인구가 유출 인구보다 많았다.

빈출 자료 02) 우리나라의 인구 성장 | 연계 문제 → 96쪽 07번

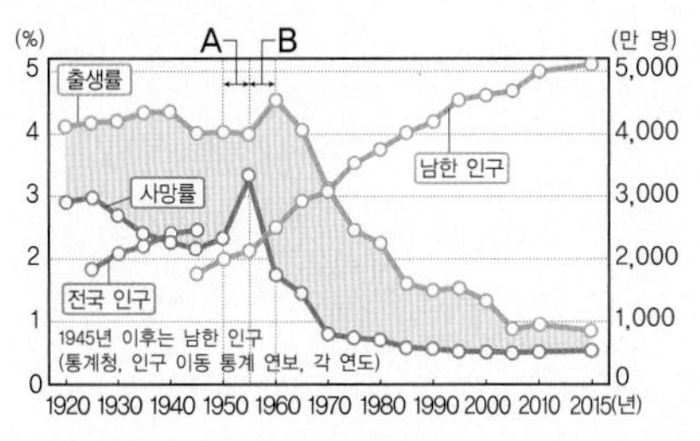

| 자료 분석 | 6 · 25 전쟁 기간 동안(A)에는 사망률이 매우 높았으나, 전쟁 이후(B)에는 출산율이 높아지는 현상이 나타났다. 1960년대 이후에는 여성의 사회적 진출이 활발히 이루어지고, 자녀에 대한 가치관이 변화하면서 출생률이 계속 낮아지고 있다.

빈출 자료 03) 연령별 인구 구성의 비중 및 인구 부양비 변화 | 연계 문제 → 98쪽 15번

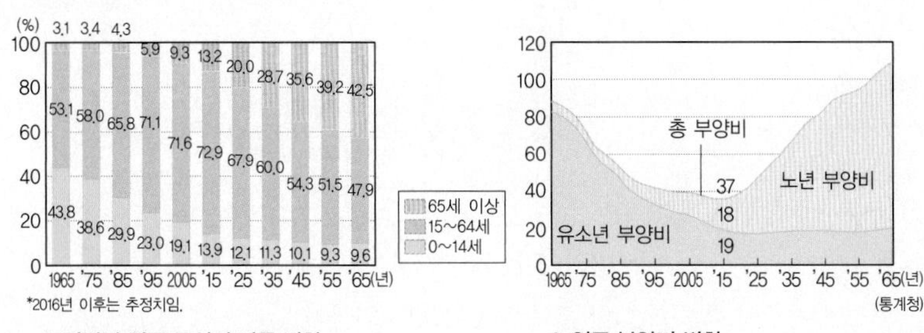

연령별 인구 구성의 비중 변화

인구 부양비 변화

| 자료 분석 | 1965년 이후 유소년층 인구 비중은 감소하고 노년층 인구 비중이 증가하면서, 유소년 부양비는 감소하고 노년 부양비는 증가하고 있다. 한편 청장년층 인구 비중은 2015년을 기점으로 그 이전에는 증가 추세를 보이다가 그 이후에는 감소할 것으로 예상된다. 이에 따라 총 부양비도 감소하다가 증가할 것으로 예상된다.

자주 나오는 오답 선택지

빈출 자료 01)에서 자주 나오는 오답 선택지

① 수도권의 위성 도시는 영남 내륙의 촌락에 비해 인구 증가율이 낮다. (→ 높다) → 수도권의 위성 도시는 수도권의 인구와 기능을 분담한다.

② 천안, 당진 등 수도권과 인접한 충청 지방의 인구는 감소하였다. (→ 증가) → 수도권 인접 지역에서는 수도권의 기능을 분담하며 인구가 빠르게 증가하고 있다.

③ 부산 주변의 경산, 김해는 인구가 감소하였다. (→ 증가)

④ 인구 순 이동이 양(+)의 값이면 유입 인구가 유출 인구보다 적다. (→ 많다) → 인구 순 이동 = 유입 인구 − 유출 인구

⑤ 서울과 부산은 유입 인구가 유출 인구보다 많다. (→ 적다)
→ 서울과 부산은 교외화로 인해 유입 인구가 유출 인구보다 적다.

빈출 자료 02)에서 자주 나오는 오답 선택지

① 6 · 25 전쟁 이후에는 출산율이 높아지는 (㉠) 현상이 나타났다. (㉠ → 출산 붐) → 출산 붐은 출생률이 급격히 증가하는 시기를 나타내는 용어이다.

② 1960년 이후 출생률은 증가하고 (→ 감소) 있으며, 사망률도 증가하고 (→ 감소) 있다.

③ 1960년보다 2015년에 인구의 자연 증가율이 높다. (→ 낮다) → 인구의 자연적 증감 = 출생자 수 − 사망자 수

④ 1960년보다 2015년 남한의 총인구는 감소했다. (→ 증가했다)
→ 우리나라의 인구는 꾸준히 증가하고 있다.

빈출 자료 03)에서 자주 나오는 오답 선택지

① 1965년 이후 유소년층 인구 비중은 증가하고 (→ 감소) 있으며, 노년층 인구 비중은 감소하고 (→ 증가) 있다.

② 2025년 이후 청장년층 인구 비중은 증가할 (→ 감소) 것으로 예상된다.

③ (㉠)은/는 유소년 부양비와 노년 부양비의 합이다. (㉠ → 총 부양비)

④ 1965년은 유소년 부양비가 노년 부양비보다 작다. (→ 크다)

⑤ 2025년 이후 총 부양비는 감소하고 (→ 증가) 있다.

VI

시험에 꼭 나오는 문제

개념 확인 문제

01 빈칸에 들어갈 알맞은 말을 쓰시오.

(1) 1960~1980년대에는 산업화, 도시화로 농촌에서 대도시 및 공업 도시로 인구가 이동하는 (　　　) 현상으로 농촌 인구가 감소하였다.

(2) 2000년대 이후의 우리나라는 인구 변천 모형에서 (　　　) 단계에 해당한다.

(3) 6 · 25 전쟁 이후인 1960년을 전후하여 출생률이 매우 높았던 현상을 (　　　)(이)라고 한다.

(4) (　　　)은/는 여성 한 명이 가임 기간 동안 낳을 것으로 예상되는 평균 출생아의 수를 말한다.

(5) (　　　)은/는 특정 지역이나 국가의 전체 인구를 연령순으로 일렬로 세웠을 때 중앙에 위치한 사람의 연령을 말한다.

(6) 유소년 부양비가 35, 총 부양비가 45이면 노년 부양비는 (　　　)이다.

(7) (　　　) 부양비는 '(65세 이상 인구÷15~64세 인구)×100'으로 구할 수 있다.

02 다음 글의 밑줄 친 부분을 바르게 고쳐 쓰시오.

(1) 경제가 성장하면서 출생률은 증가하고, 사망률도 증가하고 있다.

(2) 광복~1950년대는 해외 동포의 귀국, 북한 주민의 월남 등 인구의 자연적 증가가 높게 나타났다.

(3) 최근 우리나라는 유소년층 인구 비중은 증가, 노년층 인구 비중은 감소하고 있다.

(4) 대도시에서 대도시권을 넘어선 농촌 지역으로 인구가 이동하는 것을 이촌 향도라고 한다.

03 다음 내용이 옳으면 ○, 틀리면 ×에 표시하시오.

(1) 우리나라의 북동부는 남서부보다 인구 밀도가 높다. (○ / ×)

(2) 대도시의 교외화 현상으로 대도시 인구가 증가하고 있다. (○ / ×)

(3) 인구 성장은 사회적 증감은 고려하지 않고, 자연적 증감만 고려한다. (○ / ×)

(4) 1960~1980년대 출생률이 감소한 것은 인구 정책의 영향이 크다. (○ / ×)

(5) 2000년대 이후에는 강력한 출산 억제 정책이 실시되었다. (○ / ×)

(6) 노령화 지수는 '(65세 이상 인구÷0~14세 인구)×100'으로 구할 수 있다. (○ / ×)

01 인구 분포와 인구 이동

01 지도와 같은 인구 분포에 가장 크게 영향을 미친 요인으로 옳은 것은?

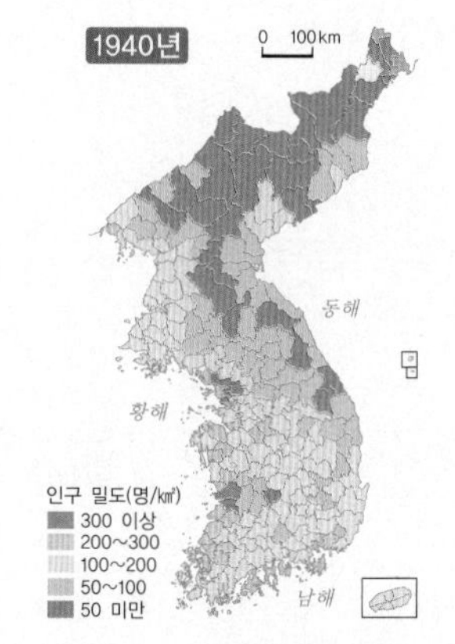

① 산업화　② 경지 비율　③ 교통 발달　④ 이촌 향도 현상　⑤ 지하자원 분포

02 그래프는 도(道)별 인구수 변화를 나타낸 것이다. 이에 대한 옳은 설명을 《보기》에서 고른 것은?

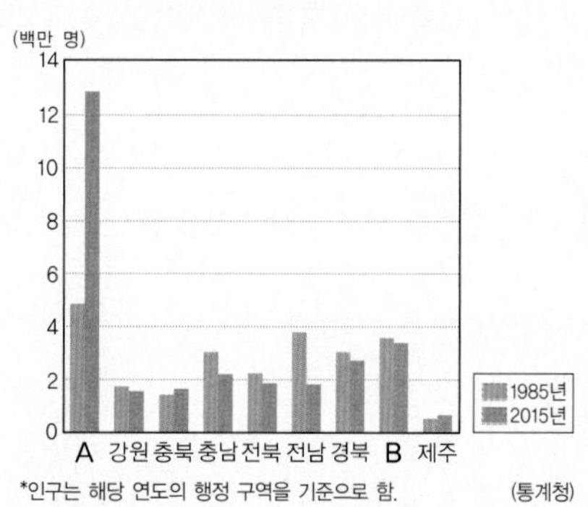

《보기》
ㄱ. A는 경기, B는 경남이다.
ㄴ. 1985년 충북은 충남보다 인구가 많다.
ㄷ. 1985~2015년 경북의 인구는 감소하였다.
ㄹ. 1985~2015년 전북은 전남보다 인구의 감소 폭이 크다.

① ㄱ, ㄴ　② ㄱ, ㄷ　③ ㄴ, ㄷ　④ ㄴ, ㄹ　⑤ ㄷ, ㄹ

03 지도는 우리나라의 시기별 인구 이동을 간략하게 나타낸 것이다. 시기순으로 바르게 나열한 것은? (단, A~C는 1970년, 1980년, 2000년 중 하나임.)

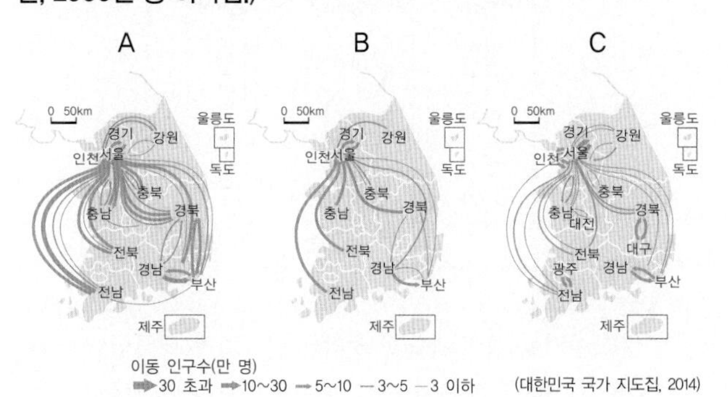

① A → B → C ② A → C → B
③ B → A → C ④ B → C → A
⑤ C → B → A

(빈출 문제) 연계 자료 → 93쪽 빈출 자료 01

04 그래프는 시 · 도별 인구 순 이동과 주간 인구 지수를 나타낸 것이다. A~C 지역으로 옳은 것은?

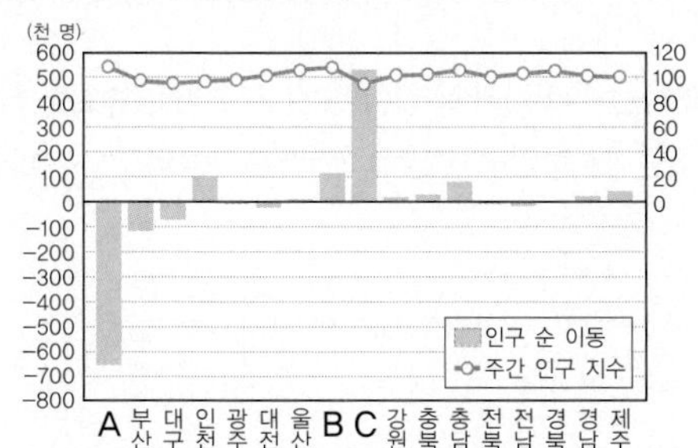

	A	B	C
①	서울	세종	경기
②	서울	경기	세종
③	세종	서울	경기
④	경기	세종	서울
⑤	경기	서울	세종

유사 선택지 문제

04_ ❶ 부산은 전입 인구가 전출 인구보다 많다. (○ / ×)
04_ ❷ A는 상주인구가 주간 인구보다 많다. (○ / ×)
04_ ❸ C는 B보다 총인구가 많다. (○ / ×)

05 다음 자료의 밑줄 친 (가)에 들어갈 내용으로 옳은 것은?

> 인구 중심점은 어떤 지역에 사는 모든 사람들과의 거리의 합이 가장 작은 지점을 의미합니다. 인구 중심점은 인구 분포를 반영하기 때문에 인구 분포가 변하면 인구 중심점도 달라집니다.
> ___(가)___ 남한의 인구 중심점은 1949년 이후 북서쪽으로 이동하였습니다.

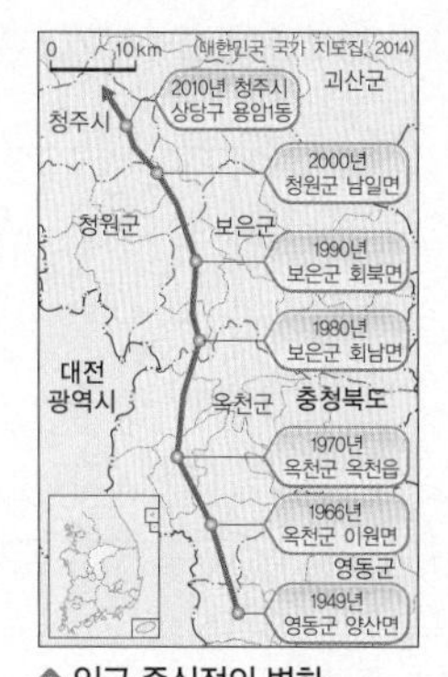

⌃ 인구 중심점의 변화

① 수도권의 인구가 증가하면서
② 태백 산지의 광산 도시가 쇠퇴하면서
③ 남동 임해에 공업 도시가 성장하면서
④ 서울, 부산 등 대도시의 인구가 감소하면서
⑤ 평야가 발달한 남서부 지역의 인구 밀도가 높아지면서

02 인구 성장

06 그래프는 인구 변천 모형을 나타낸 것이다. (가) 단계와 비교한 (나) 단계의 상대적 특징을 그림의 A~E에서 고른 것은?

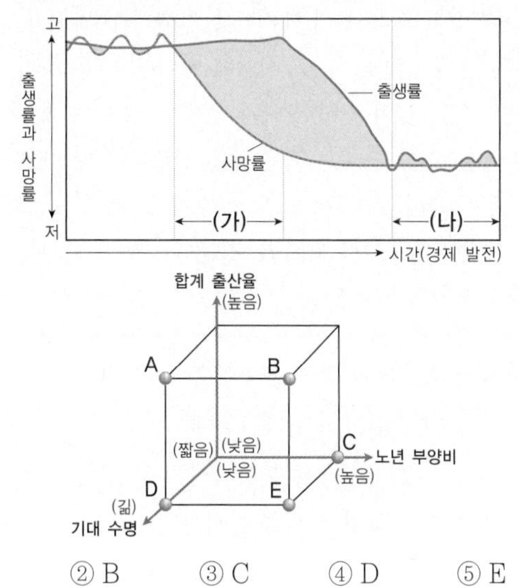

① A ② B ③ C ④ D ⑤ E

시험에 꼭 나오는 문제

(빈출 문제) 연계 자료 → 93쪽 빈출 자료 02

07 그래프는 우리나라의 인구 성장을 나타낸 것이다. 이에 대한 옳은 설명을 《보기》에서 고른 것은?

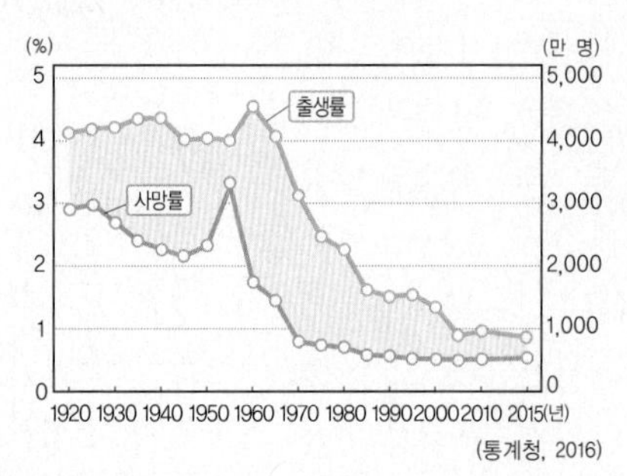

(통계청, 2016)

《보기》

ㄱ. 우리나라의 인구는 지속적으로 증가하고 있다.
ㄴ. 1970년대에는 출산 장려 정책을 실시하였다.
ㄷ. 1960년 출생률이 높은 것은 6 · 25 전쟁과 관계있다.
ㄹ. 인구의 자연 증가율은 2000~2010년이 1960~1970년보다 높다.

① ㄱ, ㄴ ② ㄱ, ㄷ ③ ㄴ, ㄷ
④ ㄴ, ㄹ ⑤ ㄷ, ㄹ

유사 선택지 문제

07_ ❶ 6 · 25 전쟁 이후에 출산 붐 현상이 나타났다. (○ / ×)
07_ ❷ 인구의 자연적 증감은 사망자 수에서 출생자 수를 뺀 것이다. (○ / ×)
07_ ❸ 1960년대 이후 출산 억제를 위해 국가 주도의 산아 제한 정책이 실시되었다. (○ / ×)

08 다음 글의 밑줄 친 (가)에 들어갈 내용으로 가장 적절한 것은?

> '산업화의 역군', '심야 라디오 음악 방송', '하이틴 영화', '오뚝이 인생', …… 우리 세대를 설명해 주는 말이다. 우리 세대는 ___(가)___ 시대에 태어났다. 두 명의 자녀를 둔 나도 남들이 흔히 말하는 '○○년 개띠 해'에 태어났다. 내가 태어난 해에는 매우 많은 신생아가 태어났다. 그리고 우리 세대는 지금보다 학생 수가 두 배 정도 많은 콩나물 교실에서 공부를 했으며, 결혼할 나이가 되었을 때에는 주택 가격이 폭등했다.

① 사망률이 출생률과 함께 높아지던
② 대도시 주변에 신도시가 개발되던
③ 역도시화 현상이 활발히 진행되던
④ 정부에서 출산 장려 정책을 실시하던
⑤ 6 · 25 전쟁이 끝나고 출산 붐이 나타나던

09 다음은 시기별 가족계획에 관한 표어이다. (가)~(다) 시기에 대한 옳은 설명을 《보기》에서 고른 것은?

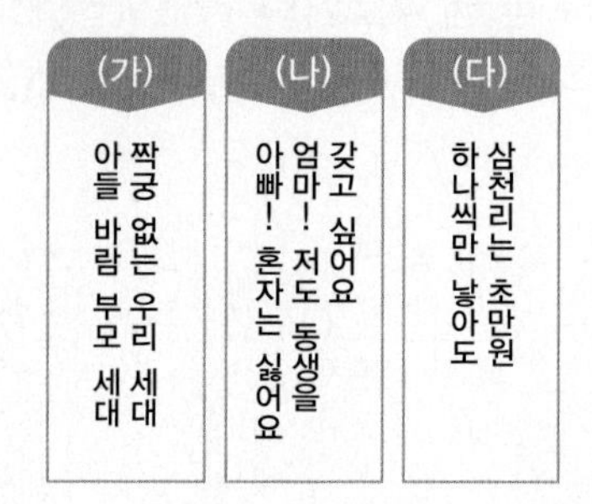

《보기》

ㄱ. (가) 시기에 성비 불균형에 따른 문제가 발생하였다.
ㄴ. (다) 시기에는 사망자 수가 출생자 수보다 많았다.
ㄷ. (가) 시기는 (나) 시기보다 이르다.
ㄹ. (나) 시기는 (다) 시기보다 이촌 향도 현상이 활발하게 일어났다.

① ㄱ, ㄴ ② ㄱ, ㄷ ③ ㄴ, ㄷ
④ ㄴ, ㄹ ⑤ ㄷ, ㄹ

03 인구 구조

10 그래프는 우리나라의 연령별 인구 구성비 변화를 나타낸 것이다. 2020년 이후 인구 부양비 변화를 그림의 ㄱ~ㅁ에서 고른 것은?

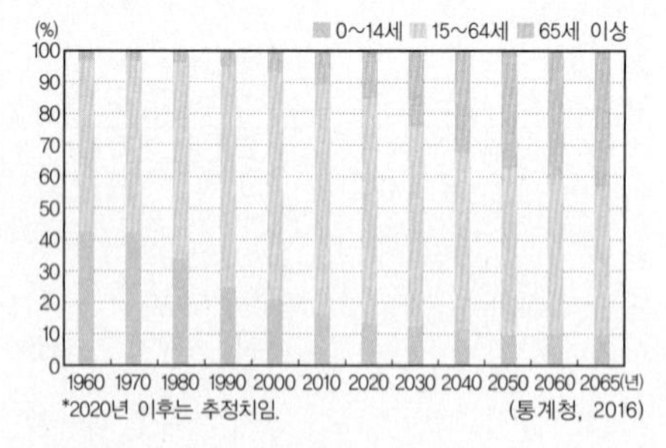

*2020년 이후는 추정치임. (통계청, 2016)

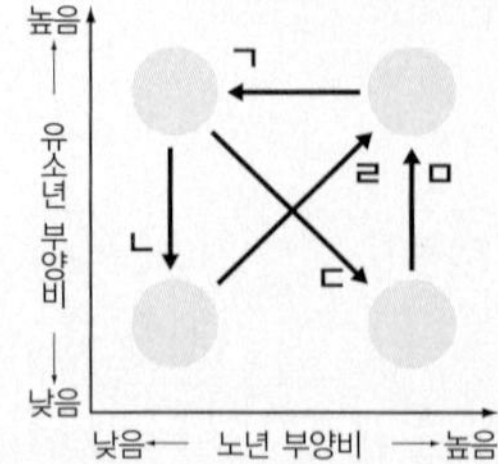

① ㄱ
② ㄴ
③ ㄷ
④ ㄹ
⑤ ㅁ

11 그래프는 우리나라의 인구 피라미드 변화를 나타낸 것이다. 두 시기의 상대적인 특징으로 옳은 내용을 《보기》에서 고른 것은?

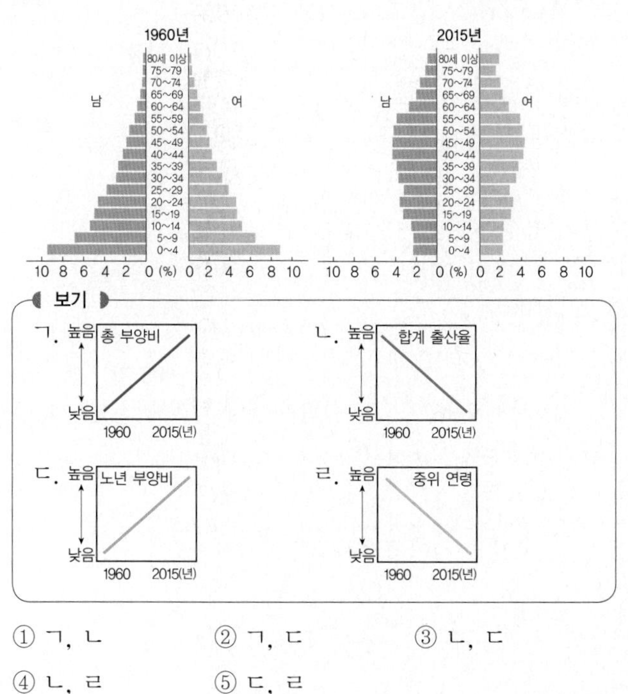

① ㄱ, ㄴ ② ㄱ, ㄷ ③ ㄴ, ㄷ
④ ㄴ, ㄹ ⑤ ㄷ, ㄹ

12 그래프는 우리나라의 인구 부양비 변화를 예상한 것이다. 이에 대한 옳은 설명만을 《보기》에서 있는 대로 고른 것은?

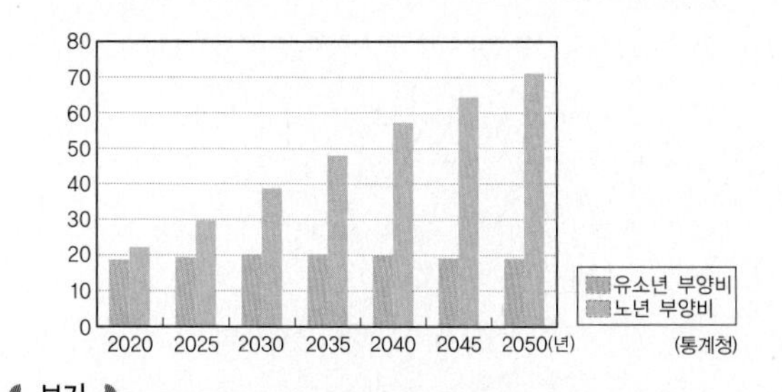

《보기》
ㄱ. 2020년 노령화 지수는 100보다 크다.
ㄴ. 2050년 청장년층 비중은 50% 이상이다.
ㄷ. 2020년보다 2050년 총 부양비가 높다.
ㄹ. 2020~2050년 유소년층 인구 비중은 증가한다.

① ㄱ, ㄷ ② ㄴ, ㄹ ③ ㄱ, ㄴ, ㄷ
④ ㄱ, ㄷ, ㄹ ⑤ ㄴ, ㄷ, ㄹ

13 지도는 어떤 인구 관련 지표의 지역별 분포를 나타낸 것이다. (가), (나)에 해당하는 지표로 옳은 것은?

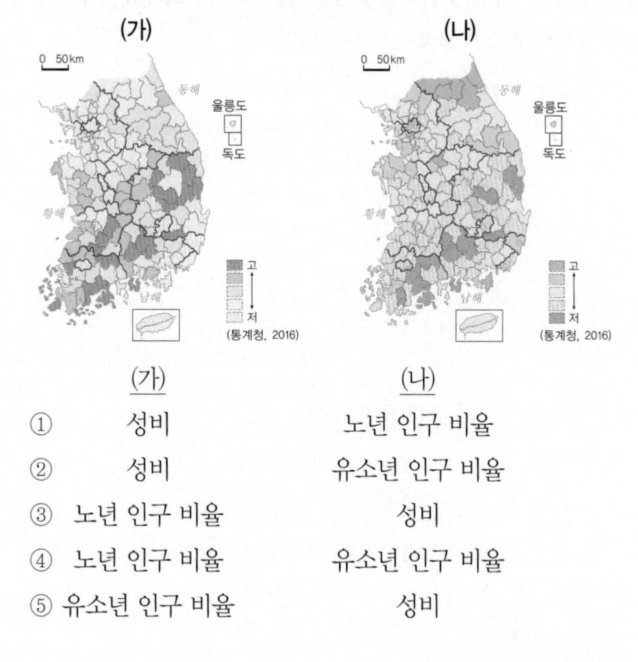

	(가)	(나)
①	성비	노년 인구 비율
②	성비	유소년 인구 비율
③	노년 인구 비율	성비
④	노년 인구 비율	유소년 인구 비율
⑤	유소년 인구 비율	성비

14 그래프는 두 지역의 인구 피라미드 변화를 나타낸 것이다. (가), (나) 지역을 지도의 A~C에서 고른 것은?

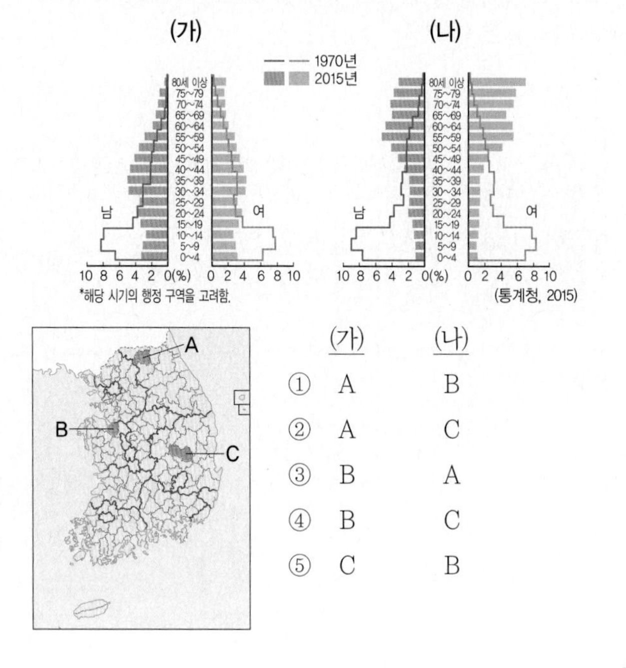

	(가)	(나)
①	A	B
②	A	C
③	B	A
④	B	C
⑤	C	B

정답 및 해설 41쪽

(빈출 문제) 연계 자료 → 93쪽 빈출 자료 03

15 그래프는 시 · 도별 총 부양비와 노년 부양비를 나타낸 것이다. 이에 대한 설명으로 옳은 것은?

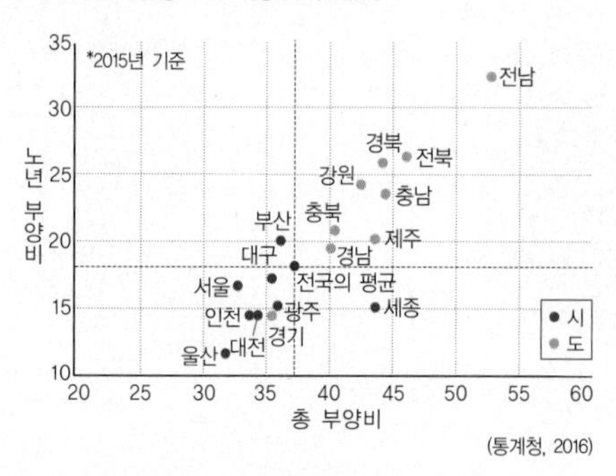

① 경북은 노령화 지수가 100보다 크다.

② 울산은 부산보다 노년 부양비가 크다.

③ 전남은 유소년 부양비가 30보다 크다.

④ 충남은 청장년층 인구 비중이 50%보다 낮다.

⑤ 인천은 세종보다 유소년층 인구 비중이 높다.

유사 선택지 문제

15_ ❶ 전남은 유소년층 인구 비중이 노년층 인구 비중보다 높다. (○ / ×)

15_ ❷ 부산은 울산보다 중위 연령이 높다. (○ / ×)

15_ ❸ 세종은 전남보다 청장년층 인구 비중이 높다. (○ / ×)

16 그래프는 지도에 표시된 세 지역의 상대적인 인구 특징을 나타낸 것이다. (가)~(다) 지역에 해당하는 인구 특성을 그래프의 A~C에서 고른 것은?

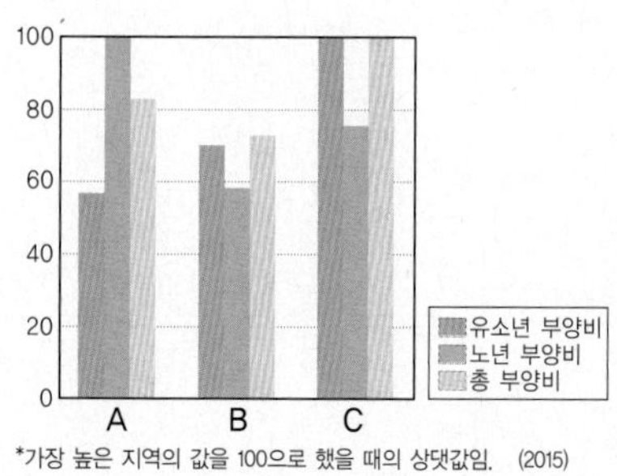

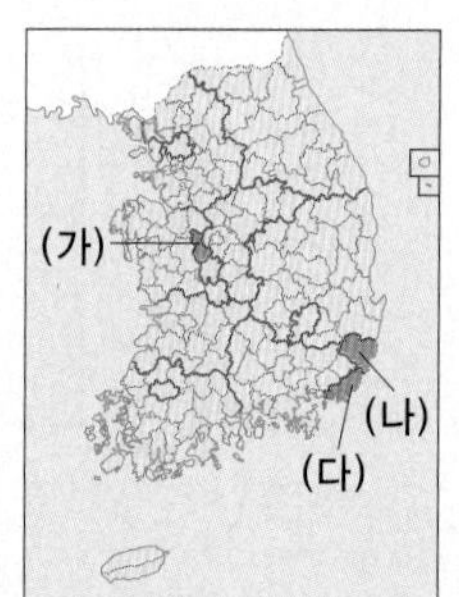

	(가)	(나)	(다)
①	A	B	C
②	B	A	C
③	B	C	A
④	C	A	B
⑤	C	B	A

서술형 문제

17 지도는 1980년, 2000년의 인구 이동을 나타낸 것이다. 이를 보고 물음에 답하시오.

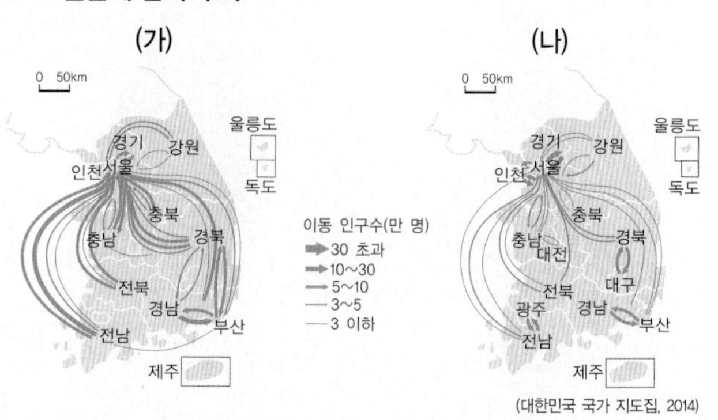

(1) (가) 시기 인구 이동의 원인과 이에 따라 농촌에서 나타난 문제점을 서술하시오.

(2) (나) 시기 인구 이동의 특징을 서술하시오.

18 그래프는 주요 도시의 연령별 인구 구성비를 나타낸 것이다. 이를 보고 물음에 답하시오.

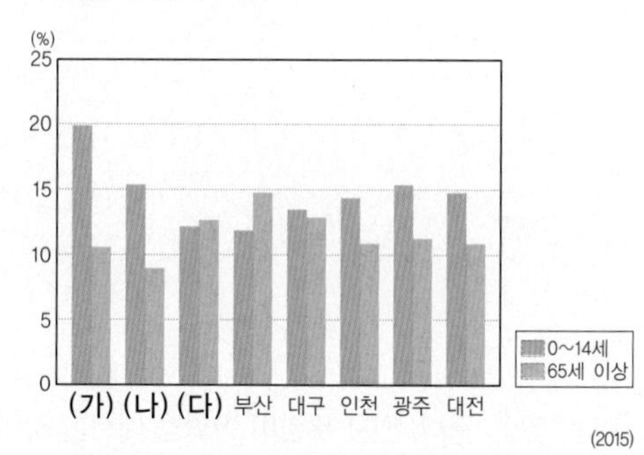

(1) (가)~(다)에 해당하는 지역을 지도의 A~C에서 고르시오.

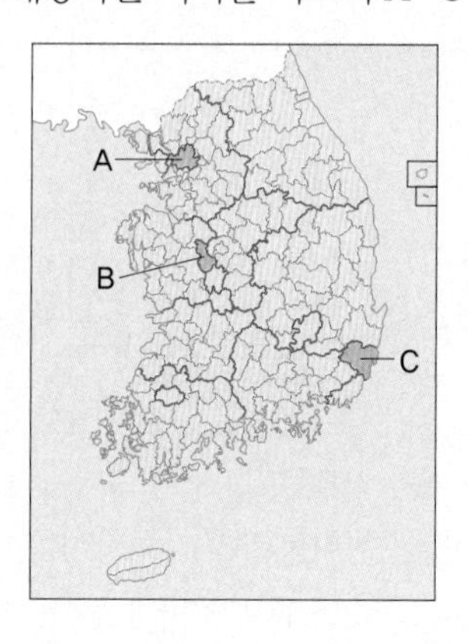

(2) (다)에 대한 (나)의 상대적인 인구 특징 세 가지를 서술하시오.

상위 4% 문제

| 평가원 |

01 자료의 (가) 지역과 비교한 (나) 지역의 상대적 특성을 그림의 A~E에서 고른 것은?

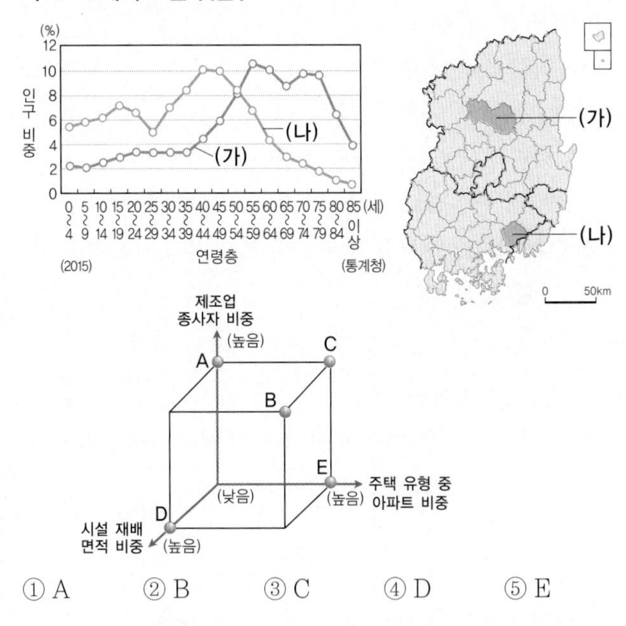

① A ② B ③ C ④ D ⑤ E

| 평가원 |

02 (가)~(다)에 해당하는 지역으로 옳은 것은?

〈전입 · 전출 인구수〉

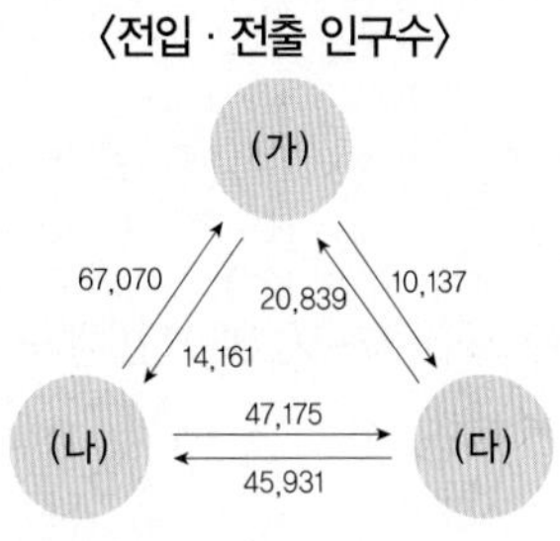

*2015~2017년 동안의 누적치임. (단위: 명)
(2017)

〈인구 부양비〉

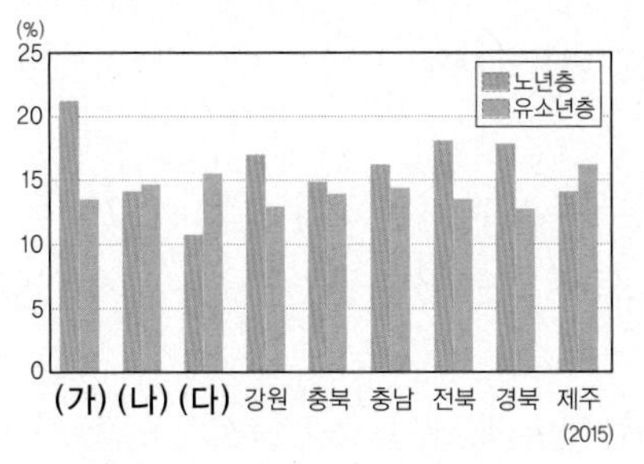

	(가)	(나)	(다)
①	대전	세종	충남
②	대전	충남	세종
③	세종	대전	충남
④	세종	충남	대전
⑤	충남	대전	세종

| 평가원 |

03 (가)~(라)에 대한 옳은 설명을 《보기》에서 고른 것은? (단, (가)~(라)는 경기, 울산, 전남, 충북 중 하나임.)

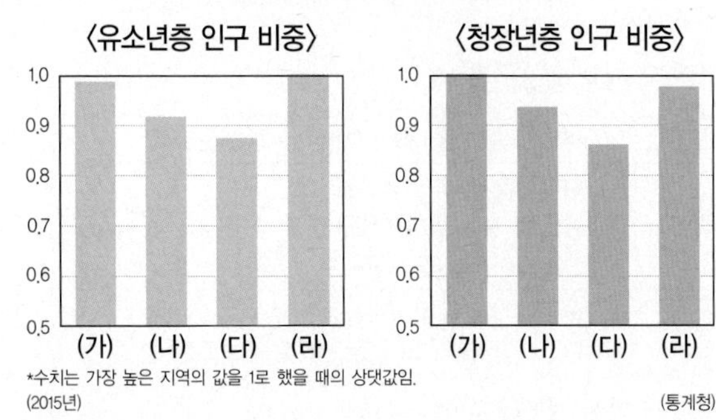

*수치는 가장 높은 지역의 값을 1로 했을 때의 상댓값임.
(2015년) (통계청)

《 보기 》
ㄱ. (가)는 울산, (나)는 충북이다.
ㄴ. 총 부양비는 (다)가 가장 높다.
ㄷ. (가)는 (라)보다 유소년 부양비가 높다.
ㄹ. (다)는 (라)보다 노령화 지수가 낮다.

① ㄱ, ㄴ ② ㄱ, ㄷ ③ ㄴ, ㄷ
④ ㄴ, ㄹ ⑤ ㄷ, ㄹ

| 수능 응용 |

04 그래프는 도(道)별 인구 구성 비율을 나타낸 것이다. (가)~(다)를 지도의 A~C에서 고른 것은?

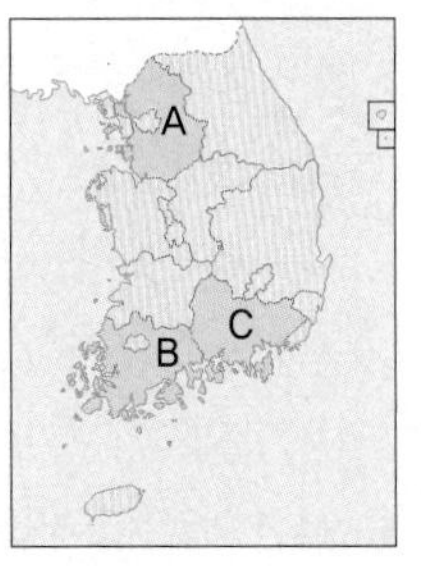

	(가)	(나)	(다)
①	A	B	C
②	B	A	C
③	B	C	A
④	C	A	B
⑤	C	B	A

Ⅵ. 인구 변화와 다문화 공간

13 인구 문제와 공간 변화 ~ 외국인 이주와 다문화 공간

출제 경향
★저출산 및 고령화 현상의 원인과 영향
★외국인 근로자의 유입 배경 및 현황과 국제결혼의 특성

01 인구 문제와 공간 변화

1. 인구 문제

(1) 저출산 현상 빈출 자료 01

현황	합계 출산율의 변화: 1965년 5.6명 → 2015년 1.24명
원인	• 여성의 경제 활동 참가율 증가 • 초혼 연령 상승 및 미혼 인구 증가 • 출산과 육아 비용 증가 등
영향	• 생산 가능 인구의 감소로 노동력 부족 • 총인구의 감소로 소비 감소와 투자 위축 등

(2) 고령화 현상 빈출 자료 02

현황	노년층 인구 비중: 2000년 약 7% → 2015년 약 13%
원인	• 의학 기술의 발달로 사망률 감소 • 생활 수준 향상으로 기대 수명 연장 등
영향	• 노년 인구 부양비 증가 → 청장년층의 사회적 부담 증가 • 연금, 건강 보험 등 사회 복지 비용 증가 등

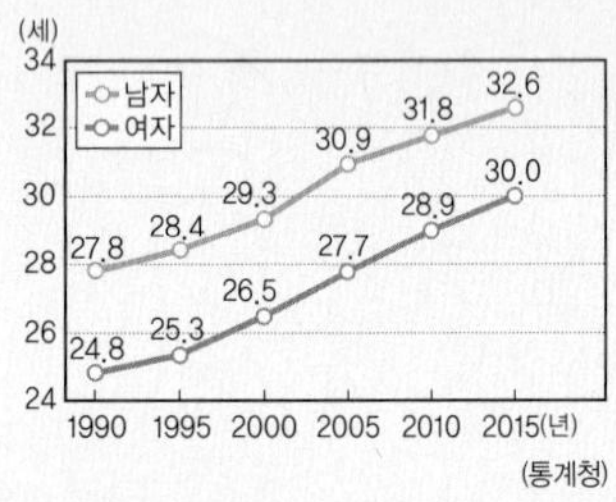

⌃ 초혼 연령 변화

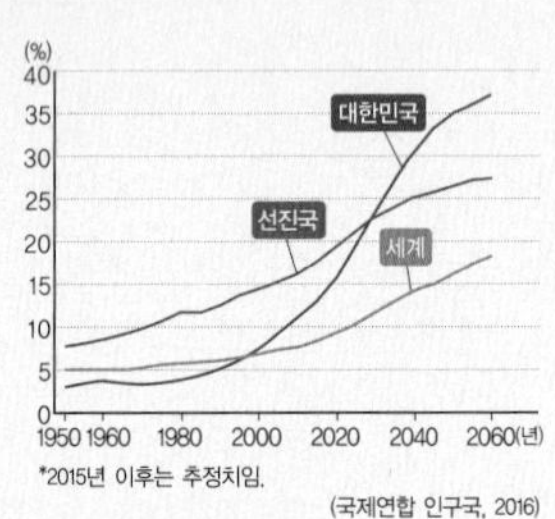

⌃ 노년층 인구 비중 변화

2. 저출산 · 고령화 현상에 따른 대책

저출산	• 출산, 양육, 교육에 대한 재정 지원 • 여성과 남성의 출산 휴가 및 육아 휴직 보장 • 가족 친화적인 사회 분위기 조성 등
고령화	• 직업 재교육 · 노인 일자리 창출 → 노년층 고용 확대 • 노년층의 경제 활동 참여 확대 • 노인 복지 시설 확충 및 실버산업 육성 등

3. 인구 문제에 따른 공간 변화와 대책

(1) 공간 변화

① 유소년층보다 노년층을 위한 시설에 대한 수요 증가

② 보건 · 의료 시설, 소비 및 문화 시설을 갖춘 대도시로 인구 유입

③ 기반 시설이 부족한 농촌과 지방 중소 도시의 정주 여건 악화

(2) 대책

① 정주 기반이 취약한 지역을 중심으로 교육, 의료 등 기초적인 정주 기반 개선

② 고령 친화적 환경 조성, 노인 밀집 지역의 환경 개선을 위한 도시 재생 사업 실시 등

02 외국인 이주와 다문화 공간

1. 외국인의 증가와 분포

(1) 국내 거주 외국인의 증가

① 교통 · 통신의 발달과 세계화

② 우리나라의 국가 위상 상승과 한류 열풍의 영향

③ 1990년대 이후 국내 거주 외국인의 급격한 증가

(2) 국내 체류 외국인의 유형: 외국인 근로자, 결혼 이민자, 유학생 등 빈출 자료 03

(3) 국적별 분포: 중국, 미국, 베트남 등이 높은 편임

2. 외국인 근로자의 유입

(1) 배경: 저출산 · 고령화에 따른 노동력 부족, 국내 임금 상승과 3D 업종 기피 현상 등

(2) 현황

① 중국, 동남아시아, 남부 아시아에서 저임금 노동력 유입

② 수도권과 제조업이 발달한 지역에 주로 분포

③ 제조업에 종사하는 비중이 가장 높음

④ 최근 다국적 기업이 많이 입지함에 따라 고임금의 전문 인력 유입 증가

3. 국제결혼의 증가

(1) 배경: 농촌의 결혼 적령기 성비 불균형(남초 현상), 세계화에 따른 외국인에 대한 거부감 감소 등

(2) 현황

① 농촌은 인구 대비 외국인 여성과의 국제결혼 비율이 높음

② 총 국제결혼 건수는 도시가 많음

③ 외국인 아내의 출신국 비율은 베트남, 중국 등이 높음

4. 다문화 사회의 형성

(1) 배경: 외국인 근로자 유입, 국제결혼 증가 등

(2) 다문화 공간 형성

① 출신 국가별 이주민 공동체가 형성됨 → 다문화 공간이 증가하고 있음

② 안산시 원곡동 국경 없는 마을, 서울 이태원의 모슬렘 거리 및 가리봉동의 중국 동포 거리 등

(3) 영향 및 문제점

① 긍정적 영향: 저렴한 노동력 유입으로 인한 경제 성장, 저출산 · 고령화의 대안, 다양한 문화적 자산 공유, 초국가적 네트워크 형성 등

② 문제점: 국내 근로자의 일자리 감소, 사회적 편견과 차별, 다문화 가정 자녀의 정체성 혼란 등

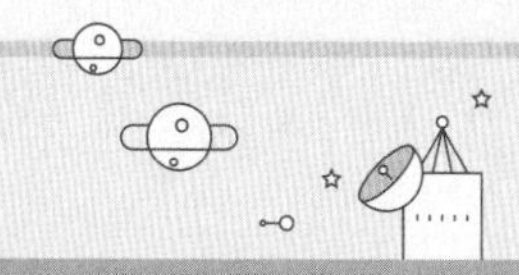

빈출 특강

대표 유형

빈출 자료 01 출생아 수와 합계 출산율의 변화 | 연계 문제 → 102쪽 01번

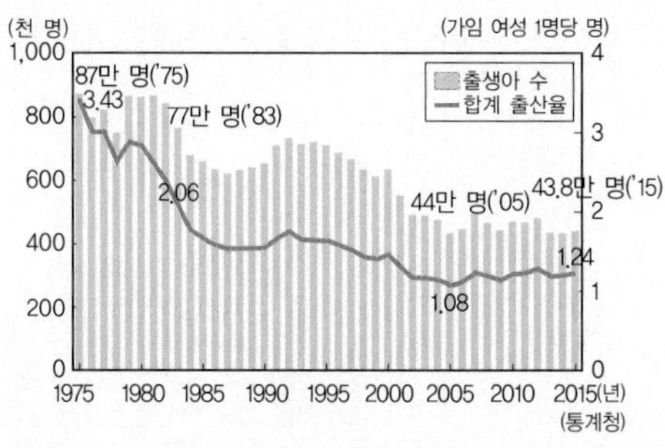

| 자료 분석 | 여성 1명이 가임 기간(15~49세) 동안 낳을 것으로 예상되는 평균 출생아 수인 합계 출산율은 감소하고 있다. 그 이유는 인구의 급속한 성장으로 1960년대 이후 산아 제한 정책을 실시하였기 때문이다. 또한 여성의 사회적 진출, 자녀에 대한 가치관 변화, 출산과 양육 비용 증가도 합계 출산율 감소에 큰 영향을 주었다.

빈출 자료 02 중위 연령의 변화 | 연계 문제 → 103쪽 03번

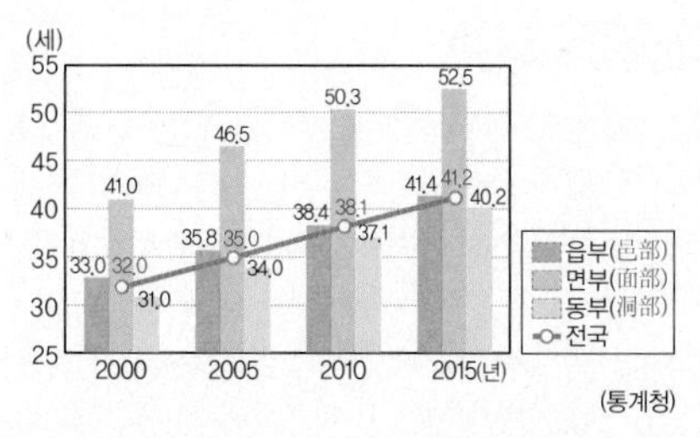

| 자료 분석 | 중위 연령은 총인구를 연령순으로 일렬로 세웠을 때 정중앙에 있는 사람의 연령이다. 출생률 감소에 따른 유소년층 인구 비중 감소와 평균 수명 증가 등에 따른 고령화로 중위 연령이 계속 높아지고 있다. 또한 도시 지역인 동부보다 촌락 지역인 면부의 중위 연령이 높다.

빈출 자료 03 외국인 근로자와 결혼 이민자의 분포 | 연계 문제 → 104쪽 07번

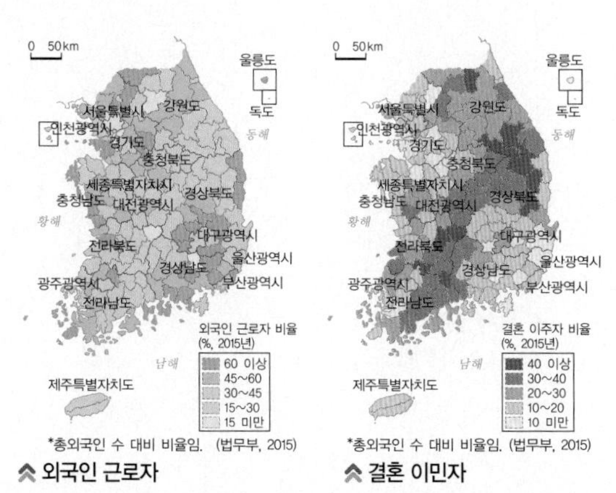

▲ 외국인 근로자 ▲ 결혼 이민자

| 자료 분석 | 국내 체류 외국인 근로자의 대부분은 서울을 포함한 수도권과 도시 지역에 거주하고 있다. 특히, 공업이 발달한 경기 남부, 충청, 영남 지방의 외국인 근로자 비중이 높다. 반면 결혼 적령기 남초 현상이 나타나는 촌락은 결혼 이민자 비율이 높다.

자주 나오는 오답 선택지

빈출 자료 01 에서 자주 나오는 오답 선택지

① (㉠)은/는 여성 1명이 가임 기간 동안 낳을 것으로 예상되는 평균 출생아 수이다. → 합계 출산율

② 산아 제한 정책 실시 이후 합계 출산율이 증가하고 있다. → 감소 → 1970년대 이후 합계 출산율은 감소하고 있다.

③ 2015년 현재 우리나라의 합계 출산율은 2명보다 많다. → 적다 → 현 수준의 인구수를 유지하기 위해서는 합계 출산율이 2명보다 많아야 한다.

④ 여성의 사회적 진출, 자녀에 대한 가치관 변화 등으로 합계 출산율이 증가하고 있다. → 감소

⑤ 합계 출산율을 낮추기 위해서는 출산, 양육, 교육에 대한 재정 지원 등의 노력이 필요하다. → 높이기

빈출 자료 02 에서 자주 나오는 오답 선택지

① (㉠)은/는 총인구를 연령순으로 일렬로 세웠을 때 정중앙에 있는 사람의 연령이다. → 중위 연령

② 2000년 이후 중위 연령이 낮아지고 있다. → 높아지고

③ 2015년 면부의 중위 연령은 (㉡)세이고, 동부의 중위 연령은 (㉢)세이다. → 52.5 → 40.2 → 동부는 면부보다 중위 연령이 낮다.

④ 중위 연령이 높아지는 이유는 유소년층 인구 비중 증가, 평균 수명 연장 등이 있다. → 감소

⑤ 동부보다 면부의 중위 연령이 낮다. → 높다

빈출 자료 03 에서 자주 나오는 오답 선택지

① 외국인 근로자는 대부분 (㉠)와/과 영남권의 도시에 거주하고 있다. → 수도권 → 제조업이 발달한 곳에 주로 거주한다.

② 외국인 근로자는 촌락에 많이 거주하고 있다. → 도시 → 외국인 근로자는 제조업에 종사하는 비중이 가장 높다.

③ 결혼 이민자의 비중은 도시가 높다. → 촌락 → 농촌은 결혼 적령기 성비 불균형 문제가 심각하다.

④ 총 국제결혼 건수는 촌락이 많다. → 도시 → 총 국제결혼 건수는 인구가 많은 도시가 많다.

⑤ 촌락의 결혼 이민자 비율이 높은 이유는 결혼 적령기 여초 현상 때문이다. → 남초 현상 → 농촌은 이촌 향도 현상으로 결혼 적령기 성비가 높다.

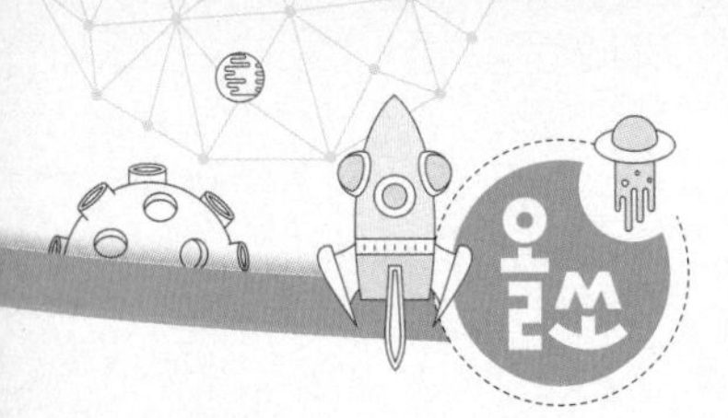

시험에 꼭 나오는 문제

개념 확인 문제

01 빈칸에 들어갈 알맞은 말을 쓰시오.

(1) (   )이/가 1965년 5.6명에서 2015년 1.24명으로 낮아졌다.

(2) (   )은/는 우리와 다른 민족 또는 다른 문화적 배경을 가진 사람들이 포함된 가정을 말한다.

(3) 대표적인 다문화 공간에는 (   )의 국경 없는 마을, 서울 이태원의 모슬렘 거리 등이 있다.

(4) (   )은/는 전체 인구를 연령순으로 일렬로 세웠을 때 정중앙에 있는 사람의 연령을 말한다.

02 다음 글의 밑줄 친 부분을 바르게 고쳐 쓰시오.

(1) 여성의 경제 활동 참가율 증가, 여성의 교육 수준 향상은 고령화의 원인이다.

(2) 의학 기술의 발달, 생활 수준의 향상, 평균 수명 연장은 저출산의 원인이다.

(3) 다자녀 가구 보육비 지원, 출산 휴가 장려 등은 고령화에 대한 대책이다.

(4) 고령 인구 복지 시설 확충, 고령 친화적인 산업 육성 등은 저출산에 대한 대책이다.

(5) 외국인 근로자가 가장 많은 도(道)는 제주도이다.

(6) 국제결혼 건수는 촌락이 많다.

(7) 국내에 입국한 외국인 중에서 가장 높은 비율을 차지하는 국가는 필리핀이다.

03 다음 내용이 옳으면 ○, 틀리면 ×에 표시하시오.

(1) 저출산 · 고령화로 총인구와 생산 가능 인구가 감소할 것으로 예상된다. (○ / ×)

(2) 직업 재교육, 노인 일자리 창출, 정년 연장 등은 고령화의 대책이다. (○ / ×)

(3) 고령화 문제를 해결하기 위해서는 정년을 단축하여 청장년층의 취업 기회를 확대해야 한다. (○ / ×)

(4) 총 부양비는 주로 촌락 지역에서 낮게 나타나고, 대도시와 수도권의 위성 도시 등에서 높게 나타난다. (○ / ×)

(5) 인구 대비 국제결혼 비율은 도시보다 촌락이 높다. (○ / ×)

(6) 외국인 근로자 유입과 국제결혼 증가로 다문화 가정의 비율이 높아지고 있다. (○ / ×)

(7) 국내 거주 외국인은 일자리가 풍부하고 제조업체가 많이 분포하는 호남권 지역에 집중되어 있다. (○ / ×)

01 인구 문제와 공간 변화

(빈출 문제) 연계 자료 → 101쪽 빈출 자료 01

01 그래프는 합계 출산율 및 출생아 수 변화를 나타낸 것이다. 이러한 변화의 원인을 《보기》에서 고른 것은?

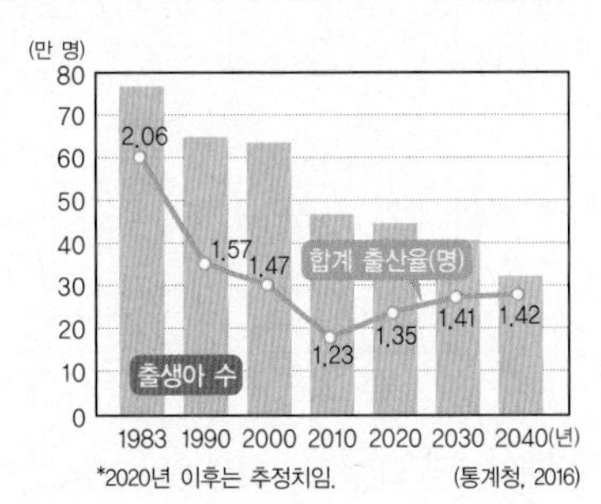

*2020년 이후는 추정치임. (통계청, 2016)

《보기》

ㄱ. 유아 사망률의 증가
ㄴ. 여성의 취업 기회 증가
ㄷ. 평균 결혼 연령의 하락
ㄹ. 여성의 교육 수준 향상

① ㄱ, ㄴ ② ㄱ, ㄷ ③ ㄴ, ㄷ
④ ㄴ, ㄹ ⑤ ㄷ, ㄹ

유사 선택지 문제

01_ ❶ 1960~1990년대는 출산 장려 정책으로 합계 출산율이 감소하였다. (○ / ×)

01_ ❷ 초혼 연령 상승, 미혼 인구 증가로 합계 출산율이 감소하였다. (○ / ×)

01_ ❸ 합계 출산율을 높이기 위해서는 가족 친화적인 사회 분위기를 조성해야 한다. (○ / ×)

02 그래프는 지도에 표시된 세 지역의 인구 특성을 나타낸 것이다. A~C 지역에 대한 옳은 설명을 《보기》에서 고른 것은?

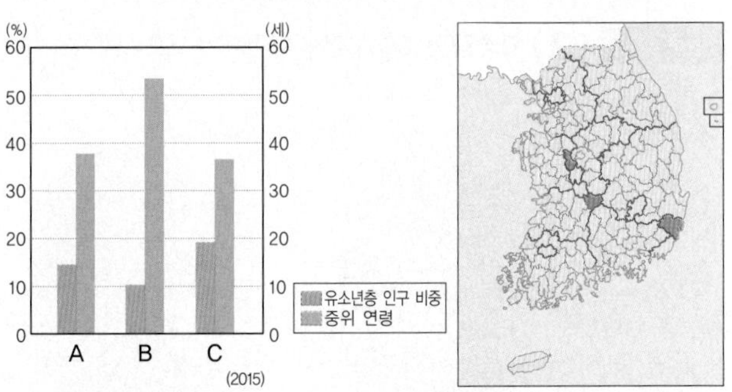

《보기》

ㄱ. A는 특별자치시이다.
ㄴ. B는 A보다 노년층 인구 비중이 높다.
ㄷ. C는 B보다 고위도에 위치해 있다.
ㄹ. A~C 중 총인구는 C가 가장 많다.

① ㄱ, ㄴ ② ㄱ, ㄷ ③ ㄴ, ㄷ
④ ㄴ, ㄹ ⑤ ㄷ, ㄹ

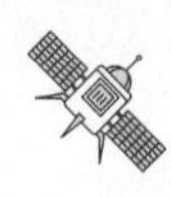

(빈출 문제) 연계 자료 → 101쪽 빈출 자료 02

03 그래프는 우리나라의 연령층별 인구 비중 변화를 나타낸 것이다. 2015년과 비교한 2065년의 상대적 특징을 《보기》에서 고른 것은?

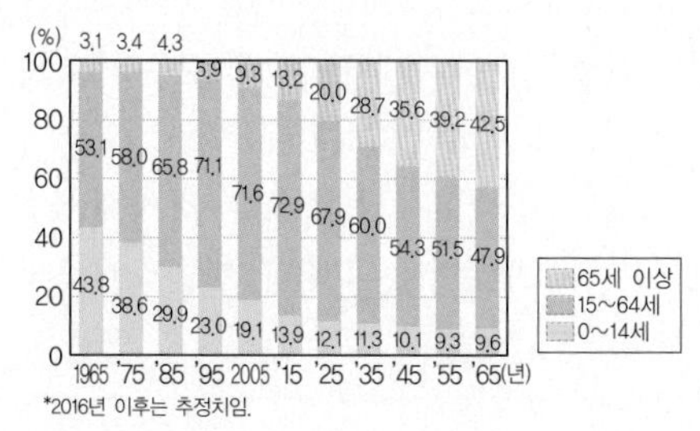

*2016년 이후는 추정치임.

보기

ㄱ. 총 부양비가 낮을 것이다.
ㄴ. 기대 수명이 길어질 것이다.
ㄷ. 합계 출산율이 증가할 것이다.
ㄹ. 실버산업 종사자 수가 증가할 것이다.

① ㄱ, ㄴ　② ㄱ, ㄷ　③ ㄴ, ㄷ
④ ㄴ, ㄹ　⑤ ㄷ, ㄹ

유사 선택지 문제

03_ ❶ 저출산 및 고령화 현상으로 중위 연령이 높아졌다. (○ / ×)
03_ ❷ 도시는 농촌보다 노년층 인구 비중이 높다. (○ / ×)
03_ ❸ 저출산 및 고령화 현상으로 노령화 지수가 높아졌다. (○ / ×)

04 (가), (나)가 추진되는 배경으로 옳은 것은?

(가)	(나)
• 1인 1국민 연금을 위한 사각지대 해소 • 활기차고 안전한 노후 실현 • 여성, 중·고령자, 외국 인력 활용 확대 • 고령 친화 경제로의 도약	• 청년 일자리·주거 대책 강화 • 난임 등 출생에 대한 사회적 책임 실현 • 맞춤형 돌봄 확대, 교육 개혁 • 일·가정 양립 사각지대 해소

	(가)	(나)
①	육아 비용 상승	다문화 가정의 증가
②	기대 수명 증가	육아 비용 상승
③	성비 불균형 심화	일자리 부족 문제 심화
④	다문화 가정의 증가	성비 불균형 심화
⑤	일자리 부족 문제 심화	기대 수명 증가

02 외국인 이주와 다문화 공간

05 다음 자료의 (가)에 들어갈 내용으로 옳은 것은?

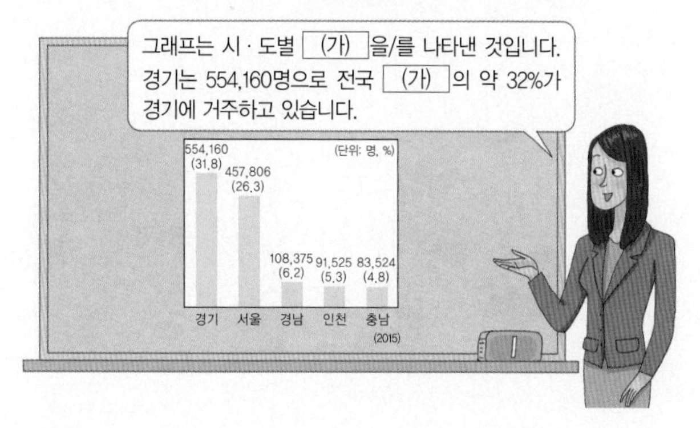

① 총 인구수　② 농가 인구수
③ 노년층 인구수　④ 등록 외국인 수
⑤ 1차 산업 종사자 수

06 그래프의 A~D에 들어갈 내용으로 옳은 것은?

〈국내 체류 외국인 유형〉

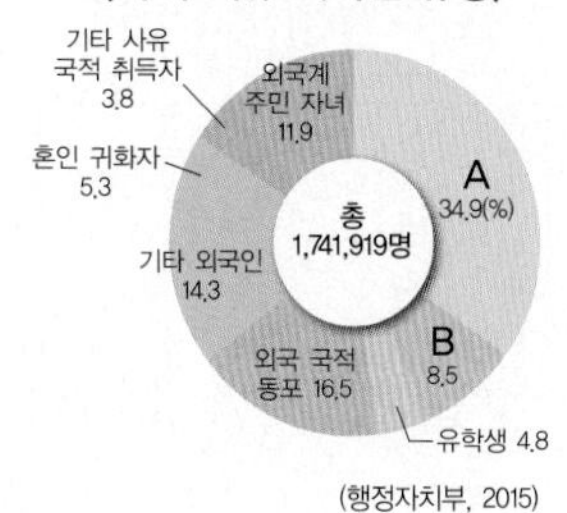

(행정자치부, 2015)

〈국내 체류 외국인의 국적〉

인도네시아 2.3
기타 18.2
일본 2.4
캄보디아 2.7
총 1,741,919명
C 54.7(%)
필리핀 4.0
미국 4.2
D 11.5

(행정자치부, 2015)

	A	B	C	D
①	결혼 이민자	외국인 근로자	중국	베트남
②	결혼 이민자	외국인 근로자	중국	미국
③	외국인 근로자	결혼 이민자	미국	중국
④	외국인 근로자	결혼 이민자	중국	베트남
⑤	외국인 근로자	결혼 이민자	베트남	중국

VI

(빈출 문제) 연계 자료 → 101쪽 빈출 자료 03

07 지도는 어떤 인구 관련 지표의 지역별 분포를 나타낸 것이다. (가), (나)에 해당하는 지표로 옳은 것은?

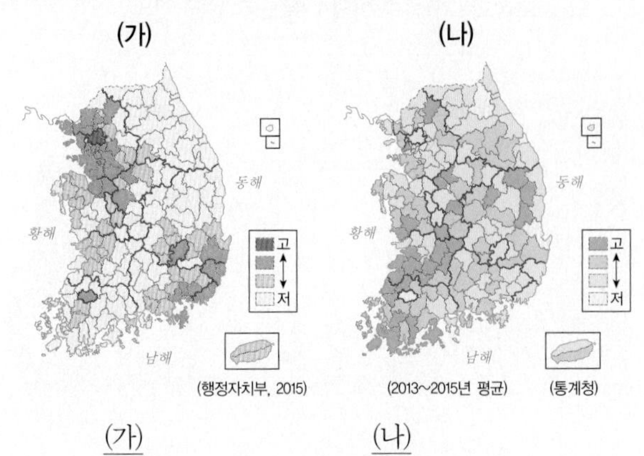

	(가)	(나)
①	성비	국제결혼율
②	국제결혼율	성비
③	국제결혼율	외국인 근로자 수
④	외국인 근로자 수	성비
⑤	외국인 근로자 수	국제결혼율

유사 선택지 문제

07_ ❶ 도시는 농촌보다 국제결혼 건수가 많다. (○ / ×)
07_ ❷ 도시는 농촌보다 국제결혼 비율이 높다. (○ / ×)
07_ ❸ 도시는 농촌보다 외국인 근로자 수가 많다. (○ / ×)

08 그래프는 외국인의 시 · 도별 분포를 나타낸 것이다. (가), (나) 항목과 A, B 지역으로 옳은 것은? (단, (가), (나)는 외국인 수, 외국인 성비 중 하나임.)

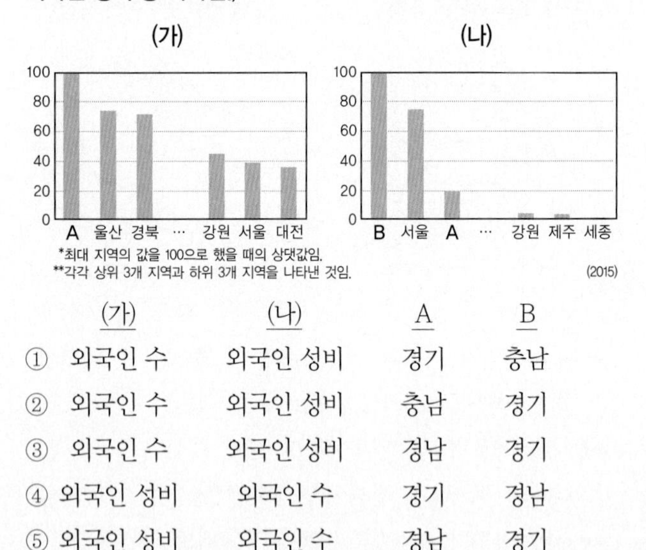

	(가)	(나)	A	B
①	외국인 수	외국인 성비	경기	충남
②	외국인 수	외국인 성비	충남	경기
③	외국인 수	외국인 성비	경남	경기
④	외국인 성비	외국인 수	경기	경남
⑤	외국인 성비	외국인 수	경남	경기

서술형 문제

09 다음 글을 읽고 물음에 답하시오.

> 우리나라의 [(가)]은/는 1965년 5.6명에서 2015년에는 1.24명으로 낮아졌다. ㉠ 출생아 수도 지속적으로 감소하고 있어 지금과 같은 추세가 계속될 경우 2030년 이후에는 인구가 감소할 것으로 예상된다. 한편, ㉡ 노년층 인구는 빠르게 증가하고 있다. 특히 출산 붐 세대가 노년층으로 진입하는 2020년부터는 고령화 현상이 빠르게 진행될 것으로 보인다.

(1) (가)에 들어갈 용어를 쓰시오.

(2) ㉠, ㉡의 원인을 각각 두 가지씩 서술하시오.

10 다음 글의 ㉠~㉤ 중 틀린 부분을 찾아, 바르게 고쳐 쓰시오.

> 우리나라의 국가 위상이 높아지고 세계화되면서 ㉠ 우리나라에 체류하는 외국인 수는 증가하고 있다. ㉡ 이들은 취업의 기회가 많은 수도권에 주로 분포하고 있다. 특히, 1990년대 후반부터 국내 근로자의 임금이 상승하고 ㉢ 3D 업종에 대한 기피 현상이 심화되면서 중국, 필리핀, 베트남 등지에서 저임금 근로자가 유입되기 시작하였다. 또한 ㉣ 농촌에서는 결혼 적령기 연령층의 성비가 낮아지면서 국제결혼이 활발해졌다. 이러한 ㉤ 국제결혼의 대부분은 한국인 남편과 외국인 아내의 결혼이다.

정답 및 해설 45쪽

| 교육청 |

01 (가), (나)를 통해 설명할 수 있는 탐구 주제로 적절한 것은?

(가)

아이 한 명이 감당하기에는 힘이 듭니다. 한 자녀보다는 둘, 둘보다는 셋이 더 행복합니다.

(나)

동남아시아가 고향인 엄마와 한국인 아빠 사이에 태어난 저는 한국 문화를 배우고 있습니다.

	(가)	(나)
①	저출산	인구 고령화
②	저출산	다문화 가정의 증가
③	성비 불균형	다문화 가정의 증가
④	인구 고령화	저출산
⑤	인구 고령화	성비 불균형

| 교육청 응용 |

02 다음은 학생이 작성한 평가지의 일부이다. ㉠~㉣ 중 답을 바르게 표시한 것은?

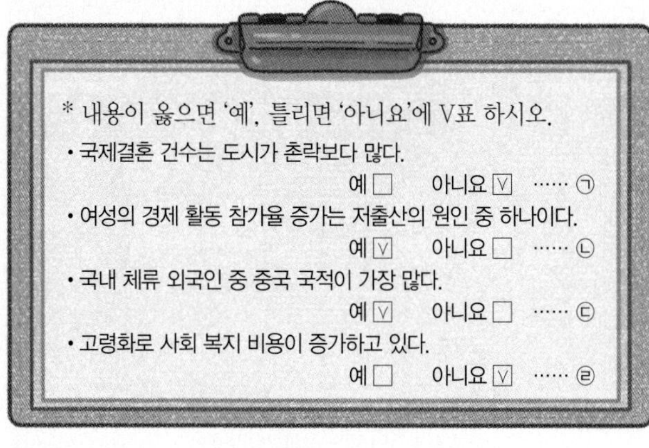

* 내용이 옳으면 '예', 틀리면 '아니요'에 V표 하시오.

- 국제결혼 건수는 도시가 촌락보다 많다.
  예☐ 아니요☑ …… ㉠
- 여성의 경제 활동 참가율 증가는 저출산의 원인 중 하나이다.
  예☑ 아니요☐ …… ㉡
- 국내 체류 외국인 중 중국 국적이 가장 많다.
  예☑ 아니요☐ …… ㉢
- 고령화로 사회 복지 비용이 증가하고 있다.
  예☐ 아니요☑ …… ㉣

① ㉠, ㉡ ② ㉠, ㉢ ③ ㉡, ㉢
④ ㉡, ㉣ ⑤ ㉢, ㉣

| 수능 |

03 지도에 나타난 현상의 원인으로 가장 적절한 것은?

〈국제결혼율〉

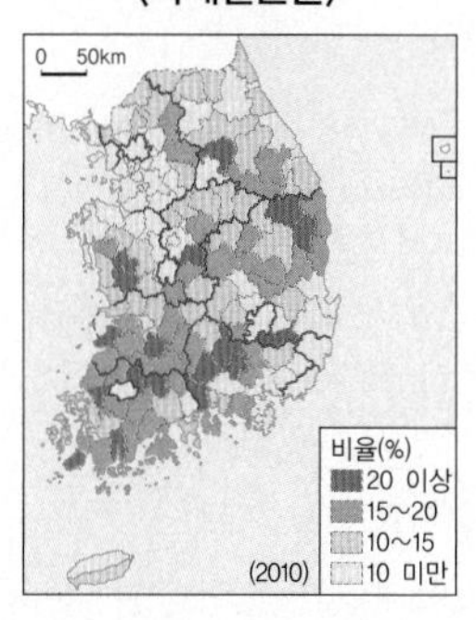

① 은퇴한 베이비 붐 세대의 귀농 증가
② 유아 사망률 감소와 평균 수명 증가
③ 촌락 지역의 청장년층 성비 불균형
④ 균형 발전을 위한 공공 기관의 지방 이전
⑤ 다국적 기업의 국내 진출에 의한 외국 고급 인력 유입

| 평가원 |

04 지도는 어떤 인구 관련 지표의 지역별 분포를 나타낸 것이다. (가), (나)에 해당하는 지표로 옳은 것은?

(가)

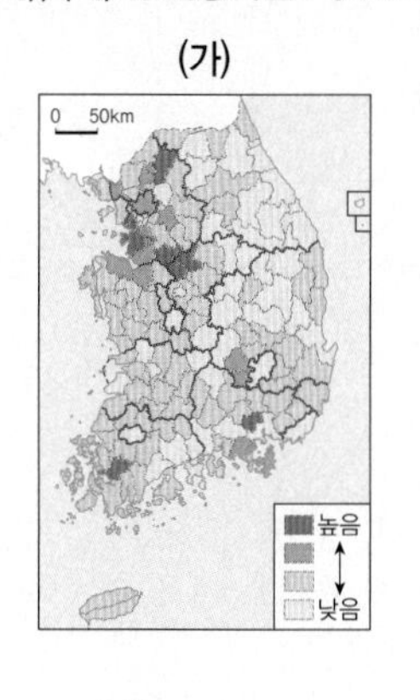

(나)

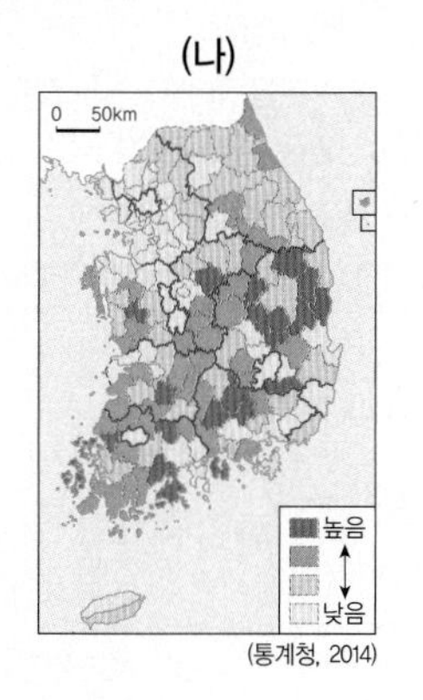

(통계청, 2014)

	(가)	(나)
①	성비	국제결혼율
②	노령화 지수	유소년 부양비
③	국제결혼율	등록 외국인 비율
④	유소년 부양비	성비
⑤	등록 외국인 비율	노령화 지수

14 지역의 의미와 지역 구분 ~ 북한 지역의 특성과 통일 국토의 미래

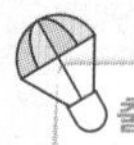

출제 경향
★지역 구분과 지역 유형
★북한의 지형과 기후
★북한의 지하자원
★북한의 개방 지역

01 지역의 의미와 지역성

1. 지역의 의미와 지역성

지역	• 지리적 특성이 다른 곳과 구별되는 지표상의 일정한 공간적 범위 • 경관상 유사하거나 기능적으로 관련된 장소들의 모임 • 지표상에서 일정한 면적을 차지하며 독특한 속성을 가짐
지역성	• 다른 지역과 구별되는 그 지역의 고유한 특성 • 자연환경과 인문 환경이 결합되어 형성됨

2. 지역의 유형 빈출 자료 01

동질 지역	• 어떤 특정한 지리적 현상이 동일하게 나타나는 공간 범위 • 사례: 기후 지역, 문화권 등
기능 지역	• 하나의 중심지와 그 영향을 받는 범위로 나타낼 수 있는 지역 • 사례: 통근권, 통학권, 상권, 도시권 등
점이 지대	두 지역의 특성이 함께 섞여 나타나는 지역으로, 주로 지역 간의 경계부에 나타남

02 우리나라의 지역 구분

1. 전통적 지역 구분: 주로 큰 하천이나 고개 · 산줄기 등의 자연 지리적 요소에 의해 구분됨

구분	구분의 경계 및 위치	전통 행정 구역	주요 도시
관북 지방	철령관의 북쪽	함경도	함흥, 경성
관서 지방	철령관의 서쪽	평안도	평양, 안주
관동 지방	철령관의 동쪽(대관령을 경계로 영서 지방과 영동 지방으로 나뉨)	강원도	강릉, 원주
해서 지방	서울을 기준으로 바다(경기만) 건너에 위치	황해도	황주, 해주
경기 지방	왕도인 서울을 둘러싸고 있는 지역	경기도	개성, 수원
호서 지방	제천 의림지 서쪽 또는 금강(호강) 상류의 서쪽	충청도	충주, 청주
호남 지방	금강(호강)의 남쪽	전라도	전주, 나주
영남 지방	조령(문경 새재)의 남쪽	경상도	경주, 상주

2. 다양한 지역 구분

위치에 따른 지역 구분	• 북부 지방: 북한 지역 • 중부 지방: 수도권, 강원권, 충청권 • 남부 지방: 영남권, 호남권, 제주권
권역에 따른 지역 구분	• 수도권(서울, 인천, 경기) • 충청권(대전, 세종, 충북, 충남) • 호남권(광주, 전북, 전남) • 영남권(부산, 대구, 울산, 경북, 경남) • 강원권(강원), 제주권(제주)
다양한 기준에 따른 지역 구분	• 문화적 특성: 남부 방언 지역과 북부 방언 지역 등 • 농업 특성: 논농사 지역, 논·밭 혼합 지역, 밭농사 지역, 고원 농업 지역, 도서 농업 지역, 특수 복합 농업 지역 등

03 북한 지역의 특성과 통일 국토의 미래

1. 북한의 자연환경 빈출 자료 02

구분	특징
지형	• 산지가 많고 평균 해발 고도가 높음 → 밭농사 발달 • 주요 화산 지형: 백두산, 천지(칼데라호), 용암 대지(개마고원) 등 • 황해로 유입하는 하천: 주로 북동부의 높은 산지에서 발원 → 유로가 길고 유역 면적이 넓음 • 동해로 유입하는 하천: 대부분 함경산맥에서 발원 → 두만강을 제외하면 대부분 경사가 급하고 유로가 짧음
기후	• 유라시아 대륙 동안에 위치, 남한보다 고위도에 위치 → 대륙성 기후 • 산맥과 바다의 영향으로 동해안은 동위도의 서해안보다 겨울 기온이 높음 • 다우지: 강원도 해안 지역(원산 이남), 청천강 중·상류 • 소우지: 관북 내륙 지역(남서 계절풍이 불 때 낭림산맥의 바람 그늘 지역임), 대동강 하류(지형적 장애가 적음), 관북 해안 지역(한류, 지형의 영향)

2. 북한의 인문 환경

구분	특징
인구	• 인구 성장: 남한보다 인구가 적고 인구 밀도가 낮음 • 인구 분포 – 서부 평야 지역: 인구 밀도가 높음 – 동해안 일대: 좁은 해안 평야 지역을 따라 인구가 집중 – 북동부 내륙 지역: 산지가 많고 기후가 한랭하여 인구가 적음
도시	• 서부 평야 지역: 평양(북한 최대의 도시), 남포(평양의 외항), 신의주(중국과의 교역 통로) • 관북 해안 지역: 함흥, 청진, 원산 • 황해도 지역: 개성
지하자원	• 철광석, 무연탄, 석회석, 텅스텐 등 다양한 지하자원 분포 • 에너지 자원의 소비 구조: 석탄의 소비 비중이 가장 높음, 남한에 비해 석유의 비중이 낮고 수력의 비중이 높음, 북한은 남한보다 수력 발전량이 많음, 수력 중심의 에너지 소비 구조
산업	• 농업: 다락밭 등 경사진 경지가 많음, 밭농사 중심 • 공업: 군수 산업 중심의 중공업 우선 정책, 경공업 위축 • 서비스업: 계획 경제 체제의 영향으로 서비스업 발달 미약 • 교통 체계: 철도 중심의 수송 체계, 도로 포장률이 낮고 도로 폭이 협소함

3. 북한의 개방 지역 빈출 자료 03

구분	특징
나선 경제특구	• 중국, 러시아와의 인접 지역으로 태평양과 아시아 대륙을 이어주는 관문 • 북한 최초의 개방 지역
신의주 특별 행정구	• 중국의 특별 행정구인 홍콩을 모델로 지정 • 중국과의 접경 지역, 중국과의 무역 통로 역할
금강산 관광 지구	관광객 유치를 목적으로 조성된 관광 특구
개성 공업 지구	• 남한 수도권과의 접근성이 용이 • 남한의 자본 및 선진 기술과 북한의 값싼 노동력 결합 → 남북 교류와 경제 협력에 큰 역할

올쏘 빈출 특강

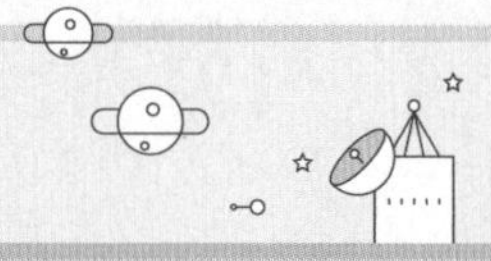

대표 유형

빈출 자료 01 동질 지역과 기능 지역

| 연계 문제 → 108쪽 02번

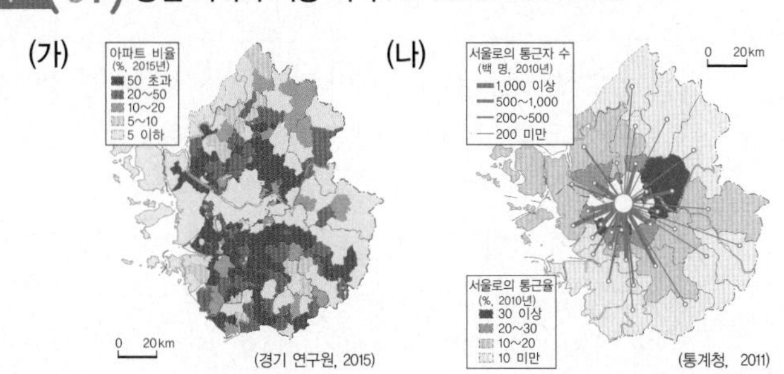

| 자료 분석 | (가)는 지역 내 아파트 비율을 통해 아파트 분포를 알 수 있는데, 이는 동질 지역에 해당한다. (나)는 서울로의 통근자 수 분포를 통해 통근 범위를 나타내고 있다. 따라서 (나)는 서울이라는 중심지와 그 주변의 배후지를 나타내므로 기능 지역에 해당한다.

빈출 자료 02 북한의 지형과 기후

| 연계 문제 → 109쪽 05번

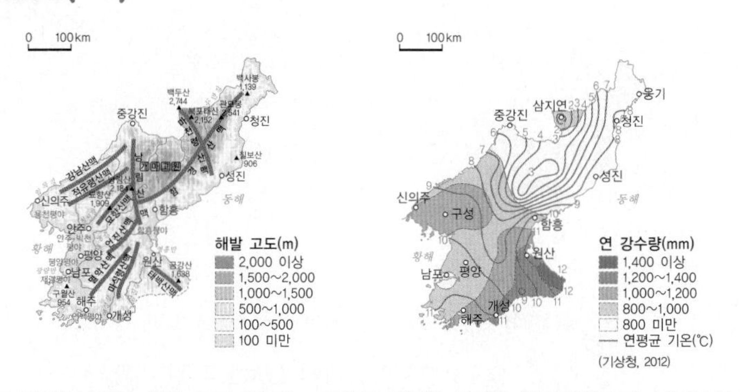

| 자료 분석 | 북한은 해발 고도 2,000m 이상의 험준한 산지가 발달하였으며, 북동부에 높고 험준한 함경산맥 · 낭림산맥 등 1차 산맥이 분포하고 남서부에 묘향산맥 · 멸악산맥 등 2차 산맥이 분포한다. 원산은 동해와 지형의 영향으로 비슷한 위도에 위치한 평양보다 1월 평균 기온이 높다. 원산은 북동 기류에 의한 지형성 강수가 빈번하게 발생하여 연 강수량이 많은 반면 평양은 저평한 지역에 위치하여 연 강수량이 적다.

빈출 자료 03 북한의 개방 지역

| 연계 문제 → 110쪽 08번

| 자료 분석 |
- 신의주 국제 경제 지대: 중국 내의 홍콩처럼 개발하기 위해 지정된 개방 지역으로, 2014년 국제 경제 지대로 명칭을 변경하였다.
- 황금평 · 위화도 경제 무역 지대: 지리적인 인접성을 토대로 중국과 공동으로 육성하기로 합의하였다.
- 나진 · 선봉 경제 무역 지대: 북한 최초의 개방 지역으로, 두만강을 경계로 중국, 러시아와 접하고 있다.
- 원산 · 금강산 국제 관광 지대: 2008년 이후 잠정 중단된 금강산 관광 특구에 원산, 통천 지역을 추가하여 2014년 새로 지정하였다.
- 개성 공업 지구: 남한의 기술과 자본, 북한의 노동력을 결합한 형태의 공단으로, 2016년부터 공단 운영이 중단된 상태이다.

자주 나오는 오답 선택지

빈출 자료 01에서 자주 나오는 오답 선택지

① 기후 지역, 문화권은 기능 지역의 사례에 해당한다. (→ 동질 지역)

② 기준이 달라져도 지역의 구분은 달라지지 않는다. (→ 달라진다)

③ 두 지역의 특성이 함께 섞여 나타나는 지역을 혼합 지대라고 한다. (→ 점이 지대)

④ 교통 · 통신의 발달로 지역 간 교류가 증가할수록 지역성이 강화된다. (→ 약화)

⑤ 상권, 통근권은 동질 지역의 사례이다. (→ 기능 지역)

빈출 자료 02에서 자주 나오는 오답 선택지

① 백두산 정상부에는 화구의 함몰로 형성된 화구호가 있다. (→ 칼데라호)

② 개마고원은 고위 평탄면으로 고원 지형이 넓게 나타난다. (→ 용암 대지)

③ 낭림산맥은 중국 방향 산지이다. (→ 남북 방향)

④ 신의주는 성진보다 연 강수량이 적고, 연평균 기온이 높다. (→ 많고)

⑤ 청천강 중 · 상류 지역은 대동강 하류 지역보다 연 강수량이 적다. (→ 많다)

⑥ 평양은 북한에서 인구가 가장 많으며, 평양의 외항인 청진에는 서해 갑문이 설치되어 있다. (→ 남포)

빈출 자료 03에서 자주 나오는 오답 선택지

① 신의주 국제 경제 지대는 남한의 자본 · 기술력, 북한의 노동력이 결합되어 형성된 공업 지구이다. (→ 개성 공업 지구)

② 원산 · 금강산 국제 관광 지대는 중국과의 무역 활성화를 위해 설치된 특별 행정구이다. (→ 신의주 국제 경제 지대)

③ 개성 공업 지구는 북한 · 중국 · 러시아의 접경 지역이며, 북한 최초의 경제특구이다. (→ 나진 · 선봉 경제 무역 지대)

④ 황금평 · 위화도 경제 무역 지대는 홍콩식 경제 개발을 추진하는 특별 행정구이다. (→ 신의주 국제 경제 지대)

⑤ 개성 공업 지구에는 남한 기업이 진출하여 건설한 관광 기반 시설이 있다. (→ 원산 · 금강산 국제 관광 지대)

시험에 꼭 나오는 문제

개념 확인 문제

01 다음 설명이 옳으면 ○, 틀리면 ×에 표시하시오.

(1) 주변의 다른 곳과 지리적 특성이 구별되는 공간적 범위를 지역이라고 한다. (○ / ×)
(2) 교통 · 통신의 발달로 지역 간 교류가 증가할수록 지역성은 약화된다. (○ / ×)
(3) 동질 지역은 중심지와 배후지로 구성된다. (○ / ×)
(4) 관북 지방, 관서 지방, 관동 지방에서 '관'은 철령관을 의미한다. (○ / ×)
(5) 청천강 중 · 상류 지역은 지형과 한류의 영향으로 강수량이 적다. (○ / ×)

02 다음 중 옳은 것에 ○표 하시오.

(1) 통학권, 통근권은 (동질 / 기능) 지역에 해당한다.
(2) 영남 지방은 (조령 / 추풍령)의 남쪽 지역이라는 의미이다.
(3) 낭림산맥 동쪽 지역은 낭림산맥 서쪽 지역보다 연 강수량이 (많다 / 적다).
(4) 북한은 논이 밭보다 (넓다 / 좁다).
(5) 북한의 전력 생산에서 (수력 / 화력) 발전의 설비 용량 비중이 가장 크다.
(6) (평양 / 남포)은/는 인구 300만 명이 넘는 북한 최대의 도시로, 북한의 정치 · 경제 · 사회의 중심지이다.

03 지도는 우리나라의 전통적인 지역 구분을 나타낸 것이다. 이를 보고 물음에 답하시오.

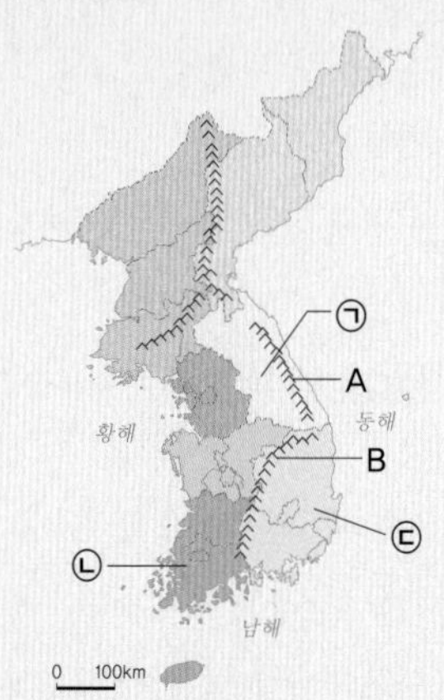

(1) 관동 지방 내 지역 구분의 기준이 되는 A 고개의 이름을 쓰시오.
(2) 빈칸에 들어갈 알맞은 말을 쓰시오.

A 고개를 경계로 ㉠ 지방은 동쪽의 ( ) 지방과 서쪽의 ( ) 지방으로 나뉜다.

(3) ㉡ 지방과 ㉢ 지방의 이름을 각각 쓰고, 그 경계가 되는 B 산맥의 이름을 쓰시오.

01 지역의 의미와 지역성

01 다음 글의 ㉠~㉣에 대한 옳은 설명만을 《보기》에서 있는 대로 고른 것은?

㉠ 지역이란 지리적 특성이 다른 곳과 구별되는 일정한 공간적 범위를 말한다. 지역은 특정한 기준에 의해 구분되며, 다양한 ㉡ 자연환경과 인문 환경으로 구성된다. 지역은 자연환경에 의해 평야 지역, 산지 지역 등으로 구분되기도 하고, 인문 환경에 의해 촌락 지역, 도시 지역, ㉢ 상권, 통학권 등으로 구분되기도 한다. 하나의 지역은 다른 지역과 구별되는 고유한 특성이 있는데, 이를 ㉣ 지역성이라고 한다.

《보기》
ㄱ. ㉠－지역은 크고 작은 다양한 규모를 가진다.
ㄴ. ㉡－인구, 자원, 교통 등이 해당한다.
ㄷ. ㉢－교통 · 통신의 발달에 따라 권역이 변화한다.
ㄹ. ㉣－그 지역만이 갖는 고정 불변의 특성을 말한다.

① ㄱ, ㄴ ② ㄱ, ㄷ ③ ㄷ, ㄹ
④ ㄱ, ㄷ, ㄹ ⑤ ㄴ, ㄷ, ㄹ

(빈출 문제) 연계 자료 → 107쪽 빈출 자료 01

02 (가), (나) 지역에 대한 설명으로 옳은 것은?

(가)

주거 지역
상업 지역
공업 지역
녹지 지역

0 5km

(서울특별시청, 2013)

(나)

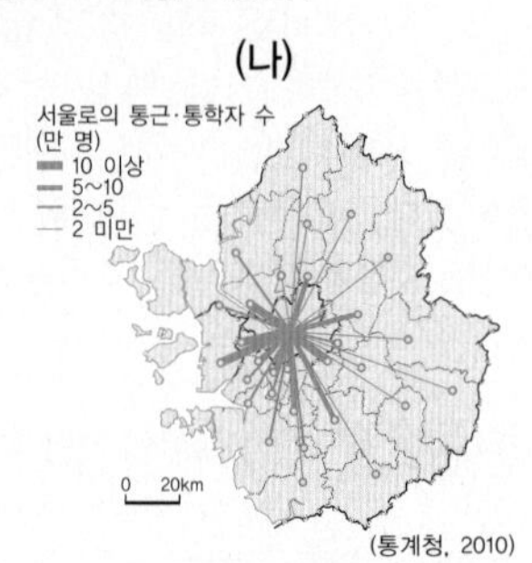

(통계청, 2010)

① (가)는 자연환경에 의해 지역을 구분한 것이다.
② (가)는 중심지의 기능이 미치는 범위를 나타낸 것이다.
③ (나)는 지리적 현상이 동일하게 분포하는 지역이다.
④ (나)는 교통의 발달에 따라 지역의 범위가 변화한다.
⑤ (가)와 (나)에는 점이 지대가 나타나지 않는다.

유사 선택지 문제

02_ ❶ (가)는 특정한 지리적 현상이 동일하게 분포하는 공간적 범위에 해당한다. (○ / ×)
02_ ❷ (나)는 중심지와 배후지로 구성된다. (○ / ×)
02_ ❸ (나)를 통해 서울의 업무 기능이 주변 지역에 영향을 미치는 범위를 알 수 있다. (○ / ×)

02 우리나라의 지역 구분

03 (가), (나) 지도에 대한 설명으로 옳은 것은?

(가)

(나)

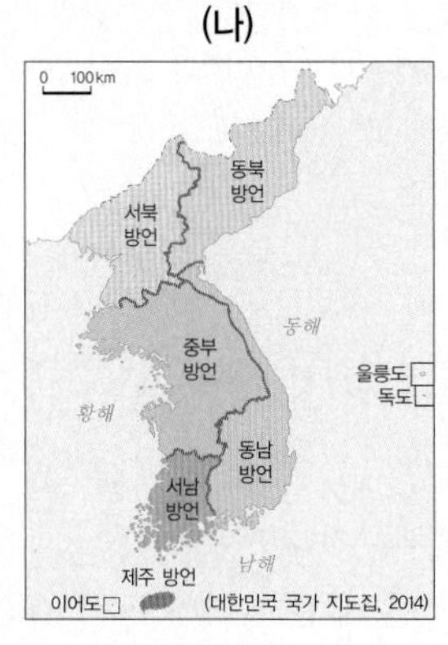

① (가)는 전통적인 지역 구분이다.
② (가)는 하천 중심 생활권이 지역의 경계이다.
③ (나)의 동남 방언권의 경계는 산줄기의 영향이 크다.
④ (나)의 지역명은 지역 중심지의 이름을 따서 만들어졌다.
⑤ (나)는 하나의 중심 기능이 영향을 미치는 공간 범위이다.

04 지도는 우리나라의 전통적 지역 구분을 나타낸 것이다. 이에 대한 설명으로 옳지 <u>않은</u> 것은?

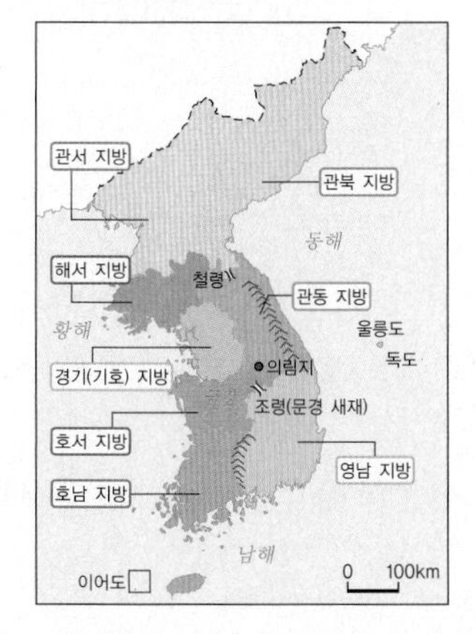

① 호서 지방은 금강의 서쪽 지역을 의미한다.
② 영남 지방은 경상도를 중심으로 하는 지역이다.
③ 관동 지방은 강원도를 중심으로 하는 지역이다
④ 영남 지방과 호남 지방의 경계는 태백산맥이다.
⑤ 호남 지방은 전라도를 중심으로 하는 지역이다.

03 북한 지역의 특성과 통일 국토의 미래

(빈출 문제) 연계 자료 → 107쪽 빈출 자료 02

05 (가)~(다)와 같은 기후 특성이 나타나는 지역을 지도의 A~C에서 고른 것은?

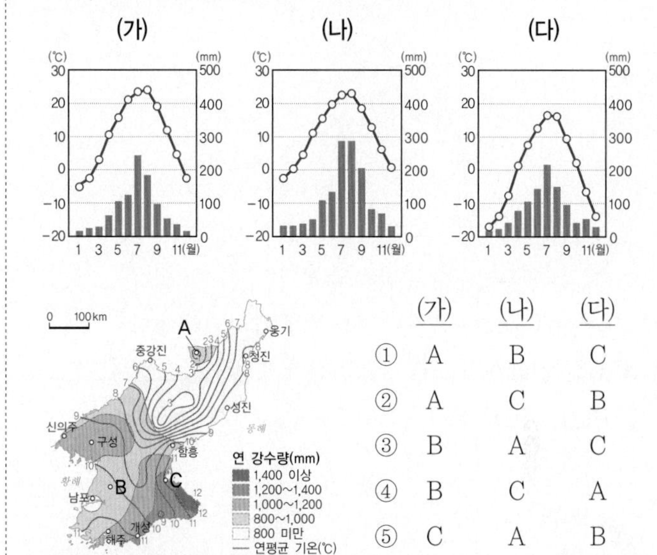

	(가)	(나)	(다)
①	A	B	C
②	A	C	B
③	B	A	C
④	B	C	A
⑤	C	A	B

유사 선택지 문제

05_ ❶ 평양은 원산보다 1월 평균 기온이 낮다. (○ / ×)
05_ ❷ 기온의 연교차는 삼지연>평양>원산 순이다. (○ / ×)
05_ ❸ 연 강수량은 원산이 평양보다 적다. (○ / ×)

06 지도의 A~C 작물에 대한 옳은 설명만을 《보기》에서 있는 대로 고른 것은?

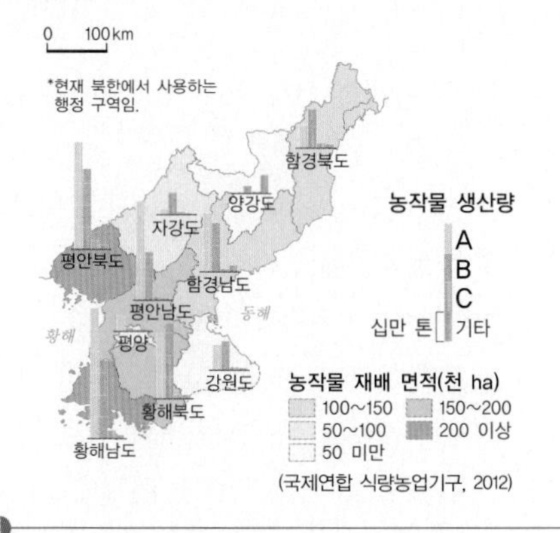

《보기》
ㄱ. A 생산량은 남서부 지역이 북동부 지역보다 많다.
ㄴ. B는 고온 다습한 계절풍이 부는 지역에서 주로 재배된다.
ㄷ. C는 북한에서 주로 B의 그루갈이 작물로 재배된다.
ㄹ. A는 주로 논, B와 C는 주로 밭에서 재배된다.

① ㄱ, ㄹ　② ㄴ, ㄷ　③ ㄱ, ㄴ, ㄷ
④ ㄱ, ㄴ, ㄹ　⑤ ㄴ, ㄷ, ㄹ

07 지도는 북한의 발전소 설비 용량을 나타낸 것이다. 이에 대한 설명으로 옳은 것은?

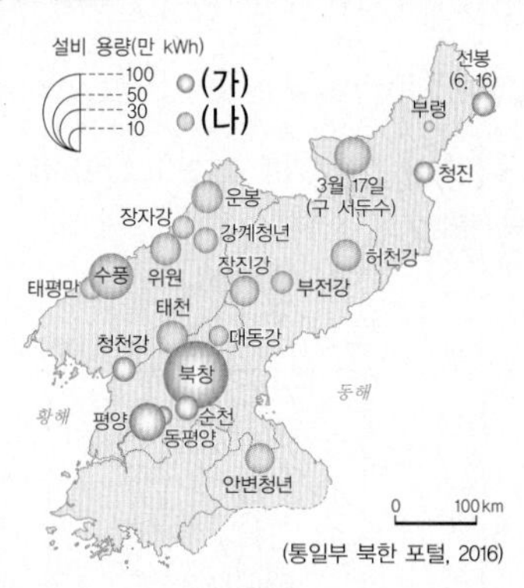

(통일부 북한 포털, 2016)

① (가)는 평양과 그 주변 지역의 설비 용량 비중이 높다.
② (나)는 압록강보다 두만강 수계에 집중되어 있다.
③ (가)는 (나)보다 계절에 따른 발전량 차이가 크다.
④ 남한에서는 (가)보다 (나)의 전력 생산량이 더 많다.
⑤ (나)는 (가)보다 대기 오염 물질을 더 많이 배출한다.

(빈출 문제) 연계 자료 → 107쪽 빈출 자료 03

08 북한의 개방 지역인 (가), (나) 지역에 대한 옳은 설명을 《보기》에서 고른 것은?

(가)

(나)

(북한의 이해, 2014)

《보기》
ㄱ. (가)는 외국 관광객 유치를 위해 개방 지역으로 지정되었다.
ㄴ. (가)는 지리적 인접성을 토대로 중국과 공동으로 육성하기로 한 개방 지역이다.
ㄷ. (나)는 남한의 자본·기술력과 북한의 노동력이 결합되어 형성된 공업 지구이다.
ㄹ. (나)는 (가)보다 개방 지역으로 지정된 시기가 이르다.

① ㄱ, ㄴ ② ㄱ, ㄷ ③ ㄴ, ㄷ
④ ㄴ, ㄹ ⑤ ㄷ, ㄹ

유사 선택지 문제

08_ ❶ (나)는 유엔 개발 계획(UNDP)의 지원을 계기로 개방 지역으로 지정되었다. (○ / ×)
08_ ❷ (가)는 (나)보다 러시아와의 교역에 불리하다. (○ / ×)
08_ ❸ (가)와 (나)는 외국 관광객 유치가 주요 목적이다. (○ / ×)

서술형 문제

09 (가), (나)는 강원도의 지역 구분을 나타낸 것이다. 이를 보고 물음에 답하시오.

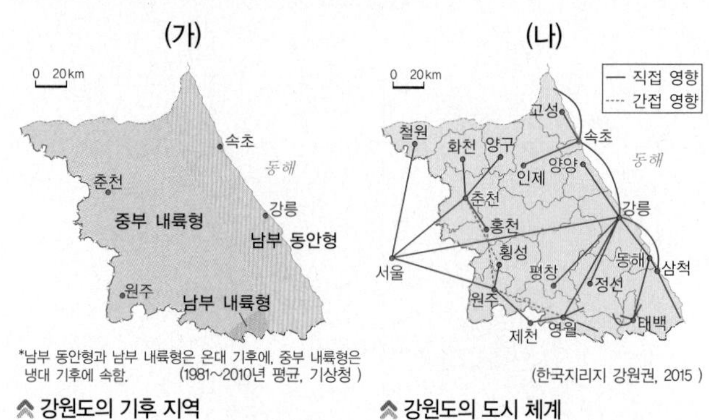

*남부 동안형과 남부 내륙형은 온대 기후에, 중부 내륙형은 냉대 기후에 속함. (1981~2010년 평균, 기상청)

(한국지리지 강원권, 2015)

⌃ 강원도의 기후 지역 ⌃ 강원도의 도시 체계

(1) (가), (나) 지역이 동질 지역과 기능 지역 중 어느 지역에 속하는지 각각 쓰시오.

(2) (가), (나) 중 교통 발달의 영향을 크게 받는 지역이 어디인지 쓰고, 그 이유를 서술하시오.

10 다음 자료를 보고 물음에 답하시오.

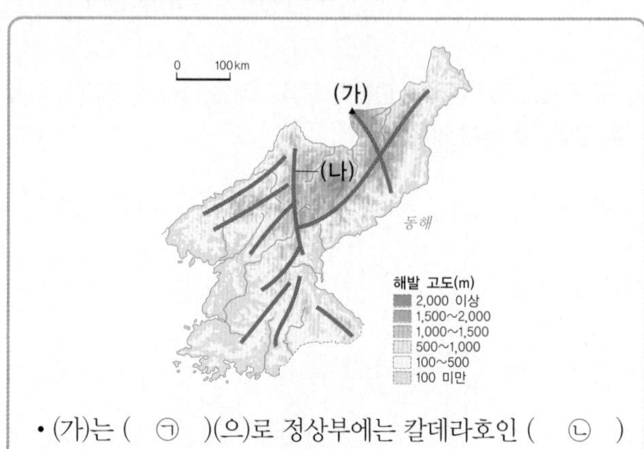

- (가)는 (㉠)(으)로 정상부에는 칼데라호인 (㉡)이/가 있다.
- (나)는 한국 방향의 산맥인 (㉢)산맥이다.

(1) ㉠, ㉡에 알맞은 말을 쓰시오.

(2) ㉢에 해당하는 (나) 산맥의 이름을 쓰고, (나) 산맥을 경계로 북한의 지역이 어떻게 구분되는지 그리고 이렇게 구분된 두 지역의 지형 특징에 대해 서술하시오.

상위 4% 문제

정답 및 해설 47쪽

01 지도는 우리나라의 전통적인 지역 구분을 나타낸 것이다. 이에 대한 설명으로 옳지 <u>않은</u> 것은?

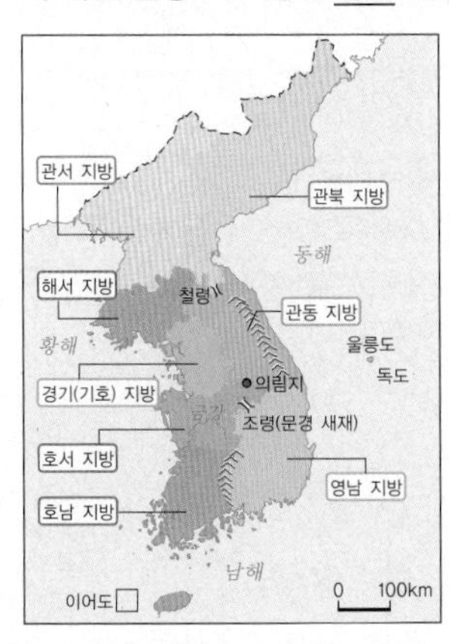

① 낙동강 유역은 영남 지방에 속한다.
② 낭림산맥의 북동쪽은 동북 방언권에 속한다.
③ 영남 지방과 호남 지방의 경계는 소백산맥이다.
④ 김제 벽골제 남쪽 지방은 중부 방언권에 속한다.
⑤ 경기 지방과 영서 지방은 같은 방언권에 속한다.

| 평가원 |

02 다음 자료에 대한 옳은 설명만을 《보기》에서 있는 대로 고른 것은?

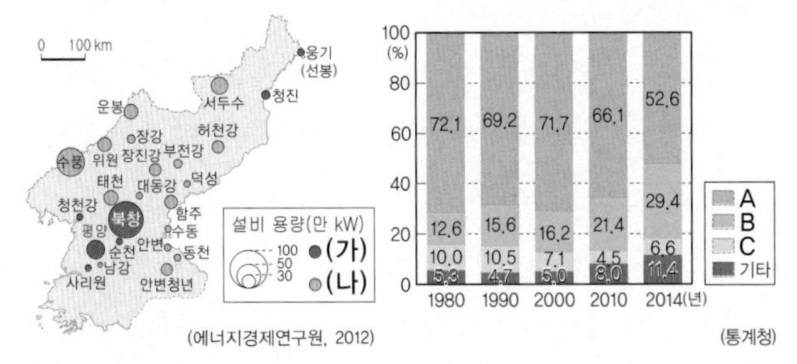

《보기》

ㄱ. (가)는 A를 연료로 한다.
ㄴ. (나)는 B를 이용한다.
ㄷ. (가)는 (나)보다 대기 오염 물질 배출량이 많다.
ㄹ. 남한에서 A는 C보다 해외 의존도가 높다.

① ㄱ, ㄴ ② ㄱ, ㄷ ③ ㄴ, ㄹ
④ ㄱ, ㄴ, ㄷ ⑤ ㄱ, ㄷ, ㄹ

| 수능 |

03 (가)~(다)에서 설명하는 지역을 지도의 A~E에서 고른 것은?

(가)	(나)	(다)
화산 활동으로 형성된 산지이며, 정상부에는 칼데라호가 있음	경원선의 종착지로 일제 강점기부터 공업 도시로 성장함	2002년에 외자 유치 및 교역 확대를 위해 특별 행정구로 지정함

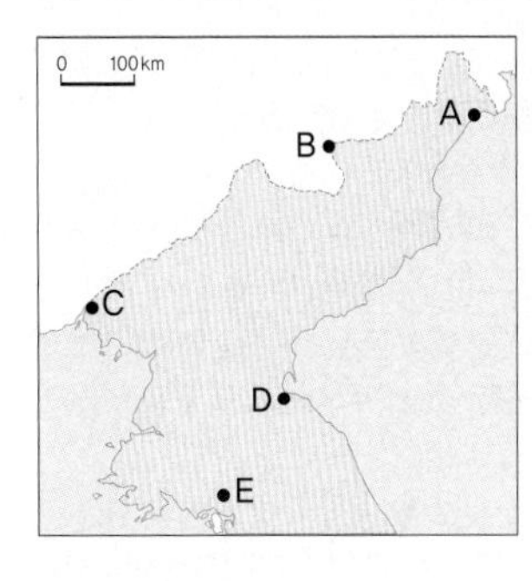

	(가)	(나)	(다)
①	B	A	C
②	B	D	C
③	B	D	E
④	C	D	E
⑤	C	E	A

| 교육청 |

04 (가), (나)는 수도권 도시들 간의 상호 작용을 나타낸 것이다. 이에 대한 옳은 설명을 《보기》에서 고른 것은? (단, (가), (나)는 출근, 화물 흐름 중 하나임.)

(가)

(나)

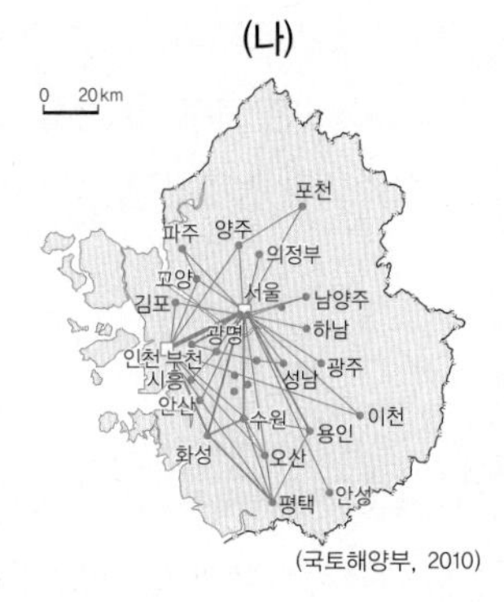

*선의 굵기는 흐름의 상대적 크기를 나타냄. (국토해양부, 2010)

《보기》

ㄱ. (가)는 출근, (나)는 화물 흐름이다.
ㄴ. (가), (나)를 통해 수도권 도시 간 계층 구조를 파악할 수 있다.
ㄷ. (나)는 (가)보다 인구 규모의 영향을 크게 받는다.
ㄹ. 수도권 북동부는 남서부보다 도시 간 상호 작용이 활발하다.

① ㄱ, ㄴ ② ㄱ, ㄷ ③ ㄴ, ㄷ
④ ㄴ, ㄹ ⑤ ㄷ, ㄹ

15

Ⅶ. 우리나라의 지역 이해

인구와 기능이 집중된 수도권 ~ 빠르게 성장하는 충청 지방

출제 경향
★수도권의 문제와 해결 방안
★강원 지방의 지형과 기후, 고랭지 농업
★충청 지방의 공업과 주요 도시

01 인구와 기능이 집중된 수도권

1. 공간 범위와 특징 빈출 자료 01

구분	내용
공간 범위	서울특별시, 인천광역시, 경기도
인구와 산업의 중심지	• 인구 집중: 면적은 우리나라 전체의 약 12%, 인구는 전체 인구의 절반 가량 밀집 • 기능 집중 – 중앙 정부 기관을 비롯한 대기업의 본사, 각종 언론사, 금융 기관의 본점, 각종 문화 시설 등이 집중 – 서비스업 및 제조업의 집중 • 교통망 집중: 대부분의 교통망이 수도권을 중심으로 연결되어 있음 → 다른 지역으로의 접근성이 뛰어남
공간 구조의 변화	• 교외화: 수도권의 광역 교통망 구축으로 통근권 확대와 거주지의 교외화 → 서울을 중심으로 대도시권 형성, 서울의 인구 감소 추세 • 다핵화와 분산화: 인천, 수원 등 서울 주변 도시의 성장 → 공간 구조의 다핵화, 서울 도심 내 일부 대기업 본사의 강남 이전으로 새로운 중심지 성장
산업의 변화	• 서울의 탈공업화: 2차 산업 비중 감소, 3차 산업 비중 증가 → 서울의 제조업이 경기도나 충청권으로 이전(넓은 공업 용지가 필요한 산업 및 공해 유발 산업이 이전) • 수도권의 지식 기반 산업 성장: 고급 인력, 학술 및 연구 기능의 수도권 집중 → 서울은 지식 기반 서비스업이 집중 분포, 경기도는 지식 기반 제조업의 비중이 높음

2. 수도권의 문제와 해결 방안

(1) 수도권의 문제: 인구와 기능이 지나치게 집중, 수도권과 비수도권의 인구 및 기능의 격차 확대 → 국토 공간의 불균형 심화

(2) 해결 방안: 과도한 인구 및 기능 집중 억제(과밀 부담금 제도, 수도권 공장 총량제), 지속 가능한 성장 관리 기반 구축(수도권 정비 계획, 다핵 연계형 공간 구조)

02 태백산맥으로 나뉘는 강원 지방

1. 공간 범위와 자연환경 빈출 자료 02

구분		내용
공간 범위		강원도 → 태백산맥을 경계로 동쪽은 영동 지방, 서쪽은 영서 지방으로 구분됨
지형	영동 지방	• 동해와 접하고 있으며 해안을 따라 좁은 평야가 남북으로 길게 발달 • 하천의 유로는 짧고 경사가 급함 • 해안에는 사빈·사주 등의 퇴적 지형과 해식애·시 스택 등의 침식 지형 발달 → 관광 자원으로 활용
	영서 지방	• 완만한 경사, 침식 분지(춘천, 원주, 홍천)와 고원 분포 → 고위 평탄면에서는 고랭지 농업, 목축업 발달 • 하천 중·상류 지역을 중심으로 하안 단구, 감입 곡류 하천 발달
기후	기온	• 영동 지방보다 영서 지방은 기온의 연교차가 큼 • 겨울 기온은 영동 지방이 영서 지방보다 높음(동해와 태백산맥의 영향) • 해발 고도가 높은 지역(대관령, 태백 등)은 저지대보다 기온이 낮음
	강수	• 산지가 많아 지형성 강수가 많음 • 영동 지방은 겨울철에 북동풍의 영향으로 눈이 많이 내림
	바람	늦봄 ~ 초여름에 오호츠크해 기단의 영향 → 영서 지방으로 고온 건조한 높새바람이 불어옴

2. 산업 특색

(1) 풍부한 지하자원: 남한 제1의 광업 지역, 각종 지하자원이 풍부하게 매장(석회석, 무연탄, 텅스텐 등)

(2) 광업 쇠퇴: 에너지 소비 구조의 변화, 해외 자원의 수입 증가→ 광업 쇠퇴

(3) 1차 산업: 임업 및 수산업 발달, 밭농사 중심의 농업

03 빠르게 성장하는 충청 지방

1. 공간 범위와 지역 특색

구분	내용
공간 범위	대전광역시, 세종특별자치시, 충청북도, 충청남도
교통의 중심지	• 철도 교통의 결절지로서 대전 발달 • 경부 고속 국도, 서해안 고속 국도 등과 고속 철도의 개통, 수도권 전철의 연장 → 충청 지방의 물류 기능 강화

2. 충청 지방의 공업 빈출 자료 03

(1) 발달 요인: 편리한 교통, 수도권의 공업 시설 이전, 중국 경제의 부상 등

(2) 입지 특징: 철도, 고속 국도 등의 교통망을 따라 입지

(3) 중화학 공업: 서산(석유 화학 공업), 당진(제철 공업), 아산(IT 업종과 자동차 공업)

(4) 첨단 산업: 대전(대덕 연구 단지 중심), 청주(오송 첨단 의료 복합 단지 및 생명 과학 단지, 오창 과학 산업 단지)

3. 충청 지방의 주요 도시

(1) 충청 지방의 기업 도시와 혁신 도시

① 기업 도시: 충주(지식 기반형 기업 도시), 태안(관광 레저형 기업 도시)

② 혁신 도시: 진천 및 음성

(2) 충청 지방의 도시 성장

① 세종특별자치시: 중앙 행정 기능을 분담하기 위해 조성

② 내포 신도시: 충청남도의 행정 기능 이전

③ 대전: 국제 과학 비즈니스 벨트 조성

④ 당진: 제조업의 발달과 함께 국제 물류 기능 강화

빈출 특강

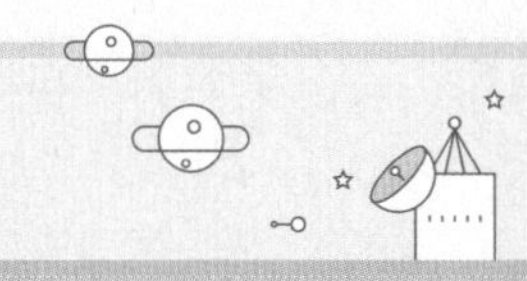

대표 유형

빈출 자료 01 수도권 및 서울의 집중도 | 연계 문제 → 114쪽 01번

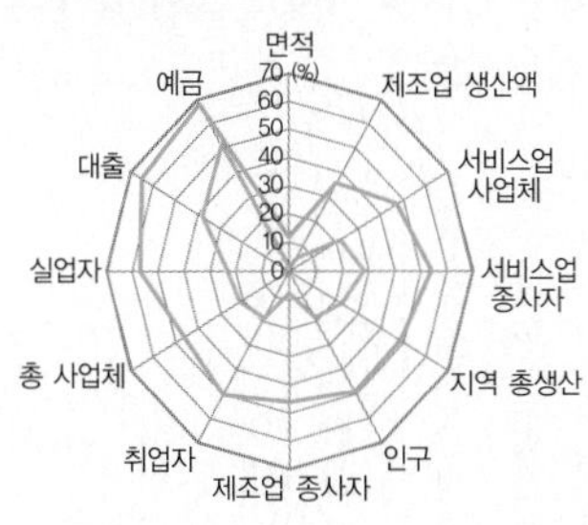

(통계청, 2016)

| 자료 분석 | 수도권의 면적은 우리나라 전체의 약 12%에 불과하지만, 인구는 전체의 절반에 해당하는 약 2,500만 명이 밀집해 있다. 수도권은 정치 · 경제 · 문화 등 여러 측면에서 우리나라의 중심지 역할을 수행하고 있다. 특히 서울에는 중앙 행정 기관을 비롯하여 대기업의 본사와 금융 기관 및 언론사 등이 집중되어 있다. 또한 수도권에는 제조업, 서비스업, 지역 총생산, 사업체 등이 집중되어 있다.

빈출 자료 02 영동 지방과 영서 지방의 기후 차이 | 연계 문제 → 116쪽 07번

〈1월 평균 기온〉

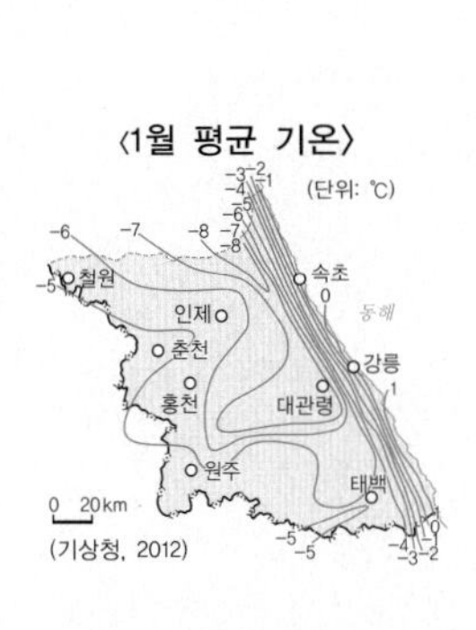

(기상청, 2012)

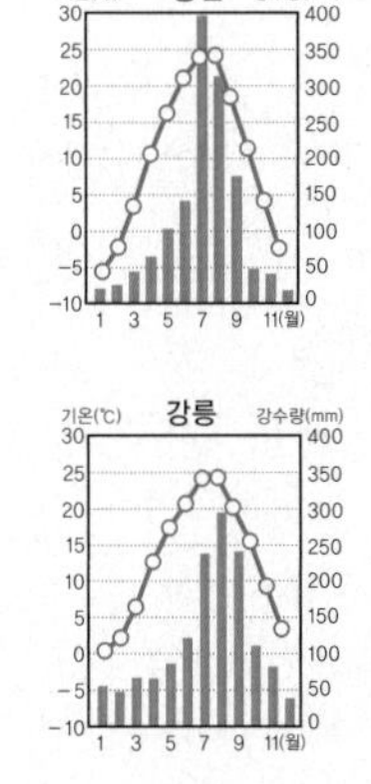

〈8월 평균 기온〉

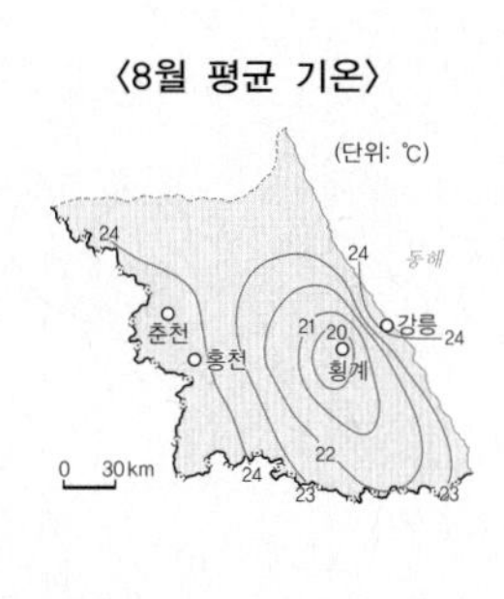

| 자료 분석 | 1월 평균 기온을 보면 영동 지역에 속하는 강릉은 겨울철 태백산맥이 차가운 북서 계절풍을 막아 주기 때문에 영서 지역에 속하는 홍천보다 따뜻하다. 8월 평균 기온은 횡계 일대 지역이 해발 고도가 높아 서늘하며 여름철에 서늘한 기후 특성을 이용한 고랭지 농업이 발달하였다. 겨울철에 강릉은 북동 기류의 영향으로 홍천에 비해 강수량이 많은 편이며, 홍천은 강릉에 비해 하계 강수 집중률이 높다.

빈출 자료 03 충청 지방의 인구와 산업 | 연계 문제 → 117쪽 14번

(통계청, 각 연도)

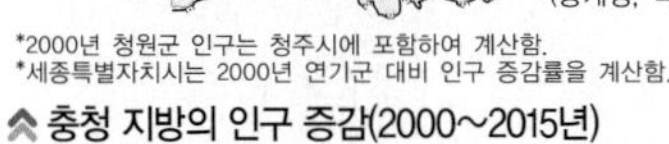
*2000년 청원군 인구는 청주시에 포함하여 계산함.
*세종특별자치시는 2000년 연기군 대비 인구 증감률을 계산함.

▲ 충청 지방의 인구 증감(2000~2015년)

2014년(조 원) 30 이상 / 20~30 / 10~20 / 3~10 / 3 미만 / 자료 없음 / • 일반 산업 단지 / • 국가 산업 단지

(해당 시도청, 2014 / 한국산업단지공단, 2016)

▲ 충청 지방의 지역 내 총생산 및 산업 단지 분포

| 자료 분석 | 2000~2015년 충청 지방의 시 · 군별 인구 증감 경향을 살펴보면 행정 중심 복합 도시인 세종특별자치시와 고속 철도, 수도권 전철의 확장으로 수도권으로의 접근성이 높은 천안, 아산 등 수도권 인접 지역의 인구 증가율이 높게 나타난다. 또한 중화학 공업이 발달한 당진, 서산의 인구 증가율도 높게 나타난다. 충청 지방의 지역 내 총생산액은 대전광역시가 가장 많고 수도권과 인접한 중화학 공업이 발달한 지역이 많다.

자주 나오는 오답 선택지

빈출 자료 01에서 자주 나오는 오답 선택지

① 제조업 종사자 비중은 수도권이 비수도권보다 높다. (→ 낮다)

② 수도권에서 면적이 가장 넓고 인구가 많은 지역은 인천이다. (→ 경기도)

③ 경기도에는 지식 기반 서비스업(→ 지식 기반 제조업), 서울에는 고급 인력과 정보의 집적이 필요한 지식 기반 제조업(→ 지식 기반 서비스업)이 발달하고 있다.

빈출 자료 02에서 자주 나오는 오답 선택지

① 강원도는 소백산맥(→ 태백산맥)을 경계로 영서 지방과 영동 지방으로 구분된다.

② 영서 지방에 위치한 홍천은 영동 지방에 위치한 강릉보다 기온의 연교차가 작다. (→ 크다)

③ 강릉은 겨울철에 남서 기류(→ 북동 기류)의 영향으로 지형성 강설이 많다.

④ 홍천은 내륙에 위치하여 바다의 영향을 적게 받으며 강릉보다 겨울철 강수 집중률이 높다. (→ 낮다)

⑤ 대관령은 해발 고도가 높아 춘천보다 최한월 평균 기온이 더 높다. (→ 낮다)

⑥ 홍천은 여름 강수 집중률이 낮다. (→ 높다)

⑦ 무상 일수는 홍천이 강릉보다 길다. (→ 짧다)

빈출 자료 03에서 자주 나오는 오답 선택지

① 내포 신도시(→ 대전광역시)는 교통의 결절지에 위치하며 대덕 연구 단지가 있는 충청 지방의 대표적인 중심 도시이다.

② 충주와 태안 일대에는 혁신 도시(→ 기업 도시), 진천 · 음성 일대에는 기업 도시(→ 혁신 도시)가 조성 중이다.

③ 충남 당진(→ 아산)은 전자 부품, 컴퓨터, 영상, 음향 및 통신 장비 제조업과 자동차 및 트레일러 제조업이 발달하였다.

④ 충청 지방에서 1차 금속 제조업이 발달한 대표적인 도시는 아산(→ 당진)이다.

VII

올쏘 시험에 꼭 나오는 문제

개념 확인 문제

01 빈칸에 들어갈 알맞은 말을 쓰시오.

(1) 수도권은 행정 구역상 서울특별시, 경기도, (　　　) (으)로 구분된다.

(2) 강원도는 (　　　)산맥을 경계로 영동 지방과 영서 지방으로 구분된다.

(3) 영동 지방은 겨울철에 (　　　) 기류의 영향으로 강설량이 많다.

(4) 태백 산지 주변의 고위 평탄면에서는 (　　　) 농업, 목축업이 발달하였다.

(5) 혁신 도시와 기업 도시로 동시에 지정된 곳은 강원도 (　　　)이다.

(6) 충청 지방은 충청북도, 충청남도, 대전광역시, 행정 중심 복합 도시인 (　　　)(으)로 구분된다.

02 다음 글을 읽고 물음에 답하시오.

> 강원 지방은 풍부한 지하자원을 토대로 우리나라 최대의 광업 지역으로 성장하였다. 자원의 원활한 수송을 위해 ㉠ (고속 철도 / 산업 철도)가 건설되었고, 탄광 개발의 영향으로 지역 경제가 활기를 띠기도 하였다. 하지만 1980년대부터 ㉡ (석유 / 석탄) 수요가 크게 감소하기 시작하였으며, 1989년에 시행된 ㉢ (에너지 절약 / 석탄 산업 합리화) 정책으로 탄광 대다수가 폐광되었다. 이에 따라 강원 지방의 산업에서 광업이 차지하는 비중이 크게 ㉣ (증가 / 감소)하였다.

(1) ㉠, ㉡에 알맞은 말을 골라 쓰시오.

(2) ㉢, ㉣에 알맞은 말을 골라 쓰시오.

03 다음 자료를 보고 ㉠, ㉡에 들어갈 알맞은 지역을 쓰시오.

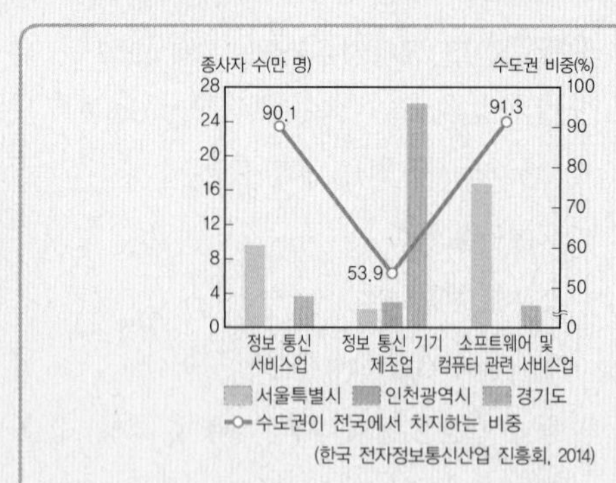

(한국 전자정보통신산업 진흥회, 2014)

> 최근 수도권에서는 산업 구조의 고도화가 진행되면서 ㉠ (　　　)에서는 넓은 공장 부지를 필요로 하는 지식 기반 제조업, ㉡ (　　　)에서는 고급 인력과 정보의 집적이 필요한 지식 기반 서비스업이 발달하고 있다.

01 인구와 기능이 집중된 수도권

(빈출 문제) 연계 자료 → 113쪽 빈출 자료 01

01 그래프는 우리나라의 인구 변화를 나타낸 것이다. 수도권에 속하는 (가)~(다) 지역으로 옳은 것은?

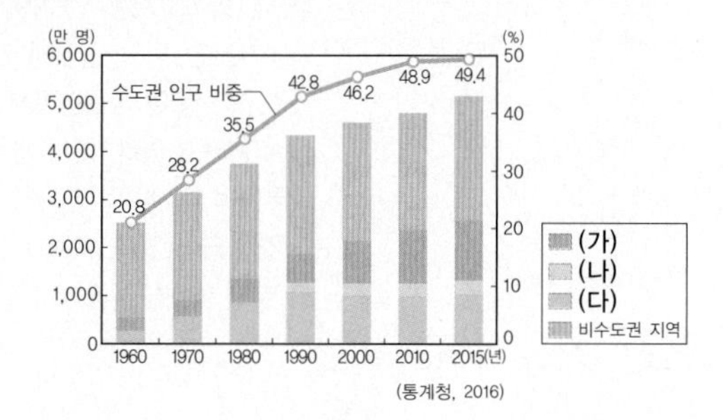

(통계청, 2016)

	(가)	(나)	(다)
①	경기도	서울특별시	인천광역시
②	경기도	인천광역시	서울특별시
③	서울특별시	경기도	인천광역시
④	서울특별시	인천광역시	경기도
⑤	인천광역시	서울특별시	경기도

유사 선택지 문제

01_ ❶ 최근 서울은 산업 구조의 고도화로 인해 2차 산업의 비중이 높아지고 있다. (○ / ×)

01_ ❷ 경기도는 수도권에서 제조업 생산액이 가장 많다. (○ / ×)

01_ ❸ 최근 수도권의 산업 구조는 기술 집약적 첨단 산업 중심으로 빠르게 변화하고 있다. (○ / ×)

02 표는 수도권의 제조업 사업체 수 변화를 나타낸 것이다. 이에 대한 설명으로 옳지 않은 것은? (단, (가)~(다)는 경기, 서울, 인천 중 하나임.)

구분	2004년(A)	2014년(B)	증감률(B/A)
전국	54,797	68,640	25.3%
(가)	5,693	4,589	−19.4%
(나)	4,712	4,870	3.4%
(다)	18,306	23,955	30.9%
수도권	52.4%	48.7%	−3.7%

* 단, 10인 이상의 사업체만을 대상으로 함. (경인 지방 통계청, 2015)

① 2004~2014년 수도권의 사업체 수 비중은 감소하였다.

② 2004~2014년 (나)의 사업체 수는 증가하였다.

③ 2004~2014년 (가)~(다) 중에서 (가)의 탈공업화 현상이 두드러진다.

④ 2004~2014년 (가)~(다) 중에서 사업체 수가 가장 많이 증가한 지역은 (다)이다.

⑤ (가)는 서울, (나)는 경기, (다)는 인천이다.

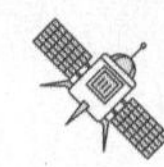

03 (가), (나)의 문화 공간을 답사하기에 적절한 지역을 지도의 A~D에서 고른 것은?

> (가) 정조가 주민 거주 공간 마련과 국가 방어 등의 이유로 축성한 계획도시이며, 역사 · 문화적 가치를 인정받아 세계 문화유산으로 등재된 전통문화 공간이다.
> (나) 예술인들의 작업실이 갖추어진 문화 예술 공간으로 일반인들이 이용할 수 있는 미술관, 공연장, 체험장, 박물관 등도 마련되어 있으며, 출판 단지를 중심으로 출판 도시를 내세워 지역 브랜드화를 추진하고 있다.

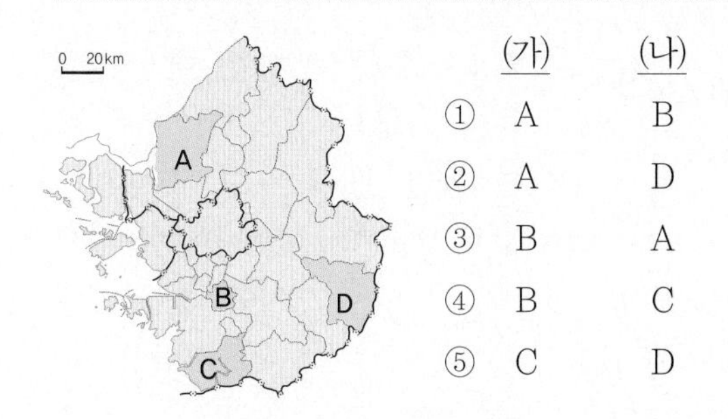

	(가)	(나)
①	A	B
②	A	D
③	B	A
④	B	C
⑤	C	D

04 다음 자료의 ㉠~㉤에 대한 설명으로 옳은 것은?

> 제3차 수도권 정비 계획(2006~2020년)은 수도권에 과도하게 집중된 ㉠ 인구와 기능을 적정하게 분산 배치하여 ㉡ 수도권을 균형 있게 발전시키기 위한 종합 계획이다. 수도권을 다핵 연계형 공간 구조로 전환하기 위해서 지역별 특성을 고려한 클러스터형 산업 벨트 구축, 서울 중심의 방사형 교통 체계에서 환상 격자형 교통 체계로 전환, 수도권 내 ㉢ 낙후 지역 개발을 통한 균형 있는 발전 촉진 등을 기본 방향으로 설정하였다.

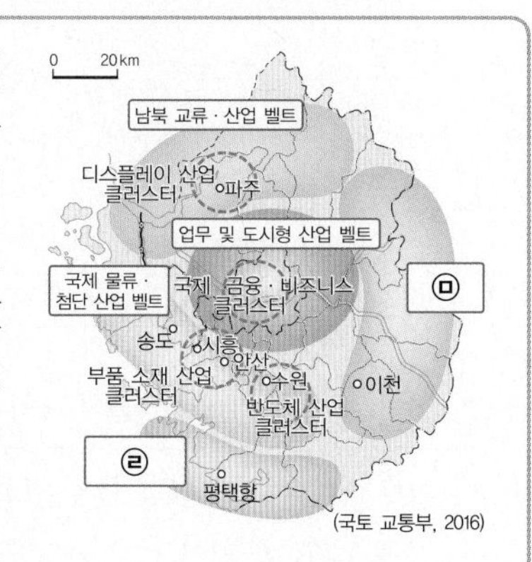

(국토 교통부, 2016)

① ㉠으로 인해 통근권의 확대와 거주지의 교외화가 나타났다.
② ㉡을 위해 수도권 공장 총량제 등 규제를 완화하였다.
③ ㉢은 1970년대 국토 개발 정책부터 시도되었다.
④ ㉣은 전원 휴양 벨트이다.
⑤ ㉤은 해상 물류 · 산업 벨트이다.

02 태백산맥으로 나뉘는 강원 지방

05 지도의 A 지역에서는 (가), (나)와 같은 농목업이 발달하였다. 이에 대한 설명으로 옳은 것은?

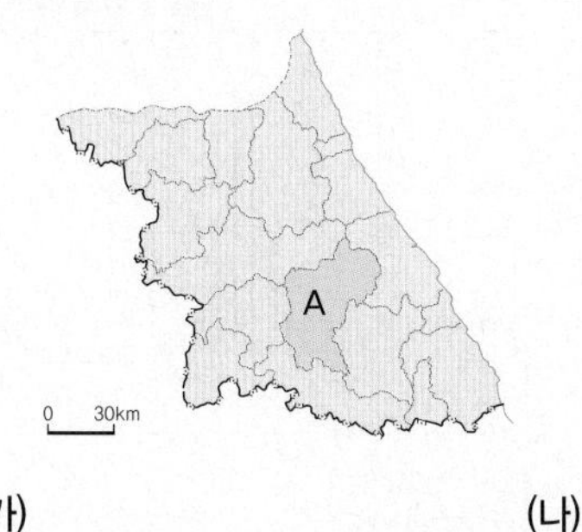

(가)

(나)

① (가) 작물은 출하 시기의 경쟁력이 높다.
② (가) 작물은 제주도에서도 널리 재배된다.
③ (가)는 노지보다는 시설 재배 면적 비중이 높다.
④ (나)는 수륙 분포의 영향으로 연중 온화한 기후가 나타나기 때문에 가능하다.
⑤ (가)와 (나) 농목업이 이루어지는 지역의 토양은 충적토 비중이 높아 비옥하다.

06 다음 글의 밑줄 친 ㉠~㉤에 대한 설명으로 옳지 않은 것은?

> 강원 지방에서 ㉠ 태백산맥 동쪽에 위치한 ㉡ 영동 지방은 동서 폭이 좁고 영서 지방에 비해 급경사를 이루고 있으며, 해안가에는 소규모 평야가 발달하였다. 또한 ㉢ 영동 지방은 영서 지방에 비해 겨울철 기온이 온화하며, ㉣ 북동 기류의 유입과 해발 고도가 높은 지형의 영향으로 강설량이 많은 편이다. 태백산맥 서쪽에 위치한 영서 지방에는 고원과 ㉤ 침식 분지가 발달하였다.

① ㉠의 미시령을 기준으로 영동 지방과 영서 지방으로 구분된다.
② ㉡으로 인해 영동 지방은 영서 지방에 비해 하천의 유로가 짧다.
③ ㉢은 동해와 태백산맥의 영향을 받았다.
④ ㉣이 발생할 때 영동 지방은 바람받이에 해당한다.
⑤ ㉤은 춘천, 양구, 원주 등이 대표적이다.

(빈출 문제) 연계 자료 → 113쪽 빈출 자료 02

07 (가), (나)는 지도에 표시된 A, B 지역의 기후 그래프이다. 이에 대한 옳은 설명을 《보기》에서 고른 것은?

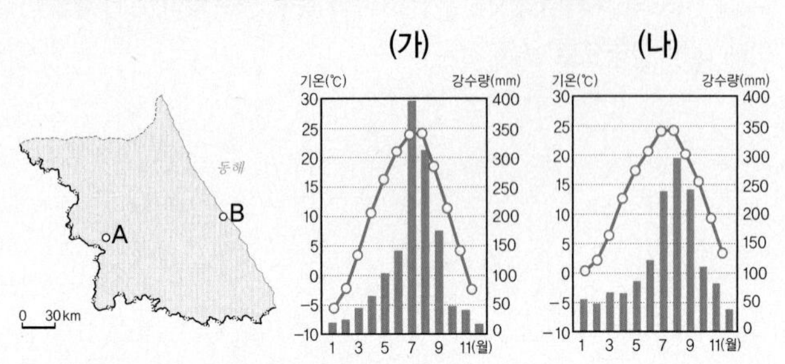

《보기》

ㄱ. A는 (가), B는 (나)이다.
ㄴ. 여름 강수 집중률은 A가 B보다 높다.
ㄷ. 겨울 강수량은 (가)가 (나)보다 많다.
ㄹ. 기온의 연교차는 (나)가 (가)보다 크다.

① ㄱ, ㄴ　② ㄱ, ㄷ　③ ㄴ, ㄷ　④ ㄴ, ㄹ　⑤ ㄷ, ㄹ

유사 선택지 문제

07_ ❶ A는 B보다 무상 일수가 길다. (○ / ×)
07_ ❷ 겨울 강수 집중률은 A가 B보다 낮다. (○ / ×)
07_ ❸ 홍천은 강릉보다 여름 강수량이 많다. (○ / ×)

08 그래프는 태백시의 산업별 종사자 비중 변화를 나타낸 것이다. 1986년과 비교한 2014년의 상대적 특징을 그림의 A～E에서 고른 것은?

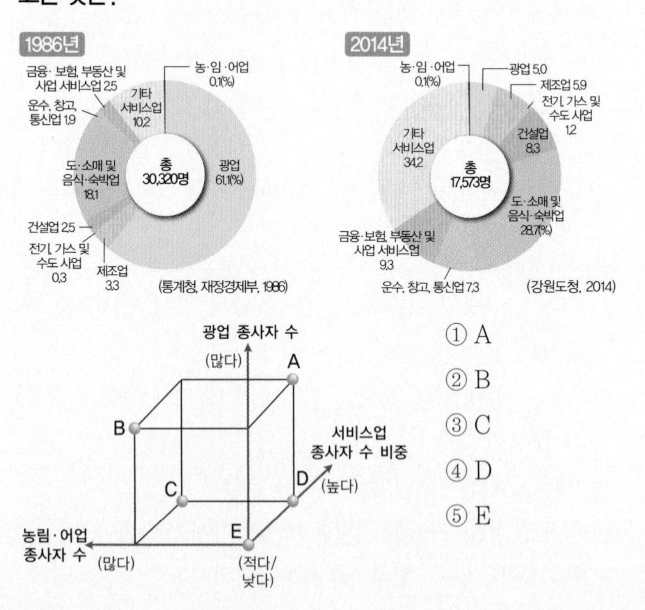

① A　② B　③ C　④ D　⑤ E

09 그래프는 강원 지방의 산업별 취업자 수 변화를 나타낸 것이다. (가)～(다) 산업으로 옳은 것은?

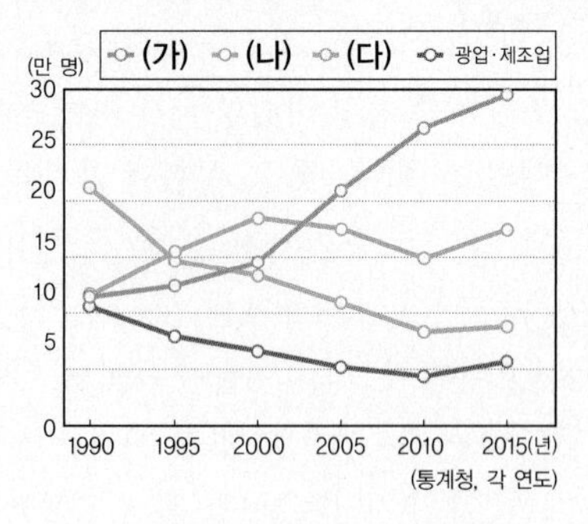

	(가)	(나)	(다)
①	농림 · 어업	도 · 소매 및 음식 · 숙박업	사업 · 개인 · 공공 기타 서비스업
②	농림 · 어업	사업 · 개인 · 공공 기타 서비스업	도 · 소매 및 음식 · 숙박업
③	도 · 소매 및 음식 · 숙박업	농림 · 어업	사업 · 개인 · 공공 기타 서비스업
④	도 · 소매 및 음식 · 숙박업	사업 · 개인 · 공공 기타 서비스업	농림 · 어업
⑤	사업 · 개인 · 공공 기타 서비스업	도 · 소매 및 음식 · 숙박업	농림 · 어업

10 다음 글의 (가), (나) 지역을 지도의 A～D에서 고른 것은?

(가) 정동진은 바다와 접한 정동진역과 대형 모래시계, 조각 공원 등이 있어 많은 관광객이 찾는 곳이며 일출 명소로도 유명하다.
(나) 전국에서 유일하게 혁신 도시와 기업 도시로 함께 지정된 곳으로, 수도권에 있던 공공 기관들이 이전했거나 이전할 예정이며, 바이오 산업의 집약 도시로 조성할 예정이다.

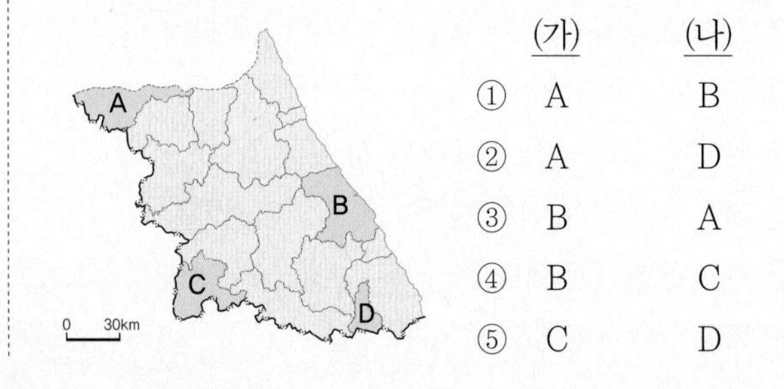

	(가)	(나)
①	A	B
②	A	D
③	B	A
④	B	C
⑤	C	D

03 빠르게 성장하는 충청 지방

11 지도의 A~E 지역과 지역별 특성을 나타낸 사진의 연결이 옳지 않은 것은?

① A ② B ③ C ④ D ⑤ E

12 다음 자료에 대한 설명으로 옳지 않은 것은? (단, A~C는 대전, 천안, 청주 중 하나임.)

> 1900년대 초 충청 지방의 경제 및 교통 중심지는 공주였다. ㉠ ○○은/는 우리말로 한밭, 즉 넓은 들판이라는 의미의 한자식 표현으로, 지명에서 당시 한가로운 농촌이었음을 알 수 있다. ○○은/는 1905년 ㉡ 경부선이 개통되면서 도시로 성장하기 시작하였다. 이후 1914년 호남선이 개통되고 1932년 공주에 있던 ㉢ 충남 도청이 ○○으로 이전하는 등 각종 관청이 들어서면서 많은 인구가 모여들어 대도시로 빠르게 성장하였다.
>
> 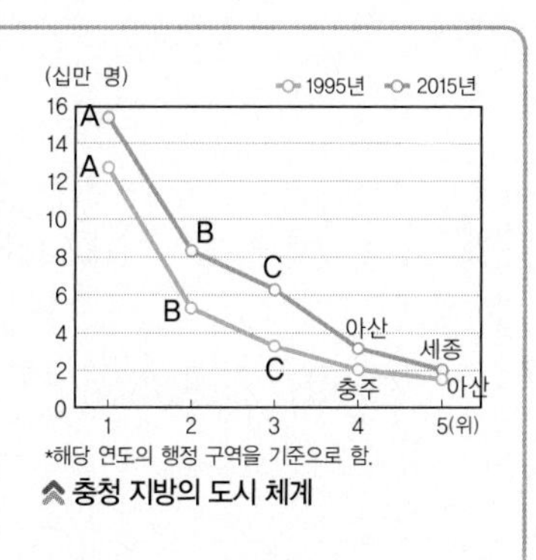
>
> 충청 지방의 도시 체계

① ㉠은 B에 해당한다.
② ㉡은 서울과 부산을 연결한다.
③ ㉢에 따라 공주의 인구는 감소하였다.
④ 1995년 A 인구는 B 인구의 2배 이상이다.
⑤ 2015년 충청권의 인구 순위 5위권 도시는 충남이 충북보다 많다.

13 그래프는 충청 지방의 산업별 생산액 비중 변화를 나타낸 것이다. (가)~(다) 지역으로 옳은 것은?

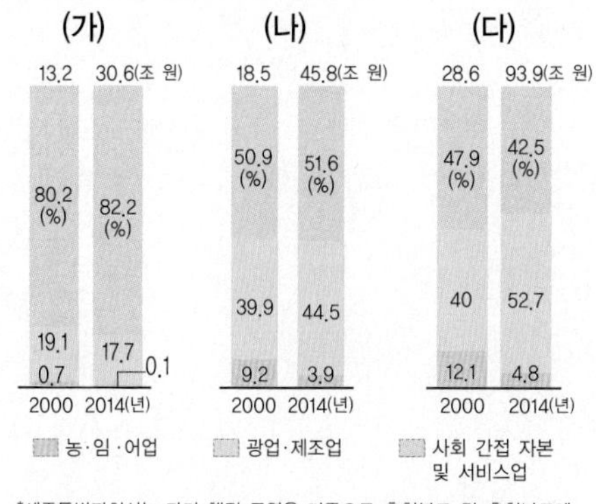

	(가)	(나)	(다)
①	충청남도	충청북도	대전광역시
②	충청남도	대전광역시	충청북도
③	충청북도	충청남도	대전광역시
④	대전광역시	충청남도	충청북도
⑤	대전광역시	충청북도	충청남도

(빈출 문제) 연계 자료 → 113쪽 빈출 자료 03

14 지도는 충청 지방의 인구 증감(2000~2015년)을 나타낸 것이다. 이에 대한 옳은 설명만을 《보기》에서 있는 대로 고른 것은?

《보기》
ㄱ. 전라북도와 인접한 지역의 인구는 감소했다.
ㄴ. 수도권과 인접한 지역의 인구 증가율이 낮다.
ㄷ. 세종특별자치시는 대전광역시보다 인구가 많다.
ㄹ. 군(郡) 지역이 시(市) 지역보다 인구 증가율이 대체로 낮다.

① ㄱ, ㄷ ② ㄱ, ㄹ ③ ㄴ, ㄷ
④ ㄱ, ㄴ, ㄷ ⑤ ㄴ, ㄷ, ㄹ

유사 선택지 문제

14_ ❶ 경부축에 위치하는 충청 지방의 도시들은 대부분 인구가 감소하고 있다. (○ / ×)
14_ ❷ 중화학 공업이 발달한 지역의 인구 증가율이 높다. (○ / ×)
14_ ❸ 충청 지방의 인구 분포는 교통 조건의 영향이 크다. (○ / ×)

15 그래프는 충청 지방에 위치한 (가)~(다) 지역의 제조업 업종별 출하액 비중을 나타낸 것이다. (가)~(다) 지역을 지도의 A~C에서 고른 것은?

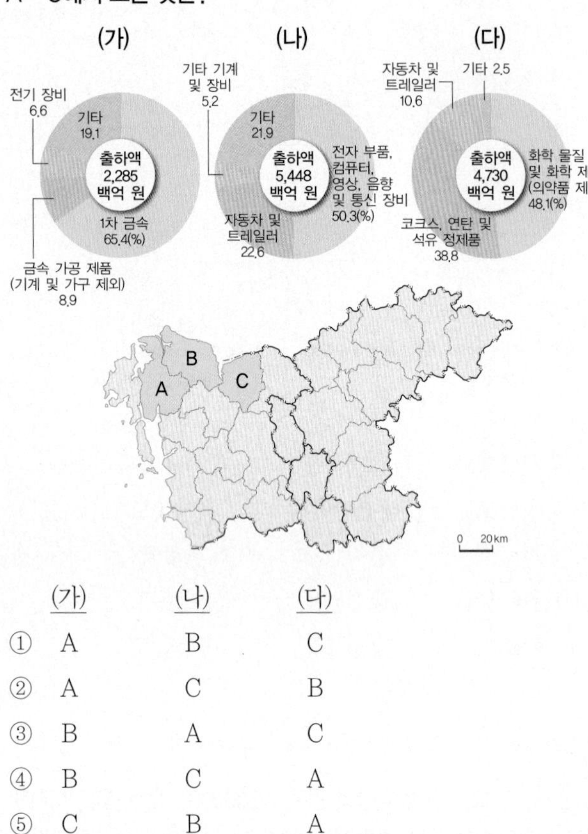

	(가)	(나)	(다)
①	A	B	C
②	A	C	B
③	B	A	C
④	B	C	A
⑤	C	B	A

16 그래프는 충청 지방의 도시별 인구 순 이동을 나타낸 것이다. 이에 대한 설명으로 옳지 않은 것은?

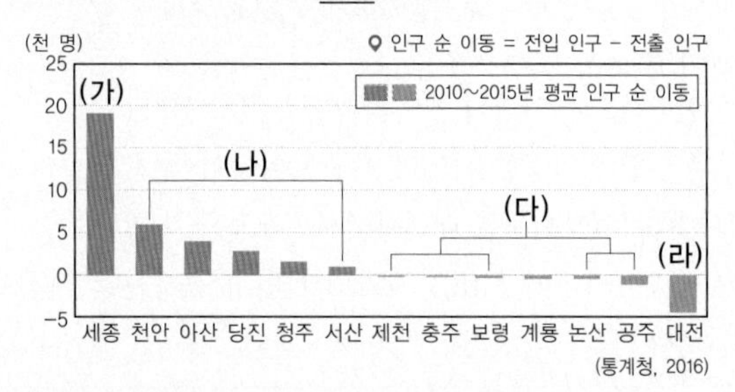

① (가)는 행정 중심 복합 도시로 개발되면서 인구 유입이 많았다.
② (라)는 거주지의 교외화 현상으로 인구가 감소했다.
③ (가)는 (라)보다 도시 발달의 역사가 짧다.
④ (나)는 (다)보다 원료의 해외 의존도가 높은 공업이 발달한다.
⑤ (다)는 (나)보다 수도권과의 교통 접근성이 좋다.

서술형 문제

17 지도를 보고 물음에 답하시오.

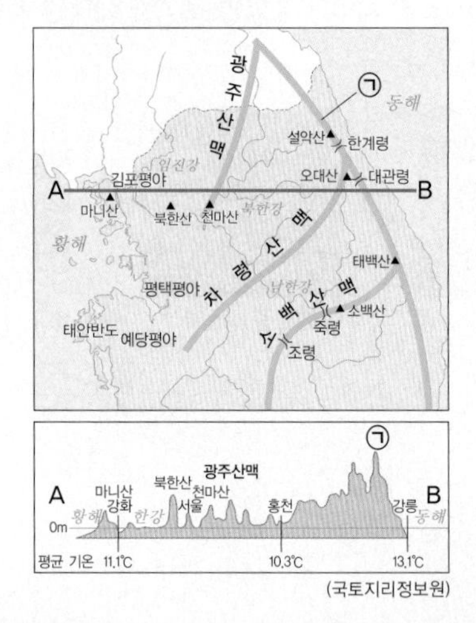

(1) ㉠ 산맥의 이름을 쓰고, A−B 단면의 특징을 서술하시오.

(2) ㉠을 경계로 강원도가 어떻게 구분되는지 쓰고, 구분된 두 지역의 지형 특색을 비교하여 서술하시오.

18 지도는 충청권의 두 지역에 대한 것이다. 이를 보고 물음에 답하시오.

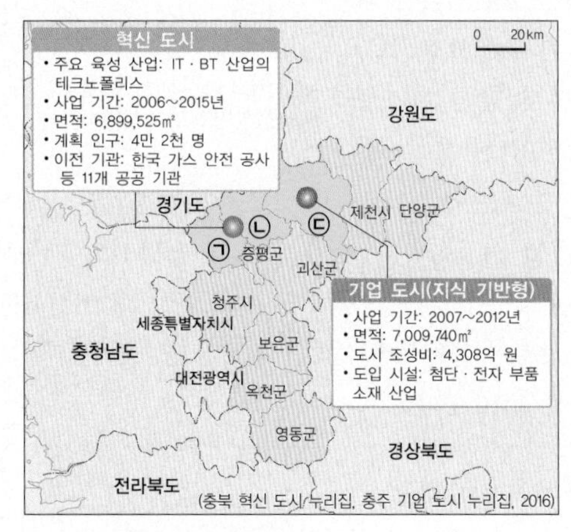

(1) ㉠~㉢의 지명을 각각 쓰시오.

(2) ㉠~㉢ 지역을 혁신 도시와 기업 도시로 지정한 배경을 서술하시오.

상위 4% 문제

| 평가원 |

01 지도의 A~E 지역에 대한 설명으로 옳지 않은 것은?

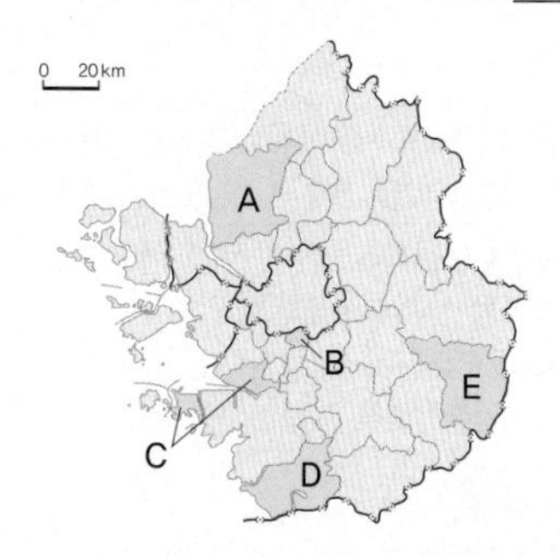

① A는 대북 접경 지역으로 남한과 북한을 연결하는 교통 요충지로서의 역할이 기대되고, 최근 신도시 개발이 이루어지고 있다.
② B는 서울의 위성 도시로 개발되었고, 대규모 산업 단지가 조성되어 제조업 종사자의 비중이 높다.
③ C는 서울의 공업 시설과 인구의 분산을 위해 계획적으로 개발되었고, 외국인 근로자의 유입으로 '국경 없는 마을'이 형성되었다.
④ D는 수도권 남부의 중심 항구 도시로 물류 기능이 발달해 있으며, 경제 자유 구역으로 지정된 곳이 있다.
⑤ E는 하천 주변에 발달한 충적지에서 벼농사가 활발하게 이루어지며, 도자기 축제가 열리는 곳이다.

| 수능 |

02 지도의 A~E 지역 특성을 활용한 탐구 주제로 가장 적절한 것은?

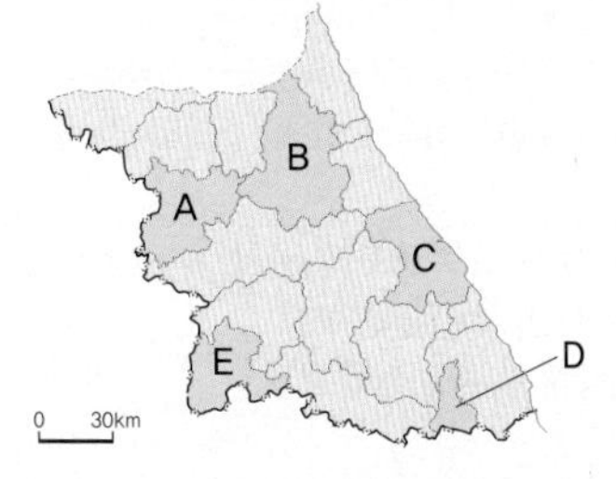

① A: 천연기념물로 지정된 석회동굴을 활용한 지역 홍보 방안
② B: 석탄 산업 쇠퇴 후 폐광의 관광 자원화 현황
③ C: 조력 발전소 건설 이후 해양 생태계의 변화
④ D: 국토 정중앙 테마 공원 조성을 통한 관광객 유치 방안
⑤ E: 기업 도시 조성 현황과 첨단 의료 복합 도시로의 성장 방안

| 평가원 |

03 다음 자료의 (가)~(다) 지역을 지도의 A~E에서 고른 것은?

지역	DMZ 인근 시 · 군 소개
(가)	• LCD 산업 클러스터 입지 • 남북 정상 회담이 열린 판문점
(나)	• 한탄강을 따라 펼쳐진 용암 대지 • 지리적 표시제에 등록된 쌀
(다)	• 람사르 습지로 등록된 대암산 용늪 • 내린천의 급류를 활용한 래프팅

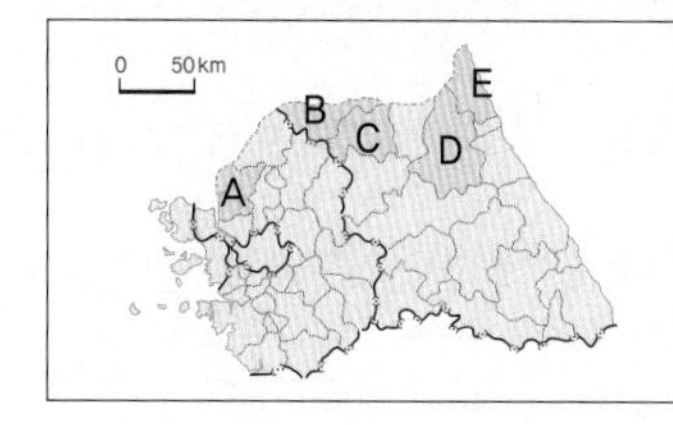

	(가)	(나)	(다)
①	A	B	D
②	A	C	E
③	B	C	D
④	B	D	E
⑤	E	D	A

| 평가원 응용 |

04 지도는 최근 충청권에서 추진되고 있는 신도시에 관한 것이다. 이에 대한 옳은 설명을 《보기》에서 고른 것은?

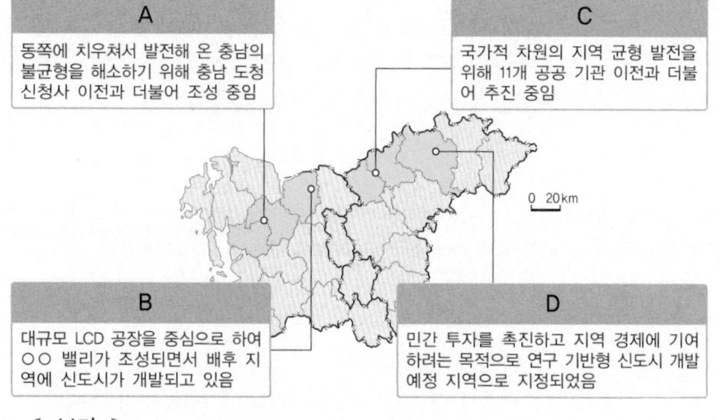

《 보기 》
ㄱ. A는 기업, B는 중앙 정부에 의해 조성되고 있다.
ㄴ. C는 혁신 도시, D는 기업 도시로 개발되고 있다.
ㄷ. B는 D보다 고속 철도 정차역에 가깝다.
ㄹ. A~D는 모두 수도권 집중 촉진 정책의 일환으로 조성되고 있다.

① ㄱ, ㄴ ② ㄱ, ㄷ ③ ㄴ, ㄷ
④ ㄴ, ㄹ ⑤ ㄷ, ㄹ

16 다양한 산업이 함께 발전하는 호남 지방 ~ 세계적인 관광 중심지 제주특별자치도

출제 경향
★호남 및 영남 지방의 주요 도시
★호남 및 영남 지방의 주요 산업
★제주도의 지형과 기후
★제주도의 관광 산업

01 다양한 산업이 함께 발전하는 호남 지방

1. 지역 특색

공간 범위	• 한반도의 서남부에 위치 • 광주광역시, 전라북도, 전라남도
지형	• 노령산맥과 소백산맥 일대 산지 → 진안고원 일대(고랭지 농업 발달) • 김제·만경평야, 나주평야 • 갯벌과 섬, 리아스 해안 발달 → 연안 어업과 양식업 발달, 관광 산업 발달
간척 사업	• 범람원과 갯벌이 넓게 분포 → 오래전부터 농지 개간 및 간척 사업이 이루어졌음 • 일제 강점기: 간척 사업을 통해 농지와 마을을 조성하였음 • 광복 이후: 간척 기술의 발달로 정부와 민간이 주도하여 대규모 간척 사업 추진 → 계화도 간척지, 새만금 간척지

2. 산업 구조의 변화 빈출 자료 01

1차 산업	넓은 평야(농업 발달), 해안 및 섬 지역(수산업 발달)
공업	• 1970년대: 여수 일대에 석유 화학 산업 단지 조성, 수도권과 영남권에 비해 상대적으로 발전이 부진함 → 호남권 인구가 수도권과 영남권으로 이동하여 인구 감소 • 1980년대: 광양만을 중심으로 제철 공업을 비롯한 중화학 공업 발달 • 1990년대 이후: 중국과의 교역 확대 → 대불 국가 산업 단지, 군장 국가 산업 단지 조성
관광 산업	• 청정한 자연환경 –지리산, 덕유산, 내장산, 변산반도, 다도해 → 국립 공원 –전주, 신안군 증도, 완도군 청산도 → 슬로 시티 • 풍부한 문화 자원: 다양한 음식 문화 발달, 민속 문화(판소리 등), 각종 문화 유적(읍성, 사찰 등) • 고유한 문화유산: 고인돌 유적지, 판소리 등 → 세계 문화유산으로 등재 • 다양한 지역 축제: 자연과 전통을 활용한 축제 발달 → 김제 지평선 축제, 무주 반딧불 축제, 남원 춘향제, 순창 장류 축제, 보성 다향제, 함평 나비 축제, 순천만 갈대 축제 등

02 공업과 함께 발달한 영남 지방

1. 지역 특색

공간 범위	• 한반도의 남동부에 위치 • 부산광역시, 대구광역시, 울산광역시, 경상남도, 경상북도
인구	• 1970년대 이후 영남 내륙과 남동 해안에 산업 단지가 들어서면서 구미, 대구, 포항, 울산, 창원 등을 중심으로 인구 급증 • 경상북도 북부와 경상남도 서부 지역은 지속적인 인구 유출과 급속한 인구 고령화 발생
산업	• 농업: 북부 내륙 – 과수 농업, 낙동강 하구 삼각주와 대도시 근교 – 시설 원예 농업 • 제조업: 영남 내륙 – 풍부한 노동력, 남동 임해 지역 – 원료 및 제품의 수출입에 유리한 위치 • 상업 및 교육 서비스업: 부산, 대구 등 대도시 중심 • 관광 및 휴양 산업: 안동, 경주 등

2. 영남 지방의 공업

(1) 공업의 발달

배경	원료 수입과 제품 수출에 유리한 항만 발달, 풍부한 노동력, 도로 및 철도 교통의 발달, 정부의 성장 거점 개발 정책
발달 과정	• 1960년대: 노동력이 풍부한 부산, 대구 중심, 식료품, 신발 및 섬유 등 노동 집약적 경공업 발달 • 1970년대: 정부 주도의 중화학 공업 육성 정책, 포항, 울산, 창원, 거제 등을 중심으로 중화학 공업 발달

(2) 공업 지역 빈출 자료 02

영남 내륙 공업 지역	• 오랜 전통과 풍부한 노동력, 경부 고속 국도가 관통하는 편리한 육상 교통 조건을 바탕으로 성장 • 대구 – 섬유 공업, 구미 – 전자 공업
남동 임해 공업 지역	• 육상 및 해상 교통 편리 → 원료의 수입과 제품의 수출에 유리, 풍부한 동력 자원 • 울산 – 자동차·조선·석유 화학 공업, 포항 – 제철 공업, 거제 – 조선 공업

3. 주요 도시

대도시	• 부산(우리나라 최대의 무역항) • 대구(섬유 공업 쇠퇴, 패션과 문화 콘텐츠 산업 발전에 주력) • 울산(중화학 공업을 중심으로 성장) • 창원(기계 공업 단지 조성, 경남 도청 이전 → 2010년에 마산, 진해와 통합)
전통문화 도시	• 안동: 조선 시대 고택과 서원이 잘 보존된 전통 마을을 관광 산업과 연계, 경북 도청의 이전으로 행정 기능 강화 • 경주: 고분, 사찰 등이 세계 문화유산으로 지정, 보문 관광 단지를 중심으로 관광 산업 발달 • 김천, 진주: 도시 성장이 정체되었으나 최근 혁신 도시로 지정

03 세계적인 관광 중심지 제주특별자치도

1. 자연환경

기후	• 한반도의 남쪽에 위치, 주변에 난류가 흘러 연평균 기온이 가장 높음 • 기온의 연교차가 작고 강수량이 많음
식생	• 해안 저지대는 겨울철에도 따뜻하여 난대성 식물 분포 • 해발 고도가 높아질수록 기온이 낮아져 식생의 수직적 분포가 잘 나타남
지형	• 한라산: 전체적으로 경사가 완만한 순상 화산, 산정부는 경사가 급한 종상 화산, 백록담(화구호) • 오름, 용암동굴, 주상 절리 발달

2. 문화와 농목업

(1) 독특한 문화: 전통 가옥(그물 지붕과 돌담), 육지로부터 멀리 떨어져 다른 지역과 구별되는 독특한 방언과 문화가 발달 → 관광 산업 발달 빈출 자료 03

(2) 농목업: 밭농사 중심의 농업(지표수가 부족하여 논농사가 불리 → 밭농사 발달), 목축업(한라산 200~600m 사이에 넓은 2차 초지대 발달)

올쏘 빈출 특강

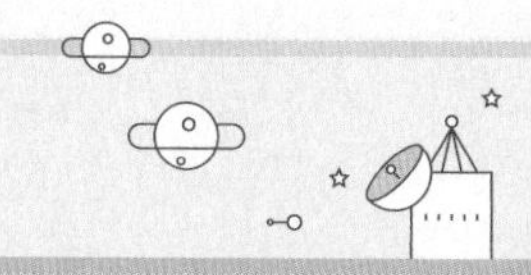

대표 유형

빈출 자료 01 호남 지방의 공업 | 연계 문제 → 123쪽 06번

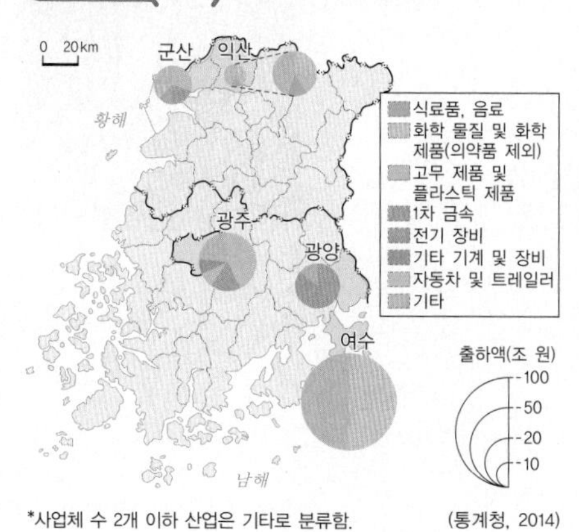

*사업체 수 2개 이하 산업은 기타로 분류함. (통계청, 2014)

| 자료 분석 | 호남 지방의 근대적 공업 발달은 다른 지역에 비해 상대적으로 늦었지만, 1970년대 여수 석유 화학 산업 단지를 비롯하여 1980년대에는 광양 제철소가 건설되면서 광양만을 중심으로 중화학 공업이 발달하였다. 1990년대 중반 이후 광주는 호남 지방의 자동차 공업 중심지로 성장하였다.

빈출 자료 02 영남 지방의 공업 | 연계 문제 → 124쪽 10번, 125쪽 12번

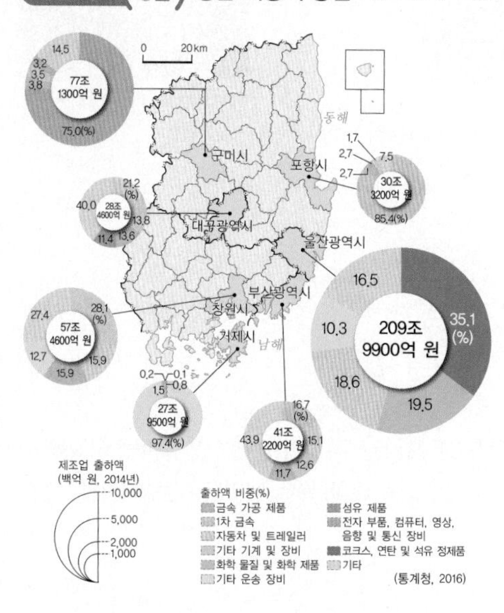

| 자료 분석 |

- 영남 지방은 1960년대 노동력이 풍부한 부산과 대구를 중심으로 경공업이 발달하기 시작하였으며, 1970년대 조성된 대규모 국가 산업 단지는 지역의 산업 구조와 도시 인구 증가에 큰 영향을 끼쳤다.
- 원료의 수입과 제품의 수출에 유리한 남동 해안 지역에는 중화학 공업 단지가 세워졌다. 포항은 제철 공업, 울산은 조선 · 자동차 · 석유 화학 공업, 창원은 기계 공업, 거제는 조선 공업을 중심으로 발달하였다.

빈출 자료 03 제주도의 인구 변화 | 연계 문제 → 125쪽 14번

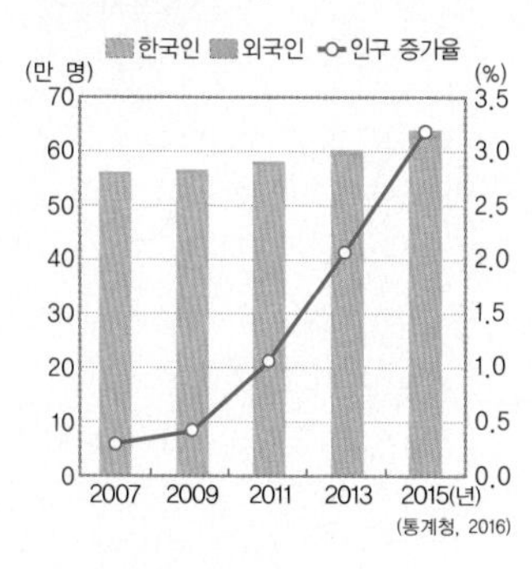

| 자료 분석 | 최근 제주도의 인구 증가율이 높아졌다. 특별자치도 지정과 함께 친환경적인 긍정적 이미지, 외국 관광객의 증가 등에 따른 지가 상승 등이 영향을 끼친 결과이다. 또한 유네스코 세계 자연 유산 지정 등에 따른 인지도 상승과 항공 및 선박 교통편의 확충, 한류(韓流)의 영향 등으로 제주도를 찾는 외국인 관광객도 증가하고 있다.

자주 나오는 오답 선택지

빈출 자료 01에서 자주 나오는 오답 선택지

① 제조업의 출하액은 광주가 여수보다 많다. (→ 적다)

② 광양에서 발달한 1차 금속 제조업은 원료의 해외 의존도가 매우 낮다. (→ 높다)

③ 광주광역시에서 발달한 자동차 및 트레일러 제조업은 시장 지향형 공업이다. (→ 집적 지향형 공업)

④ 자동차 및 트레일러 제조업의 비중이 높은 지역은 광주와 광양이다. (→ 군산)

⑤ 군산은 (→ 여수) 화학 물질 및 화학 제품 제조업의 출하액 비중이 가장 높다.

빈출 자료 02에서 자주 나오는 오답 선택지

① 대구는 (→ 구미) 전자 부품, 컴퓨터, 영상, 음향 및 통신 장비 제조업의 출하액 비중이 가장 높다.

② 영남 지방의 도시 중 부산의 (→ 울산) 제조업 출하액이 가장 많다.

③ 포항은 석유 화학 제조업의 (→ 1차 금속 제조업) 비중이 가장 높다.

④ 대구의 섬유 제품 제조업은 1960년대 우리나라 수출을 주도했던 대표적인 중화학 공업이다. (→ 경공업)

⑤ 섬유 제품 제조업은 석유 화학 공업보다 생산비에서 노동비가 차지하는 비중이 낮다. (→ 높다)

⑥ 창원은 (→ 거제) 조선 공업, 거제는 (→ 창원) 기계 및 장비 제조업이 발달하였다.

빈출 자료 03에서 자주 나오는 오답 선택지

① 귀농 · 귀촌을 원하는 이주민들이 많아지면서 2011~2015년 제주도의 인구 증가율은 낮아졌다. (→ 높아졌다)

② 2006년 특별자치도로 지정된 이후 제주도의 인구는 꾸준히 감소하고 있다. (→ 증가)

③ 최근 제주도를 방문하는 외국 관광객의 수가 감소하였다. (→ 증가)

올쏘 시험에 꼭 나오는 문제

개념 확인 문제

01 빈칸에 들어갈 알맞은 말을 쓰시오.

(1) 전라남도 (   )에는 규모가 큰 석유 화학 산업 단지가 있다.

(2) 영남이라는 지역명은 소백산맥에 있는 (   )의 남쪽이라는 의미이다.

(3) 대구와 구미를 중심으로 한 (   ) 공업 지역은 풍부한 노동력과 편리한 교통을 바탕으로 섬유 및 전자 공업이 발달하였다.

(4) 포항에서 광양, 여수에 이르는 (   ) 공업 지역은 우리나라 최대의 중화학 공업 지역이다.

(5) 우리나라에서 가장 큰 섬인 제주도는 남해상에 위치하여 기온의 연교차가 작고 겨울이 온화한 (   ) 기후가 나타난다.

02 다음 설명에 해당하는 지역을 《보기》에서 골라 그 기호를 쓰시오.

《보기》
ㄱ. 호남 지방　　ㄴ. 영남 지방　　ㄷ. 제주도

(1) 한반도의 남동부에 위치하고 있으며 부산광역시, 대구광역시, 울산광역시, 경상북도와 경상남도를 포함하는 지역이다.

(2) 한반도의 서남쪽에 위치하며, 광주광역시와 전라북도, 전라남도를 포함하는 지역이다.

(3) 태백산맥과 소백산맥으로 둘러싸여 있으며, 낙동강과 그 주변에는 크고 작은 평야와 분지가 분포한다.

(4) 1970년대 정부의 성장 거점 개발 정책과 수출 위주의 중화학 공업 육성 정책으로 제조업이 크게 발달하였다.

(5) 싱가포르, 홍콩 등과 같은 국제 자유 도시로 발전시키기 위해 2006년 특별자치도로 승격하였다.

03 다음 글의 ㉠, ㉡에 들어갈 알맞은 말을 쓰고, ㉢은 옳은 내용에 ○표 하시오.

호남 고속 철도의 개통으로 호남 지방을 찾는 관광객이 급증하면서 호남 지방이 가지고 있는 자연 및 인문 자원의 가치가 더욱 높아지고 있다. 전주 대사습놀이와 세계 소리 축제, 남원 춘향제 등은 예향으로 알려진 호남의 대표적인 축제이며, ㉠ (   ) 다향제, 순천만 갈대 축제, ㉡ (   ) 지평선 축제, 순창 장류 축제 등은 호남 지방의 자연과 전통문화를 활용한 축제들이다. 또한 ㉢ (슬로 시티 / 세계 문화유산)(으)로 지정된 전주, 완도군 청산도 등은 삶의 질을 추구하는 시대 흐름에 맞추어 새로운 여행지로 주목받고 있다.

01 다양한 산업이 함께 발전하는 호남 지방

01 지도의 ㄱ～ㄹ 지역의 특성을 나타낸 사진으로 옳은 것은?

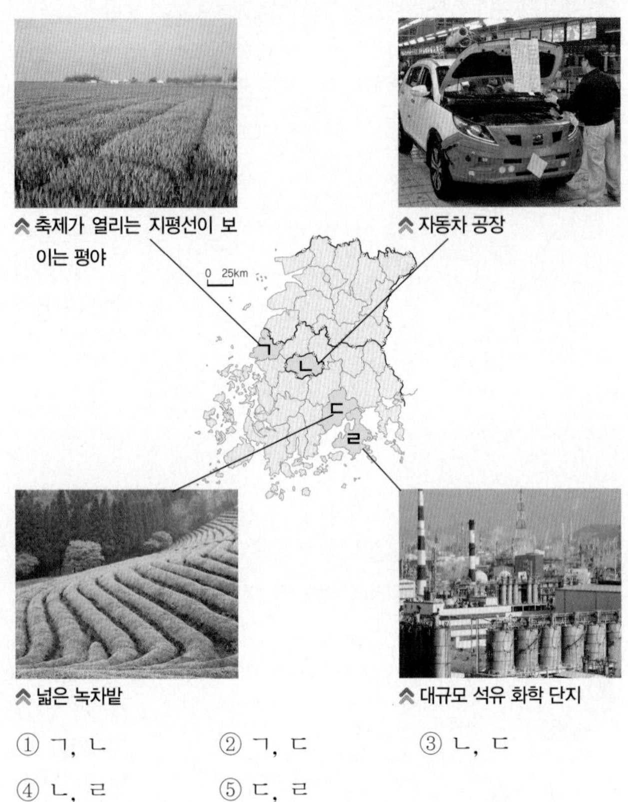

축제가 열리는 지평선이 보이는 평야 / 자동차 공장 / 넓은 녹차밭 / 대규모 석유 화학 단지

① ㄱ, ㄴ　② ㄱ, ㄷ　③ ㄴ, ㄷ　④ ㄴ, ㄹ　⑤ ㄷ, ㄹ

02 그래프는 지도에 표시된 두 지역의 제조업 업종별 비중을 나타낸 것이다. A, B 제조업에 대한 옳은 설명을 《보기》에서 고른 것은?

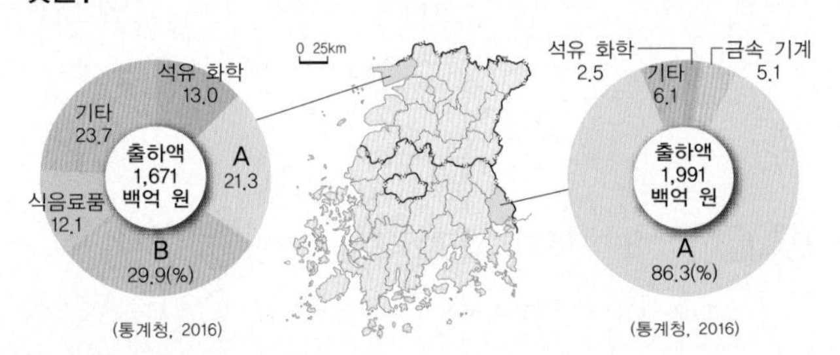

《보기》
ㄱ. A의 제품은 주로 다른 공업의 원료로 이용된다.
ㄴ. B는 대표적인 종합 조립 공업이다.
ㄷ. A는 B보다 원료의 수입 의존도가 낮다.
ㄹ. A와 B는 1960년대 우리나라 수출을 주도하였다.

① ㄱ, ㄴ　② ㄱ, ㄷ　③ ㄴ, ㄷ　④ ㄴ, ㄹ　⑤ ㄷ, ㄹ

03 다음 글의 밑줄 친 ㉠~㉤에 대한 설명으로 옳은 것은?

호남 지방은 한반도의 서남쪽에 위치하며, ㉠ 광주광역시와 전라북도, 전라남도를 포함한다. 호남 지방은 넓은 평야와 바다, 온화한 기후 등의 자연환경을 바탕으로 ㉡ 예로부터 다양한 음식, 예술, 문화가 발달하였으며, 이러한 자연·문화 자원은 지역 경제 발전의 원동력이 되고 있다. ㉢ 호남 지방은 범람원과 갯벌이 넓게 분포하여 오래전부터 농지 개간 및 ㉣ 간척 사업이 이루어졌다. 과거 간척 사업의 목적은 주로 농지 확보를 위한 것이었다. 일제 강점기에는 ㉤ 산미 증식 계획을 위해 넓은 면적의 저습지와 갯벌이 농지로 바뀌었다.

① ㉠은 우리나라의 광역시 중 인구가 가장 많다.
② ㉡과 관련하여 지역 축제 개최, 슬로 시티 지정 등이 이루어졌다.
③ ㉢은 소백산맥의 조령 이남을 말한다.
④ ㉣로 인해 서해안의 해안선이 복잡해졌다.
⑤ ㉤은 국내 쌀 자급률을 높이기 위해 실시되었다.

04 다음 자료는 광양의 변화를 나타낸 것이다. 1980년과 비교한 2014년 광양의 상대적 특징을 그림의 A~E에서 고른 것은?

과거 광양은 단감, 김 등의 주산지로 1차 산업 비중이 높은 지역이었다. 1980년 당시 광양군의 농가 인구는 6.3만여 명, 어가 인구는 1.5만여 명이었으며 제조업 종사자는 400여 명에 불과하였다. 그러나 1982년 광양 제철소 건설을 위한 간척 사업이 시작되고 1992년 광양 제철소가 완공됨에 따라 광양의 산업 구조는 크게 변화하였다. 2014년 농가 인구는 1.5만여 명, 어가 인구는 1,700여 명으로 감소하였고, 제조업 종사자는 6.9만여 명으로 급증하였다. - 광양시청, 2015. 외 -

광양 제철소

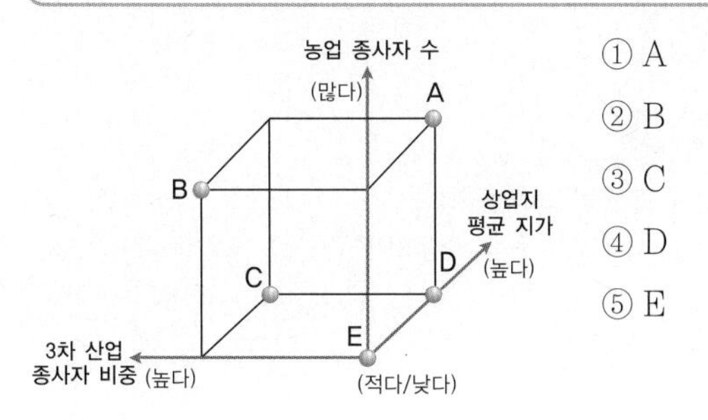

① A
② B
③ C
④ D
⑤ E

05 다음 글의 밑줄 친 (가) 지역을 지도의 A~E에서 고른 것은?

○○ 한옥 마을에는 (가) ○○ 인구의 10배가 넘는 관광객이 해마다 찾아오고 있다. 한옥 마을은 일제 강점기 일본인들이 ○○성의 성곽을 헐고 성 안으로 들어오자 이에 반발하여 우리나라 사람들이 풍남문 동쪽에 한옥촌을 형성하면서 생겨났다. ○○은/는 1999년부터 한옥 마을을 정비하여 전통 문화관, 한옥 생활 체험관 등의 문화 시설을 유치하였고, ○○ 국제 영화제, ○○ 한지 문화 축제, ○○ 소리 축제 등을 개최하고 있다.

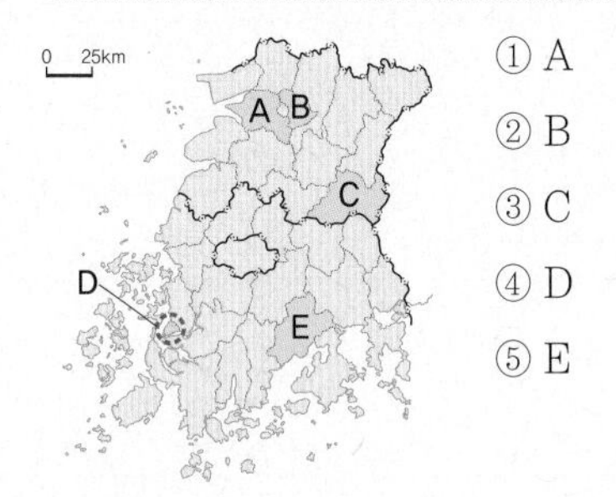

① A
② B
③ C
④ D
⑤ E

(빈출 문제) 연계 자료 → 121쪽 빈출 자료 01

06 그래프는 호남 지방에 속하는 (가)~(다) 지역의 제조업 출하액 비중을 나타낸 것이다. (가)~(다) 지역을 옳게 연결한 것은?

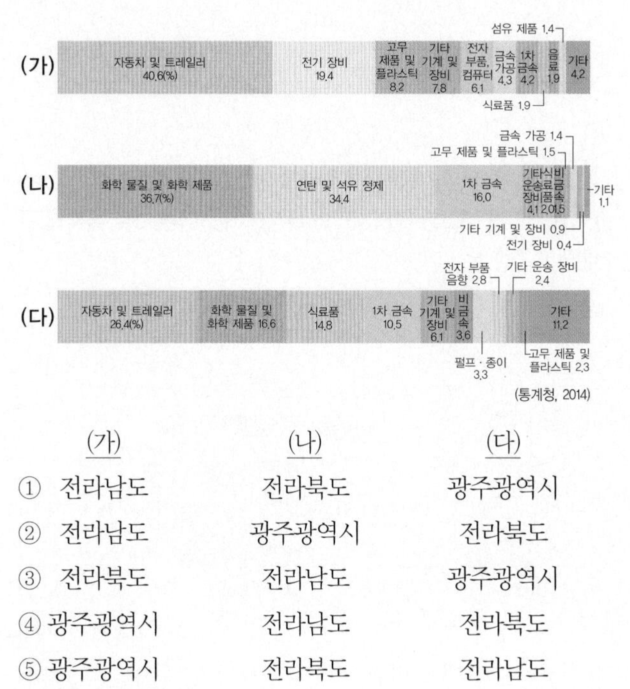

	(가)	(나)	(다)
①	전라남도	전라북도	광주광역시
②	전라남도	광주광역시	전라북도
③	전라북도	전라남도	광주광역시
④	광주광역시	전라남도	전라북도
⑤	광주광역시	전라북도	전라남도

유사 선택지 문제

06_ ❶ 군산은 자동차 공업, 식료품 공업 등이 발달했다. (○ / ×)
06_ ❷ 광양은 석유 화학 공업이 발달했다. (○ / ×)
06_ ❸ 여수는 제철 공업이 발달했다. (○ / ×)

시험에 꼭 나오는 문제

02 공업과 함께 발달한 영남 지방

07 (가), (나) 문화 공간을 답사하기에 적절한 지역을 지도의 A~D에서 고른 것은?

(가) 전통 마을의 원형을 그대로 간직한 하회 마을에서는 다채로운 민속 문화 행사가 열리는데, 차전놀이, 하회 별신굿 탈놀이 등이 대표적이다.

(나) 2000년 세계 문화유산으로 등록된 경주 역사 지구에는 남산의 불교 미술, 월성 궁궐터, 대릉원 고분군, 황룡사지, 첨성대 등이 포함되어 있다.

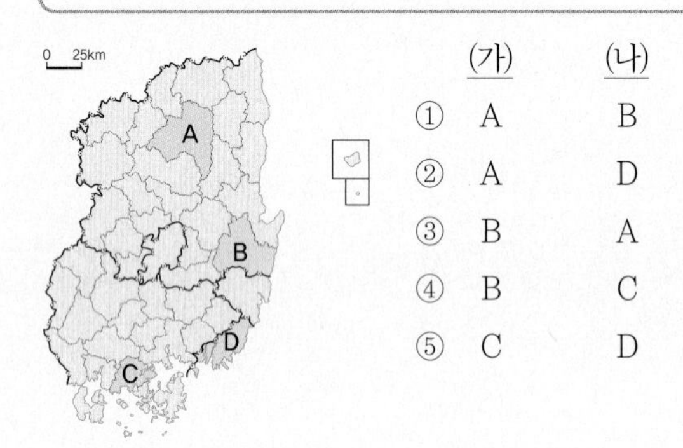

	(가)	(나)
①	A	B
②	A	D
③	B	A
④	B	C
⑤	C	D

08 지도는 영남 지방의 인구 분포 변화를 나타낸 것이다. 2015년 (나) 지역과 비교한 (가) 지역의 특징에 대한 추론으로 옳지 않은 것은?

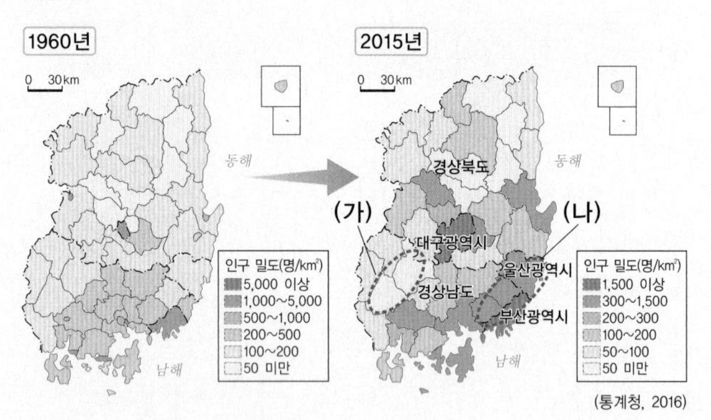

(통계청, 2016)

① 제조업 출하액이 적을 것이다.
② 농업 종사자 비율이 높을 것이다.
③ 청장년층 인구 비중이 높을 것이다.
④ 1인당 지역 내 총생산이 적을 것이다.
⑤ 단위 면적당 평균 지가가 낮을 것이다.

09 그래프는 권역별 제조업의 비중을 나타낸 것이다. 이에 대한 옳은 설명만을 《보기》에서 있는 대로 고른 것은?

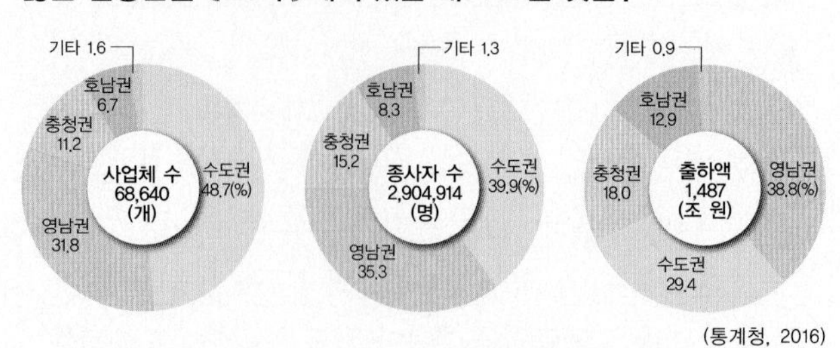

(통계청, 2016)

《보기》
ㄱ. 영남권은 충청권보다 사업체 수가 많다.
ㄴ. 충청권은 수도권보다 사업체당 출하액이 많다.
ㄷ. 호남권은 영남권보다 종사자당 출하액이 많다.
ㄹ. 수도권은 영남권보다 사업체당 종사자 수가 많다.

① ㄱ, ㄴ ② ㄱ, ㄷ ③ ㄷ, ㄹ
④ ㄱ, ㄴ, ㄷ ⑤ ㄴ, ㄷ, ㄹ

(빈출 문제) 연계 자료 → 121쪽 빈출 자료 02

10 그래프는 영남 지방에서 발달한 세 제조업의 지역별 종사자 비중을 나타낸 것이다. (가)~(다) 지역을 지도의 A~C에서 고른 것은?

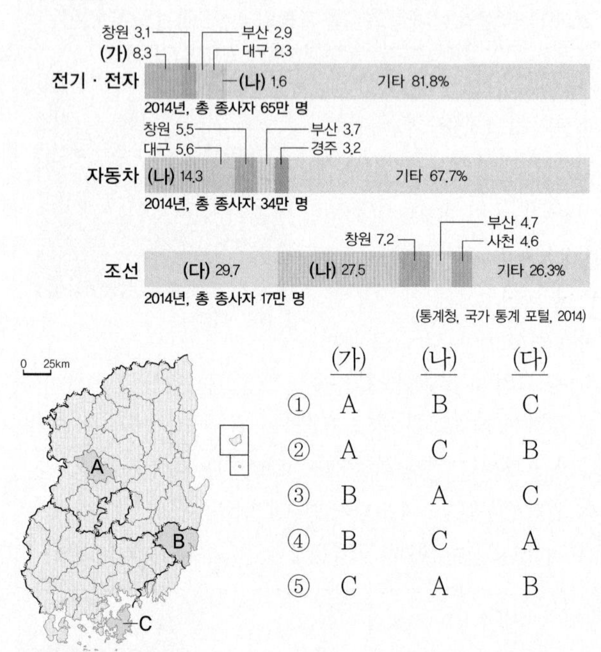

	(가)	(나)	(다)
①	A	B	C
②	A	C	B
③	B	A	C
④	B	C	A
⑤	C	A	B

유사 선택지 문제

10_ ❶ 포항은 조선 공업이 발달했다. (○ / ×)
10_ ❷ 울산은 석유 화학 공업, 자동차 공업, 조선 공업 등이 발달했다. (○ / ×)
10_ ❸ 창원은 기계 공업이 발달했다. (○ / ×)

11 그래프는 영남 지방의 도시 인구 순위 변화를 나타낸 것이다. 이에 대한 설명으로 옳은 것은? (단, A~C는 대구, 부산, 울산 중 하나임.)

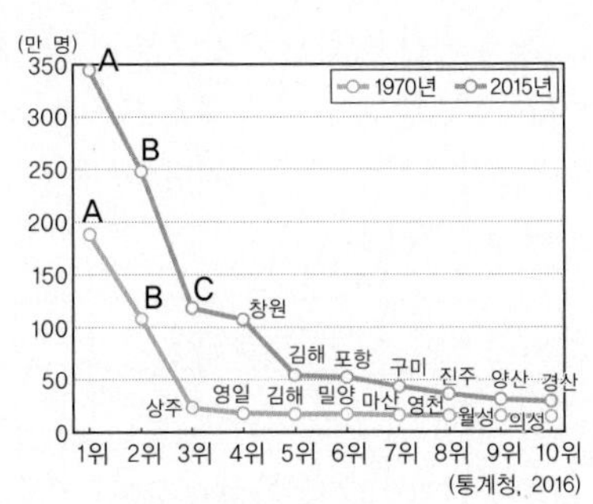

(통계청, 2016)

① 2015년 김해, 양산, 경산은 A의 위성 도시이다.
② 1970~2015년 A는 B보다 인구 증가율이 낮다.
③ C는 B보다 섬유 공업의 지역 내 생산액 비중이 높다.
④ A는 부산, B는 울산, C는 대구이며 모두 광역시이다.
⑤ 1970년보다 2015년에 인구 100만 명 이상인 도시 수가 더 많다.

(빈출 문제) 연계 자료 → 121쪽 빈출 자료 02

12 지도는 영남권의 산업 단지를 나타낸 것이다. (가), (나)에 대한 옳은 설명을 《보기》에서 고른 것은?

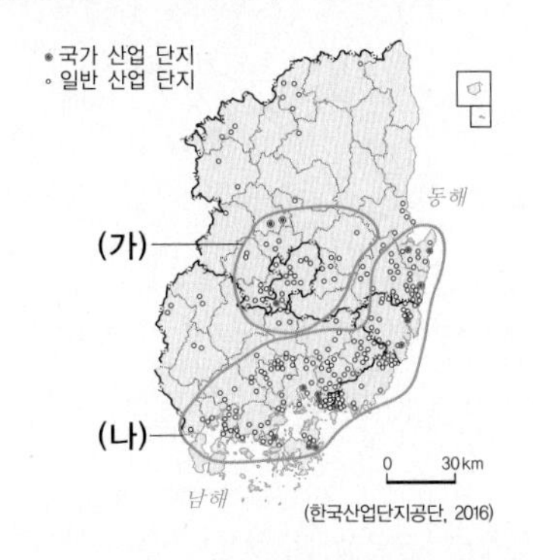

(한국산업단지공단, 2016)

《보기》
ㄱ. (가)는 우리나라 최대의 종합 공업 지역이다.
ㄴ. (나)는 원료의 수입과 제품의 수출에 유리하다.
ㄷ. (가)는 (나)보다 중화학 공업의 생산액이 적다.
ㄹ. (나)는 (가)보다 섬유 공업의 고용 의존도가 높다.

① ㄱ, ㄴ ② ㄱ, ㄷ ③ ㄴ, ㄷ
④ ㄴ, ㄹ ⑤ ㄷ, ㄹ

유사 선택지 문제

12_❶ 대구의 섬유 공업은 1960년대 우리나라의 수출을 주도하였다. (○ / ×)
12_❷ 영남 내륙 공업 지역은 풍부한 노동력과 편리한 교통을 바탕으로 성장하였다. (○ / ×)
12_❸ 남동 임해 공업 지역은 우리나라 최대의 중화학 공업 지역이다. (○ / ×)

03 세계적인 관광 중심지 제주특별자치도

13 다음 글의 밑줄 친 ㉠~㉤에 대한 설명으로 옳지 <u>않은</u> 것은?

> 우리나라에서 가장 큰 섬인 ㉠ 제주도는 남해상에 위치하여 겨울이 온화한 ㉡ 해양성 기후가 나타난다. 이러한 기후 특성으로 귤나무, 비자나무 등의 ㉢ 난대성 식물을 비롯한 다양한 식생이 분포한다. 신생대 화산 활동으로 형성된 화산섬인 제주도는 곳곳에 다양한 ㉣ 화산 지형이 분포한다. 제주도를 대표하는 한라산을 비롯하여 성산 일출봉, 산굼부리 등의 ㉤ 기생 화산(오름)이 360여 개 분포하고 있다. 이러한 화산 지형들은 학술적 가치뿐만 아니라 관광 자원으로서의 가치도 매우 높다.

① ㉠은 제주시와 서귀포시로 구성되어 있다.
② ㉡이 나타나는 지역은 기온의 연교차가 작다.
③ ㉢은 1월 평균 기온 0℃ 이상인 지역에서 자란다.
④ ㉣은 용암동굴, 주상 절리 등이다.
⑤ ㉤은 대부분 한라산보다 형성 시기가 이르다.

(빈출 문제) 연계 자료 → 121쪽 빈출 자료 03

14 그래프는 우리나라와 제주도의 산업별 취업자 구조를 나타낸 것이다. 이에 대한 설명으로 옳은 것은?

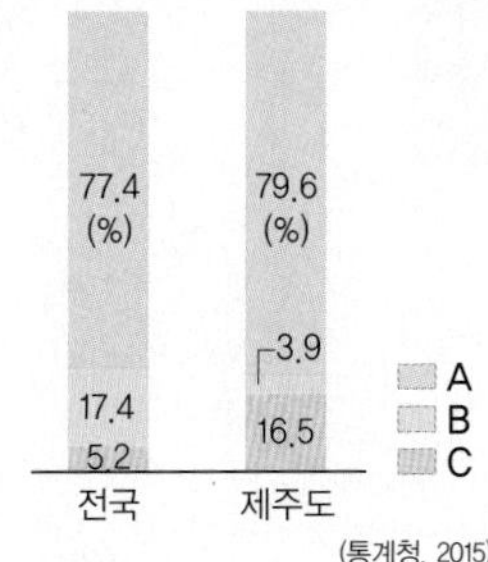

(통계청, 2015)

① 제주도의 녹차 재배 농민은 A에 포함된다.
② A는 1차, B는 2차, C는 3차 산업에 해당한다.
③ 탈공업화로 A의 비중은 낮아지고, B의 비중은 높아진다.
④ 제주도를 찾는 외국인 관광객이 증가하면 B보다 A의 비중이 높아진다.
⑤ 제주도는 1970년대 대규모 공단이 조성되면서 B의 비중이 높아졌다.

유사 선택지 문제

14_❶ 제주도는 탈공업화 현상으로 3차 산업 종사자의 비중이 감소하고 있다. (○ / ×)
14_❷ 제주 녹차 등의 지리적 표시제를 통해 고용 확대, 농산물 판매액 증가 등을 이룰 수 있다. (○ / ×)

15 다음 글의 밑줄 친 ㉠, ㉡에 공통으로 들어갈 내용으로 가장 적절한 것은?

> (가) 제주도의 전통 시장에 가면 '빙떡'이라는 메밀 전병을 먹을 수 있다. 빙떡은 제주도의 향토 음식으로 돼지기름에 메밀 반죽을 얇게 부친 뒤 볶은 무채를 얹고 말아서 만든 음식이다. 제주도에서 메밀과 무의 재배가 많은 이유는 ____㉠____.
>
> (나) 제주도는 제사상에 빵을 올리는 풍습이 있다. 제사상에 빵이 올라가는 이유는 ____㉡____. 귀한 쌀 대신 보리나 밀을 발효하여 만든 빵을 제사상에 올리기도 하고 친지들과 나누어 먹기도 하였다.

① 대도시와 가까이 입지해 있기 때문이다.
② 해발 고도가 높아 여름철이 서늘하기 때문이다.
③ 연 강수량이 많아 농업 용수가 풍부하기 때문이다.
④ 현무암으로 덮여 있어 지표수가 부족하기 때문이다.
⑤ 내륙과 고속 국도로 연결되어 교통이 편리하기 때문이다.

16 다음 자료의 (가)~(라)에 대한 설명으로 옳은 것은?

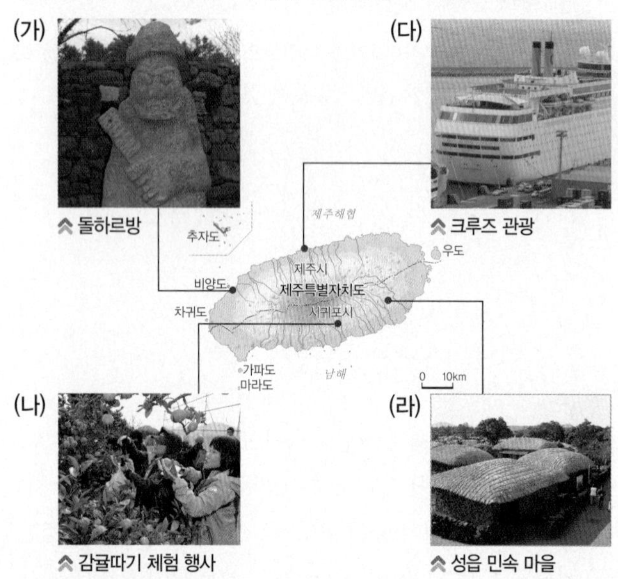

(가) 돌하르방 (다) 크루즈 관광 (나) 감귤따기 체험 행사 (라) 성읍 민속 마을

① (가)의 돌하르방은 화강암의 일종으로 마그마가 지표 위에서 굳어진 암석으로 만든 것이다.
② (나) 작물은 따뜻한 기후를 이용하여 노지에서만 재배된다.
③ (다)와 같이 다양한 경로를 통해 제주도를 찾는 외국인 관광객이 증가하고 있다.
④ (라)는 유네스코 세계 문화유산으로 등재되었다.
⑤ (라)의 전통 가옥 지붕은 주변에서 쉽게 구할 수 있는 볏짚을 이용한다.

서술형 문제

17 다음 글을 읽고 물음에 답하시오.

> 호남 지방은 잘 보존된 자연환경과 전통문화를 활용한 관광 자원이 풍부하다. 순천만 갈대 축제, (㉠) 다향제, (㉡) 장류 축제 등은 ㉢ 호남 지방의 자연과 전통문화를 활용한 지역 축제들이다.

(1) ㉠, ㉡에 들어갈 지역을 각각 쓰시오.

(2) 밑줄 친 ㉢이 호남 지방의 경제에 미치는 긍정적인 영향에 대해 서술하시오.

18 지도를 보고 물음에 답하시오.

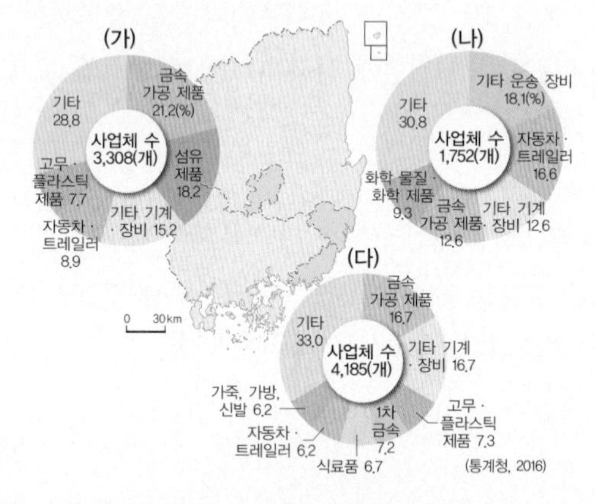

(1) (가)~(다)에 해당하는 지역을 지도에서 골라 각각 쓰시오.

(2) (가)에서 발달한 섬유 공업의 입지 특성을 생산 요소(노동, 자본, 토지 등)와 관련지어 서술하시오.

19 다음 글을 읽고 물음에 답하시오.

> • 제주도의 자연은 유네스코 생물권 보전 지역(2002년), 세계 (㉠) 유산(2007년), 세계 (㉡) 공원(2010년)으로 지정될 만큼 세계적으로도 중요한 가치를 지니고 있다.
> • ㉢ 마이스(MICE) 산업, 게임 산업, 레저 스포츠 관광 산업 등 고부가 가치를 창출할 수 있는 관광 산업의 다변화를 추구하면서 제주도를 찾는 방문객 수가 꾸준히 증가하고 있다.

(1) ㉠, ㉡에 알맞은 용어를 쓰시오.

(2) ㉢의 의미와 이로 인해 창출될 긍정적인 효과에 대해서 서술하시오.

올쏘 상위 4% 문제

| 평가원 |

01 A~E 지역의 특성을 고려한 홍보물로 적절하지 않은 것은?

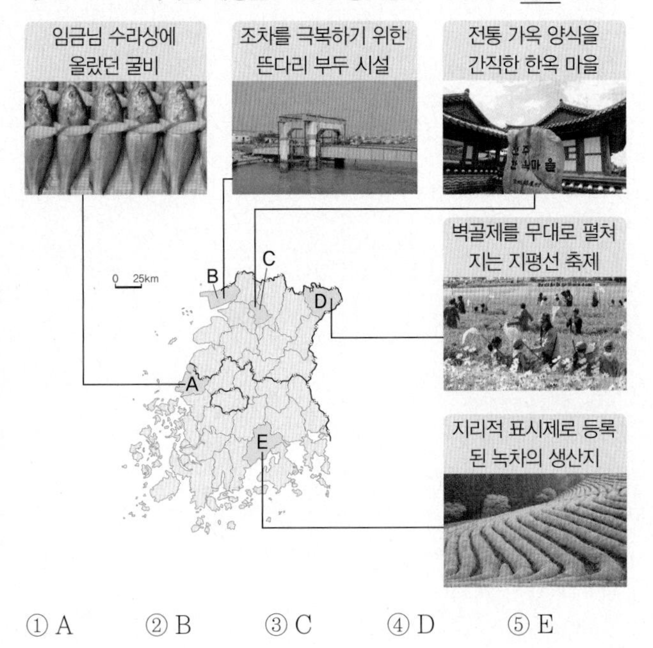

① A ② B ③ C ④ D ⑤ E

| 교육청 |

02 지도는 경상남도의 시 · 군별 인구 성장률을 나타낸 것이다. (가) 지역과 비교한 (나) 지역의 상대적 특징을 《보기》에서 고른 것은?

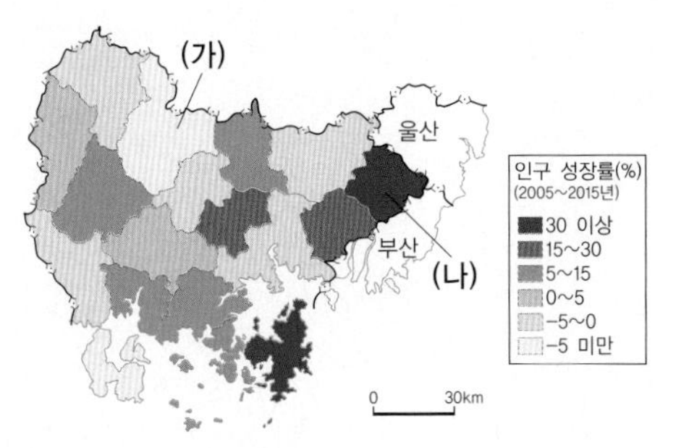

《 보기 》

ㄱ. 노령화 지수가 높다.
ㄴ. 시설 재배 면적 비율이 높다.
ㄷ. 1차 산업 종사자 비율이 높다.
ㄹ. 영남권 광역시로의 통근자 수가 많다.

① ㄱ, ㄴ ② ㄱ, ㄷ ③ ㄴ, ㄷ
④ ㄴ, ㄹ ⑤ ㄷ, ㄹ

| 평가원 |

03 A~E의 지역 특성을 고려한 탐구 학습 주제로 적절하지 않은 것은?

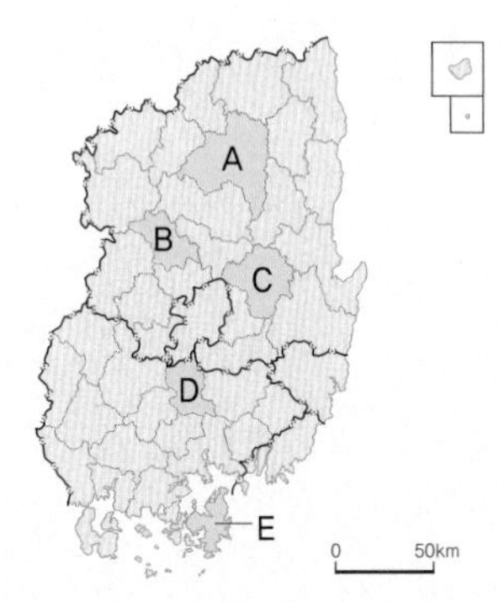

① A-국제 탈춤 페스티벌 개최와 지역 경제 활성화
② B-정보 통신 산업 중심으로의 산업 구조 고도화
③ C-유네스코 세계 문화유산으로 지정된 마을의 취락 특성
④ D-국제 협약에 의해 보존 중인 내륙 습지의 생태계 다양성
⑤ E-광역시와의 연륙교 건설에 따른 지역 변화

04 다음 자료의 (가)~(다)에 대한 설명으로 옳은 것은?

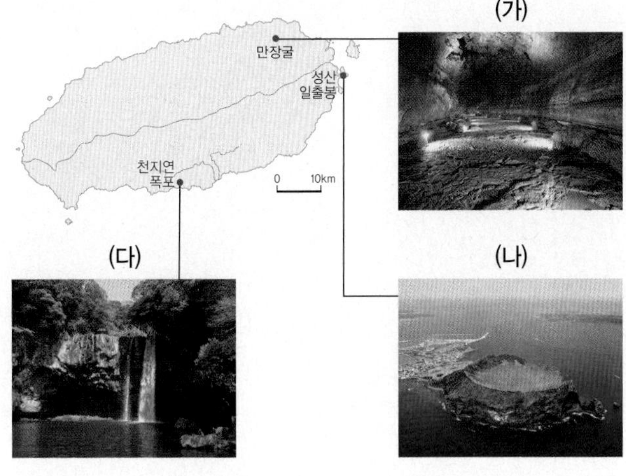

① (가)는 현무암질 용암의 열하 분출로 형성되었다.
② (나)의 해안에는 상록 활엽수가 분포한다.
③ (나)는 화구의 함몰로 형성된 칼데라 분지이다.
④ (다)는 기반암이 석회암으로 용식 작용이 활발하다.
⑤ (가)와 (나) 지형은 중생대에 형성되었다.

Memo

올쏘
내신強자
고등 한국지리

정답 및 해설

오개념을 바로잡는 친절한 해설

올쏘 내신强(강)자

고등 한국지리

동아출판

올쏘
내신强자
고등 한국지리

정답 및 해설

정답 및 해설

I. 국토 인식과 지리 정보

01 국토의 위치와 영토 문제

개념 확인 문제 본문 10쪽

01 (1) 수리적 위치 (2) 대척점 (3) 영공 (4) 통상 기선 (5) 독도 (6) 이어도 (7) 지리적 위치 (8) 조경 수역 (9) 천연 보호 구역(천연기념물)
02 (1) 180° (2) 경상북도 (3) 낮 12시 30분 (4) 동남쪽 (5) 관계적 위치 (6) 지리적 위치 (7) 9
03 (1) ○ (2) ○ (3) × (4) × (5) × (6) ○ (7) ×

시험에 꼭 나오는 문제 본문 10~12쪽

01 ② **02** ④ **03** ④ **04** ③ **05** ③ **06** ④ **07** ③ **08** ④ **09~10** 해설 참조

01 우리나라의 위치 특성 이해

자료 분석

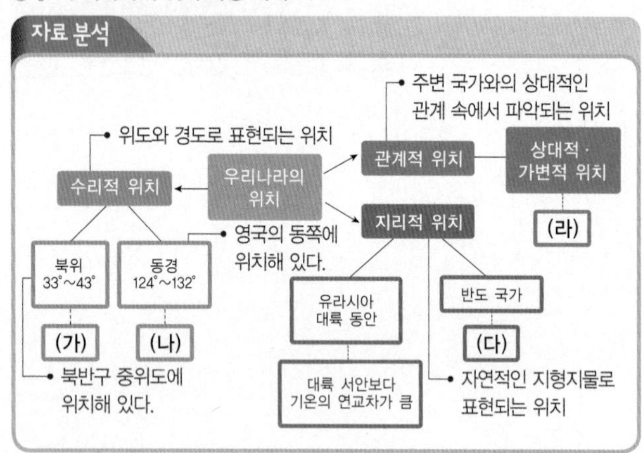

ㄱ. 우리나라는 북반구 중위도(북위 33°~ 43°)에 위치해 있기 때문에 냉 · 온대 기후가 나타난다.
ㄷ. 우리나라는 반도 국가이기 때문에 해외 무역과 임해 공업이 발달하기에 유리하다.

오답 선택지 풀이 ㄴ. '최근 동북아시아의 중심 국가로 발전하고 있음'은 관계적 위치에 대한 것이다.
ㄹ. '영국보다 빠른 표준시를 사용함'은 수리적 위치 중 경도와 관계있다.

02 수리적, 지리적, 관계적 위치 이해

ㄴ. 우리나라의 표준 경선은 동경 135°이므로 동경 124°~132°에 위치한 우리나라보다 동쪽에 위치해 있다.
ㄹ. 수리적 위치와 지리적 위치는 절대적 위치이고, 관계적 위치는 가변적이고 상대적인 위치이다.

오답 선택지 풀이 ㄱ. 우리나라가 영국보다 빠른 표준시를 사용하는 것은 우리나라의 경도와 관계있다.
ㄷ. 우리나라에서 냉 · 온대 기후가 나타나는 것은 위도와 관계있으며, 우리나라는 유라시아 대륙 동안에 위치해 있어 대륙성 기후가 나타나고, 계절풍의 영향을 받는다.

유사 선택지 문제

02 ❶ ○ ❷ ○

03 우리나라의 4극 이해

A는 함경북도 온성군 유원진, B는 평안북도 용천군 마안도(비단섬), C는 경상북도 울릉군 독도, D는 제주특별자치도 서귀포시 마라도이다.
④ 우리나라의 표준 경선은 동경 135°이므로 독도가 마라도보다 우리나라의 표준 경선과 거리가 가깝다.

오답 선택지 풀이 ① 함경북도 온성군 유원진은 중국과의 경계가 되는 지역이다.
② 종합 해양 과학 기지는 이어도에 있다.
③ 일출 및 일몰 시각은 동쪽으로 갈수록 이르다. 따라서 동쪽에 위치한 독도가 마안도(비단섬)보다 일출 및 일몰 시각이 이르다.
⑤ 저위도에 위치한 마라도가 고위도에 위치한 유원진보다 기온의 연교차가 작다.

04 영역과 배타적 경제 수역 이해

③ 통상 기선은 연안의 최저 조위선을 기준으로 설정한 기선이다. 최저 조위선은 썰물 시 바닷물이 빠져나가 해수면이 가장 낮았을 때의 해안선이다.

오답 선택지 풀이 ① 우리나라의 면적은 북한이 남한보다 넓다.
② 대한 해협에서 영해의 범위는 직선 기선에서 3해리이다.
④ 영공은 영토와 영해의 수직 상공이다. 배타적 경제 수역은 영역에 포함되지 않는다.
⑤ 배타적 경제 수역에서는 외국 화물선이 항행할 수 있다.

05 동해안과 서 · 남해안의 영해 설정 방법 이해

A는 직선 기선 12해리, B는 내수, C는 통상 기선 12해리, D는 직선 기선 3해리이다.
ㄴ. 영공은 영토와 영해의 수직 상공이다.
ㄷ. 동해 대부분과 울릉도 · 독도 · 제주도 등에서 영해의 범위는 통상 기선에서 12해리이다.

오답 선택지 풀이 ㄱ. 간척 사업은 직선 기선의 안쪽에서 이루어지기 때문에 간척을 해도 영해의 기준선이 변하지 않는다. 따라서 서해안에서 간척 사업을 해도 영해의 범위는 변하지 않는다.
ㄹ. 대한 해협에서 영해의 범위는 직선 기선에서 3해리이다.

06 한 · 일 및 한 · 중 어업 협정 이해

A는 한 · 중 잠정 조치 수역, B와 C는 한 · 일 중간 수역이다.
ㄴ. B는 한 · 일 중간 수역이다.
ㄹ. A~C 모두 우리나라 어선이 조업을 할 수 있다.

오답 선택지 풀이 ㄱ. 영공은 영토와 영해의 수직 상공이다. A는 우리나라의 영해가 아니므로, A의 수직 상공은 우리나라의 영공이 아니다.
ㄷ. C는 한 · 일 중간 수역으로 중국이 자원 탐사를 할 수 없다.

유사 선택지 문제

06 ❶ × ❷ ○

올쏘 만점 노트 배타적 경제 수역과 한·일 및 한·중 어업 협정

배타적 경제 수역	• 연안국의 경제적 권리를 인정하는 수역 • 영해 기선으로부터 그 바깥쪽 200해리까지의 수역 중에서 영해를 제외한 수역
어업 협정	• 체결 배경: 우리나라와 중국, 일본이 배타적 경제 수역을 설정하게 되면 수역이 서로 중첩됨 • 한·일 어업 협정: 한·일 중간 수역 설정 • 한·중 어업 협정: 한·중 잠정 조치 수역 설정

07 독도의 특성 이해

③ 독도는 행정 구역상 경상북도에 속한다.

오답 선택지 풀이 ① 독도는 울릉도에서 동남쪽으로 87.4km 떨어진 곳에 있다.

② 일본은 독도가 자국의 영토라고 주장하고 있다.

④ 우리나라의 표준 경선은 동경 135°이다.

⑤ 독도는 바다의 영향을 많이 받기 때문에 해양성 기후가 나타난다.

올쏘 만점 노트 독도

지리적 특성	• 해저 화산 활동으로 형성된 섬 • 행정 구역상 경상북도에 속함 • 우리나라 영토의 최동단에 있는 섬
가치	• 조경 수역으로 어족 자원이 풍부함 • 천연 보호 구역(천연기념물)으로 지정됨

08 독도와 마라도의 특성 이해

자료 분석

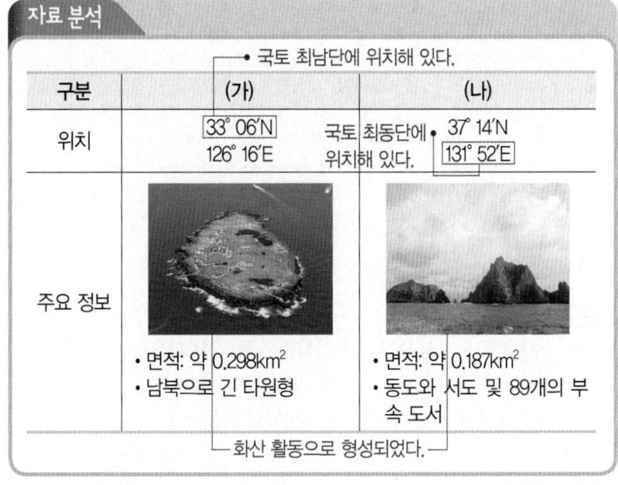

구분	(가)	(나)
위치	33° 06'N 126° 16'E	37° 14'N 131° 52'E
주요 정보	• 면적: 약 0.298km² • 남북으로 긴 타원형	• 면적: 약 0.187km² • 동도와 서도 및 89개의 부속 도서

(가)는 마라도, (나)는 독도이다.

④ 우리나라 국토의 최동단에 있는 독도는 마라도보다 일몰 및 일출 시각이 이르다.

오답 선택지 풀이 ① 동해에 위치해 있는 섬은 독도이다. 마라도는 제주도 남쪽에 위치해 있다.

② 우리나라에서 세계 자연 유산으로 등재된 곳은 제주도 일부 지역이다.

③ 저위도에 위치한 마라도는 독도보다 연평균 기온이 높다.

⑤ 독도와 마라도에서는 영해 설정 시 통상 기선이 적용된다.

유사 선택지 문제

08 ❶ × ❷ × ❸ ○

09 우리나라의 위치 특성 이해

(1) ㉠ 38°S, 52° 30'W, ㉡ 독도, ㉢ 마라도

(2) | 모범 답안 | ㉣은 지리적 위치, ㉤은 수리적 위치이다. 지리적 위치의 영향으로 우리나라는 대륙성 기후와 계절풍 기후가 나타나며, 대륙과 해양 양방향으로 진출하기에 유리하다. 한편, 수리적 위치의 영향으로 우리나라는 냉·온대 기후가 나타나고, 영국보다 빠른 표준시를 사용한다.

채점 기준	배점
㉣, ㉤의 위치와 영향을 모두 정확하게 서술한 경우	상
㉣, ㉤ 중 한 가지만 위치와 영향을 정확하게 서술한 경우	중
㉣, ㉤의 위치만 표기한 경우	하

10 영해 설정 방법 이해

(1) | 모범 답안 | (가) 통상 기선은 연안의 최저 조위선에 해당하는 선이다. 동해 대부분, 제주도, 울릉도, 독도 등 해안선이 단조롭거나 섬이 해안에서 멀리 떨어져 있는 곳에서는 영해 설정 시 통상 기선이 적용된다.

(나) 직선 기선은 영해 기점(주로 최외곽 도서)을 이은 직선이다. 황해, 남해, 동해 일부 지역 등 해안선이 복잡하거나 섬이 많은 곳에서는 영해 설정 시 직선 기선이 적용된다.

채점 기준	배점
(가), (나)의 종류와 적용 지역을 모두 정확하게 서술한 경우	상
(가), (나) 중 한 가지만 종류와 적용 지역을 정확하게 서술한 경우	중
(가)는 통상 기선, (나)는 직선 기선이라고만 표기한 경우	하

(2) (가) ㉠, ㉡, (나) ㉢

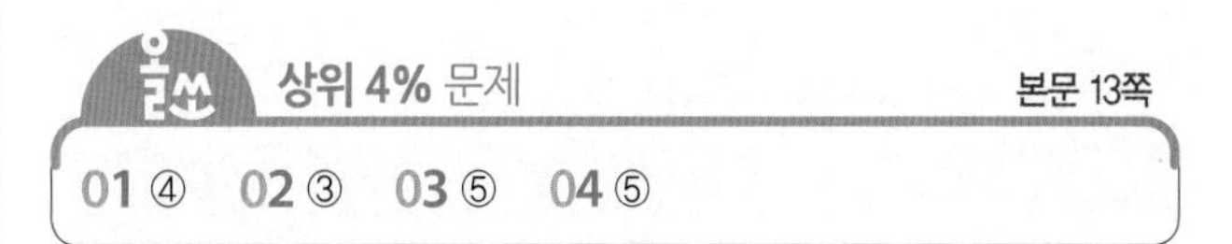

올쏘 상위 4% 문제 본문 13쪽

01 ④ 02 ③ 03 ⑤ 04 ⑤

01 우리나라 주요 지점의 수리적 위치 파악

자료 분석

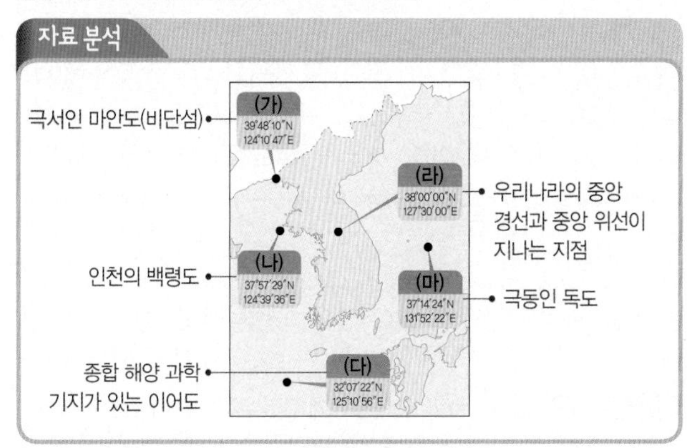

④ 우리나라의 표준 경선은 135°E이므로, 127° 30'E에 위치한 (라)에 태양이 남중하는 시각은 오후 12시 30분이다.

오답 선택지 풀이 ① 독도(마)가 일몰 시각이 가장 이르다.

② 우리나라 영토의 최서단(극서)은 마안도(가)이다.

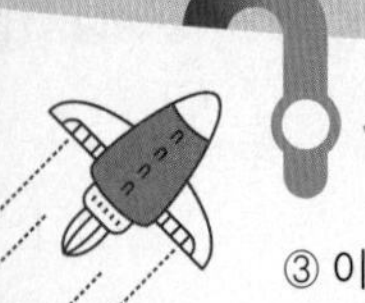

③ 이어도(다)는 한 · 일 중간 수역에 포함되지 않는다.
⑤ 독도(마)에서는 영해 설정 시 통상 기선이 적용된다.

02 우리나라의 영해 이해

A~F 중 B, C, F가 옳은 진술이다. A~F는 한 번만 지나갈 수 있으므로 C → F가 올바른 경로이다.

오답 선택지 풀이 • A: 대한 해협에서 영해의 범위는 직선 기선에서 3해리이다.
• D: 울릉도에서 제주도로 항해 시 영해를 벗어나지 않고 이동할 수 없다.
• E: 서해안에서 간척 사업이 이루어지더라도 영해의 범위는 변하지 않는다.

03 영해 및 배타적 경제 수역의 특성 이해

⑤ C는 우리나라의 영해이므로 외국이 인공 섬을 설치할 수 없다.

오답 선택지 풀이 ① A는 우리나라의 배타적 경제 수역이므로, 우리나라 자원 탐사선이 탐사 활동을 할 수 있다.
② B에서는 외국 화물선이 항해할 수 있다. 한편, 외국 선박은 우리나라의 영해에서도 우리나라의 평화 · 공공질서, 안전 보장을 해치지 않는 범위에서 무해 통항할 수 있다.
③ C는 우리나라 영해이므로, 우리나라 해군 함정이 항해할 수 있다.
④ 우리나라의 영해와 배타적 경제 수역에서는 우리나라 어선이 어로 활동을 할 수 있다.

올쏘 만점 노트 영해, 영공, 배타적 경제 수역에서의 권리

구분	권리
영해	• 연안국이 주권적 권리를 가짐 • 통상적으로 외국 선박의 무해 통항권이 인정됨
영공	• 당사국의 허가 없이 다른 나라의 비행기가 통과할 수 없음 • 국가 간 상호 협의하에 평화적으로 이용할 수 있음
배타적 경제 수역	• 연안국은 자원 탐사, 어업 활동, 인공 섬 설치 등을 할 수 있음 • 타국은 국제 해양법 관련 규정을 따를 것을 조건으로 선박과 항공기 운항을 할 수 있음

04 독도, 마라도, 울릉도의 특성 이해

자료 분석

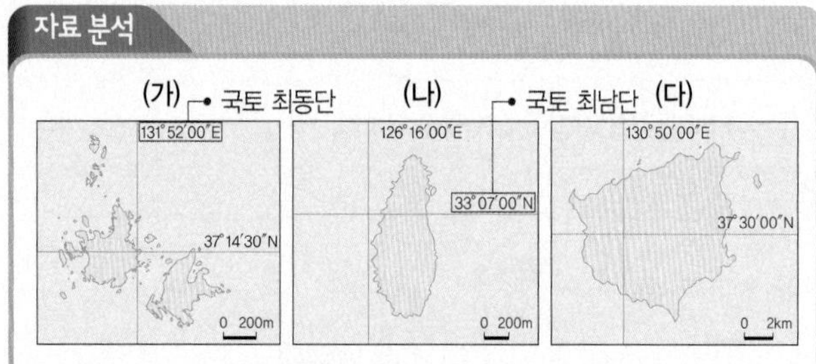

(가)는 독도, (나)는 마라도, (다)는 울릉도이다. 독도는 우리나라의 최동단에 있는 섬이며, 마라도는 최남단에 있는 섬이다. 독도에서 북서쪽으로 87.4km 떨어진 곳에 울릉도가 있다.

⑤ 독도, 마라도, 울릉도 모두 통상 기선을 적용하여 영해를 설정한다.

오답 선택지 풀이 ① 우리나라에서 세계 자연 유산으로 지정된 곳은 제주도의 한라산 천연 보호 구역, 성산 일출봉, 거문 오름 용암동굴계이다.
② 마라도는 우리나라의 최남단(극남)에 위치해 있다.
③ 동해는 최후 빙기에 바다였다. 따라서 울릉도는 최후 빙기에도 섬이었다.
④ 독도는 마라도와 울릉도보다 동쪽에 위치해 있기 때문에 일출 및 일몰 시각이 이르다.

02 국토 인식의 변화 ~ 지리 정보와 지역 조사

개념 확인 문제 본문 16쪽

01 (1) 풍수지리 사상 (2) 관찬 지리지 (3) 생리 (4) 혼일강리역대국도지도 (5) 대동여지도 (6) 지리 정보 체계(GIS) (7) 공간 정보
02 (1) ㉣ (2) ㉢ (3) ㉤ (4) ㉡ (5) ㉠
03 (1) ○ (2) × (3) ○ (4) ○ (5) × (6) × (7) ×

올쏘 시험에 꼭 나오는 문제 본문 16~18쪽

01 ④ 02 ⑤ 03 ② 04 ② 05 ④ 06 ① 07 ⑤ 08 ④ 09~10 해설 참조

01 관찬 지리지와 사찬 지리지의 특성 비교

자료 분석

(가) 택리지	영월의 서쪽에 있는 원주는 감사가 다스리던 곳인데, 서쪽으로 250리 거리에 한양이 있다. …(중략)… 산골짜기 사이에 고원 분지가 열려서 맑고 깨끗하며 그리 험준하지는 않다. ㉠ 두메에 가깝기 때문에 난리가 나도 숨어 피하기 쉽고, 한양과 가까워 세상이 평안하면 벼슬길에 나아가기가 쉽기 때문에 한양의 사대부들이 이곳에 살기를 즐겼다.
(나) 신증동국여지승람	원주목(原州牧) 【건치 연혁】 본래 고구려의 평원군이다. … 【진관】 도호부가 1 춘천, 군이 3 정선 · 영월 · 평창 … 【산천】 치악산은 주의 동쪽 25리에 있는 진산이다. 【토산】 … 영양, 잣, 오미자 …

(가)는 조선 후기 이중환에 의해 제작된 사찬 지리지(택리지), (나)는 국가 주도로 국가 통치에 필요한 자료를 수집하여 제작한 관찬 지리지(신증동국여지승람)이다. 관찬 지리지는 각 지역의 연혁, 산물 등이 백과사전식으로 서술되어 있는 반면 사찬 지리지는 특정한 주제를 설명식으로 서술하고 있다.

④ (가)는 사찬 지리지인 택리지, (나)는 관찬 지리지인 신증동국여지승람이다. 이중환이 저술한 택리지는 신증동국여지승람보다 저자의 해석이 많이 반영되어 있다.

오답 선택지 풀이 ① 인심은 이웃의 인심이 온화하고 순박한 곳을 의미한다.
② 통치 목적으로 국가가 주도하여 제작한 것은 관찬 지리지이다.
③ 신증동국여지승람은 조선 전기에 제작되었다. 실학사상의 영향을 받아 제작된 것은 주로 조선 후기 사찬 지리지의 특징이다.
⑤ 택리지는 조선 후기, 신증동국여지승람은 조선 전기에 제작되었다.

유사 선택지 문제

01 ❶ × ❷ ○ ❸ ○

02 천하도와 혼일강리역대국도지도의 특성 이해

(가)는 천하도, (나)는 혼일강리역대국도지도이다.

⑤ 두 지도 모두 가운데에 중국이 그려져 있는 것으로 보아 중화사상이 반영되어 있음을 알 수 있다.

오답 선택지 풀이 ① 천하도는 조선 중기 이후 민간에서 제작되었다.
② 혼일강리역대국도지도는 신대륙 발견 이전에 제작되었기 때문에 아메리카 대륙은 표현되어 있지 않다.

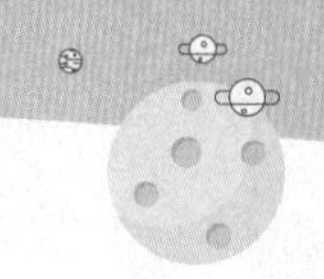

③ 혼일강리역대국도지도는 조선 전기, 천하도는 조선 중기 이후에 제작되었다.
④ 천하도는 상상의 국가와 지명이 표현되어 있는 관념적인 세계 지도이다.

올쏘 만점 노트 혼일강리역대국도지도와 천하도

지도	특성
혼일강리역대국도지도	• 조선 전기 국가 주도로 제작됨 • 지도의 가운데에 중국이 있음 • 조선이 실제보다 크게 표현되어 있음 • 아메리카와 오세아니아는 표현되어 있지 않음
천하도	• 조선 중기 이후 민간에서 제작됨 • 도교의 영향을 받음 • 상상의 국가와 지명이 표현되어 있는 관념적인 세계 지도 • 중화사상, 천원지방 사상이 잘 나타남

03 택리지의 특성 이해

택리지는 실학자 이중환이 저술한 지리지이다.

ㄱ. 택리지는 우리나라 각 지역의 특성을 인간과 자연의 상호 연관성을 토대로 고찰한 지리서로, 국토를 실용적으로 인식하려는 관점이 반영되어 있다.

ㄷ. 가거지의 조건 중 지리는 풍수지리상의 명당을 의미한다.

오답 선택지 풀이 ㄴ. 사람이 살 곳을 정할 때 고려해야 될 조건은 가거지인데, 가거지에 대한 설명은 복거총론에 서술되어 있다.
ㄹ. ⓔ은 생리에 해당한다. 생리는 땅이 비옥하고 물자 교류가 편리하여 경제적으로 유리한 곳이다.

04 대동여지도의 이해

자료 분석

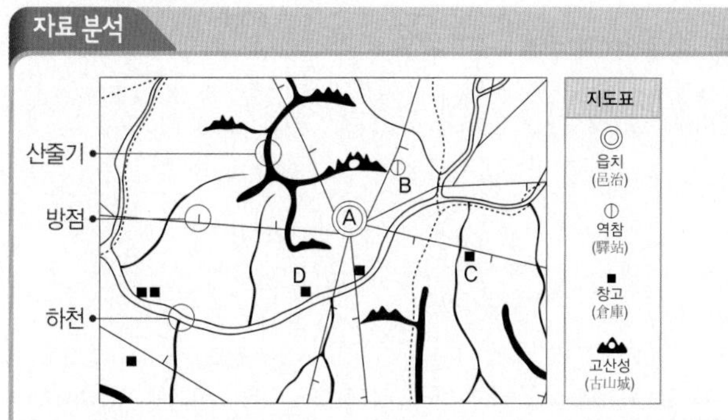

대동여지도는 읍치(A), 역참(B), 창고(C, D) 등 여러 가지 기호를 사용하여 좁은 지면에 많은 지리 정보를 수록하였으며, 도로에는 10리마다 방점이 찍혀 있어 두 지점 간의 대략적인 거리를 파악할 수 있다. 그리고 대동여지도에서 굵은 선은 산줄기, 가는 선은 하천을 나타낸다. 쌍선으로 된 하천은 배가 다닐 수 있는 하천이지만, 단선으로 된 하천은 배가 다닐 수 없는 하천이다.

② 대동여지도의 도로에는 10리마다 방점이 찍혀 있다. A와 B 사이에는 방점이 없으므로, 두 지역의 거리는 10리보다 가깝다.

오답 선택지 풀이 ① A와 가장 가까운 역참은 북동쪽(B)에 있다.
③ A와 C 사이에는 고개가 없다.
④ C와 D 사이에는 단선으로 표현된 하천이 있다. 단선으로 그려진 하천은 배가 다닐 수 없다.
⑤ D는 물건을 보관하는 창고이다.

유사 선택지 문제

04 ❶ ○ ❷ ×

05 지리 정보의 이해

ㄴ. 위성사진 영상은 지표 위의 지리 정보를 그대로 보여 주며, 지형도보다 넓은 지역의 정보를 수집하는 데 유리하다.

ㄹ. 지리 정보 체계의 중첩 분석을 이용하면 어떤 시설의 최적 입지를 선정할 수 있다.

오답 선택지 풀이 ㄱ. 한 장소의 위치나 형태를 나타내는 정보는 공간 정보이다.
ㄷ. 수치 지도가 종이 지도보다 자료를 수정하거나 변환하기 쉽다.

06 통계 지도의 표현 방법 이해

자료 분석

	조사 내용	통계 지도 표현 방법
①	시 · 도별 인구 증감율	10 이상 / 5~10 / 5 미만 단계 구분도
②	시 · 도 간 인구 이동	500 / 100 / 10 도형 표현도
③	시 · 도별 백화점 수	5 3 1 유선도
④	시 · 도의 제조업종별 출하액	1점 = 100 점묘도
⑤	시 · 도별 농업 종사자 수	10 15 20 / 10 / 15 등치선도

① 단계 구분도는 밀도나 증감률 등을 표현하기에 적절하다.

오답 선택지 풀이 ② 시 · 도 간 인구 이동은 유선도로 표현하는 것이 적절하다.
③ 시 · 도별 백화점 수는 점묘도 또는 도형 표현도로 표현하는 것이 적절하다.
④ 시 · 도의 제조업종별 출하액은 도형 표현도로 표현하는 것이 적절하다.
⑤ 시 · 도별 농업 종사자 수는 도형 표현도 또는 점묘도로 표현하는 것이 적절하다.

유사 선택지 문제

06 ❶ × ❷ ○

07 지리 정보 체계를 이용한 최적 입지 선정 분석

제시된 〈평가 요소별 점수〉에 따른 A~E 후보지의 항목별 점수는 아래와 같다.

후보지	경사도	인구 밀도	지가	합계
A	2	1	2	5
B	1	1	1	3
C	3	1	3	7
D	2	2	2	6
E	2	3	3	8

⑤ ○○ 시설의 최적 입지는 평가 요소별 점수의 합이 가장 큰 E이다.

08 지역 조사 과정 이해

ㄴ. 태백시의 동별 인구 증감률은 단계 구분도로 표현하는 것이 적합하다.

ㄹ. 지역 조사를 할 때에는 일반적으로 야외 조사(ⓒ)보다 실내

조사(ㄹ)를 먼저 실시한다.

오답 선택지 풀이 ㄱ. 태백시의 인구 변화는 속성 정보에 해당한다.
ㄷ. 설문 조사는 야외 조사 단계에서 이루어지는 활동이다.

올쏘 만점 노트 지역 조사

순서	조사 주제 및 지역 선정 → 실내 조사 → 야외 조사 → 정리 및 보고서 작성
실내 조사	• 조사 지역에 나가지 않고 지리 정보를 수집하는 활동 • 지도, 문헌, 통계 자료 등
야외 조사	• 조사 지역에 나가서 지리 정보를 수집하는 활동 • 설문, 관찰, 면접, 측량, 촬영 등

09 풍수지리 사상의 이해

(1) 대지모 사상

(2) | 모범 답안 | (가)에 들어갈 용어는 풍수지리 사상이다. 풍수지리 사상은 산줄기의 흐름, 산의 모양, 바람과 물의 흐름을 파악하여 좋은 터(명당)를 찾으려는 사상으로, 도읍지, 마을, 묏자리 선정 등에 영향을 주었다.

채점 기준	배점
(가)에 들어갈 용어와 특징 및 영향을 모두 정확하게 서술한 경우	상
(가)에 들어갈 용어를 쓰고, 특징 및 영향 중 한 가지만 정확하게 서술한 경우	중
(가)에 들어갈 용어만 표기한 경우	하

10 통계 지도의 특성 이해

| 모범 답안 | (가)는 유선도로 표현하는 것이 적합하다. 유선도는 지역 간 이동을 화살표의 방향과 굵기를 이용하여 표현한다. (나)는 도형 표현도 또는 점묘도로 표현하는 것이 적합하다. 도형 표현도는 통계 값을 막대, 원 등 다양한 도형을 이용하여 표현하고, 점묘도는 통계 값을 일정한 크기의 점으로 표현한다.

채점 기준	배점
(가), (나) 통계 지도의 유형과 표현 방법을 모두 정확하게 서술한 경우	상
(가), (나) 중 한 가지만 통계 지도의 유형과 표현 방법을 정확하게 서술한 경우	중
(가), (나) 통계 지도의 유형만 표기한 경우	하

올쏘 상위 4% 문제

본문 19쪽

01 ④ 02 ① 03 ① 04 ①

01 관찬 지리지와 사찬 지리지의 특성 이해

(가)는 신증동국여지승람, (나)는 택리지이다.

④ 신증동국여지승람은 국가 주도로 제작된 관찬 지리지, 택리지는 개인(이중환)이 제작한 사찬 지리지이다.

오답 선택지 풀이 ① 신증동국여지승람은 조선 전기에 제작되었다.
② 국가 통치 목적으로 제작된 것은 신증동국여지승람이다.
③ 택리지가 주관적 견해를 많이 담고 있다.
⑤ 생리는 땅이 비옥하고 물자 교류가 편리하여 경제적으로 유리한 곳이다.

올쏘 만점 노트 관찬 지리지와 사찬 지리지

관찬 지리지	사찬 지리지
• 국가 주도로 제작 • 국가 통치에 필요한 자료 수록 • 백과사전식 기술 • 신증동국여지승람, 세종실록지리지	• 실학자들에 의해 제작 • 국토를 객관적, 실용적으로 파악 • 택리지, 도로고 등

02 대동여지도 분석

자료 분석

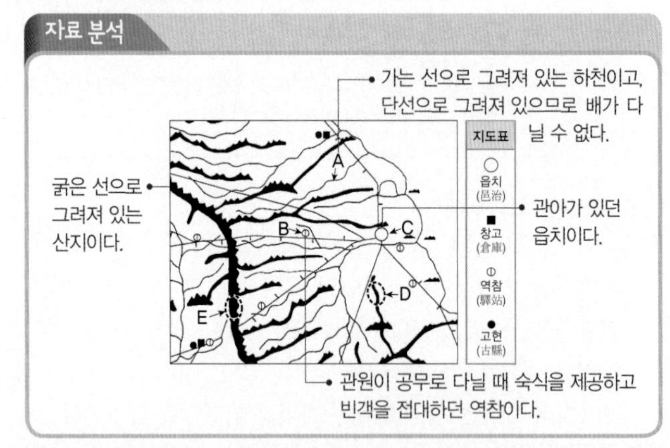

① A는 단선으로 그려진 하천이므로 배가 다닐 수 없다.

오답 선택지 풀이 ② C는 읍치로, 관아가 있는 행정 중심지이다.
③ C와 B 사이에는 방점이 2개 있으므로 두 지점의 거리는 20리 이상이다.
④ E는 산지로, 산지는 하천 유역을 나누는 분수계이다.
⑤ 선이 굵을수록 규모가 큰 산지이므로 E는 D보다 규모가 큰 산지이다.

03 통계 지도의 이해

자료 분석

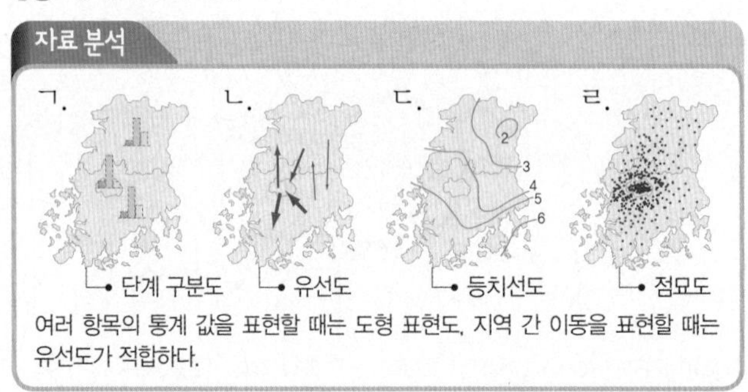

여러 항목의 통계 값을 표현할 때는 도형 표현도, 지역 간 이동을 표현할 때는 유선도가 적합하다.

① (가)는 단계 구분도, (나)는 유선도로 표현하는 것이 적합하다. 단계 구분도는 통계 값을 몇 단계로 구분하고 음영, 패턴 등을 달리하여 표현한 통계 지도이며, 유선도는 지역 간 이동을 화살표의 방향과 굵기로 표현한 통계 지도이다.

오답 선택지 풀이 ㄷ은 등치선도, ㄹ은 점묘도이다.

04 지리 정보 체계를 이용한 최적 입지 선정 분석

A~E 후보지의 적합 여부를 판별하면 다음과 같다.

조건	A	B	C	D	E
1	○	○	○	○	×
2	○	×	○	○	○
3	○	○	○	×	×
4	○	○	×	○	×

(○: 적합, ×: 부적합)

① 따라서 네 가지 조건을 모두 만족시키는 후보지는 A이다.

03 한반도의 형성과 산지의 모습

개념 확인 문제 본문 22쪽

01 (1) 변성암 (2) 대보 조산 운동, 화강암 (3) 랴오둥, 중국
(4) 1차 (5) 경상 분지(경상 누층군) (6) 육성층 (7) 석회암, 무연탄
(8) 흙산, 돌산

02 (1) ㉠ 조선 누층군, ㉡ 평안 누층군, ㉢ 대보 화강암,
㉣ 경상 누층군 (2) ㉠>㉡>㉢>㉣
(3) ① ㉡ ② ㉠ ③ ㉣ ④ ㉢ ⑤ ㉠

시험에 꼭 나오는 문제 본문 22~26쪽

01 ④	02 ⑤	03 ④	04 ⑤	05 ⑤	06 ②	07 ②
08 ⑤	09 ④	10 ④	11 ⑤	12 ⑤	13 ③	14 ④
15 ④	16 ⑤	17~19 해설 참조				

01 주요 기반암의 분포 특징 이해

A는 평북 · 개마 지괴, 경기 지괴, 영남 지괴 등을 중심으로 넓게 분포하므로 시 · 원생대, B는 경상 분지를 중심으로 분포하므로 중생대, C는 평남 지향사, 옥천 지향사를 중심으로 분포하므로 고생대에 형성된 기반암을 나타낸 것이다.

④ 해성층이란 바다에서 형성된 지층으로 고생대 초기 조선 누층군이 이에 해당한다. 중생대의 경상 분지, 고생대의 평안 누층군은 모두 육성층이다.

오답 선택지 풀이 ① 시 · 원생대에 형성된 암석은 형성된 이후 오랜 시간 동안 변성 작용을 받았으며 주로 변성암으로 이루어져 있다.

② 중생대에는 대보 조산 운동의 영향으로 넓은 범위에 걸쳐 마그마가 관입된 이후 지하에서 천천히 식으면서 화강암이 형성되었다. 한편, 경상 분지를 중심으로는 퇴적이 이루어져 퇴적암이 형성되었다.

③ 고생대 조선 누층군에는 석회암이, 평안 누층군에는 무연탄이 매장되어 있다.

⑤ 형성 시기는 A(시 · 원생대)>C(고생대)>B(중생대) 순으로 이른다.

유사 선택지 문제

01 ❶ ○ ❷ ×

02 시기별 암석 분포의 특징 이해

A는 중생대 화성암이므로 마그마가 관입된 이후 지하에서 천천히 식어 굳어져 형성된 화강암, B는 신생대 화성암이므로 용암이 분출한 후 굳어 형성된 현무암, 조면암 등의 화산암, C는 중생대 퇴적암이므로 경상 분지에 위치하는 퇴적암이다.

⑤ 경상 분지는 중생대 대보 조산 운동으로 형성되었다. 따라서 경상 분지의 퇴적암은 대보 조산 운동으로 인한 변성 작용을 받을 수 없다. 변성 작용은 기존의 암석이 열과 압력에 의해 성질이 변화되는 것이다.

오답 선택지 풀이 ① 화강암은 마그마가 지하에서 천천히 굳어 형성된 암석이다.

② 다보탑, 석가탑 등 돌탑을 만드는 주요 재료로 이용된 것은 화강암이다.

③ 제주도, 백두산, 울릉도, 독도 등지에는 용암이 분출한 후 식어 형성된 현무암, 조면암 등의 화산암이 분포한다.

④ 경상 분지의 퇴적층에는 공룡 발자국 화석이 분포한다.

03 시 · 원생대 지층의 분포 파악

A는 두만 지괴와 길주 · 명천 지괴, B는 평북 · 개마 지괴, C는 평남 지향사, D는 경기 지괴이다.

④ 시 · 원생대 지층은 평북 · 개마 지괴, 경기 지괴, 영남 지괴를 중심으로 분포한다.

오답 선택지 풀이 두만 지괴와 길주 · 명천 지괴(A)는 신생대의 지체 구조이고, 평남 지향사(C)는 고생대의 지체 구조이다.

04 한반도 지체 구조 이해

E(옥천 지향사)는 고생대, F(영남 지괴)는 시 · 원생대, G(경상 분지)는 중생대의 지체 구조이다.

ㄷ. 경상 분지는 중생대에 거대한 호소였으며 이 호소에 거대한 퇴적층(육성층)이 형성되었다.

ㄹ. E~G 중에서 형성 시기는 F>E>G 순으로 이르다.

오답 선택지 풀이 ㄱ. 안정된 지각으로 변성암이 주로 분포하는 것은 시 · 원생대의 지체 구조인 F(영남 지괴)이다.

ㄴ. 조선 누층군과 평안 누층군은 고생대의 지체 구조인 E(옥천 지향사)에 분포한다.

05 한반도 주요 기반암의 분포 이해

(가)는 경상계에 분포하는 암석이므로 경상계 퇴적암(중생대 중기~말기), (나)는 주로 중 · 남부 지방에서 중국 방향의 지질 구조선을 따라 분포하므로 대보 화강암(중생대 중기), (다)는 백두산, 제주도, 철원 · 평강 용암 대지 등을 중심으로 분포하므로 신생대 제4기에 형성된 화산암이다.

ㄷ. 화산암은 용암이 분출한 후 식으면서 굳어져 형성된 암석이다.

ㄹ. (가)~(다) 중에서 형성 시기는 대보 화강암(나)>경상계 퇴적암(가)>화산암(다) 순으로 이르다.

오답 선택지 풀이 ㄱ. 경상계는 형성된 이후에 대규모의 지각 변동을 거의 받지 않아 대체로 지층 구조가 수평적인 형태를 띤다.

ㄴ. 대보 화강암은 마그마가 지하에서 천천히 식으면서 굳어져 형성되었기 때문에 화석이 없다.

06 지질 시대별 주요 지각 변동과 침식 분지의 기반암 특징 이해

표에서 (가)는 고생대 전기에 형성된 조선 누층군, (나)는 중생대 쥐라기에 있었던 격렬한 지각 변동인 대보 조산 운동, (다)는 동해 쪽에 치우친 융기 운동인 경동성 요곡 운동이다. 충주 분지의 지질 단면도에서 A는 산지를 이루고 있으므로 편마암, B는 낮은 부분을 이루고 있으므로 화강암이다.

② 경동성 요곡 운동으로 태백산맥, 함경산맥 등이 형성되었다. 백두산, 한라산 등은 신생대 제4기에 화산 활동으로 형성되었다.

오답 선택지 풀이 ① 석회암이 분포하는 지역에는 물에 의한 용식 작용을 받아 형성된 지형인 돌리네, 석회동굴 등이 분포한다.

③ 중생대 쥐라기 때에는 격렬한 지각 변동 과정에서 마그마가 지하에서 대규모로 관입되었으며, 이 마그마가 천천히 식으면서 굳어져 화강암이 형성되었다. B는 이 화강암에 해당한다.

④ 편마암(A)은 시 · 원생대에 형성된 변성암에 속하므로 중생대에 형성된 화강암(B)보다 형성 시기가 이르다.

⑤ 화강암(B)이 기반암인 산지의 정상부는 기반암의 노출이 많은 돌산의 경관을 보인다.

올쏘 만점 노트 한반도의 지각 변동

• 중생대의 지각 변동

송림 변동	• 중생대 초, 북부 지방을 중심으로 발생 • 랴오둥 방향의 지질 구조선 형성
대보 조산 운동	• 중생대 중엽, 중 · 남부 지방을 중심으로 발생 • 중국 방향의 지질 구조선 형성, 가장 격렬했던 지각 변동 • 넓은 범위에 걸쳐 대보 화강암 관입
불국사 변동	• 중생대 말, 영남 지방을 중심으로 발생 • 불국사 화강암 관입

• 신생대의 지각 변동

경동성 요곡 운동	• 신생대 제3기, 동해안에 치우친 비대칭 융기 운동 • 함경산맥, 태백산맥 등 형성
화산 활동	• 신생대 제3기 말 ~ 제4기 • 백두산, 제주도, 울릉도, 독도 등의 화산 지형 형성

07 지형 발달에 영향을 미친 요소 이해

우리나라에 영향을 미친 주요 지각 변동으로는 대보 조산 운동, 경동성 요곡 운동 등이 있다.

② 침식 분지에서 평야를 이루는 기반암은 주로 화강암이다. 화강암은 마그마가 지하 깊은 곳에 관입된 후 천천히 식어 굳어져 형성되었다.

오답 선택지 풀이 ① 대보 조산 운동의 영향으로 중국 방향의 지질 구조선이 형성되었고 지하에 대규모로 마그마가 관입되었다. 한국 방향의 지질 구조선은 주로 경동성 요곡 운동으로 형성되었다.

③ 변성암의 한 종류인 편마암이 기반암인 산지는 주로 흙산으로 나타난다. 돌산의 주요 기반암은 화강암이다.

④ 경동성 요곡 운동으로 형성된 태백산맥, 함경산맥 등은 해발 고도가 높고 산지의 연속성이 강한 1차 산맥이다.

⑤ 해안 단구는 지반 융기 또는 해수면 하강으로 형성된다. 동해안에서 해수면 상승으로 형성된 지형으로는 석호를 들 수 있다. 석호는 해수면 상승으로 낮은 곳이 침수되어 형성된 만이 사주의 발달로 바다와 분리되어 형성된 호수이다.

08 우리나라의 지체 구조와 지각 변동 특징 이해

A는 고생대의 지체 구조인 평남 지향사, B는 시 · 원생대의 지체 구조인 경기 지괴, C는 중생대의 지체 구조인 경상 분지이다. (가)는 중생대, (나)는 고생대이고, ㉠은 경동성 요곡 운동, ㉡은 대보 조산 운동이다.

⑤ 대보 조산 운동으로 형성된 암석은 화강암이다. 화강암이 기반암인 산지는 주로 돌산을 이룬다. 지리산의 주요 기반암은 변성암이다.

오답 선택지 풀이 ① 평남 지향사는 고생대의 지체 구조로 고생대 초기 바다에서 형성된 조선 누층군과 고생대 말기 육지에서 형성된 평안 누층군이 분포한다.

② 경기 지괴, 평북 · 개마 지괴, 영남 지괴는 시 · 원생대의 지체 구조로 주로 변성암이 분포한다.

③ 경상 분지는 중생대에 형성된 육성층으로 퇴적암이 분포하며, 이 퇴적암에서는 공룡 발자국 화석이 발견된다.

④ 한국 방향의 산맥은 1차 산맥인 낭림산맥과 태백산맥 등이 해당되는데, 이들 산맥은 경동성 요곡 운동으로 형성되었다.

올쏘 만점 노트 한반도의 지체 구조 분포와 특징

시 · 원생대	• 평북 · 개마 지괴, 경기 지괴, 영남 지괴 • 지반이 안정적임, 변성암이 주로 분포함
고생대	• 평남 지향사, 옥천 지향사 • 조선 누층군: 고생대 초기에 바다에서 퇴적된 해성층으로 석회암이 주로 매장되어 있음 • 평안 누층군: 고생대 말기 습지에 식물 등이 퇴적된 육성층으로 무연탄이 매장되어 있음
중생대	• 주로 경상 분지에 분포, 호소 퇴적층, 큰 지각 변동이 없었기 때문에 두꺼운 수평층을 이룸 • 공룡 발자국 화석 분포
신생대	두만 지괴, 길주 · 명천 지괴, 갈탄 분포

09 우리나라 주요 기반암의 특징 이해

(가)는 점성이 작은 용암이 분출하여 형성된 암석이므로 현무암이다. 현무암은 절리가 발달하여 배수가 양호하기 때문에 건천이 발달하고 밭농사가 주로 이루어진다. (나)는 중생대에 지하 깊은 곳에서 마그마가 관입된 이후 천천히 식어 굳어져 형성되었으므로 화강암이다. 화강암은 돌산의 기반암을 이루며, 침식 분지의 바닥면을 구성한다. (다)는 우리나라에서 가장 넓게 분포하는 암석이므로 시 · 원생대의 변성암이다. 변성암은 흙산의 기반암을 이루며 침식 분지의 주변 산지를 구성한다. 따라서 (가)는 현무암, (나)는 화강암, (다)는 변성암이다.

10 지질 시대별 주요 암석의 이해

A는 중생대의 화성암이므로 화강암, B는 중생대의 퇴적암이므로 경상 분지를 중심으로 분포하는 중생대 퇴적암, C는 신생대 화성암이므로 현무암 등의 화산암, D는 시생대의 변성암이다.

ㄱ. 북한산 정상부의 기반암은 화강암이다.

ㄷ. 백두산의 기반암은 신생대의 화산암이다.

ㄹ. 지리산의 기반암은 변성암이다.

오답 선택지 풀이 ㄴ. 돌리네는 고생대 조선 누층군에 분포하는 석회암 지역에서 발달한 지형이다.

11 기후 변화에 따른 지형 형성 과정 이해

(가)는 상류에서 퇴적 작용, 하류에서 침식 작용이 이루어지므로 빙기, (나)는 상류에서 침식 작용, 하류에서 퇴적 작용이 이루어지므로 후빙기이다.

ㄷ. 화학적 풍화 작용은 상대적으로 기온이 높은 후빙기에 활발하다.

ㄹ. 하천 하류의 퇴적층 두께는 하천 하류에서 퇴적 작용이 이루어지는 후빙기에 두껍다.

오답 선택지 풀이 ㄱ. 나무와 풀은 상대적으로 기온이 높은 후빙기에 잘 자란다.

ㄴ. 침식 기준면은 일반적으로 해수면인데, 해수면은 후빙기가 빙기보다 높다.

유사 선택지 문제

11 ❶ ○ ❷ ×

12 최종 빙기와 후빙기의 상대적 특징 이해

(가)는 해수면이 높으므로 후빙기, (나)는 해수면이 낮으므로 최종 빙기이고 A는 현재의 하천 하류, B는 현재의 하천 상류이다.

ㄷ. 해발 고도는 해수면과의 높이 차이를 나타낸 것이므로, 육지는 어느 곳이든 후빙기보다 최종 빙기에 해발 고도가 높았다.

ㄹ. 식생 밀도는 기온이 따뜻할 때 높으므로 최종 빙기보다 후빙기에 높다.

오답 선택지 풀이 ㄱ. 후빙기에 하천 상류에서는 침식 작용이 활발하다. 최종 빙기에 하천의 상류에서는 사면에서 공급되는 물질이 퇴적되어 하천 바닥의 해발 고도가 높아진다.

ㄴ. 최종 빙기에 하천 하류(A)에서는 해수면이 하강하여 하천의 침식 작용이 활발하였다.

13 한반도의 산지 특성 이해

한반도는 북동쪽이 높고 남서쪽이 낮은데, 남부 지방의 경우 소백산맥이 태백산맥보다 높기 때문에 가장 높은 부분은 가운데 부분에서 나타난다. A의 단면도는 낭림산맥, 개마고원, 함경산맥이 연속되어 높은 부분이 넓게 나타나는 (가), B의 단면도는 태백산맥이 동해안 쪽에 치우쳐 분포하여 동쪽이 높은 (나), C는 소백산맥이 지나는 곳에 해발 고도가 높은 산지가 분포하는 (다)이다.

ㄴ. B의 단면선에서 가운데 부분에는 북한강의 유로가 있으므로 (나)의 ㉠에는 북한강 본류가 위치한다.

ㄷ. (나)의 ㉡ 산지는 태백산맥이다. 태백산맥은 경동성 요곡 운동의 영향으로 형성되었다.

오답 선택지 풀이 ㄱ. A의 단면도는 (가), B의 단면도는 (나), C의 단면도는 (다)이다.

ㄹ. (다)의 ㉢은 동해안 쪽에 치우쳐 분포하는 태백산맥의 일부이다. 호남 지방과 영남 지방의 경계를 이루는 산맥은 소백산맥으로 단면도에서는 중심부에 나타난다.

14 고위 평탄면의 특징 이해

강원도의 평창군 일대에서 여름철에 무, 배추 등을 재배하는 지형은 고위 평탄면이다.

ㄱ. 고위 평탄면은 오랜 기간 침식을 받아 평탄해진 지형이 경동성 요곡 운동의 영향으로 융기한 이후에도 해발 고도가 높은 곳에 남아 있는 지형이다.

ㄷ. 고위 평탄면의 형태적 특성(A)은 '해발 고도가 높고 평탄함'이다.

ㄹ. 고위 평탄면에서 농업이 이루어질 때 토양 침식 문제가 크게 발생할 수 있는데, 이러한 문제점을 완화하기 위한 방법으로 등고선식 경작 등이 있다.

오답 선택지 풀이 ㄴ. 고위 평탄면은 백두대간 서쪽에 주로 분포한다.

15 동해의 확장이 지형 형성에 미친 영향 이해

그림과 같이 동해가 확장하는 과정에서 경동성 요곡 운동이 발생하였다. 경동성 요곡 운동의 영향으로 태백산맥, 함경산맥 등과 함께 고위 평탄면, 감입 곡류 하천, 하안 단구, 해안 단구 등이 형성되었다.

ㄱ. 동해안에 위치한 계단 모양의 해안 지형은 해안 단구이다.

ㄷ. 태백산맥 일대의 해발 고도가 높고 평탄한 지형은 고위 평탄면이다.

ㄹ. 한강 중 · 상류의 경사가 급하고 구불구불 흐르는 하천은 감입 곡류 하천이다.

오답 선택지 풀이 ㄴ. 동해안을 따라 분포하는 바다와 분리된 호수는 석호이다. 석호는 후빙기 해수면 상승으로 형성된 만의 입구에 사주가 발달하면서 만의 입구를 막아 형성되었다.

16 고위 평탄면의 특징 이해

지도는 고위 평탄면이 분포하는 대관령 일대를 나타낸 것이다.

ㄷ. B의 능선은 한강과 동해로 흐르는 하천의 분수계를 이룬다.

ㄹ. 고위 평탄면에서 영농이 이루어지면서 토양 침식 문제가 발생할 가능성이 있다.

오답 선택지 풀이 ㄱ. 대관령 부근의 고위 평탄면 지역은 겨울에 눈이 많이 내리고 기온이 낮아 늦게까지 눈이 남아 있다. 또한 해발 고도가 높아 기온이 낮기 때문에 증발량이 적어 동위도의 저지대보다 상대 습도가 높다.

ㄴ. 고위 평탄면 지역에서는 여름철의 서늘한 기후를 이용하여 고랭지 채소 재배가 널리 이루어진다. 고랭지 채소 재배는 주로 노지에서 이루어진다.

유사 선택지 문제

16 ❶ ○ ❷ ○

17 주요 지각 변동의 영향 이해

(1) 대보 조산 운동

(2) 함경산맥, 태백산맥

18 후빙기 해수면 상승의 영향 이해

| 모범 답안 | 후빙기로 접어들면서 기온이 높아짐에 따라 해수면이 상승하였기 때문이다.

채점 기준	배점
후빙기, 기온 상승, 해수면 상승을 모두 포함하여 서술한 경우	상
후빙기, 기온 상승, 해수면 상승 중 두 가지만 서술한 경우	중
해수면 상승만 표기한 경우	하

19 고위 평탄면의 특징 이해

(1) | 모범 답안 | A는 고위 평탄면이다. 고위 평탄면은 오랜 침식으로 낮고 평탄해진 지형이 경동성 요곡 운동으로 해발 고도가 높아진 이후에도 평탄한 기복의 흔적을 유지하고 있는 지형이다.

채점 기준	배점
오랜 침식, 경동성 요곡 운동, 평탄한 기복의 흔적 유지를 모두 포함하여 정확하게 서술한 경우	상
오랜 침식, 경동성 요곡 운동, 평탄한 기복의 흔적 유지 중 두 가지만 정확하게 서술한 경우	중
오랜 침식, 경동성 요곡 운동, 평탄한 기복의 흔적 유지 중 한 가지만 정확하게 서술한 경우	하

(2) 등고선식 경작

올쏘 상위 4% 문제

본문 27쪽

01 ③ 02 ⑤ 03 ① 04 ⑤

01 한반도의 주요 기반암 특징 이해

㉠은 화강암, ㉡은 변성암이다.

③ 변성암은 시 · 원생대, 화강암은 중생대 이후에 형성되었으므로 형성 시기는 변성암이 화강암보다 이르다.

오답 선택지 풀이 ① 전통 사회에서 석탑을 만드는 주요 재료로는 화강암이 사용되었다.

② 변성암은 시 · 원생대의 지체 구조를 중심으로 분포한다.

④ 변성암이 화강암보다 변성 작용을 많이 받았다.

⑤ 침식 분지에서 주로 변성암은 주변 산지를 이루고, 화강암은 분지 내부를 이룬다.

02 한반도의 지질 계통과 주요 지각 변동 특징 이해

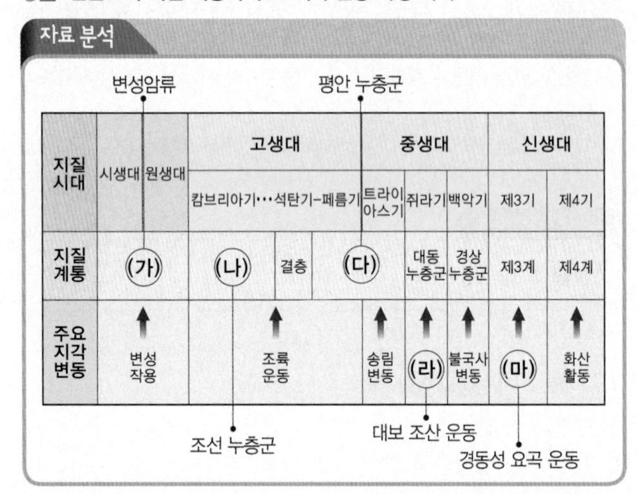

(가)는 변성암류, (나)는 조선 누층군, (다)는 평안 누층군, (라)는 대보 조산 운동, (마)는 경동성 요곡 운동이다.

⑤ 태백산맥, 함경산맥 등의 형성에 영향을 준 지각 변동은 경동성 요곡 운동이다.

오답 선택지 풀이 ① 금강산, 설악산 등의 기반암은 화강암이다.

② 조선 누층군에는 석회암이 매장되어 있다. 습지였던 지층에 무연탄이 매장되어 있는 지질 계통은 평안 누층군이다.

③ 바다에서 형성되었으며 주로 석회암이 분포하는 지질 계통은 조선 누층군이다.

④ 대보 조산 운동 때에는 주로 중국 방향(북동–남서)의 지질 구조선이 형성되었다. 랴오둥 방향(동북동–서남서)의 지질 구조선 형성에 영향을 미친 지각 변동은 송림 변동이다.

03 기후 변화가 지형 형성에 미치는 영향 이해

㉠은 최종 빙기, ㉡은 후빙기이다.

ㄱ. 최종 빙기에는 후빙기보다 해수면이 100m 이상 낮았기 때문에 이보다 수심이 얕았던 곳은 육지로 드러났다. 제주도와 마라도 사이의 바다는 수심이 100m 이내이므로 최종 빙기에 두 섬은 육지의 일부였다.

ㄴ. 갯벌, 사빈, 사구 등 오늘날 볼 수 있는 대부분의 해안 지형은 후빙기 해수면 상승 이후에 형성되었다.

오답 선택지 풀이 ㄷ. 하천 상류에서의 침식 작용은 최종 빙기보다 후빙기에 활발하다.

ㄹ. 물리적 풍화 작용은 상대적으로 기온이 낮은 시기에 활발하므로 최종 빙기인 ㉠ 시기가 후빙기인 ㉡ 시기보다 물리적 풍화 작용이 활발하였다. 물리적 풍화 작용이란 암석 구성 물질의 화학적 성질 변화를 수반하지 않고 단순히 작은 입자로 부서지는 현상을 말한다.

04 한반도의 지형 특징 이해

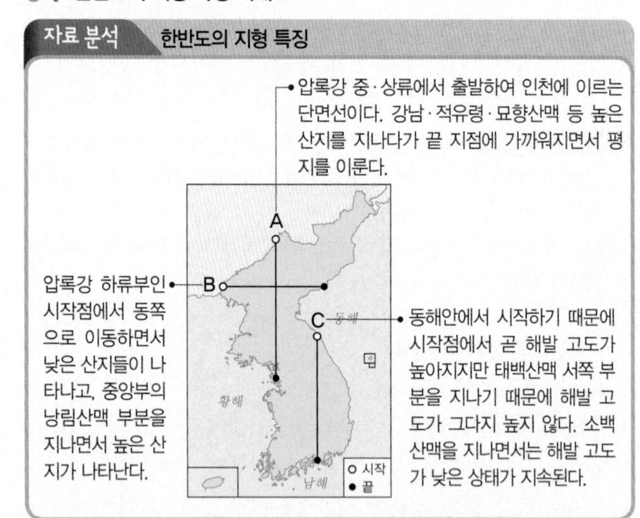

A의 단면도는 ㉠, B의 단면도는 ㉡, C의 단면도는 ㉢이다.

ㄴ. ㉠의 (가)는 수도권에 위치하므로 한강 하류 유로의 본류가 지난다.

ㄷ. ㉡의 (나)에서 중간 부분의 높은 산지는 낭림산맥이 위치한다. 낭림산맥은 관서 지방과 관북 지방의 경계를 이룬다.

ㄹ. ㉢의 단면도는 태백산맥과 소백산맥을 지난다.

오답 선택지 풀이 ㄱ. ㉠에서 시작 지점은 압록강 유로에 위치한다.

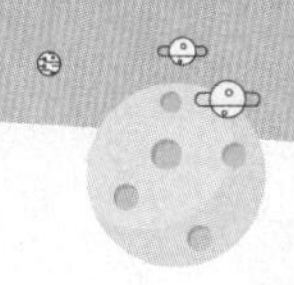

04 하천 지형과 해안 지형

개념 확인 문제

본문 30쪽

01 A 하안 단구, B 선앙, C 선단, D 자연 제방, E 배후 습지
02 A 해안 단구, B 해식애, C 파식대, D 해안 사구, E 사빈, F 석호, G 사주
03 (1) 금강 (2) 감입 곡류 (3) 감조 (4) 해안 단구 (5) 하방 침식 (6) 밭 (7) 침식 분지 (8) 리아스

시험에 꼭 나오는 문제

본문 30~34쪽

01 ② 02 ④ 03 ④ 04 ② 05 ① 06 ③ 07 ③
08 ⑤ 09 ④ 10 ① 11 ④ 12 ② 13 ④ 14 ⑤
15 ② 16 ③ 17 ③ 18 ④ 19 ⑤ 20 ④ 21 ⑤
22~24 해설 참조

01 동해로 흐르는 하천과 황해로 흐르는 하천의 특징 이해

(가)는 (나)보다 유로가 길고 하류 부분의 경사가 완만하므로 황해로 흐르는 하천, (나)는 동해로 흐르는 하천이다.

② 황해로 흐르는 대하천에서 하류는 상류보다 하천의 경사가 완만하여 측방 침식이, 상류는 하류보다 하천의 경사가 급해 상대적으로 하방 침식이 활발하다.

오답 선택지 풀이 ① 황해로 흐르는 하천의 하류부에는 하천의 범람으로 형성된 범람원이 분포한다.
③ 하구에서의 유량은 하천 유역 면적이 넓은 (가) 하천이 (나) 하천보다 많다.
④ 황해로 흐르는 대하천의 중 · 상류에는 감입 곡류 하천이 분포한다.
⑤ 서해안은 동해안보다 조차가 크다. 황해로 흐르는 하천은 하류부의 경사가 완만하기 때문에 동해로 흐르는 하천에 비해 감조 구간이 길다. 감조 구간이란 하천 수위가 밀물 및 썰물의 영향을 받는 구간이다. 감조 구간에서는 하천의 수위가 조류의 영향으로 주기적으로 변하는 현상이 나타난다.

유사 선택지 문제

01 ❶ × ❷ ○

02 하천의 충적 평야 이해

㉠은 선상지, ㉡은 범람원, ㉣은 배후 습지, ㉤은 삼각주이다.

④ 모래의 비율은 배후 습지보다 자연 제방이 높기 때문에 자연 제방이 배후 습지보다 배수가 양호하다.

오답 선택지 풀이 ① 선상지의 정상부를 선정, 중앙 부분을 선앙, 샘이 솟는 말단부를 선단이라고 한다.
② 범람원은 하천의 범람으로 형성되기 때문에 평야가 넓은 하류 지역이 상류 지역보다 규모가 크다.
③ 밭으로 이용되는 비율은 모래의 비율이 높아 배수가 양호한 자연 제방이 배후 습지보다 높다.
⑤ 삼각주는 수심이 얕고 조차가 작으며 하천의 토사 운반량이 많은 하구에서 잘 형성된다.

올쏘 만점 노트 충적 평야 지형의 특징

• 선상지

선정	선상지의 정상부, 계곡 물을 얻을 수 있어 취락 입지
선앙	선상지의 중앙부, 모래와 자갈이 많이 퇴적되어 있어 하천이 지하로 복류 → 지표수가 부족하여 수리 시설이 발달하지 않았던 과거에는 밭이나 과수원 등으로 이용
선단	선상지의 말단부, 용천이 분포하여 취락이 입지하거나 논농사 등으로 이용

• 범람원

구분	자연 제방	배후 습지
해발 고도	높음	낮음
주요 구성 물질	모래	점토
배수	양호	불량
전통적인 토지 이용	밭, 과수원, 취락	논

• 삼각주
조류에 의해 제거되는 토사의 양보다 하천이 공급한 토사의 양이 많은 지역에서 잘 형성되는데, 우리나라에서는 낙동강 하구에 발달해 있다. 농경지로 많이 이용되며 취락은 주로 자연 제방에 입지한다.

03 하천 지형의 특징 이해

자료 분석

감입 곡류 하천은 신생대 지각 변동의 영향으로 지반의 융기량이 많았던 대하천 중·상류의 산지 지역에 주로 발달하며 하천 주변 경관이 빼어나 레포츠 등 관광 자원으로 이용된다.

하안 단구는 과거 하천의 바닥이나 범람원이 지반의 융기 또는 해수면 하강에 따른 하천 침식에 의해 형성되었다. 단구면은 해발 고도가 높아 홍수 시에도 쉽게 침수되지 않으며 퇴적층에 둥근 자갈이나 모래가 분포한다.

우리나라 대하천의 중·상류에는 ㉠산지 사이의 골짜기를 구불거리면서 흐르는 하천이 발달하였으며, 이러한 ㉡하천 주변에는 계단 모양의 지형도 나타난다. 반면 하천 중·하류에는 ㉢충적 평야 위를 구불거리면서 흐르는 하천을 볼 수 있다. 오늘날 이러한 하천은 대부분 ㉣직강 공사가 이루어져 찾아보기 어렵다. ㉤하천이 바다로 유입되는 하구에는 유속이 감소하면서 하천의 운반 물질이 퇴적되어 형성된 평야가 분포하는데, 우리나라의 경우 낙동강 하구에 발달해 있다.

자유 곡류 하천은 평야 위를 곡류하는 하천으로 측방 침식이 활발하여 유로 변경이 자유롭다. 대하천 중·하류의 범람원 위를 흐르는 작은 지류 하천에서 잘 형성되는데, 하천의 유로 변경에 따라 우각호, 구하도 등이 형성된다.

직강 공사란 곡류하는 하천의 흐름을 직선 형태로 만드는 것이다.

㉠은 감입 곡류 하천, ㉡은 하안 단구, ㉢은 자유 곡류 하천, ㉤은 삼각주이다.

④ 직강 공사를 하게 되면 유속이 빨라지게 된다.

오답 선택지 풀이 ① 감입 곡류 하천은 경동성 요곡 운동으로 하천의 경사가 급해지고, 이로 인해 하방 침식이 활발해지면서 형성되었다.
② 하안 단구는 과거 하상의 일부였던 곳으로 평탄면에는 둥근 자갈이나 모래가 분포한다.
③ 자유 곡류 하천은 하천의 경사가 매우 완만하기 때문에 측방 침식이 활발하며 자연 상태에서는 이로 인해 유로가 절단되는 현상이 발생하기도 한다.
⑤ 범람원과 삼각주 모두 자연 제방과 배후 습지로 구성된다.

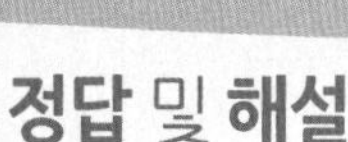

유사 선택지 문제

03 ❶ ○ ❷ ×

04 하천 중 · 상류에 분포하는 하천 지형 이해

A는 하안 단구, B는 퇴적 사면에 분포하는 습지이다.

ㄱ. 하안 단구의 단구면에는 둥근 자갈이나 모래가 나타난다.

ㄷ. 감입 곡류 하천은 경동성 요곡 운동의 영향으로 형성되었다.

오답 선택지 풀이 ㄴ. B는 퇴적 사면이다. 공격 사면은 하천의 침식 작용으로 기반암이 드러나는 경우가 많다.

ㄹ. A는 B보다 해발 고도가 높기 때문에 범람에 의한 침수 가능성이 낮다.

올쏘 만점 노트 하단 단구의 형성 과정

하천 주변에 분포하는 계단 모양의 지형으로 과거 하천의 바닥이나 범람원이 지반의 융기 또는 해수면 하강에 따른 하천의 침식에 의해 형성된다. 단구면은 해발 고도가 높아 홍수 시에도 쉽게 침수되지 않으며 퇴적층에는 둥근 자갈이나 모래가 분포한다.

05 범람원의 형성 과정 및 특징 이해

범람원은 자연 제방과 배후 습지로 구성되는데, 상대적으로 자연 제방이 배후 습지보다 해발 고도가 높고 모래의 비율이 높다. 그림에서 (가)는 자연 제방, (나)는 배후 습지이다.

① 배후 습지에 비해 자연 제방은 토양의 투수성이 높고(A, B, C), 논으로 이용되는 비율이 낮으며(A, D), 평균 해발 고도가 높다(A, B, D). 따라서 세 조건을 모두 충족시키는 것은 그림의 A이다.

06 하천의 특징과 하천 지형 이해

A와 B는 한강 상류, C는 낙동강 상류, D는 낙동정맥이다. 낙동정맥은 낙동강 동쪽에 위치한 산줄기로 남부 지방에서 낙동강과 동해로 흐르는 하천의 분수계에 해당한다.

ㄴ. 한강 중 · 상류에는 경동성 요곡 운동의 영향으로 형성된 감입 곡류 하천이 나타난다.

ㄷ. 낙동강 하구에는 삼각주가 형성되어 있다.

오답 선택지 풀이 ㄱ. 하굿둑은 낙동강, 금강, 영산강 하구에 건설되어 있다. 한강 하구에는 하굿둑이 없다.

ㄹ. 영동 지방과 영서 지방은 강원도를 구분한 지역으로, 그 기준은 태백산맥(대관령)이다.

07 범람원과 취락 입지의 특징 이해

A는 논으로 이용되므로 배후 습지, B는 하천의 유로 변경으로 형성된 우각호, C는 산기슭에 위치한 마을이다.

③ C 마을은 산기슭에 위치한 마을로 자연 제방에 위치한 것이 아니다. C 마을은 주변 지역보다 상대적으로 해발 고도가 높아 홍수 위험이 낮기 때문에 주거지로 적합하다.

오답 선택지 풀이 ① 배후 습지는 점토 비율이 높아 배수가 불량하다.

② 우각호는 자연 상태에서 하천의 퇴적 작용으로 인해 면적이 점차 줄어든다.

④ 만경강 주변에 인공 제방이 있고 행정 구역 경계가 하천 유로와 일치하지 않는 것으로 보아 직강 공사가 이루어졌을 것이다. 일반적으로 행정 구역 경계는 하천이 있을 경우 그 유로를 따라 정해지는데, 오늘날 하천 유로와 행정 구역 경계가 일치하지 않는 곳은 유로가 변경된 경우가 많다.

⑤ 범람원에서 취락은 상대적으로 해발 고도가 높은 자연 제방에 입지한다.

08 범람원의 특징 이해

지도에서 ○○강 주변은 범람원인데, 그중에서 논으로 이용되는 (가)는 배후 습지, 밭으로 이용되는 (나)는 자연 제방이다.

ㄷ. 모래의 비율은 자연 제방이 배후 습지보다 높다.

ㄹ. 자연 제방과 배후 습지 모두 하천의 범람으로 형성되었다.

오답 선택지 풀이 ㄱ. 자연 제방(나)은 퇴적 지형이므로 퇴적 사면에 위치한다. 퇴적 사면이란 곡류하는 하천에서 퇴적이 이루어지는 곳이다.

ㄴ. 자연 제방이 배후 습지보다 해발 고도가 높다.

09 우리나라 주요 하천의 특징 이해

④ 지도의 A는 한강, B는 금강, C는 낙동강이다. 한강, 금강, 낙동강 중에서 하천의 길이는 낙동강>한강>금강 순으로 길고, 유역 면적은 한강>낙동강>금강 순으로 넓다. 유역 내 인구는 수도권의 대부분을 포함하는 한강 유역의 인구가 가장 많고, 금강 유역의 인구가 가장 적다. 인구가 밀집한 한강 유역은 생활용수로 사용되는 비율이 높고, 공업이 발달한 낙동강 유역은 상대적으로 공업용수의 비율이 높으며, 농업이 발달한 금강 유역은 상대적으로 농업용수의 비율이 높다. 따라서 표의 (가)는 낙동강, (나)는 한강, (다)는 금강이다.

10 하천 지형의 특징 이해

선상지는 산지와 평지가 만나는 곳에서 하천의 운반 물질이 퇴적되어 형성된 부채 모양의 지형이다.

① 선상지에서 하천이 복류하는 곳은 선앙이다. 선단에는 선앙에서 복류하던 하천이 샘으로 솟는 용천이 분포한다.

오답 선택지 풀이 ② 서해안은 조차가 크고 해안 지역의 경사가 대체로 완만하기 때문에 황해로 흐르는 하천은 대부분 감조 하천이다.

③ 하상계수란 연중 최소 유량에 대한 최대 유량의 비율이다. 우리나라는 강수량이 여름철에 집중되기 때문에 하상계수가 크다.

④ 4대강 중에서 한강에만 하굿둑이 없고 낙동강, 금강, 영산강 하구에는 하굿둑이 건설되어 있다.

⑤ 침식 분지에서는 밤에 산지가 냉각되면서 차가워진 공기가 사면을 따라 흘러내려 낮은 곳에 쌓이게 된다. 이로 인해 분지의 바닥 부분 기온이 그 윗부분보다 높은 기온 역전 현상이 나타나는데, 기온 역전 현상에 의해 분지 지역에서는 안개가 잘 발생한다.

11 하천의 상류와 하류의 특징 이해

④ (가)는 하천의 상류, (나)는 하천의 하류에 위치하는데, A는 하천의 상류가 하류보다 높은 값을 갖는 지표이므로 하천 퇴적 물질의 평균 크기, 하천 바닥의 평균 경사가 해당되고, B는 하천의 하류가 상류보다 높은 값을 갖는 지표이므로 하천의 평균 유량, 하천의 평균 폭이 해당된다.

12 침식 분지와 선상지의 특징 이해

왼쪽 지도는 침식 분지, 오른쪽 지도는 선상지를 나타내고 있다.

ㄱ. 비교적 규모가 큰 침식 분지에서 주변 산지를 이루는 주요 기반암은 변성암이나 퇴적암이고, 분지의 바닥을 이루는 기반암은 화강암이다.

ㄷ. 선상지에서 산지와 평지가 만나는 부분은 선정에 해당한다.

오답 선택지 풀이 ㄴ. 침식 분지에서 주변 산지를 이루는 기반암은 분지의 바닥을 이루는 기반암보다 하천 침식에 강하다.

ㄹ. 퇴적 물질의 평균 입자 크기는 선상지의 말단부인 D가 정상부인 C보다 작다.

13 도시 하천의 특징 이해

도시에서 지표면의 포장 면적 증가로 녹지 면적이 감소하면서 하천에 변화가 나타났다.

ㄱ. 강수 시에 빗물의 지표 유출량은 증가하게 된다.

ㄷ. 강수 시 도시를 흐르는 하천의 최고 수위가 높아지게 된다.

ㄹ. 강수 시 도시를 흐르는 하천의 수위 상승 속도가 빨라진다.

오답 선택지 풀이 ㄴ. 평상 시 도시를 흐르는 하천의 유량은 줄어든다.

14 해안 지형의 특징 이해

ㄷ. 해안 사구와 갯벌은 태풍과 해일의 피해를 완화시켜 준다.

ㄹ. 시 스택은 파랑의 침식 작용으로 육지와 분리된 돌기둥이나 작은 바위섬이다.

오답 선택지 풀이 ㄱ. 바다에서 육지 쪽으로 들어간 해안은 만(灣)으로, 파랑 에너지가 분산되어 퇴적 작용이 활발하기 때문에 주로 모래 해안이 분포한다.

ㄴ. 해안 사구는 사빈의 모래가 바람에 날린 후 퇴적되어 형성되기 때문에 해안 사구의 모래 공급원은 사빈이다. 동해안의 경우 동풍이 불 때 사빈에서 해안 사구로 모래가 공급된다. 북서풍이 탁월할 때는 서해안 지역에서 해안 사구 형성이 활발하다.

15 사빈과 해안 사구의 특징 이해

A는 갯벌, B는 사빈, C는 해안 사구이다.

ㄱ. 최종 빙기에는 현재보다 해수면이 100m 이상 낮았으므로 갯벌 부분(A)은 육지의 일부였다.

ㄷ. 사빈(B)에서 먼 ㉡이 가까운 ㉠보다 먼저 형성되었다. 이는 사구 위의 식생을 통해서도 확인할 수 있다. ㉡에는 나무가 자라고 있지만 ㉠에는 풀들이 자라고 있다.

오답 선택지 풀이 ㄴ. 사빈(B)은 파랑과 연안류의 퇴적 작용으로 형성되었다. 조류의 퇴적 작용으로 형성된 것은 갯벌이다.

ㄹ. 사빈(B)과 해안 사구(C)는 파랑 에너지가 분산되는 모래 해안에서 잘 발달한다.

올쏘 만점 노트 해안 사구

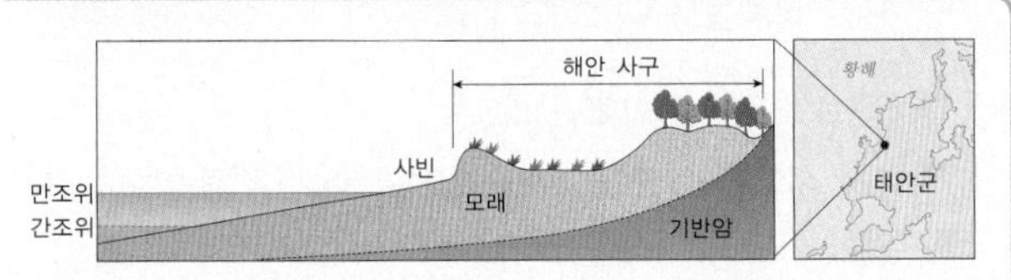

해안 사구는 사빈의 모래가 바다로부터 불어오는 바람에 날려 퇴적되어 형성된 모래 언덕이다. 해안 사구에 퇴적되어 있는 모래의 평균 입자 크기는 사빈보다 작은 편이다. 해안 사구는 태풍이나 해일 피해를 완화해 주는 자연 방파제 역할을 하며, 해풍과 염분 등으로 인해 독특한 생태계를 갖고 있다. 또한 해안 사구에 방풍림을 조성하여 배후 농경지와 마을을 보호하기도 한다.

16 권역별 해안 지형의 분포 특징 이해

석호는 강원권을 중심으로 분포하고, 갯벌은 서 · 남해안을 중심으로, 해안 사구는 모래 해안이 있는 곳에서 대부분 형성되므로 비교적 고르게 분포한다.

③ (가)는 강원권에만 분포하므로 석호, (나)는 강원권과 제주권에는 없고 수도권과 호남권의 비율이 높으므로 갯벌, (다)는 상대적으로 고르게 분포하는 가운데 제주권, 수도권, 영남권의 비율이 낮으므로 해안 사구이다.

17 동해안과 서해안의 해안 지형 차이 이해

A는 암석 해안, B는 갯벌, C는 석호, D는 사빈, E는 사빈의 배후에 분포하므로 해안 사구이다.

③ 석호는 하천의 운반 물질이 퇴적되면서 크기가 점차 작아진다.

오답 선택지 풀이 ① 암석 해안은 파랑의 침식 작용으로 인해 육지 쪽으로 후퇴한다.

② 갯벌은 조류의 퇴적 작용으로 형성된 지형이다.

④ 사빈은 파랑과 연안류의 퇴적 작용으로 형성된 지형이다.

⑤ E의 해안 사구는 동해안에 위치해 있으므로, 사빈의 모래가 동풍 계열의 바람에 의해 운반 · 퇴적되어 형성되었다.

유사 선택지 문제

17 ❶ ○ ❷ × ❸ ○

18 해안 지형의 특징 이해

A는 암석 해안, B는 사빈, C는 간척으로 형성된 농경지, D는 간척 과정에서 형성된 호수, E는 갯벌이다.

④ D 호수는 인공 제방으로 인해 만들어졌다. 사주가 발달하면서 만의 입구가 막혀 형성된 호수는 석호이다.

오답 선택지 풀이 ① 암석 해안은 파랑 에너지가 집중되어 침식 작용이 활발하게 나타난다.

② 사빈은 파랑과 연안류의 퇴적 작용으로 형성된다.

③ 간척지의 토양 하부는 염분 농도가 높기 때문에 가뭄 시 염분으로 인한 피해를 입을 수 있다.

⑤ 갯벌은 오염 물질을 정화하는 기능이 탁월하다.

19 석호의 특징 이해

지도에서 화진포는 후빙기 해수면 상승으로 형성된 만의 입구에 사주가 발달하면서 만의 입구가 가로막혀 형성된 석호이다.

⑤ 석호는 자연 상태에서 하천에 의한 토사의 유입이 이루어져 규모가 작아지게 된다.

오답 선택지 풀이 ① 화진포는 바다와 분리되어 바다에 비해 염도가 낮다.

② 화진포는 해수면 상승 직후에 만이었다.

③ 화진포와 동해 바다 사이에는 사주가 분포한다.

④ 화진포는 해수면 상승 이전에는 육지의 일부였다.

20 해안 지형의 특징 이해

④ 파랑 에너지가 분산되는 해안에는 해안 퇴적 지형인 사빈, 사주 등이 발달한다. 해식애, 시 스택은 파랑의 침식 작용이 활발한 암석 해안에 주로 분포한다.

오답 선택지 풀이 ① 해안 사구는 지하수 저장 기능이 있다.

② 해안 사구는 사빈의 모래가 바람에 날려 퇴적되어 형성되기 때문에 사빈이 없는 해안에서는 해안 사구가 형성되기 어렵다.

③ 사빈과 사주는 파랑과 연안류의 퇴적 작용으로 형성된다.
⑤ 해수면 변동 없이 해식애가 계속 침식을 받으면 해식애가 육지 쪽으로 후퇴하면서 파식대가 넓어지게 된다.

21 해안 지형 파악

⑤ 지도에서 A는 해안 단구, B는 육계도, C는 사빈이다. 그림에서 ㉠은 사빈, ㉡은 육계도, ㉢은 해안 단구이다.

22 하천의 구간별 상대적인 특징 이해

| 모범 답안 | (가) 퇴적물의 평균 입자 크기, 하천 바닥의 평균 경사 등, (나) 퇴적물의 둥근 정도(원마도), 하천의 평균 유량, 하천의 평균 폭 등

23 우리나라 하천의 특징 이해

(1) 하상계수
(2) | 모범 답안 | 계절에 따른 강수량 변동이 크고 하천의 유역 면적이 좁기 때문이다.

채점 기준	배점
강수량 변동, 하천의 유역 면적을 모두 포함하여 정확하게 서술한 경우	상
강수량 변동, 하천의 유역 면적 중 한 가지만 정확하게 서술한 경우	중
강수량 변동, 하천의 유역 면적 중 한 가지를 서술하였으나 내용이 미흡한 경우	하

24 해안 침식 방지를 위한 노력 이해

| 모범 답안 | 해안 침식을 방지하고, 해안의 모래를 보호하기 위해서이다.

채점 기준	배점
해안 침식을 방지하고, 해안의 모래를 보호한다고 정확하게 서술한 경우	상
해안 침식 방지, 해안의 모래 보호 중 한 가지만 정확하게 서술한 경우	하

올쏘 상위 4% 문제 본문 35쪽

01 ④ 02 ② 03 ④ 04 ④

01 황해로 흐르는 하천의 특징

자료 분석

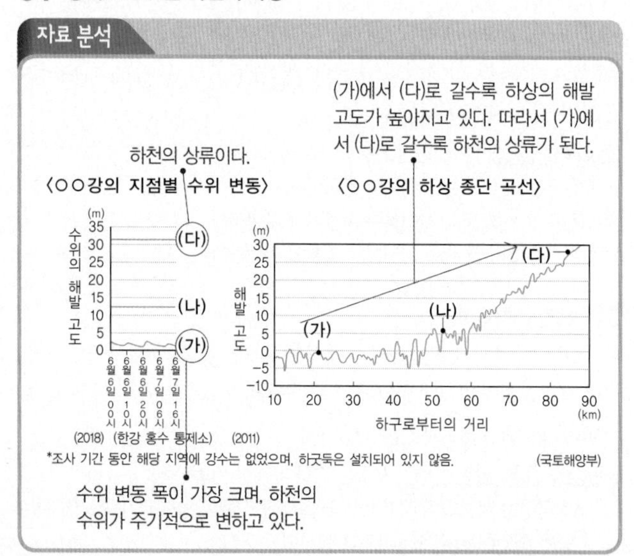

(가)는 하천의 하류, (나)는 중류, (다)는 상류이다. (가) 지점은 하천 수위가 주기적으로 변한다.

ㄱ. 서해안은 조차가 크기 때문에 황해로 흐르는 하천의 하류에서는 주기적으로 하천 수위가 오르내리는 현상이 나타나며, 이와 같은 하천을 감조 하천이라고 한다.
ㄷ. 상류에서 하류로 갈수록 퇴적 물질의 원마도는 높아진다.
ㄹ. 하천 퇴적 물질의 평균 입자 크기는 하류에서 상류로 갈수록 커진다.

오답 선택지 풀이 ㄴ. 하천의 하방 침식 작용은 하류보다 하천 바닥의 경사가 급한 상류에서 활발하다.

02 하천 상류와 하류의 지형 특징 이해

자료 분석

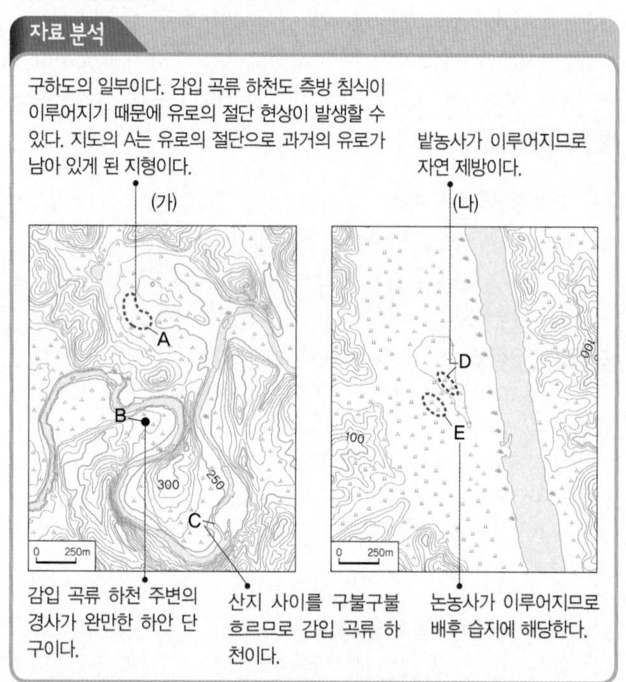

(가)는 하천의 중・상류, (나)는 하천의 하류에 위치한다. A는 구하도의 일부, B는 하안 단구, C는 감입 곡류 하천, D는 자연 제방, E는 배후 습지이다.

② A는 구하도의 일부이다. 감입 곡류 하천에서도 측방 침식으로 유로가 절단되는 경우가 발생하는데, A 부분은 과거에 하천의 일부였다.

오답 선택지 풀이 ① 감입 곡류 하천은 자유 곡류 하천보다 하천의 경사가 급하기 때문에 하방 침식이 활발하다.
③ 하단 단구에는 둥근 자갈과 모래가 분포한다.
④ 감입 곡류 하천은 경동성 요곡 운동의 영향으로 형성되었다.
⑤ 자연 제방은 배후 습지보다 모래의 비율이 높다.

03 동해안과 서・남해안의 특징 비교

(가)의 남서 해안은 섬과 만, 반도가 많은 리아스 해안이다. (나)는 해안선이 비교적 단조롭다.

④ 동해안은 동풍 계열의 바람이 불 때, 서해안은 서풍 계열의 바람이 불 때 사빈의 모래가 해안 사구로 이동하게 된다.

오답 선택지 풀이 ① 남서 해안에는 조류의 퇴적 작용으로 형성된 갯벌이 분포한다.
② 동해안에는 사주가 발달하면서 만의 입구를 막아 형성된 호수인 석호가 분포한다.

③ 동해로 흐르는 하천은 유로가 짧고 경사가 급하여 황해나 남해로 흐르는 하천에 비해 바다로 운반하는 물질의 평균 입자 크기가 크다. 또한 서·남해안에는 갯벌이 발달하였기 때문에 동해안에 비해 해안 퇴적물의 평균 입자 크기가 작다.
⑤ (가), (나) 해안 모두 후빙기 해수면 상승으로 침수된 해안이다.

04 해안 지역의 다양한 지형 이해

자료 분석

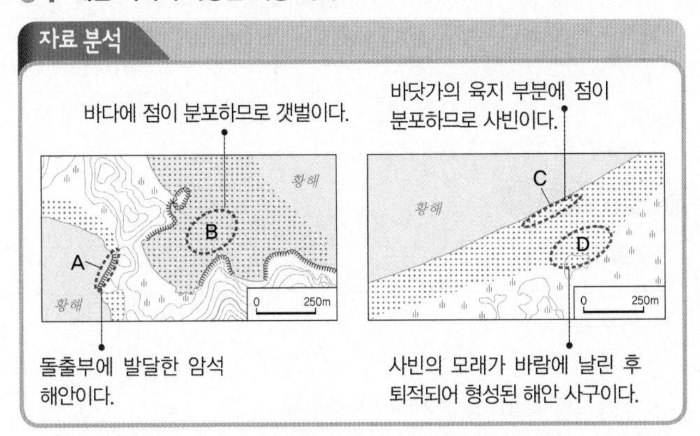

A는 암석 해안, B는 갯벌, C는 사빈, D는 해안 사구이다.
④ 해안 사구의 모래는 사빈의 모래가 바람에 날려 퇴적되어 형성된다. 지도에서는 사빈인 C의 모래가 북서풍에 의해 날린 후 퇴적되어 해안 사구가 형성되었다.

오답 선택지 풀이 ① A는 암석 해안으로 파랑의 침식 작용을 받아 기반암이 노출되어 있다.
② B는 밀물 때는 물에 잠기고 썰물 때는 드러나는 갯벌이다.
③ C는 파랑과 연안류의 퇴적 작용으로 형성된 사빈이다.
⑤ 해안 사구는 사빈의 모래가 바다로부터 불어오는 바람에 날려 퇴적되어 형성된다. 따라서 퇴적물의 평균 입자 크기는 사빈이 해안 사구보다 크다.

올쏘 만점 노트 해안의 침식 지형과 퇴적 지형

• 해안 침식 지형

해식애	파랑의 침식 작용으로 형성된 해안 절벽, 파랑의 침식 작용으로 점차 후퇴함
파식대	파랑의 침식 작용으로 형성된 평평한 지형, 해식애가 육지 쪽으로 후퇴하면서 넓어짐
해안 단구	과거의 파식대나 해안 퇴적 지형이 지반의 융기나 해수면 변동에 의해 당시의 해수면보다 높은 곳에 위치하게 된 계단 모양의 지형, 둥근 자갈 및 모래가 발견됨
해식동굴	해식애의 약한 부분이 집중적으로 침식되어 형성된 동굴
시 스택	파랑의 침식 작용으로 주변부가 제거되고 남은 돌기둥이나 작은 바위섬
시 아치	해식동굴이 파랑의 침식 작용으로 뚫려 형성된 아치 모양의 지형

• 해안 퇴적 지형

사빈	하천 또는 암석 해안에서 공급된 모래가 파랑과 연안류의 퇴적 작용으로 형성, 주로 여름철 해수욕장으로 이용
해안 사구	사빈의 모래가 바람에 날려 퇴적되어 형성, 방풍림 조성, 지하수 저장 기능
석호	후빙기 해수면 상승으로 형성된 만의 입구에 사주가 발달하여 형성된 호수, 하천의 퇴적 작용으로 규모가 점차 축소됨
갯벌	조류에 의해 운반된 모래나 점토가 퇴적되어 형성, 생태계의 보고, 해수 정화 기능

05 화산 지형과 카르스트 지형

개념 확인 문제 본문 38쪽

01 (1) 종상, 순상 (2) 주상 절리 (3) 칼데라 (4) 밭
(5) 칼데라, 칼데라, 화구 (6) 논(벼) (7) 조선, 시멘트
(8) 석회동굴 (9) 붉은 (10) 돌리네

01 (1) × (2) ○ (3) ○ (4) × (5) × (6) ○ (7) ×

올쏘 시험에 꼭 나오는 문제 본문 38~40쪽

01 ③ 02 ⑤ 03 ① 04 ⑤ 05 ④ 06 ⑤ 07 ⑤
08 ③ 09 ② 10 해설 참조

01 화산 지형의 특징 이해

자료 분석

경사가 완만하므로 점성이 작은 용암이 분출한 후 굳어져서 만들어진 것이다.
용암 대지가 만들어지기 전에 형성되었으며, 기반암은 주로 변성암이다.

○○오름
850
900
A
B
250 m

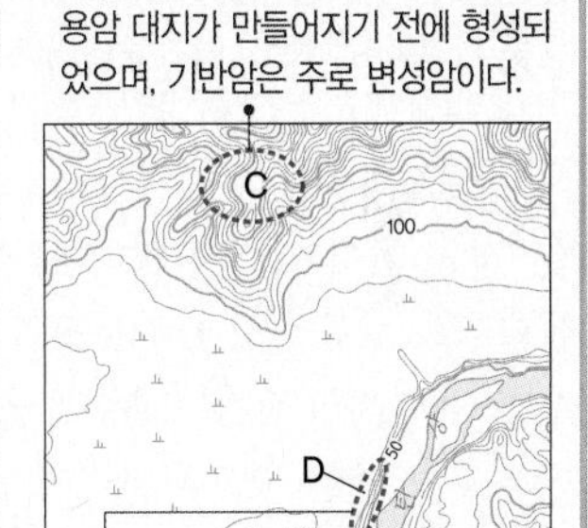

제주도임을 알 수 있다.
기생 화산의 소규모 분화구이다.
철원, 연천 일대의 용암 대지임을 알 수 있다.
D에는 주상 절리가 나타나는 수직 절벽이 있다.

ㄴ. B의 기반암은 절리가 발달한 현무암으로, 현무암 풍화토는 흑갈색을 띤다.
ㄷ. C의 기반암은 주로 시·원생대의 변성암이고, D의 기반암은 신생대의 화산 활동으로 형성되었다. 따라서 C의 기반암은 D의 기반암보다 형성 시기가 이르다.

오답 선택지 풀이 ㄱ. A는 기생 화산의 소규모 분화구로, 화산 지형이다. 기반암이 용식 작용을 받아 형성된 돌리네는 카르스트 지형으로, 고생대 석회암 분포 지역에 발달하였다.
ㄹ. 석회암이 풍화된 토양인 석회암 풍화토는 고생대의 조선 누층군이 주로 분포하는 곳에 나타난다. 한탄강 일대에는 고생대 조선 누층군이 분포하지 않는다.

유사 선택지 문제

01 ❶ × ❷ ○ ❸ ×

올쏘 만점 노트 화산 지형의 유형

종상 화산	순상 화산	용암 대지
• 종 모양 • 점성이 큰 용암 분출 • 울릉도, 독도, 백두산 및 한라산의 정상부	• 방패 모양 • 점성이 작은 용암 분출 • 백두산과 한라산의 산록부	• 점성이 작은 용암의 열하(틈새) 분출 • 철원·평강, 신계·곡산 등

02 칼데라의 형성 과정 이해

그림은 칼데라의 형성 과정이다. 칼데라는 마그마가 분출한 이후 분화구 부근이 함몰되어 형성된 커다란 분지로, 규모가 분화구에 비해 크다.

⑤ 백두산(A)의 천지는 칼데라에 물이 고여 형성된 호수(칼데라호)이고, 울릉도(C)의 나리 분지는 칼데라 분지이다.

오답 선택지 풀이 B는 철원의 용암 대지이다.

03 제주도의 특징 이해

A는 제주도이다.

ㄱ. 제주도의 최고봉은 한라산으로, 한라산 정상부에는 화구호인 백록담이 있다.

ㄴ. 제주도의 기반암인 현무암은 절리가 발달하여 지표수가 지하로 잘 스며들기 때문에 건천이 많다.

오답 선택지 풀이 ㄷ. 제주도는 지표수가 부족하여 경지는 대부분 밭으로 이용된다.

ㄹ. 전통 촌락은 샘이 솟아나는 해안가를 중심으로 분포한다. 산간 지역은 물이 귀하여 취락이 입지하기 어려웠다.

04 울릉도의 지형 이해

울릉도는 점성이 큰 용암이 분출하여 형성된 화산섬으로 화구의 함몰로 형성된 칼데라 분지인 나리 분지가 있다.

ㄷ. 나리 분지의 경지는 배수가 양호하여 주로 밭으로 이용된다.

ㄹ. 나리 분지는 칼데라 분지이다.

오답 선택지 풀이 ㄱ. 울릉도는 종상 화산으로 점성이 큰 조면암질 용암이 분출하여 형성되었다.

ㄴ. 나리 분지가 형성된 후에 중앙 화구구인 알봉이 형성되었다.

유사 선택지 문제

04 ❶ × ❷ ○ ❸ ×

05 제주도 주상 절리의 특징 이해

④ 주상 절리의 기둥은 대체로 육각형 모양이다.

오답 선택지 풀이 ① 파랑의 침식으로 암석이 노출되어 있다.

② 주상 절리는 현무암으로 이루어져 있다.

③ 현무암은 점성이 작은 용암이다.

⑤ 주상 절리는 용암이 빠르게 식으면서 부피가 줄어드는 과정에서 형성되었다.

06 카르스트 지형의 형성 과정 이해

그림은 석회암이 물에 녹아 동굴이 형성되는 과정을 나타낸 것으로, 석회동굴이다.

ㄷ. 석회암이 풍화되어 형성된 간대 토양은 붉은색을 띤다.

ㄹ. 석회동굴에는 석회암이 녹았다가 침전되어 형성된 종유석, 석순, 석주 등의 지형이 분포한다.

오답 선택지 풀이 ㄱ. 돌산은 기반암이 화강암인 산지에서 잘 나타난다.

ㄴ. 고생대 조선 누층군이 분포하는 지역에 석회암이 분포한다.

07 돌리네가 분포하는 지역의 특징 이해

지도에서 A는 기반암이 석회암인 지역에 분포하는 움푹 파인 와지인 돌리네이다.

⑤ 석회암 지역의 지하에는 석회동굴이 발달할 수 있다.

오답 선택지 풀이 ① 돌리네에는 물이 빠지는 구멍이 있어 여름철 비가 내릴 때도 빗물이 모여들어 호수가 형성되지 않는다.

② 석회암이 기반암인 지역에는 석회암이 풍화되어 형성된 붉은색의 토양이 분포한다. 암석이 풍화되고 남은 물질로 이루어진 흑갈색 토양은 기반암이 현무암인 지역에 주로 분포한다.

③ 석회암은 고생대 조선 누층군에 분포하며 고생대 바다에서 살던 생물의 화석이 발견된다. 중생대 호숫가에서 살던 육상 동물의 발자국 화석을 볼 수 있는 곳은 경상 분지이다.

④ 도로 주변의 경지에서 주로 밭농사가 이루어지는 것은 배수가 양호하여 지표수가 부족한 것과 관련이 있다.

유사 선택지 문제

07 ❶ × ❷ ×

08 카르스트 지형과 화산 지형의 특징 이해

자료 분석

저하 등고선이라고 하며 주변에 비해 해발 고도가 낮은 움푹 파인 땅이다.

제주도에서 등고선의 간격이 넓게 분포하는 중간에 폐곡선이 여러 개 나타나면, 그곳은 주로 오름이다.

오름의 정상부에 있는 분화구이다.

(가)

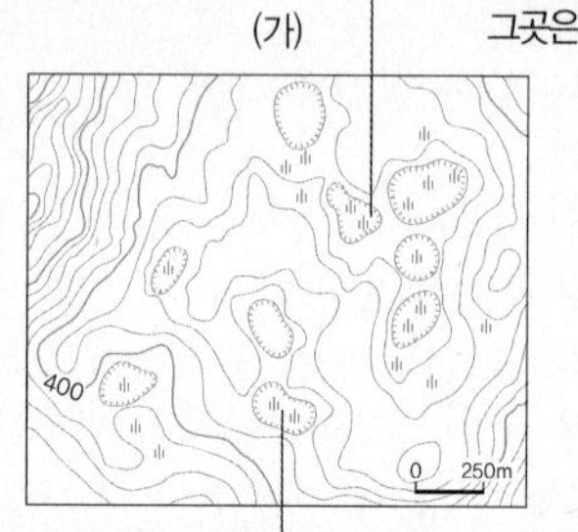

(나)

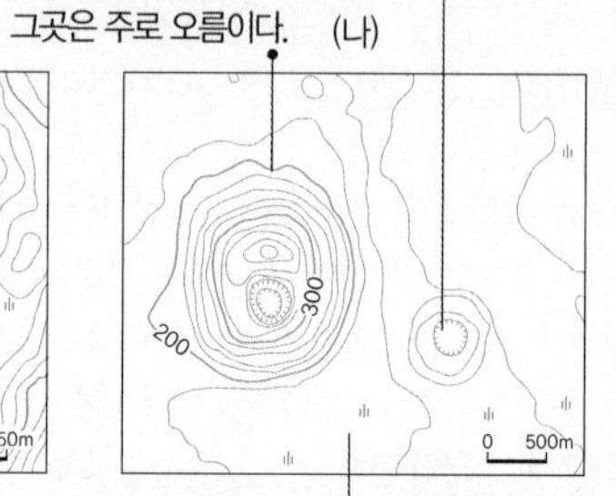

돌리네는 석회암이 용식 작용을 받아 형성되는 지형으로, 움푹 파여 있지만 물이 빠지는 구멍이 있어 배수가 양호하다.

제주도의 주요 기반암은 절리가 발달한 현무암이기 때문에 비가 오면 빗물이 지하로 빠르게 스며든다. 따라서 지표수가 부족하기 때문에 경지는 대부분 밭으로 이용된다.

(가)의 움푹 파인 지형은 돌리네이고, (나)의 오름 정상부에 움푹 파인 곳은 분화구이다. 따라서 (가)는 카르스트 지형, (나)는 제주도의 화산 지형이다.

③ 석회암 분포 지역이 제주도보다 토양의 형성 시기가 이르기 때문에 토양층이 두껍다.

오답 선택지 풀이 ① 석회암이 분포하는 지역에는 토양 속의 철분이 산화되어 붉은색의 토양이 분포한다.

② 제주도는 경동성 요곡 운동의 영향을 거의 받지 않은 반면, 주요 석회암 분포 지역인 강원 남부 지역은 경동성 요곡 운동의 영향을 많이 받았다.

④ 두 지역 모두 기반암의 투수성이 높아서 건천이 나타난다.

⑤ 돌리네와 제주도에서는 기반암의 영향으로 배수가 양호하여 주로 밭농사가 이루어진다.

09 카르스트 지형의 분포 파악

'돌리네가 많고 지하에 거대한 석회동굴이 있을 것으로 추정'이라는 것은 ○○ 마을의 기반암이 석회암이라는 의미이다. 지도에서 석회암이 분포하는 지역은 강원도 정선(B)이다.

오답 선택지 풀이 A는 현무암이 분포하는 철원, C는 태안, D는 안동, E는 서귀포이다.

10 석회동굴과 용암동굴의 형성 과정 이해

(1) (가) 석회동굴, (나) 용암동굴

(2) **| 모범 답안 |** 석회동굴(가)은 절리를 통해 스며든 지하수의 용식 작용을 받아 형성된다. 용암동굴(나)은 점성이 작아 유동성이 큰 용암이 흘러내릴 때 지상에 노출된 부분이 빨리 식어 굳어진 상태에서도 그 아래로 용암이 흐르면서 공간이 만들어져 형성된다.

채점 기준	배점
제시된 용어를 모두 사용하여 두 동굴의 형성 과정을 정확하게 서술한 경우	상
제시된 용어를 모두 사용했지만 한 동굴의 형성 과정만 정확하게 서술한 경우	중
제시된 용어 중 일부만 사용하여 한 동굴의 형성 과정에 대해 서술한 경우	하

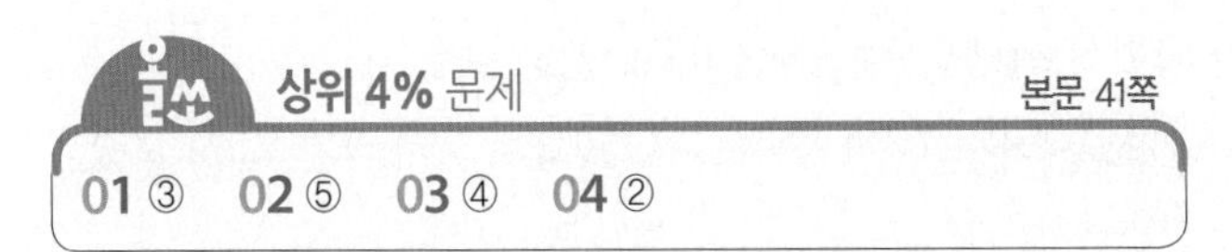

01 돌리네가 분포하는 지역의 특징 이해

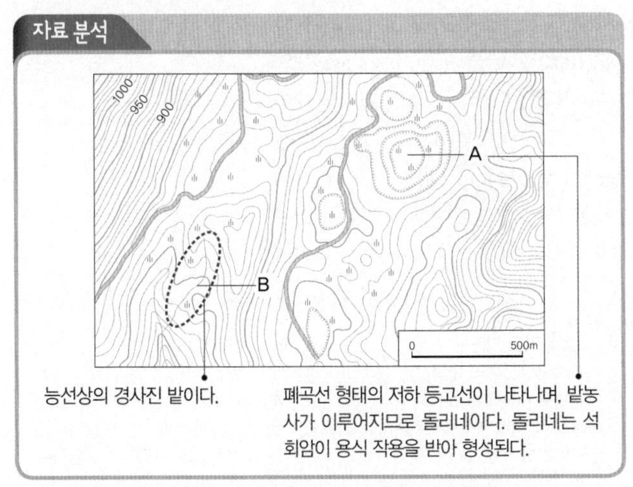

③ 감조 하천은 서해안으로 흐르는 하천의 하류에서 주로 나타난다. B는 해발 고도가 높은 곳에 있는 하천으로, 주로 하천의 중·상류일 가능성이 높다.

오답 선택지 풀이 ① 돌리네가 분포한다는 것은 조선 누층군에 분포하는 석회암이 분포한다는 의미이다.

② 돌리네는 석회암이 용식 작용을 받아 형성되는데, 용식 작용은 화학적 풍화 작용에 해당한다.

④ 석회암이 분포하는 지역의 주요 토양은 붉은색의 석회암 풍화토이다.

⑤ 석회암이 기반암인 지역에서는 석회암이 지하수에 의한 용식 작용을 받아 형성되는 석회동굴이 분포한다. 석회동굴에는 기반암이 용해된 물질이 침전되어 형성된 종유석, 석순, 석주 등의 지형이 나타난다.

02 석회동굴의 특징 이해

자료는 석회동굴을 나타낸 것이다.

⑤ 석회동굴의 수평적 형태는 매우 기복이 심하여 걷기 불편하다. 수평적 형태에서 기복이 매우 작아 걷기에 편리한 자연 동굴은 제주도의 용암동굴이다.

오답 선택지 풀이 ① 기반암이 석회암인 지역은 기반암이 용식된 후 남은 철분 등이 산화되어 형성된 붉은색의 석회암 풍화토가 분포한다.

② 석회동굴에는 기반암이 용해된 물질이 침전되어 형성된 종유석, 석순, 석주 등이 나타난다.

③ 석회동굴의 기반암은 고생대 조선 누층군에 분포하는 석회암으로, 고생대 바다에서 살던 생물의 화석이 분포한다.

④ 물이 빠지는 구멍이 있는 움푹 파인 지형은 돌리네로, 이곳은 주로 밭으로 이용된다.

03 철원과 제주도의 화산 지형 이해

왼쪽 지도의 한탄강 유역에는 용암 대지가 분포한다. 오른쪽 지도는 제주도의 일부를 나타낸 것이다.

④ 기반암이 물에 의한 용식 작용을 받아 형성된 와지는 석회암 분포 지역에서 나타난다.

오답 선택지 풀이 ① A는 용암 대지가 형성되기 이전부터 있었던 지형이므로 B에 비해 기반암의 형성 시기가 이르다. A는 주로 시·원생대의 변성암으로 이루어져 있고, B는 신생대의 화산 활동으로 형성되었다.

② B는 용암 대지로 토양층 아래에는 절리가 발달한 현무암이 분포한다.

③ 현무암은 점성이 작은 용암이 분출한 후 식어 굳어진 암석이다.

⑤ 제주도는 기반암에 절리가 발달하여 물이 지하로 잘 스며들기 때문에 건천이 발달한다.

04 제주도 화산 지형과 석회암 분포 지역의 특성 이해

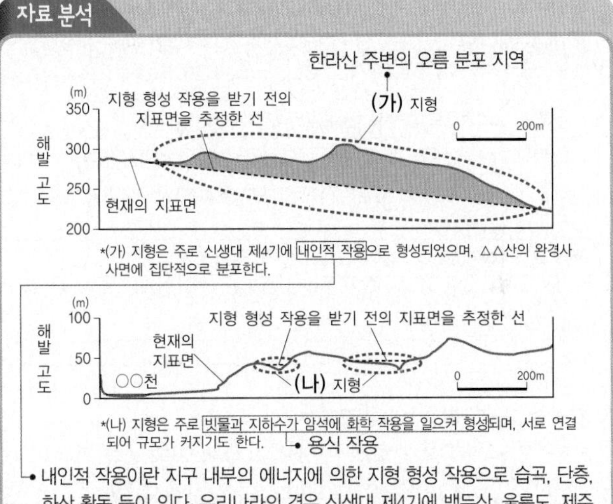

- 내인적 작용이란 지구 내부의 에너지에 의한 지형 형성 작용으로 습곡, 단층, 화산 활동 등이 있다. 우리나라의 경우 신생대 제4기에 백두산, 울릉도, 제주도 등지에서 화산 활동에 의한 지형 형성 작용이 활발하였다.
- (나) 지형은 빗물과 지하수가 암석에 화학 작용을 일으켜 형성된 지형이다. 이는 돌리네에 해당한다. 따라서 (나) 지형의 기반암은 석회암이다.

(가)는 신생대 제4기에 내인적 작용으로 형성된 지형이므로 화산 지형, (나)는 빗물과 지하수가 암석에 화학 작용을 일으켜 형성되었으므로 석회암이 기반암인 지역이다.

② 석회암 분포 지역에 형성된 와지는 대개 물이 빠지는 구멍이 있어 호수가 형성되지 않는다.

오답 선택지 풀이 ① 제주도 오름의 정상부에는 분화구가 분포하며, 이 분화구 중에는 물이 고여 형성된 호수가 있다.

③ 석회암 분포 지역이 제주도에 비해 풍화 기간이 오래되어 토양층의 평균 두께가 두껍다.

④ 석회암 분포 지역은 지하로 물이 스며드는 구멍이 있고, 현무암 분포 지역은 절리가 발달하여 지표수가 지하로 잘 스며들어 건천이 분포한다.

⑤ 현무암 풍화토는 흑갈색, 석회암 풍화토는 붉은색이다.

Ⅲ. 기후 환경과 인간 생활

06 우리나라의 기후 특성

개념 확인 문제

본문 44쪽

01 대륙 동안, 크다

02 (1) 크다 (2) 크다 (3) A > B > C

03 (1) ㄱ (2) ㄴ (3) ㄹ (4) ㄷ

올쏘 시험에 꼭 나오는 문제

본문 44~48쪽

01 ③ 02 ④ 03 ① 04 ⑤ 05 ④ 06 ⑤ 07 ③
08 ① 09 ④ 10 ① 11 ③ 12 ⑤ 13 ② 14 ④
15 ② 16 ③ 17~19 해설 참조

01 위도와 기후 특성 이해

위도의 영향으로 광주는 평양보다 연평균 기온이 높다.

오답 선택지 풀이 ① 동해안에 위치한 포항은 서해안에 위치한 군산보다 무상 일수가 길다.

② 홍천보다 해발 고도가 높은 대관령은 홍천보다 여름 기온이 낮다.

④ 동해안에 위치한 강릉은 서해안에 위치한 인천보다 기온의 연교차가 작다.

⑤ 침식 분지인 대구는 바람그늘에 위치하여 비가 적게 내린다.

올쏘 만점 노트 기후 요인의 영향

위도	고위도로 갈수록 일사량이 적어 기온이 낮아짐
수륙 분포	비슷한 위도에서 내륙은 해안보다 기온의 연교차가 큼
지형	높은 산지의 바람받이 사면은 바람그늘 사면보다 강수량이 많음
해발 고도	해발 고도가 높아질수록 기온이 낮아짐
해류	한류가 흐르는 해안 지역은 여름철 기온이 낮고 강수량이 적음

02 해발 고도와 기후 차이 비교

한라산 정상은 해발 고도의 영향으로 주변 지역보다 기온이 낮고, 해발 고도가 높은 태백은 비슷한 위도의 원주보다 최난월 평균 기온이 낮다.

오답 선택지 풀이 ㄱ. 제주도 내에서 나타나는 기온 차이이므로 위도의 차이와는 관련이 없다.

ㄷ. 부산이 원산보다 연평균 기온이 높은 것은 위도의 영향이 크다.

ㅁ. 홍천은 내륙에, 인천은 서해안에 위치한다. 즉, 수륙 분포의 영향으로 인천은 홍천보다 최한월 평균 기온이 높다.

03 우리나라에 영향을 미치는 기단 이해

(가)는 시베리아 기단, (나)는 오호츠크해 기단, (다)는 북태평양 기단, (라)는 적도 기단이다.

ㄱ. 시베리아 기단(가)은 겨울철 삼한 사온 현상에 영향을 준다.

ㄷ. 북태평양 기단(다)은 한여름의 무더위를 가져온다.

오답 선택지 풀이 ㄴ. 이른 봄의 꽃샘추위는 시베리아 기단(가)의 영향으로 나타난다.

ㄹ. 오호츠크해 기단(나)과 북태평양 기단(다)이 만나면 장마 전선이 형성된다.

올쏘 만점 노트 우리나라에 영향을 끼치는 기단

기단	시기	성질	영향
시베리아 기단	겨울 (늦가을~초봄)	한랭 건조	한파, 삼한 사온, 꽃샘추위
오호츠크해 기단	늦봄~초여름	냉량 습윤	높새바람, 여름철 냉해, 장마 전선 형성
북태평양 기단	여름	고온 다습	무더위, 열대야, 장마 전선 형성
적도 기단	여름~초가을	고온 다습	태풍

04 대륙 동안과 대륙 서안의 기후 특성 이해

(가)는 리스본, (나)는 서울의 기후 그래프이다. 유라시아 대륙 서안에 위치한 리스본은 유라시아 대륙 동안에 위치한 서울보다 기온의 연교차가 작고, 연 강수량이 적으며, 여름 강수 집중률이 낮다. 따라서 그림의 E에 해당한다.

05 지역별 8월 평균 기온과 기온의 연교차 비교

자료 분석

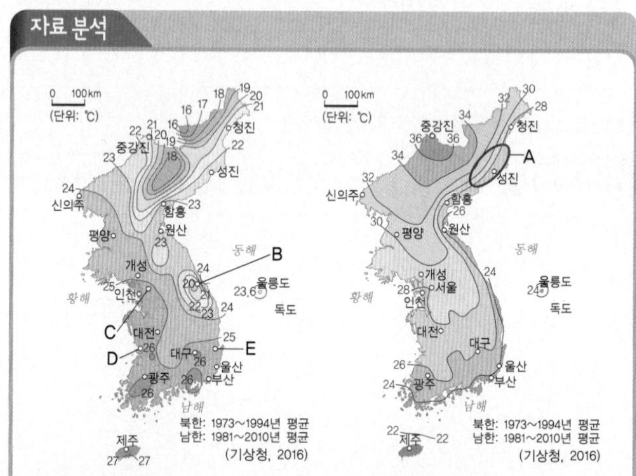

8월 평균 기온 / 기온의 연교차

우리나라의 국토는 남북으로 길게 뻗어 있어 위도에 따라 남북 간의 기온 차가 크게 나타난다. 특히 겨울철은 여름철보다 건조하고, 지역 간 기온 차이가 크다. 관북 해안 지역은 동쪽으로 급경사가 나타나는 함경산맥이 해안선과 평행하게 분포하고 있어 등온선의 간격이 좁게 나타난다. 태백산맥에 위치하는 대관령은 주변 지역에 비해 해발 고도가 높기 때문에 등온선 간격이 좁게 나타난다.

지도의 A는 관북 해안 지역, B는 대관령, C는 서울, D는 군산, E는 포항이다. 서해안에 위치한 군산(D)은 동해안에 위치한 포항(E)보다 1월 평균 기온이 낮다.

오답 선택지 풀이 ① 관북 해안 지역(A)의 등온선 분포는 지형의 영향이 크다.

② 해발 고도가 높은 대관령(B)은 서울(C)보다 1월 평균 기온이 낮다.

③ 중부 지방에 위치한 서울(C)의 1월 평균 기온은 0℃ 이하로 내려간다.

⑤ 동해안에 위치한 포항(E)은 서해안에 위치한 군산(D)보다 기온의 연교차가 작다.

유사 선택지 문제

05 ❶ ○ ❷ ○ ❸ ×

06 홍천과 강릉 기후 비교

(가)는 홍천, (나)는 강릉이다.

ㄷ. 북동 기류의 영향으로 강릉(나)은 홍천(가)보다 겨울에 눈이

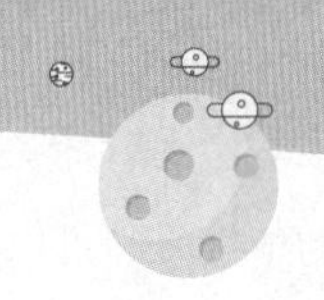

많이 내려 겨울 강수 집중률이 높다.

ㄹ. 홍천(가)은 내륙, 강릉(나)은 해안에 위치한다.

오답 선택지 풀이 ㄱ. 위도는 비슷하지만 내륙에 위치한 홍천(가)은 해안에 위치한 강릉(나)보다 영농 기간이 짧다.

ㄴ. 내륙에 위치한 홍천(가)은 해안에 위치한 강릉(나)보다 기온의 연교차가 크다.

07 여름과 겨울의 일기도 이해

(가)는 여름철, (나)는 겨울철 일기도이다. 건조한 겨울철은 다습한 여름철보다 기온의 일교차가 크다.

오답 선택지 풀이 ① 겨울철(나)은 여름철(가)에 비해 평균 기온이 낮다.

② 겨울철(나)은 여름철(가)에 비해 상대 습도가 낮다.

④ 한여름에 대류성 강수가 나타난다.

⑤ 여름철(가)에 열대일과 열대야가 자주 나타난다.

08 연 강수량과 연평균 기온의 분포 파악

서울의 연 강수량은 약 1,300mm, 제주도의 연 강수량은 약 1,800mm이므로 (가)는 연 강수량에 해당한다. (나)는 고위도로 갈수록 낮아지고 해발 고도가 높을수록 낮아지는 경향이 나타나며, 서울이 약 12℃, 제주가 약 16℃이므로 연평균 기온이다.

09 강수량의 지역적 차이 이해

자료 분석

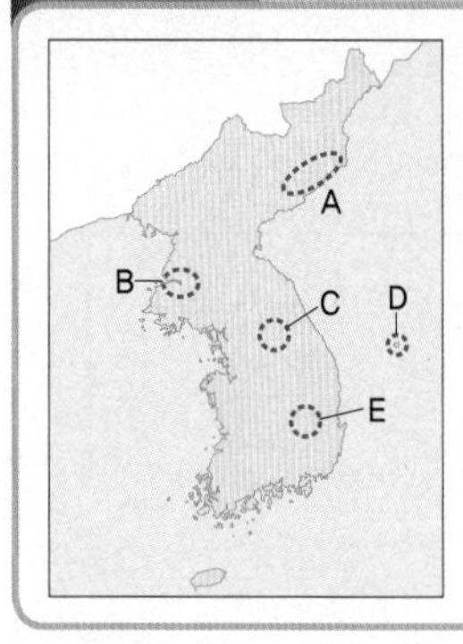

우리나라의 강수량은 지형과 풍향에 따라 지역별로 차이가 크다. 여름철 고온 다습한 남서 기류가 우리나라에 유입되면 지형성 강수가 발생하기 쉽다. 바람받이에 해당하는 제주도 남동 지역, 섬진강을 포함한 남해안 일부 지역, 대관령 부근, 한강 및 청천강 중·상류 지역은 여름철 강수량이 많은 다우지이다. 바람그늘에 해당하는 낙동강 중·상류 지역, 관북 해안 지역 등은 상대적으로 여름철 강수량이 적어 소우지를 이룬다. 또한, 대동강 하류 지역은 비교적 저평한 지형으로 상승 기류가 발생하기 어려워 강수량이 적다.

지도의 A는 관북 해안 지역, B는 대동강 하류, C는 한강 중·상류, D는 울릉도, E는 낙동강 중·상류에 해당하는 영남 내륙 지역이다. 여름 계절풍인 남동·남서풍의 바람받이인 한강 중·상류(C)는 울릉도(D)보다 여름철 강수 집중률이 높다.

오답 선택지 풀이 ① 관북 해안 지역(A)은 한류의 영향으로 소우지를 이룬다.

② 대동강 하류(B)와 영남 내륙 지역(E)은 한강 중·상류 지역(C)보다 연 강수량이 적다.

③ 소우지인 관북 해안 지역(A)은 다우지인 한강 중·상류 지역(C)보다 여름철 강수량이 적다.

⑤ A~E 중 겨울철 강수 집중률은 울릉도(D)가 가장 높다.

유사 선택지 문제

09 ❶ ○ ❷ ○ ❸ ×

10 중강진, 평양, 대구, 제주의 기온 차 비교

그래프에서 최한월 평균 기온이 가장 낮은 (가)는 중강진, 최한월 평균 기온이 가장 높은 (라)는 제주이다. 고위도일수록 최한월 평균 기온이 낮으므로 (나)는 평양, (다)는 대구이다. 따라서 그래프의 (가)는 중강진, (나)는 평양, (다)는 대구, (라)는 제주이다. 지도의 A는 중강진, B는 평양, C는 대구, D는 제주이므로, (가)는 A, (나)는 B, (다)는 C, (라)는 D에 해당한다.

11 군산, 대관령, 포항의 기후 차 비교

(가)는 군산, (나)는 대관령, (다)는 포항이다.

㉡ 1월 평균 기온은 동해안의 포항(다)이 가장 높고, 해발 고도가 높은 대관령(나)이 세 지역 중 가장 낮다.

㉢ 최난월 평균 기온은 서해안에 위치한 군산(가)이 가장 높고, 해발 고도가 높은 대관령(나)이 세 지역 중 가장 낮다.

오답 선택지 풀이 ㉠ 해발 고도의 영향으로 여름과 겨울 강수량이 많은 대관령(나)의 연 강수량이 세 지역 중 가장 많다.

㉣ 포항(다)은 겨울철에 북동 기류의 영향을 받으므로 겨울 강수량 비중이 세 지역 중 가장 높다.

12 중부 지방의 지역별 강수량 분포 파악

지도의 (가)는 인천, (나)는 대관령, (다)는 울릉도이다. 겨울 강수량이 가장 많은 A는 울릉도(다), 여름 강수량이 가장 많은 B는 대관령(나)이다. 따라서 C는 인천(가)이다.

13 중부 지방의 지역별 기온의 차이 비교

(가)는 서리 첫날, (나)는 서리 마지막 날이다. 따라서 서리 첫날(가)~서리 마지막 날(나)은 서리가 내리는 기간을 말한다. 서리가 내리는 기간은 B > A > C 순으로 길다. 한편 서리 마지막 날~서리 첫날에 해당하는 무상 일수는 위도가 비슷한 경우에 해안이 내륙보다 길고, 동해안이 서해안보다 길다. 따라서 무상 일수는 C > A > B 순으로 길다.

14 여름과 겨울의 바람 이해

자료 분석

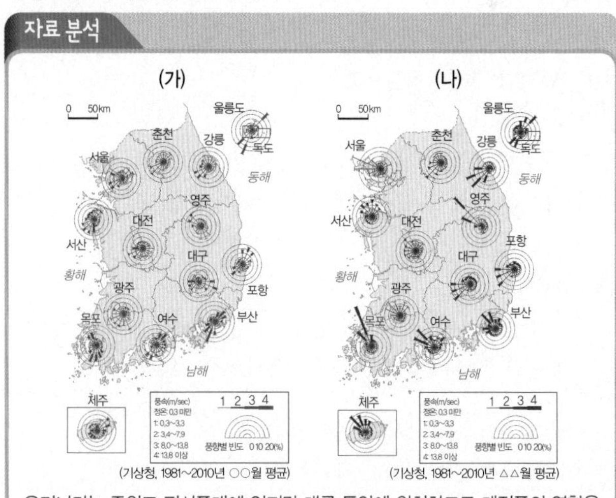

우리나라는 중위도 편서풍대에 있지만 대륙 동안에 위치하므로 계절풍의 영향을 더 많이 받는다. 겨울에는 시베리아 고기압의 영향으로 한랭 건조한 북서 계절풍이 불고, 여름에는 북태평양 고기압의 영향으로 고온 다습한 남동·남서 계절풍이 분다.

지도의 (가)는 남동·남서 계열의 바람이 우세하므로 7월, (나)는 북동·북서 계열의 바람이 우세하므로 1월에 해당한다.

ㄴ. 7월(가)에는 북태평양 기단의 영향으로 남동 및 남서 계열의 바람이 우세하고, 1월(나)에는 시베리아 기단의 영향으로 북

서 및 북동 계열의 바람이 우세하다.

ㄹ. 1월(나)은 7월(가)보다 풍속의 지역 격차가 크다.

오답 선택지 풀이 ㄱ. 7월(가)에는 남동 · 남서 계열의 바람이 우세하다.
ㄷ. 7월(가)보다 1월(나)에 서해안에서 풍속이 강하다.

유사 선택지 문제

14 ❶ ○ ❷ × ❸ ×

15 우리나라의 다설지 이해

(가)는 영동 지방으로 겨울철에 북동 기류가 유입되면 눈이 많이 내린다.

오답 선택지 풀이 ① 다습한 남서풍이 불면 바람받이에 해당하는 청천강 중 · 상류, 한강 중 · 상류 등에 비가 많이 내린다.
③ 황해상에서 발달한 눈구름이 다가오면 서해안 일대에 눈이 많이 내린다.
④ 남부 지방에 있던 장마 전선의 북상은 여름에 나타난다.
⑤ 강한 일사로 인해 대기가 매우 불안정한 상태가 되면 대류성 강수가 내린다.

16 우리나라의 소우지와 다우지 파악

지도의 ㄱ은 청천강 중 · 상류로 다우지, ㄴ은 대동강 하류로 소우지, ㄷ은 개마고원으로 소우지, ㄹ은 한강 중 · 상류로 다우지, ㅁ은 영남 내륙 지역으로 소우지에 해당한다. 개마고원 일대는 바람그늘 사면으로 강수량이 적다.

오답 선택지 풀이 ① ㄱ은 청천강 중 · 상류 지역이다. 이 지역은 남동 · 남서 계열의 여름 계절풍의 바람받이로 다우지에 해당한다.
② ㄴ은 대동강 하류 지역이다. 이곳은 지형이 평탄한 지역으로, 소우지에 해당한다.
④ ㄹ은 한강 중 · 상류 지역이다. 이 지역은 남동 · 남서 계열의 여름 계절풍의 바람받이로 다우지에 해당한다.
⑤ ㅁ은 영남 내륙 지역으로, 바다와 거리가 멀고 바람그늘에 해당하여 소우지에 해당한다.

17 기온 역전 현상의 특징 이해

(1) 기온 역전

(2) **| 모범 답안 |** 지표 가까운 곳에 찬 공기가 형성되고 고도가 높아질수록 따뜻한 공기층이 형성되었기 때문에(즉 기온 역전층이 형성되었기 때문에) 대기가 안정되어 공기의 이동이 거의 없다.

채점 기준	배점
기온 역전층의 형성과 이로 인해 대기가 안정되었다는 점을 정확하게 서술한 경우	상
기온 역전층의 형성에 대해서만 서술한 경우	중
대기가 안정되었기 때문이라고만 서술한 경우	하

18 우리나라에 영향을 주는 바람의 특징 이해

(1) 편서풍

(2) **| 모범 답안 |** 우리나라는 유라시아 대륙 동안의 대륙과 해양 사이에 위치하고, 대륙과 해양의 비열 차에 따라 여름에는 북태평양 기단의 영향이 강하고, 겨울에는 시베리아 기단의 영향이 강하여 계절풍이 발생한다.

채점 기준	배점
우리나라의 위치, 계절별 대륙과 해양의 비열 차, 계절별로 우리나라에 영향을 주는 기단을 모두 정확하게 서술한 경우	상
대륙과 해양의 비열 차이에 대해서만 서술한 경우	중
계절별로 우리나라에 영향을 주는 기단에 대해서만 서술한 경우	하

19 높새바람의 특징 이해

(1) 지형성 강수

(2) **| 모범 답안 |** 높새바람, 태백산맥을 넘을 때 푄 현상에 의해 저온 습윤한 바람이 고온 건조하게 변한다.

채점 기준	배점
높새바람과 푄 현상, 고온 건조한 성질 등을 모두 정확하게 서술한 경우	상
높새바람과 고온 건조한 성질만을 서술한 경우	중
높새바람과 푄 현상, 고온 건조한 성질 중 한 가지만 서술한 경우	하

상위 4% 문제 본문 49쪽

01 ② 02 ① 03 ⑤ 04 ⑤

01 중부 지방의 지역별 기후 차 비교

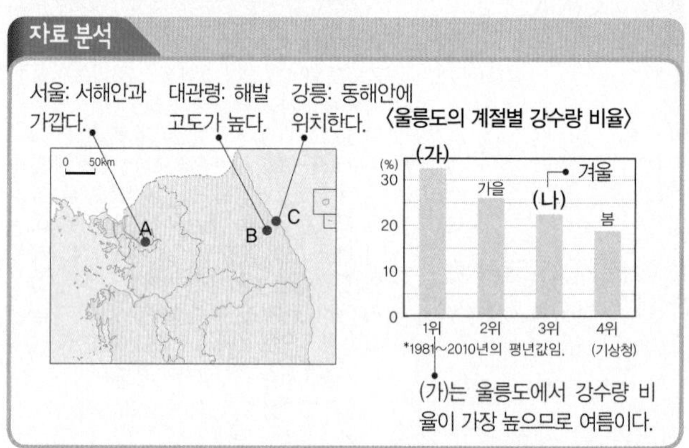

(가)는 여름, (나)는 겨울이다. A는 서울, B는 대관령, C는 강릉이다. 해발 고도가 높은 대관령이 여름철 평균 기온이 가장 낮고, 서해안에 가까운 내륙인 서울이 여름철 평균 기온이 가장 높다. 겨울 강수량 비율은 강릉 > 대관령 > 서울 순으로 높다.

02 기후 요인의 영향 파악

ㄱ. 대구는 원주보다 저위도에 위치하므로 대구가 원주보다 최한월 평균 기온이 높다.

ㄴ. 초여름에 태백산맥을 넘어 부는 북동풍은 푄 현상에 의해 고온 건조한 바람으로 성질이 변한다.

오답 선택지 풀이 ㄷ. 해발 고도의 영향으로 한라산 정상은 제주도 해안에 비해 최난월 평균 기온이 낮다.
ㄹ. 서해안에 위치한 인천은 동해안에 위치한 강릉에 비해 기온의 연교차가 크다.

03 연평균 기온과 연 강수량 비교

A는 연평균 기온이 가장 낮고 연 강수량이 가장 적은 중강진,

연평균 기온이 중강진 다음으로 낮은 B는 평양이다. 연 강수량이 가장 많은 D는 강릉이다. C는 E보다 연평균 기온이 낮고 연 강수량이 다소 많으므로 C는 군산, E는 포항이다.

ㄷ. 군산(C)은 포항(E)보다 최한월 평균 기온이 낮다. 포항은 지도에 표시된 지역 중 연평균 기온이 가장 높다.

ㄹ. 강릉(D)은 중강진(A)보다 연교차가 작다.

오답 선택지 풀이 ㄱ. 중강진(A)은 평양(B)보다 무상 기간이 짧다.
ㄴ. 평양(B)은 강릉(D)보다 하계 강수 집중률이 높다.

04 여름과 겨울의 바람 특징 비교

자료 분석

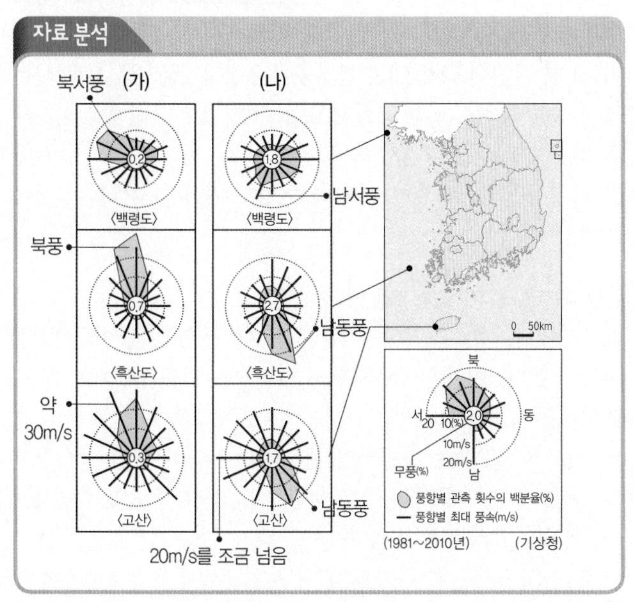

(가)는 1월, (나)는 7월이다. 고산은 (가) 시기 최대 풍속이 약 30m/s이며, (나) 시기는 약 20m/s이므로 (가), (나) 시기 모두 최대 풍속이 가장 빠르다.

오답 선택지 풀이 ① (가)의 세 지점 풍향은 주로 북서풍 또는 북풍이다.
② (나)의 백령도 서풍 비율은 동풍 비율보다 낮다.
③ (가)는 1월이고, (나)는 7월이다.
④ (가)는 (나)에 비해 무풍의 비율이 낮다.

07 기후와 주민 생활 ~ 기후 변화와 자연재해

개념 확인 문제 본문 52쪽

01 (1) 낮다 (2) 자연 제방, 터를 돋운 후 지은 집 (3) 긴, 내륙 (4) 낮게
02 (1) A (2) C (3) B
03 가뭄

시험에 꼭 나오는 문제 본문 52~58쪽

01 ⑤ 02 ③ 03 ③ 04 ② 05 ② 06 ③ 07 ②
08 ④ 09 ① 10 ② 11 ④ 12 ① 13 ④ 14 ⑤
15 ① 16 ④ 17 ② 18 ② 19 ④ 20 ⑤ 21 ④
22 ② 23 ① 24 ③ 25~27 해설 참조

01 기온과 식생활 특징 파악

김치를 통해 지역을 파악할 수 있는데, 남부 지방(가)에서는 고추 재배가 잘되므로 고춧가루가 많이 들어가고 더운 여름에 쉽게 상하는 것을 막기 위해 소금을 많이 넣는 김치를 주로 먹는다. 북부 지방(나)에서는 고추 재배가 어려워 고춧가루를 적게 사용하고 싱거운 김치를 주로 먹는다.

병: 북부 지방(나)은 남부 지방(가)보다 하천의 결빙 기간이 길다.

정: 북부 지방(나)은 남부 지방(가)보다 무상 일수가 짧아 농업에 불리하다.

오답 선택지 풀이 갑: 남부 지방(가)은 북부 지방(나)보다 서리 내린 첫 날이 늦다.
을: 남부 지방(가)은 북부 지방(나)보다 기온의 연교차가 작다.

02 기후와 전통 가옥 특징 파악

자료 분석

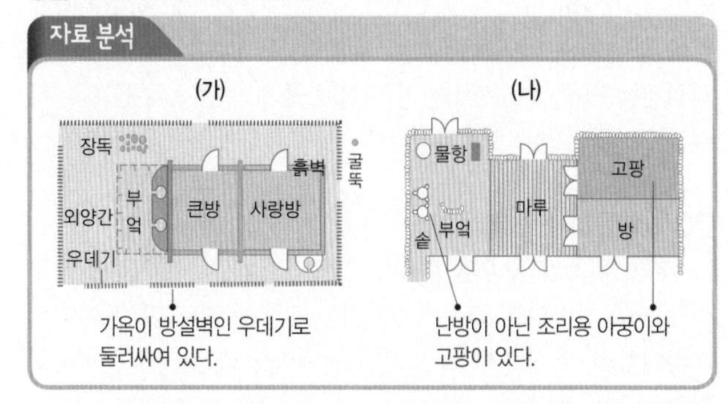

(가)는 방설벽인 우데기가 있으므로 울릉도, (나)는 방과 연결된 창고인 고팡이 있으므로 제주도의 전통 가옥이다. 연중 강수량이 비교적 고르게 나타나는 B가 울릉도의 기후 그래프, 1월 평균 기온이 0℃ 이상이며 연 강수량이 많은 편이고 겨울 강수량도 비교적 많은 C는 제주도의 기후 그래프이다. 따라서 (가)는 B, (나)는 C에 해당한다.

오답 선택지 풀이 1월 평균 기온이 약 −16℃로 가장 낮은 A는 중강진, 여름철 기온이 낮고 강수량이 많은 D는 대관령의 기후 그래프이다.

유사 선택지 문제

02 ❶ 우데기 ❷ 관북

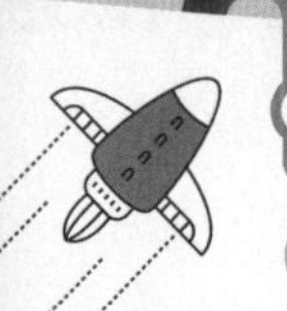

03 김장 시기의 지역 차 비교

겨울철 채소 재배가 어려운 시기를 대비하기 위해 김장을 하므로 김장을 하는 시기는 겨울이 시작되는 시기와 관련이 깊다. 김장 시기는 동위도에서는 서해안이 동해안보다 이르며, 내륙이 해안 지역보다 이르고, 고위도가 저위도보다 이르다. 광주는 12월 중순에 김장을 하고 대구는 12월 초에 김장을 하므로 광주는 대구보다 김장 시기가 늦다.

오답 선택지 풀이 ① 고위도일수록 김장 시기가 이르다.
② 내륙에 위치한 춘천은 동해안에 위치한 강릉보다 김장 시기가 이르다.
④ 동위도의 서해안은 동해안보다 김장 시기가 이르다.
⑤ 김장 시기가 이른 지역일수록 추위가 빨리 시작되고 늦게 풀리므로 개나리꽃의 개화 시기가 늦다.

04 계절풍과 주민 생활 특성 이해

사계절이 뚜렷한 우리나라에서 여름과 겨울에 부는 계절풍은 주민 생활에 많은 영향을 끼쳤다. 차가운 북서 계절풍을 피하기 위해 북쪽에 산을 등지고, 일조량이 풍부한 남향의 배산임수 지역에 마을이 주로 입지하였다.

오답 선택지 풀이 ① 여름 계절풍(㉠)이 불 때는 북태평양 기단의 영향으로 남고북저형의 기압 배치가 나타난다.
③ 올레는 제주도에서 강한 바람을 막기 위하여 큰길에서 집까지 이르는 길에 돌로 쌓은 골목을 말한다.
④ 겨울철에 북서 계열의 바람이 강하게 부는 황해의 섬 지역에서는 'ㄷ'자 형태의 가옥을 볼 수 있다.
⑤ 호남 지방(㉤)에는 전라북도와 전라남도, 광주광역시가 포함된다.

05 강수와 주민 생활 특성 이해

천일제염업은 강수량이 적은 지역에서 풍부한 일조량을 바탕으로 발달하며, 터돋움집은 범람원 지역에서 여름철 범람으로 인한 침수를 피하기 위해 터를 돋우어 지은 가옥을 말한다. 울릉도의 방설벽인 우데기는 겨울철의 많은 강설량에 대비하여 설치한 시설이다. 따라서 염전, 터돋움집, 우데기를 볼 수 있는 지역의 지리적 특색을 탐구하기 위한 공통적인 탐구 주제로는 '강수와 주민 생활'이 가장 적절하다.

06 날씨와 경제생활 특징 이해

ㄱ. 겨울에 스키 용품의 판매가 증가하거나, ㄴ. 편의점에서 날씨에 따라 진열되는 상품이 달라지는 것, ㄹ. 택배 및 운송 서비스업에서 비가 내릴 때 할증 요금을 받기도 하는 것은 (가)의 적절한 사례에 해당한다.

오답 선택지 풀이 ㄷ. 폭염과 한파는 기온과 관련된 자연재해에 속한다. 따라서 제시된 글의 (가)의 사례로는 적절하지 않다. 폭염이 발생하면 일사병이나 열사병에 걸릴 위험이 있고, 한파가 지속되면 보일러나 수도관이 동파되는 피해가 발생할 수 있다. 특히, 폭염과 한파는 노인들의 건강에 위협이 된다.

07 날씨와 경제생활 특징 이해

기후는 주민의 경제생활에도 큰 영향을 미친다. 기상 정보를 경영에 활용하는 날씨 경영은 유통업, 관광 산업, 에너지 산업, 농수산업 등 다양한 분야에 적용할 수 있다. 날씨에 따라 사람들이 선호하는 물품이 달라지므로 날씨와 특정 상품의 판매량은 상관관계가 높다.

오답 선택지 풀이 ① 갑: 제시된 자료와 지구 온난화로 인한 새로운 상품의 등장은 관련이 적다.
③ 병: 기후가 다른 지역에 대한 내용은 제시된 자료에 없다.
④ 정: 제시된 그림은 강수량보다는 기온이 상품 판매에 미치는 영향을 표현한 것이다.
⑤ 무: 날씨를 중심으로 한 사례이므로 마케팅을 통해 기후 제약을 극복하는 내용은 관련이 적다.

08 기후와 지역 축제 파악

지도의 보령 머드 축제(A)는 여름철의 축제로 유명하고, 김제 지평선 축제(B)는 가을철 쌀 수확기에 실시되는 축제로 유명하다. 화천 산천어 축제(C)는 한겨울에 얼음낚시를 중심으로 하는 축제이고, 창원의 진해 군항제(D)는 봄에 벚꽃이 만개한 시기에 열리는 축제이다. 따라서 축제가 개최되는 시기가 이른 순서대로 나열하면 군항제(D), 머드 축제(A), 지평선 축제(B), 산천어 축제(C) 순이다.

09 제주도의 주민 생활 특성 이해

제주도에서는 밭과 밭의 경계를 돌담으로 쌓았는데, 이를 '밭담'이라고 한다. 밭담은 제주도의 자연환경을 지혜롭게 활용한 사례이다.

ㄱ. ㉠-제주도에는 다공질의 현무암이 분포하여 연 강수량이 풍부하지만 지표수가 부족하다. 따라서 제주도의 농경지는 논보다 밭의 비중이 높다.

ㄹ. ㉣-최근 밭담이 문화 및 관광 자원으로서의 가치를 인정받아 2014년 국제 연합 식량 농업 기구(FAO)의 세계 중요 농업 유산으로 지정되었고, 제주도에서는 이를 활용한 상표 개발, 지역민 주도형 경제 공동체 육성 등을 추진하고 있다.

오답 선택지 풀이 ㄴ. ㉡-제주도에는 주로 현무암이 분포한다.
ㄷ. ㉢-우리나라는 겨울에는 북서풍, 여름에는 남동 · 남서풍의 영향을 받는다. 대체로 겨울철의 북서풍이 여름철의 남동 · 남서풍보다 풍속이 세다.

10 지구 온난화와 기후 변화 특징 이해

(가)는 이산화 탄소의 양이 정상일 때, (나)는 이산화 탄소의 양이 증가했을 때를 나타낸 것이다. (나)의 온실 효과로 인해 우리나라에서는 최난월 평균 기온이 높아지고, 서리 일수는 적어지며, 여름철 바다에서 습윤한 바람이 많이 불어 연 강수량이 많아졌다.

11 태풍의 특성 이해

자료 분석

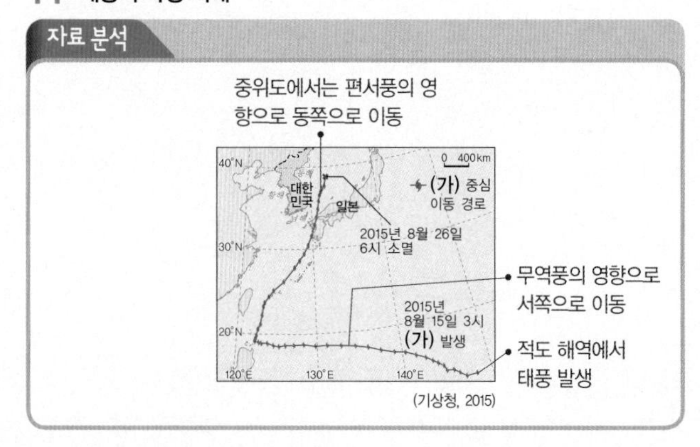

(기상청, 2015)

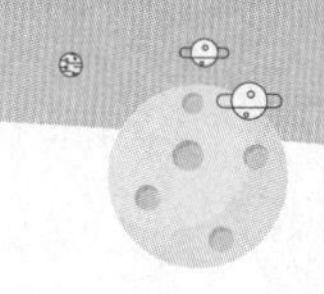

(가)는 태풍으로, 우리나라에 피해를 주는 태풍은 주로 8~9월에 발생하며, 1년에 평균 3개 정도가 영향을 준다.

ㄱ. 태풍은 주로 태평양 열대 해상에서 발생한다. 이렇게 발생한 태풍은 북태평양 고기압의 가장자리를 따라 북서진하다가 북위 30° 부근에서 방향을 전환하여 북동진한다. 이는 중위도 지역의 항상풍인 편서풍의 영향이 크다.

ㄴ. 태풍은 중심 기압이 매우 낮은 열대 저기압으로, 강한 바람과 많은 비를 동반하여 농경지와 가옥의 침수 피해, 해일, 산사태, 건물 파손 등의 피해를 준다.

ㄷ. 태풍은 대기 및 하천의 오염 물질을 제거해 주고, 바다의 적조 현상을 완화해 주기도 한다.

오답 선택지 풀이 ㄹ. 태풍은 주로 전남, 경남, 제주 등 우리나라의 남부 지방에 피해를 주는 경우가 더 많다.

유사 선택지 문제

11 ❶ ○ ❷ ○

12 지구 온난화의 영향 이해

우리나라는 과거 100년간 기온 증가율이 1℃ 이상으로 세계 평균을 웃도는 온난화 현상이 나타나고 있다. 이에 따라 겨울철 지속 기간은 감소하고, 농작물 재배 가능 지역은 북쪽으로 확대되고 있으며, 서늘한 기온에서 자라는 고산 식물의 분포 고도 하한선은 상승하고 있다.

13 지구 온난화와 계절 변화의 특징 이해

그래프는 지구 온난화의 영향으로 서울의 자연 계절이 변화하고 있음을 나타낸 것이다. 1920년과 비교하여 2090년에는 지구 온난화의 영향으로 농작물의 생육 가능 기간이 길어질 것이다.

오답 선택지 풀이 ① 봄은 빨라지고 가을은 늦어진다.
② 여름은 길어지고 겨울은 짧아진다.
③ 산에 단풍이 드는 시기가 늦어진다.
⑤ 일 년 중 난방이 필요한 날의 수가 감소한다.

14 태풍의 특징 파악

그래프를 보면 7~10월 등 여름과 초가을에 주로 발생하므로 이 자연재해는 태풍이다. 태풍은 저위도 지방의 따뜻한 공기가 바다로부터 수증기를 공급받아 발생하며, 강풍과 많은 비를 동반하여 풍수해를 일으킨다.

오답 선택지 풀이 ① 각종 용수 부족으로 농작물에 큰 피해를 주는 자연재해는 가뭄이다.
② 대기 중 먼지의 농도를 높이는 자연재해는 황사이다.
③ 태풍은 여름과 초가을에 주로 발생한다. 한랭 건조한 계절에 주로 발생하는 자연재해는 한파이다.
④ 진행 속도는 느리지만 피해 면적이 넓은 자연재해는 가뭄이다.

15 자연재해별 대응 방법 비교

그래프의 (가)는 주로 겨울철에 발생률이 높으므로 대설이며, (나)는 주로 7~8월에 집중적으로 발생하므로 호우이다. (다)는 8~9월 즉, 여름과 초가을에 주로 발생하므로 태풍이다.

많은 눈이 내릴 상황에 대비하기 위해서는 비닐하우스 보강 지지대 설치, 스노타이어 준비 등이 필요하므로 (가)는 ㄱ의 대응 방법이 적절하다. 호우 발생 시에는 배수로를 정비하고, 고지대로의 대피, 보 · 저수지 · 댐 건설 등이 필요하므로 (나)는 ㄴ의 대응 방법이 적절하다. 태풍 발생 시에는 강풍의 피해를 줄이기 위해 정확한 이동 경로에 대한 예보가 필요하고, 유리창이 깨지는 것을 방지하기 위해 유리창에 테이프 붙이기 등의 대응이 필요하므로 (다)는 ㄷ의 대응 방법이 적절하다.

올쏘 만점 노트 자연재해의 유형

기후적 요인에 의한 자연재해	홍수, 가뭄, 폭설, 폭염, 한파, 냉해, 태풍 등
지형적 요인에 의한 자연재해	지진, 화산 활동 등
복합적 요인에 의한 자연재해	산사태 등

16 자연재해의 원인별 · 도별 피해액 현황 파악

태풍은 주로 남부 지방에 큰 피해를 입힌다. 호우는 넓은 지역에 피해를 입히며 특히 중부 지방의 피해가 크다. 대설은 영동 지방, 서해안 지역에서 피해가 크다. 따라서 (가)는 태풍, (나)는 호우, (다)는 대설이다.

17 기후 변화와 국제 협약 이해

파리 협정(2015년)은 선진국과 개발 도상국 모두 온실가스 감축을 포함한 포괄적인 대응에 동참하도록 규정하고 있는데, 지구 평균 기온 상승 억제 목표치 설정, 온실가스 배출량 감축과 감축 이행 정기 점검, 침수 위기에 있는 섬나라 지원과 숲 보존 대책 등이 포함되어 있다.

오답 선택지 풀이 ① 바젤 협약은 유해 폐기물의 국가 간 이동에 관한 규제를 목적으로 한다.
③ 람사르 협약은 습지의 보호와 지속 가능한 이용을 목적으로 한다.
④ 교토 의정서는 미국, 유럽, 일본 등 선진국의 온실가스 감축 목표를 구체적으로 제시하고 온실가스 배출권 거래제를 도입하였다.
⑤ 몬트리올 의정서는 오존층 보호를 위한 국제 협약(의정서)이다.

18 도시 열섬 현상의 이해

(가) 현상은 도시 열섬 현상으로 건물 · 공장 · 자동차 등에서 발생하는 인공 열, 포장 면적의 증가 등이 주요 원인이다. 도시 열섬 현상을 완화하기 위해 바람길 조성, 건물 옥상 녹화 사업, 하천 복원 등이 필요하다. 도시의 녹지 면적이 증가할수록 도시 열섬 현상은 완화된다.

오답 선택지 풀이 ① (가) 현상은 도시 열섬 현상으로, 도시 열섬 현상은 도시 내부의 기온이 주변의 교외 지역보다 높게 나타나는 현상이다.
③ 도시 열섬 현상은 서울 도심의 기온이 주변부에 비해 높은 현상이다.
④ 고층 건물과 자동차가 많아 인공 열 발생량이 많은 지역에서는 열섬 현상이 심화된다.
⑤ 지표면이 콘크리트와 아스팔트로 포장된 비율이 높은 지역에서는 도시 열섬 현상이 심화된다.

19 홍수의 특징 파악

북쪽의 찬 공기와 남쪽의 더운 공기가 만나면 대기가 불안정해져서 집중 호우가 발생하며 이로 인해 홍수가 일어난다. 홍수가 발생하면 저지대의 농경지나 가옥, 도로, 산업 시설 등이 침수되어 인명과 재산 피해가 발생한다.

오답 선택지 풀이 ① 가뭄은 오랜 기간 비가 내리지 않거나 강수량이 적어 물 부족을 겪는 현상으로, 진행 속도는 느리지만 피해 면적이 넓은 것이 특징이다.
② 태풍은 우리에게 피해를 주기도 하지만 긍정적 기능도 있다. 저위도의 열을 고위도로 수송하여 지구의 열적 평형을 유지해 주고, 많은 비를 동반하여 가뭄 피해를 막아 주기도 한다.
③ 대설은 짧은 시간 동안 많은 눈이 내리는 현상으로, 비닐하우스 · 축사 등의 붕괴, 교통 장애를 유발한다.
⑤ 황사는 중국 황허강 중류의 황토 지대, 중국 서부의 타커라마간(타클라마칸) 사막, 몽골의 고비 사막 등지에서 발생하여 상층의 편서풍을 타고 우리나라로 이동한다.

20 지구 온난화로 인한 변화 이해
지구 온난화가 심해지면서 명태 등의 한류성 어족은 감소하고 멸치, 오징어 등의 난류성 어족은 증가하는 등 우리나라 주변 수역의 어족 변화가 나타나고 있다. 한편 지구 온난화의 영향으로 한라산 고산 식물의 분포 고도 하한선은 높아지고 지리산의 단풍 시작 시기는 늦어지며, 여름철 서늘한 기후를 이용하는 평창의 고랭지 배추 재배 면적은 좁아질 것이다.

21 도시화와 도시 기후의 특성 파악
도시화가 이루어지면 지면이 불투수면으로 바뀌는 경우가 증가하므로 비가 오면 땅속으로 빗물이 스며들지 못하고 그대로 유출되어 하천 유량의 증가 속도가 빨라져 홍수 피해가 증가한다.
오답 선택지 풀이 ① 도시화가 진행되면 도시의 평균 기온이 높아진다.
② 도시화가 진행되면 비가 오더라도 지표면이 금방 마르고 식생이 빈약해 도시의 상대 습도가 낮아지는데, 이를 도시 사막화라고 부른다.
③ 도시화가 진행되면 도시의 평균 기온이 높아지므로 여름철 냉방용 전력 소비량이 증가한다.
⑤ 도시화가 진행되면 포장 면적이 늘어나 토양층으로 흡수되는 빗물의 양이 감소한다.

22 한라산의 식생 분포 이해
그림의 A는 난대 식물대, B는 침엽수림대이다.
ㄱ. 난대림(A)은 제주도와 울릉도 해안 지역, 남해안에서 볼 수 있다.
ㄷ. 식생의 수직적 분포는 강수량보다 기온의 영향이 크다.
오답 선택지 풀이 ㄴ. 위도가 높은 북쪽으로 갈수록 기온이 낮아지므로 침엽수림대(B)의 분포 고도 하한선은 북쪽으로 갈수록 낮아진다.
ㄹ. 우리나라에서 식생의 수직적 분포가 가장 잘 나타나는 곳은 한라산이다.

유사 선택지 문제
22 ❶ ○ ❷ ×

23 기후 변화의 대책 파악
온실가스 농도가 증가하면 온실 효과가 심화되어 지구 평균 기온이 꾸준히 상승하는 지구 온난화가 나타나게 된다. 온실가스의 발생을 줄이려는 노력으로 일회용 제품의 사용을 늘리는 방안은 적절하지 않다. 일회용 제품의 사용을 늘리면 사용 후 제품을 처리하는 데 에너지가 필요하기 때문이다.
오답 선택지 풀이 ② 쓰레기 분리 배출을 생활화하여 재활용하는 방안은 지구 온난화의 대책으로 적절하다.
③ 자가용보다는 대중교통을 이용하면 화석 연료 사용을 줄일 수 있다.
④ 탄소 발자국을 줄이는 제품을 소비함으로써 화석 연료 사용을 줄이고, 온실가스 발생을 줄일 수 있다.
⑤ 사용하지 않는 전기 기기의 플러그를 뽑아 두는 방안은 화석 연료 사용을 줄이고, 온실가스 발생을 줄일 수 있다.

24 삼림과 토양 보존의 이해
제시된 글은 우리나라의 삼림과 토양 보존에 대한 내용이다. 토양은 한번 오염되거나 침식되면 회복하는 데 오랜 시간이 걸린다.
오답 선택지 풀이 ① 우리나라는 도시 지역 확대, 주택 건설, 경작지 확대 등으로 인해 삼림 면적이 감소하고 있다.
② 나무 심기와 숲 가꾸기 사업 등의 영향으로 임목 축적량은 증가하고 있다.
④ 등고선식 경작은 이랑 사이에 빗물이 모여 땅속으로 침투하기 때문에 토양의 침식 방지에 유리한 경작 방식이다.
⑤ 토양 보존을 위해 퇴비 및 유기질 비료 사용, 객토 사업 등을 하고 있다.

25 식생과 토양의 특성 파악
(1) 난대림
(2) | 모범 답안 | 우리나라의 식생 분포는 위도에 따른 기온 분포의 영향을 크게 받는다. 성대 토양은 기후와 식생의 영향을 받아 형성되기 때문에 식생 분포와 대체로 일치한다.

채점 기준	배점
식생 분포가 위도에 따른 기온의 영향을 받는다는 점과 성대 토양이 기후와 식생의 영향을 받는다는 점을 모두 정확하게 서술한 경우	상
식생 분포와 위도에 따른 기온의 관련성, 성대 토양의 분포와 기후와 식생의 관련성 중 한 가지만 서술한 경우	중
식생 분포에 영향을 미치는 요인, 성대 토양의 분포에 영향을 미치는 요인을 서술하였으나, 그 내용이 부정확한 경우	하

26 기후 변화의 특성 파악
(1) 지구 온난화
(2) | 모범 답안 | 지구 온난화로 인해 1980년과 비교하여 2010년 한강의 결빙 일수는 감소했을 것이다.

채점 기준	배점
한강의 결빙 일수가 변화하게 된 원인과 변화 양상을 모두 정확하게 서술한 경우	상
한강의 결빙 일수가 변화한 양상만 정확하게 서술한 경우	중
한강의 결빙 일수가 변화하게 된 원인만 서술한 경우	하

27 가뭄의 대책 파악
(1) 가뭄
(2) | 모범 답안 | 가뭄에 대비하기 위해서는 조림 사업을 통한 산림의 녹색 댐 기능 강화, 다목적 댐 · 보 · 저수지 등의 건설을 통한 하천 관리 능력 증대 등이 필요하다.

채점 기준	배점
조림 사업, 산림의 녹색 댐 기능, 다목적 댐 · 보 · 저수지의 건설 등을 모두 언급하여 정확하게 서술한 경우	상
조림 사업, 산림의 녹색 댐 기능, 다목적 댐 · 보 · 저수지의 건설 중 두 가지만 정확하게 서술한 경우	중
조림 사업, 산림의 녹색 댐 기능, 다목적 댐 · 보 · 저수지의 건설 중 한 가지만 서술한 경우	하

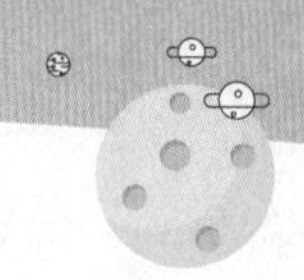

상위 4% 문제 본문 59쪽

01 ⑤ 02 ① 03 ② 04 ④

01 계절에 따른 기후 현상의 이해

제시된 자료는 계절별로 나타나는 기후 현상에 대해 서술하고 있다. 늦봄~초여름에 발생하는 높새바람은 태백산맥을 넘어 영서 지방으로 부는 고온 건조한 바람으로, 높새바람이 지속되면 영서 지방에 가뭄이 발생할 수 있다. 우리나라 부근에서 태풍의 진행 방향은 편서풍의 영향을 받는다.

오답 선택지 풀이 ㄱ. 편서풍은 대기 대순환에 의해 중위도 지역에서 서쪽에서 동쪽으로 부는 탁월풍이다. 육지와 바다의 비열 차로 인해 발생하는 바람은 계절풍과 해륙풍 등이 있다.

ㄴ. 태풍은 주로 저기압성 강수를 동반한다. 대류성 강수는 한여름철 강한 일사에 의해 발생하는 소나기가 대표적이다.

02 기후 변화의 영향

갑: 제시된 자료와 같이 결빙 일수가 감소하고 식물 성장 가능 기간이 증가하는 것은 한반도의 기온이 높아지는 지구 온난화 때문이다. 지구 온난화가 진행되면 남부 지방에서 난대림 분포 면적이 확대될 것이다.

오답 선택지 풀이 ② 을: 지구 온난화가 진행되면 한라산에서 고산 식물의 분포 고도 하한선이 높아질 것이다.

③ 병: 지구 온난화가 진행되면 대도시 지역의 열대야 발생 일수가 늘어날 것이다.

④ 정: 지구 온난화가 진행되면 내장산에서 단풍이 드는 시기가 늦어질 것이다.

⑤ 무: 지구 온난화가 진행되면 중부 지방에서 첫 서리의 시작일이 늦어질 것이다.

03 부산, 인천, 제주의 기온 변화 비교

자료 분석

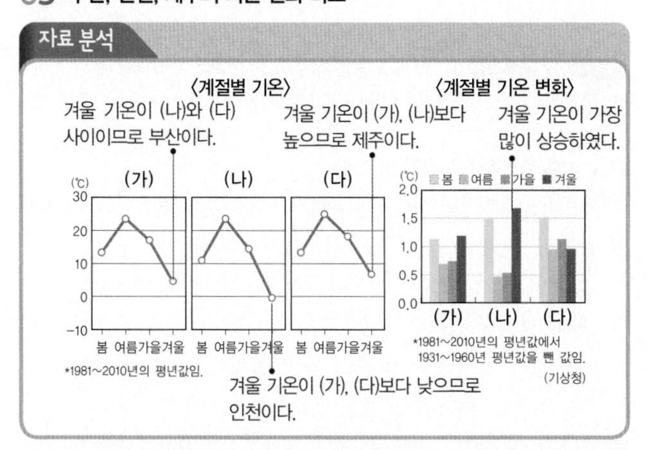

ㄱ. 제시된 그래프에서 겨울 기온이 세 지역 중 가장 낮은 (나)는 인천, 겨울 기온이 가장 높은 (다)는 제주이다. 따라서 (가)는 부산이다.

ㄷ. (가)~(다) 중 겨울 기온은 인천(나)이 가장 많이 상승했고 제주(다)가 가장 적게 상승했으므로 (가)~(다)의 겨울 기온은 위도가 높을수록 더 크게 상승했다.

오답 선택지 풀이 ㄴ. 인천(나)은 제주(다)보다 무상 일수가 적다.

ㄹ. 인천(나)은 겨울 기온, 제주(다)는 봄 기온이 가장 크게 상승했다.

04 황사와 폭염의 특징 파악

자료 분석

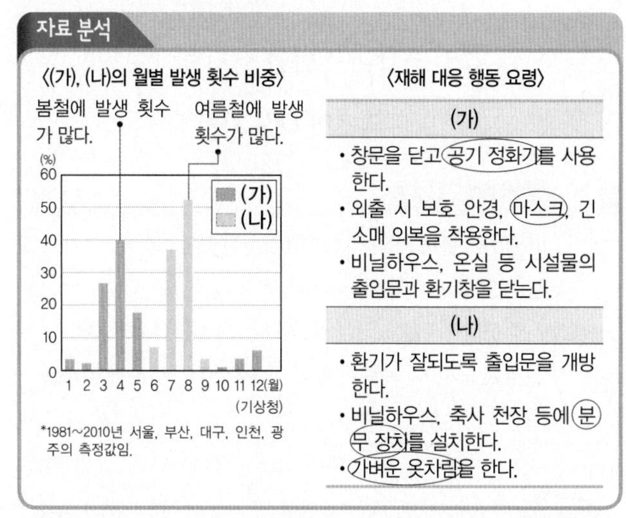

(가)는 봄철에 발생 횟수 비중이 높고 공기 정화기, 마스크 등의 대응 행동 요령이 나오므로 황사, (나)는 여름철에 발생 횟수 비중이 높고 분무 장치, 가벼운 옷차림 등의 대응 행동 요령으로 보아 폭염이다. 폭염은 남고북저형 기압 배치가 전형적으로 나타나는 계절에 주로 발생한다.

오답 선택지 풀이 ① 태풍은 열대 해상에서 발생하여 고위도로 이동한다.

② 높새바람으로 인한 영서 지방의 가뭄은 북동풍이 태백산맥을 넘을 때 나타나는 푄 현상 때문에 주로 발생한다.

③ 우데기는 대설에 대비한 시설이다.

⑤ (가)는 바람, (나)는 기온과 관련된 자연재해이다.

IV. 거주 공간의 변화와 지역 개발

08 촌락의 변화와 도시 발달~ 도시 구조와 대도시권

개념 확인 문제

본문 62쪽

01 (1) 배산임수, 북서 계절풍 (2) 지표수, 용천 또는 샘 (3) 집촌(集村), 산촌(散村) (4) 배후지 (5) 종주 도시 (6) 지역 분화 (7) 집심, 이심 (8) 높, 낮 (9) 접근성 (10) 도심

02 (1) ㉠ 중심 도시, ㉡ 교외 지역, ㉢ 대도시 영향권, ㉣ 배후 농촌 지역 (2) × (3) ○ (4) ○

시험에 꼭 나오는 문제

본문 62~66쪽

01 ④	02 ②	03 ①	04 ②	05 ①	06 ④	07 ①
08 ②	09 ①	10 ⑤	11 ④	12 ①	13 ④	14 ⑤
15 ④	16 ①	17 ①	18 ②	19~20 해설 참조		

01 제주도의 전통 취락 입지 파악

취락 입지에는 생활용수 조건이 중요한 영향을 미치는데, 제주도의 경우 내륙 지역은 지표수가 부족하기 때문에 샘이 분포하는 해안 지역을 중심으로 전통 취락이 발달하였다.

④ 제주도의 기반암은 절리가 발달한 현무암이기 때문에 물이 땅속으로 잘 스며들어 지표수가 부족하고 하천이 발달하기 어렵다. 지표에서 스며든 물은 해안 지역에서 샘(용천)의 형태로 솟아난다. 따라서 내륙 지역은 생활용수를 얻기 어렵기 때문에 취락 발달에 불리하고, 해안 지역은 생활용수를 얻기 쉬워 취락이 많이 입지하고 있다.

오답 선택지 풀이 ① 제주도에서는 논농사가 거의 이루어지지 않는다.
② 태풍 피해는 내륙 지역보다 해안 지역에서 상대적으로 크게 발생한다.
③ 해안에 마을이 입지한 것은 땔감과는 관련이 적다.
⑤ 해안에 마을이 입지한 것은 생활용수 확보를 위해서이며, 홍수 피해 방지와는 관련이 적다.

02 촌락의 입지 특징 이해

ㄱ. 촌락은 도시에 비해 동질성이 크고 공동체 의식이 강하다.
ㄷ. 촌락에서 자연환경에 기반을 둔 생산 활동은 기후와 지형의 영향을 크게 받는다.

오답 선택지 풀이 ㄴ. 산지촌은 경사진 경지가 많기 때문에 농촌에 비해 논농사 비율이 낮고, 경지가 좁기 때문에 가옥 밀도가 낮아 산촌(散村)이 많다.
ㄹ. 촌락이 남향의 배산임수 입지를 선호하는 것은 겨울철에 차가운 북서 계절풍을 막을 수 있고 농업용수, 생활용수 등을 구하기 쉬우면서도 홍수의 위험이 낮기 때문이다. 이외에도 산기슭은 산지와 평지가 만나는 곳으로 땔감을 구하기 위한 산지로의 이동, 농사를 짓기 위한 경지로의 이동이 모두 편리한 곳이라는 특징도 있다.

03 촌락의 입지 특성 이해

ㄱ. 제주도의 주요 기반암인 현무암은 절리가 발달하여 물이 지하로 잘 스며들기 때문에 지표수가 부족하다. 지하로 스며든 물은 해안 지역에서 샘(용천)으로 솟아난다. 따라서 주민들은 생활용수를 확보할 수 있는 해안 지역에 주로 거주한다.
ㄴ. 범람원에서 취락이 입지할 때 배후 습지보다 자연 제방에 주로 입지하는 주요 원인은 해발 고도가 높아 침수 위험이 낮기 때문이다.

오답 선택지 풀이 ㄷ. 선박이 대형화되면 수심이 얕은 하천으로 다니기 어렵기 때문에 수상 교통에 불리하게 작용한다. 근래 내륙 수운은 거의 쇠퇴하였다.
ㄹ. 병영촌으로는 남한산성, 부산 수영, 중강진 등을 들 수 있다. 노량진, 삼랑진, 마포 등은 나루터 취락이다.

04 인구가 감소하는 촌락의 특징 이해

A 지역은 전북 임실군으로 이촌 향도로 인구가 감소한 지역이다.
ㄱ. 우리나라 농촌은 청장년층 중심의 이촌 향도에 따른 노동력 부족 문제를 해결하는 과정에서 영농의 기계화가 활발하게 나타났는데, 이러한 현상은 전국적으로 나타났다.
ㄷ. 청장년층 중심의 이촌 향도가 이루어졌고, 특히 남성보다 여성의 유출이 활발하여 20~40대 연령층의 성비가 높아졌다.

오답 선택지 풀이 ㄴ. 인구가 감소하였으므로 빈집이 늘어났다. 따라서 주택 부족 문제는 발생하지 않았다.
ㄹ. 도시에 비해 일자리가 부족하고 소득이 낮은 점 등이 이촌 향도의 주요 원인이다. 이 기간에 도시 근로자 가구 소득 대비 임실군의 농가 소득 비율은 낮아졌을 것이다.

05 집촌과 산촌의 특징 이해

(가)는 가옥이 흩어져 분포하므로 산촌, (나)는 가옥이 밀집하여 분포하므로 집촌이다.
ㄱ. 산촌은 경지가 좁은 산간 및 구릉 지역, 주로 밭농사가 이루어지는 지역에서 전형적으로 나타난다.
ㄴ. 집촌은 경지가 넓고 벼농사가 발달한 지역에서 전형적으로 나타난다.

오답 선택지 풀이 ㄷ. 협동 노동은 집촌이 산촌보다 유리하다.
ㄹ. 가옥과 경지의 결합도는 산촌이 집촌보다 높다.

06 농촌과 산지촌의 특징 비교

(가)는 벼농사가 활발하게 이루어지는 농촌, (나)는 산지 사이에서 밭농사, 임업 등이 이루어지는 산지촌이다.
ㄴ. 농촌이 산지촌보다 공동 작업이 활발하게 이루어지므로 공동체 의식이 강하다.
ㄹ. 산지촌은 농촌보다 임업 소득의 비중이 높다. 임업이란 벌목, 임산물 채취 등을 말한다.

오답 선택지 풀이 ㄱ. 논은 주로 평지, 밭은 주로 경사지에 많으므로 밭농사 비중은 산지촌이 농촌보다 높다.
ㄷ. 산지촌은 경지 규모가 작기 때문에 농촌에 비해 촌락의 규모가 크기 어렵다.

07 촌락의 인구 변화 이해

(가)는 유소년층 인구 비중이 높으므로 1970년, (나)는 노년층 인구 비중이 높으므로 2017년이다.
① 농촌에서 노동력 부족 문제는 노년층 인구 비중이 높은 (나)

시기에 더 뚜렷하다.

오답 선택지 풀이 ② 유소년층 인구는 15세 미만 인구인데, 이 연령층의 인구 비중이 1970년에는 남녀의 합이 30%가 넘는데, 2017년에는 15%에도 미치지 못할 정도로 1970년이 2017년보다 뚜렷하게 높다.
③ 다문화 가정이란 우리와 다른 민족 또는 다른 문화적 배경을 가진 사람들이 포함된 가정이다. 2017년이 1970년보다 다문화 가정의 비율이 높다.
④ 농가 호당 소득은 가구당 경지 면적의 증가, 영농의 기계화 등으로 꾸준하게 상승하는 경향이 나타난다.
⑤ 촌락의 인구가 감소한 주요 원인은 이촌 향도인데, 도시로 인구가 이동한 것은 촌락이 도시에 비해 일자리가 부족하고 소득이 낮기 때문이다.

올쏘 만점 노트 농촌 지역의 인구 변화

원인	산업화 과정에서 이촌 향도의 영향 → 농가 인구와 농가 수가 지속적으로 감소
농촌의 연령별 인구 구조	• 과거: 유소년층 인구 비중이 높고 노년층 인구 비중이 낮은 피라미드형 • 최근: 노년층 인구 비중이 높고 청장년층과 유소년층 인구 비중은 낮은 유형으로 변화
인구 변화의 영향	• 촌락은 초등학교가 폐교되는 등 정주 기반이 약화 • 촌락은 청장년층의 남초 현상으로 국제결혼이 증가하면서 다문화 가정의 비중 증가

08 인구 규모 10대 도시의 인구 순위와 인구 변화 분석

자료 분석

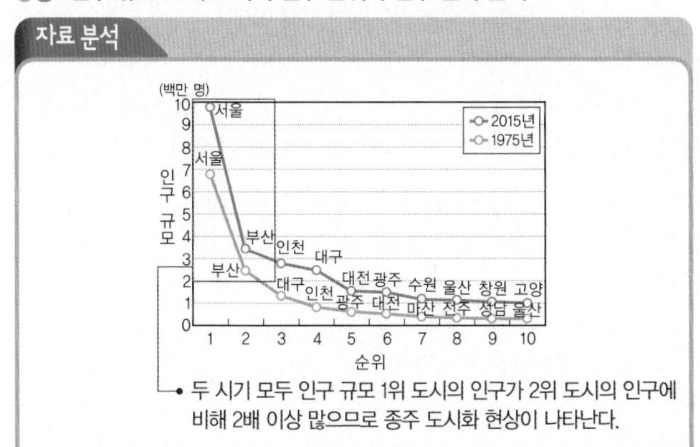

• 두 시기 모두 인구 규모 1위 도시의 인구가 2위 도시의 인구에 비해 2배 이상 많으므로 종주 도시화 현상이 나타난다.

• 서울 – 1975~2015년에 인구가 가장 많이 증가한 도시는 서울로, 약 300만 명이 증가하였다.
• 부산 – 두 시기 모두 2위의 도시이지만 1위 도시인 서울과의 인구 격차는 더욱 커졌다.
• 대구 – 1975년에는 인구 규모가 3위였으나 2015년에는 인천에 비해 순위가 낮아졌다.
• 인천 – 1975년에는 인구 규모가 4위였으나 2015년에는 3위가 되는 등 인구가 빠르게 증가하였다.
• 전주 – 호남권에 위치하는 전주는 1975년에는 10위 이내에 속하였으나 2015년에는 속하지 못했다.

도시의 성장 과정에서 지역별 성장에 차이가 발생하여 인구 규모 10대 도시의 순위와 인구 규모에도 변화가 나타났다.

② 1975~2015년에 인구가 가장 많이 증가한 도시는 서울로, 약 300만 명이 증가하였다. 그다음 인구가 많이 증가한 도시는 인천으로 200만 명 이상이 증가하였다. 서울과 인천 모두 수도권에 위치한 도시이다.

오답 선택지 풀이 ① 종주 도시화란 수위 도시(우리나라의 경우 서울)의 인구가 2위 도시(우리나라의 경우 부산)의 인구 규모보다 2배 이상 많은 현상을 말한다. 그래프에서 두 시기 모두 서울이 부산보다 인구 규모가 2배 이상 많다.
③ 10대 도시 중 영남권에 위치한 도시는 1975년 부산, 대구, 마산, 울산이고 2015년은 부산, 대구, 울산, 창원이므로 두 시기 영남권의 도시 수는 같다.
④ 1975~2015년에 10대 도시에서 수도권이 차지하는 도시 수가 증가하였을 뿐만 아니라 인구 또한 다른 도시에 비해 큰 폭으로 증가하였으므로 수도권의 인구가 차지하는 비중이 높아졌다.
⑤ 1975년에 인구 규모 100만 명 이상의 도시는 서울, 부산, 대구뿐이었지만 2015년에는 10위 도시의 인구도 약 100만 명 정도이다.

유사 선택지 문제

08 ❶ × ❷ ○

09 도심과 주변 지역의 상대적 특징 이해

자료 분석

(가)

(나)

• (가) – 기차역이 있고 시청, 금융 기관 등이 밀집해 있으므로 도심이다. 도심은 접근성이 좋아 지대와 지가가 높기 때문에, 지대 지불 능력이 높은 상업 및 업무 기능이 집중한다. 또한 주거 지역에 비해 상업지의 최고 지가, 생산자 서비스업의 비중이 높고 출근 시간대에 유입 인구가 유출 인구보다 많다.
• (나) – 아파트 단지가 곳곳에 분포하므로 주거 지역이다. 주거 지역은 초등학교, 생활필수품을 판매하는 상점 등이 입지한다. 도심에 비해 접근성이 낮아 지대와 지가가 낮다.

(가)는 상업 및 업무 기능이 발달한 도심, (나)는 주거 기능이 발달한 주변 지역이다.

① 주변 지역은 도심보다 주거 기능이 발달하였다.

오답 선택지 풀이 ②, ③, ④, ⑤는 모두 주변 지역에 비해 도심에서 뚜렷하게 나타나는 현상이다.

유사 선택지 문제

09 ❶ ○ ❷ ×

10 도시 내부 구조의 이해

A는 개발 제한 구역, B는 도심, C는 부도심, D는 주변(외곽) 지역, E는 위성 도시이다.

⑤ 인구 공동화 현상은 부도심보다 도심에서 뚜렷하게 나타난다.

오답 선택지 풀이 ① 개발 제한 구역은 도시의 무질서하고 지나친 팽창을 막기 위해 설정한 녹지 공간이다.
② 위성 도시는 인접한 대도시의 주거 · 공업 기능 등을 분담하는 도시이다.
③ 도심은 주변(외곽) 지역보다 도심부에 위치하여 접근성이 좋고 지대와 지가가 높아 고층 건물이 많다.
④ 도심은 지대와 지가가 높아 주거 및 공업 기능의 이심 현상이 뚜렷하다.

11 도시 내부 구조의 이해

(다)는 주간 인구 지수가 매우 높으므로 도심인 종로구, (가), (나) 중에서 (나)는 주간 인구 지수가 100 미만이므로 주거 기능이 발달한 송파구, (가)는 주간 인구 지수가 100 이상이므로 강남구이다.

ㄱ. (다)는 주간 인구 지수가 매우 높으므로 종로구이다. 종로구

의 일부는 서울의 중심부에 위치한다.

ㄴ. (가), (나) 중 상주인구는 (나)가 다소 많지만 주간 인구 지수는 (나)에 비해 (가)가 매우 높으므로 일자리는 (가)가 (나)보다 많다.

ㄹ. 주간 인구 지수가 100보다 크다는 것은 일자리가 많아 출근 시간대에 유입 인구가 많다는 의미이다. (가), (다)는 모두 주간 인구 지수가 100보다 매우 높다.

오답 선택지 풀이 ㄷ. 주간 인구는 '(주간 인구 지수×상주인구)÷100'으로 구할 수 있다. (가)와 (나)는 상주인구가 비슷한데, (나)보다 (가)의 주간 인구 지수가 높으므로 주간 인구는 (가)가 (나)보다 많다.

12 서울 대도시권의 공간 구조 이해

자료 분석

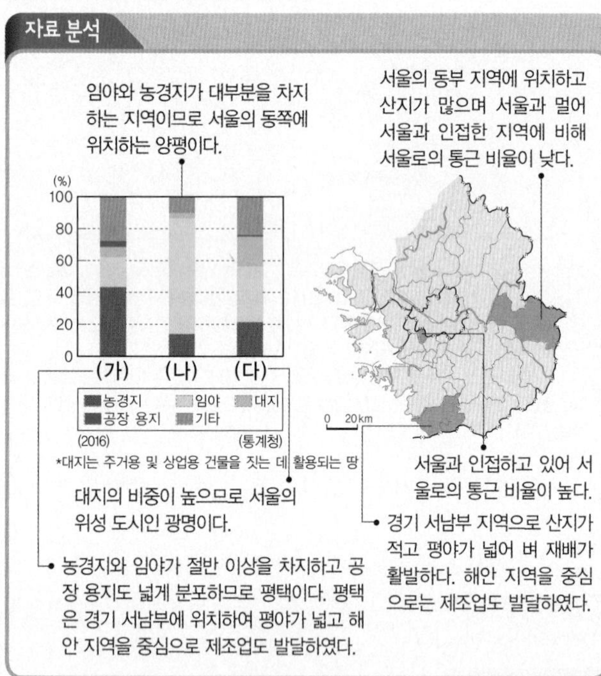

대도시권에서 중심 도시와 멀어질수록 중심 도시로 통근하는 비율이 낮아지는 경향이 나타난다. 서울 대도시권의 경기 지역 중에서 서남부 지역은 동북부 지역에 비해 제조업이 발달하였다. 지도의 세 지역 중에서 서울과 인접한 지역은 광명, 동쪽에 위치한 지역은 양평, 남쪽에 위치한 지역은 평택이다.

① (가)는 (나)보다 공장 용지의 비중이 높으므로 2차 산업 종사자 비율이 높다.

오답 선택지 풀이 ② (가)는 (다)보다 총면적 대비 대지 면적 비율이 낮으므로 인구 밀도가 낮다.

③ (나)는 (가)보다 지역 내 농경지 비율이 낮다.

④ (나)는 (다)보다 농경지와 임야가 많으므로 촌락의 특징이 두드러진다. 이에 비해 (다)는 대지 면적 비중이 높기 때문에 도시의 특징이 두드러진다. 따라서 (나)는 (다)보다 아파트에 거주하는 인구 비율이 낮다.

⑤ (다)는 서울과 인접해 있고 대지 면적 비중은 높은 반면 공장 용지 면적 비중은 낮아 (가)에 비해 지역 내에 일자리가 많지 않다는 것을 추론할 수 있다. 따라서 (다)는 (가)보다 다른 지역으로 통근하는 비율이 높기 때문에 주간 인구 지수가 낮다.

유사 선택지 문제

12 ❶ × ❷ ○

13 도시 발달 과정의 차이 이해

지도의 세 지역은 서울의 인구 기능을 분담하는 위성 도시로 성장한 용인시, 1970~1980년대에 대규모 제철소가 입지하면서 공업 도시로 성장한 포항시, 전라북도의 전통적인 지방 중심 도시인 전주시이다. 그래프에서 (가)는 1970년대 이후 빠르게 성장하고 2000년대 들어 정체되고 있으므로 포항시, (나)는 1970년대에 세 지역 중에서 인구가 가장 많고 인구가 완만하게 증가하고 있으므로 전주시, (다)는 2000년대 들어 인구가 급증하고 있으므로 용인시이다.

④ ㄱ은 용인(다), ㄴ은 포항(가), ㄷ은 전주(나)에 대한 내용이다.

올쏘 만점 노트 도시의 발달 과정

1960년대	서울, 부산, 대구 등 대도시가 빠르게 성장함
1970년대	서울, 부산 등 대도시와 포항, 울산, 창원 등 남동 연안 지역의 공업 도시가 빠르게 성장하기 시작함
1980년대 이후	• 서울 주변의 성남, 안산, 고양, 부산 주변의 김해, 양산, 대구 주변의 경산 등 대도시 주변의 위성 도시의 성장이 두드러짐 • 1990년대 이후 수도권의 경우 서울과 비교적 멀리 떨어져 있는 용인, 김포 등지에서도 주거지 개발이 활발하게 이루어지면서 인구가 급증함

14 서울 대도시권의 지역별 인구 성장 차이 이해

자료의 △△는 고양시, ○○는 용인시이다.

⑤ 두 지역 모두 서울의 인구 기능을 분담하기 위해 대규모 아파트 단지가 건설되면서 인구가 급증하였다. 서울과 가깝고 1기 신도시가 위치한 고양시가 먼저 인구가 증가하였고, 상대적으로 서울과 멀지만 신도시가 건설되면서 나중에 용인시의 인구가 증가하였다.

15 대도시권의 공간 구조 이해

A는 위성 도시, B는 중심 도시, C는 교외 지역, D는 배후 농촌 지역이다.

④ 중심 도시로 통근하는 비율은 대도시와 가까운 교외 지역이 대도시와 먼 배후 농촌 지역보다 높다.

오답 선택지 풀이 ① 위성 도시는 대도시의 기능을 일부 분담한다. 도심의 기능을 분담하는 것은 부도심으로, 부도심은 교통의 결절점에 발달한다.

② 대도시권이 확대되면 대도시로의 통근자 수가 증가하므로 중심 도시의 주간 인구 지수는 높아지는 경향이 나타난다.

③ 대도시권이 형성될 정도로 성장한 대도시는 도심과 부도심이 나타나는 다핵 구조의 도시이다. 다핵에서 핵은 중심지를 의미하며, 다핵 도시란 도심 이외에 부도심이 있다는 의미이다.

⑤ 토지 이용의 집약도는 대도시와 가까운 지역이 대도시와 먼 지역보다 높다.

올쏘 만점 노트 대도시권의 공간 구조

중심 도시		대도시권의 중심 지역, 다핵 구조가 나타남
통근 가능권	교외 지역	• 중심 도시와 경계가 맞닿은 지역 • 대도시의 주거 및 공업 기능 등이 확대됨
	대도시 영향권	도시 경관은 미약하지만 통근 형태와 토지 이용이 중심 도시의 영향을 받음
	배후 농촌 지역	• 중심 도시로의 최대 통근 가능 지역 • 상업적 원예 농업이 발달함

16 주간 인구 지수의 특징 이해

주간 인구 지수란 상주인구 대비 주간 인구의 비율이다. 일자리가 많아 주간에 인구가 유입되는 곳은 주간 인구 지수가 높고 서울과 가까운 지역은 먼 지역에 비해 대체로 서울로 통근하는 비율이 높아 주간 인구 지수가 낮다.

① 수도권에서는 서울에서 먼 지역에서 높은 경향이 나타나고 서울과 인접한 지역은 대부분 낮으며, 서울 내에서는 도심이 높고 주거 기능이 발달한 주변 지역이 낮으므로 두 지도의 공통적인 제목으로는 주간 인구 지수가 적절하다.

오답 선택지 풀이 ② 도심은 출근 시간대에 유입 인구가 많다.
③ 1차 산업 종사자 비율은 주로 서울에서 먼 지역에서 높다.
④ 아파트 거주 인구 비율은 서울의 주거 기능을 분담하는 서울의 위성 도시에서 높다.
⑤ 2005~2013년 인구 증가율은 주거 기능의 이심 현상이 활발한 도심에서 낮게 나타난다.

17 이심 현상의 이해

ㄱ. 주택, 학교, 공장 등이 도심에서 주변 지역으로 분산되는 현상을 이심 현상이라고 한다.
ㄴ. 도심에서 주변 지역으로 학교가 이전하는 것은 도심의 주거 기능이 약화되면서 학생 수가 감소하였기 때문이다.

오답 선택지 풀이 ㄷ. 학교는 도심에서 업무 기능보다 지대 지불 능력이 낮다.
ㄹ. 주변 지역에 학교가 입지하므로 주변 지역에서는 학생의 통학 거리가 짧아지게 된다.

18 대도시권의 교외 지역 특징 이해

자료에 제시된 지역은 대도시(서울) 근교에 위치한 교외 지역으로 택지 개발이 이루어졌으며, 이 과정에서 인구가 크게 증가하였다.
② 경지가 주거지, 도로 용지로 이용되면서 1995년 대비 2015년에 경지 면적 비율이 낮아졌다. 따라서 2015년 대비 1995년에 수치가 높은 항목은 경지 면적 비율이다.

오답 선택지 풀이 ①, ③, ④, ⑤ 택지가 개발되면서 주거 기능이 확대되었고 겸업농가 비율, 토지 이용의 집약도, 아파트 거주 인구 비율, 서울로 통근하는 비율 모두 1995년 대비 2015년에 수치가 높아졌다.

19 인구 공동화 현상 이해

| 모범 답안 | 인구 공동화, 도심에서 통근 시간대에 교통 혼잡이 나타난다.

채점 기준	배점
인구 공동화 현상을 쓰고, 도심에서 통근 시간대에 교통 혼잡이 나타난다고 정확하게 서술한 경우	상
인구 공동화 현상만 쓴 경우	하

20 도시 체계

(1) ㉠ 넓다, ㉡ 좁다, ㉢ 많다, ㉣ 적다
(2) | 모범 답안 | 배후지란 중심지가 재화나 서비스 등 각종 중심 기능을 제공하는 공간 범위를 말한다. (1)에서 고차 중심지가 저차 중심지보다 배후지의 면적이 넓게 나타나는데, 이는 고차 중심지가 저차 중심지보다 최소 요구치가 크기 때문이다.

채점 기준	배점
배후지의 개념과 저차 중심지보다 고차 중심지의 배후지 면적이 넓은 이유를 정확하게 서술한 경우	상
배후지의 개념은 정확하게 서술했으나, 저차 중심지보다 고차 중심지의 배후지 면적이 넓은 이유에 대한 서술 내용은 다소 미흡한 경우	중
배후지의 개념만 서술한 경우	하

올쏘 만점 노트 도시 계층 구조

중심지 계층	최소 요구치	재화의 도달 범위	중심지 기능	중심지 수	중심지 간의 거리
저차 중심지	작다	좁다	적다	많다	가깝다
고차 중심지	크다	넓다	많다	적다	멀다

올쏘 상위 4% 문제

본문 67쪽

01 ④ 02 ② 03 ② 04 ①

01 도시 내부 구조의 특징 이해

(가)는 대구의 구(區) 중에서 두 시기 모두 통근·통학 순 유입 인구가 가장 많고 2015년에는 유일하게 통근·통학 순 유입 인구가 많으므로 도심, (나)는 두 시기 모두 통근·통학 순 유출 인구가 가장 많으므로 주거 기능이 발달한 주변 지역이다.
ㄱ. 도심은 주변 지역보다 상업 및 업무 기능의 집중도가 높아 주간 인구 지수가 높다.
ㄴ. 도심은 주변 지역보다 구내 상업 용지의 면적 비율이 높다.
ㄹ. 도심은 지역 내 일자리가 많으므로 거주자의 평균 통근 거리가 가까운 반면, 주변 지역은 도심 지역보다 거주자의 평균 통근 거리가 멀다.

오답 선택지 풀이 ㄷ. 인구 공동화 현상은 주변 지역보다 도심에서 뚜렷하게 나타나므로 (나)보다 (가)에서 잘 나타난다.

02 부산의 도시 내부 구조 분석

자료 분석

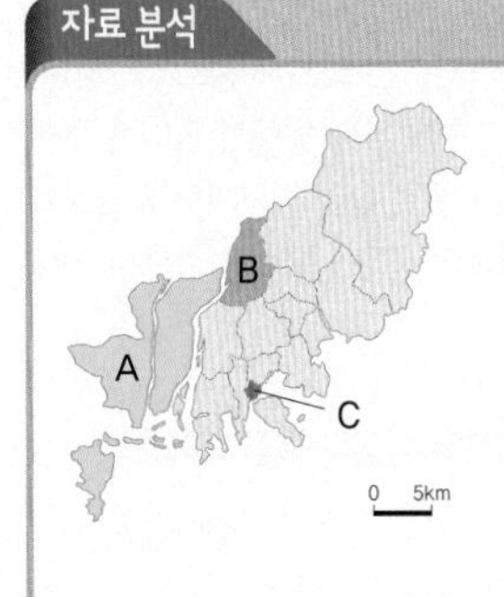

(단위: 명)

구분	인구		종사자	
	상주 인구	통근·통학 순 이동	전체 산업	제조업
A	86,505	79,825	114,531	72,339
B	294,147	−69,623	56,412	2,401
C	43,685	41,683	69,241	1,428

* 통근·통학 순 이동=통근·통학 유입 인구−통근·통학 유출 인구
(2015) (통계청)

- A−부산에서 도심과는 거리가 먼 지역이면서 통근·통학 순 유입자 수가 약 7만 9천 명이고 제조업 종사자가 많은 지역이므로 공업 기능이 높은 지역이다.
- B−해안에서 먼 지역이고 상주인구가 많으며 통근·통학 순 유출 인구가 약 7만 명이므로 주거 기능이 탁월한 지역이다.
- C−해안에 인접해 있으면서 통근·통학 순 유입 인구가 4만 명이 넘고 제조업 종사자 수가 천여 명으로 적지만 전체 산업 종사자 수는 상주인구보다도 매우 많은 것으로 보아 상업 및 업무 기능이 발달한 지역이다.

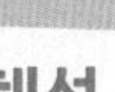

A는 제조업이 발달한 지역, B는 주거 지역, C는 상업 및 업무 기능이 발달한 지역이다.

② A가 C보다 전체 산업에서 차지하는 제조업 종사자 비율이 높으므로, 공업 기능이 높은 지역이다. 따라서 A는 C보다 전체 산업에서 차지하는 서비스업 종사자 비율이 낮다.

오답 선택지 풀이 ① 주간 인구 지수는 '(주간 인구÷상주인구)×100'으로 구한다. A는 통근·통학 순 이동이 약 7만 9천 명, B는 −6만 9천 명이므로 A는 주간 인구가 상주인구보다 많고, B는 주간 인구가 상주인구보다 적다. 따라서 A가 B보다 주간 인구 지수가 높다.
③ B는 A보다 면적은 좁지만 상주인구는 많으므로 인구 밀도가 높다.
④ B는 C보다 상주인구가 월등하게 많으므로 초등학교 학급 수가 많다.
⑤ 상주인구 대비 전체 산업 종사자 수가 많은 C가 A보다 상업지의 평균 지가가 높다.

03 서울 대도시권의 특징 이해

자료 분석

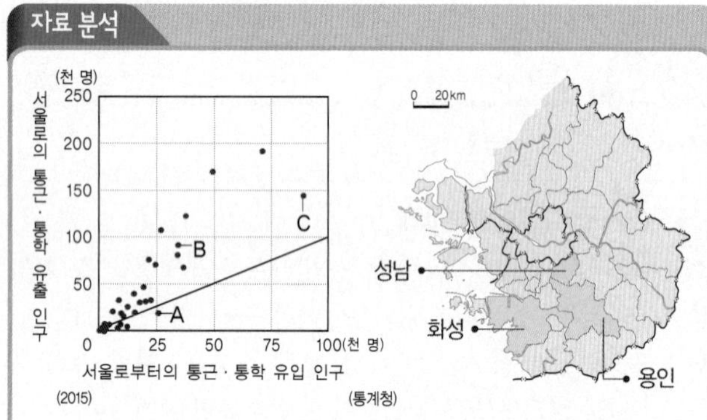

• A–서울로의 통근·통학 유출 인구와 서울로부터의 통근·통학 유입 인구가 모두 적으므로 서울과 먼 지역이다. 지도의 경기도 서남부에 위치한 화성이 이에 해당된다.
• B, C–서울로부터의 통근·통학 유입 인구도 많지만 서울로의 통근·통학 유출 인구가 월등하게 많다. 두 지역 중에서 서울로의 통근·통학 유출 인구가 더 많은 C가 서울과 인접한 성남이고, 나머지 B는 용인이다.

A는 화성, B는 용인, C는 성남이다.

ㄱ. 화성(A)은 경기 서남부에 위치하는데, 경기 서남부 지역은 제조업이 발달하였다. 반면 용인(B)은 서울의 주거 기능을 분담하면서 인구가 빠르게 성장한 지역이다.
ㄷ. 성남은 화성보다 총인구가 많다.

오답 선택지 풀이 ㄴ. 성남이 용인보다 서울과의 지리적 거리가 가깝다.
ㄹ. 서울과의 통근·통학에서 순 유출이 나타난다는 것은 서울로부터의 통근·통학 유입 인구보다 서울로의 통근·통학 유출 인구가 많다는 뜻이다. 그러나 화성(A)은 서울로부터의 통근·통학 유입 인구보다 서울로의 통근·통학 유출 인구가 적으므로 서울과의 통근·통학에서 순 유입이 나타난다.

04 대도시권의 교외 지역과 배후 농촌 지역의 상대적 특징 이해

(가)는 성남, (나)는 양평이다.

① 서울과 가까운 교외 지역인 성남은 서울과 상대적으로 먼 배후 농촌 지역인 양평에 비해 초등학교 학생 수와 단위 면적당 상업 시설 수가 많다. 반면, 양평은 성남보다 1차 산업 종사자 비율과 주간 인구 지수가 높다.

09 도시 계획과 재개발~지역 개발과 공간 불평등

개념 확인 문제

본문 70쪽

01 (1) ㉡ (2) ㉢ (3) ㉠
02 (1) ㉠ (2) ㉢ (3) ㉣ (4) ㉡
03 (1) 도시 재개발 (2) 파급, 역류 (3) 님비 (4) 핌피 (5) 지속 가능한 (6) 불균형 또는 성장 거점

시험에 꼭 나오는 문제

본문 70~74쪽

01 ②	02 ⑤	03 ①	04 ①	05 ③	06 ②	07 ②
08 ①	09 ⑤	10 ④	11 ②	12 ④	13 ④	14 ①
15 ④	16 ④	17 ④	18 ①	19 해설 참조		

01 도시 재개발의 특징 이해

자료 분석

• 갑: 노후화로 인한 재개발, 주택난 해결 등을 목적으로 한 도시 재개발을 주장하고 있으므로 철거 재개발을 통한 주거지 재개발에 대한 내용이다.
• 을: 새로 짓는 아파트에 입주하는 것에 대한 경제적 어려움을 토로하고 있으므로 주거 지역에서 철거 재개발이 이루어진다는 것을 알 수 있다.
• 병: 주거지 재개발을 통한 주택 가격 상승을 기대하고 있다.

ㄱ. 갑, 병은 도시 재개발에 찬성하는 입장이다.
ㄷ. 을은 새로 짓는 아파트에 입주하기 어려운 입장에서 말하고 있다.

오답 선택지 풀이 ㄴ. 을의 발언 중에 '새로 짓는 아파트'라는 의미는 철거 재개발을 의미한다. 수복 재개발의 경우 기존 건물에서 필요한 부분만 수리·개조하므로 원거주민이 입주를 걱정할 필요가 거의 없다.
ㄹ. 을이 재입주에 어려움이 있다는 의견을 말하는 것으로 보아 주거지 재개발에 해당한다. 도심은 상업 및 업무 기능이 집중된 곳이다.

02 대구와 군산의 지역 재개발 특징 이해

⑤ 영남 내륙 지역의 중심 도시이면서 도심 공동화 현상이 발생하는 곳은 대구이다. 대구는 국채 보상 운동이 시작된 곳이다. 일제 강점기에 호남평야에서 수탈된 쌀을 일본으로 실어가던 주요 항구는 군산과 목포인데, (나) 자료는 호남평야, 군산 세관, 조선은행 군산 지점 등의 내용이 있으므로 군산에 대한 것이다. 지도에서 A는 인천, B는 군산, C는 대구이다.

03 도시 재개발의 특징 이해

(가)는 철거 재개발, (나)는 보존 재개발이다.

ㄱ. 달동네가 아파트 단지로 변모하였으므로 건물의 평균 층수가 높아졌다.

ㄴ. 빈집들이 갤러리로 변화되고 조형물이 설치되면서 관광객이 증가하였다.

오답 선택지 풀이 ㄷ. 원거주민의 재정착률은 (나)가 (가)보다 높다.
ㄹ. 기존의 건축물을 재활용하는 비율은 (나)가 (가)보다 높다.

유사 선택지 문제

03 ❶ × ❷ ○

04 지역 개발 방식의 이해

① (가)는 대구의 도심 재개발, (나)는 부산 감천동의 재개발이다. (가), (나) 모두 지역의 특성을 활용한 지역 개발 사례에 해당한다.

05 철거 재개발과 수복 재개발의 상대적 특징 이해

(가)는 노후화된 건물을 철거하고 재개발하는 방식이므로 철거 재개발, (나)는 노후화된 요인만을 보수하고 정비하는 재개발 방식이므로 수복 재개발이다.

③ 철거 재개발은 수복 재개발에 비해 개발 전 대비 개발 후의 주거용 건축물 평균 층수가 높고 투입 자본의 규모가 크며, 수복 재개발은 철거 재개발에 비해 원거주민의 재정착률이 높고 기존 건물의 활용도가 높다.

06 서울의 시기별 도시 계획 파악

② (가)는 제1기 기반 시설 확충기(1960~1979년), (나)는 제3기 지속 가능한 발전기(2001년~현재), (다)는 제2기 도시 성장기(1980~2000년)의 서울 도시 계획이다.

올쏘 만점 노트 서울의 도시 계획과 도시 공간의 변화

시기	제1기 기반 시설 확충기 (1960~1979년)	제2기 도시 성장기 (1980~2000년)	제3기 지속 가능한 발전기 (2001년~현재)
도시 계획 내용	인구 급증에 따른 도시 기반을 조성하는 가장 중요한 시기였다. 상하수도를 확충하고, 도로 및 하천 정비 사업을 진행하였다.	도심 환경 개선 사업과 서울 인구 및 기반 시설의 포화에 대비한 시기였다. 부도심 지역을 개발하고 교통 시설을 정비하였다.	도시의 양적 성장 대신 질적 변화를 추구하는 시기이다. 청계천을 복원하였고, 대중교통 시스템을 개선하였다.
주요 계획	• 청계천 복개 및 고가 도로 건설 • 여의도 종합 개발 계획 • 난지도 쓰레기 매립지 지정	• 잠실 지구 개발 계획 • 올림픽 대로, 남산 1호 터널 개통 • 난지도 생태 공원 조성	• 청계천 복원 • 서울 도심 역사 문화 보존 • 상암 디지털 미디어 시티 조성

07 서울의 주택 유형 변화 자료 분석

서울은 성장 과정에서 주택의 수가 증가하였는데, 단독 주택은 줄어들고 아파트는 증가한 것이 특징이다.

② 주로 저층 건물인 단독 주택이 감소하고 상대적으로 고층 건물인 아파트가 증가하였으므로, 주거용 건축물의 평균 층수는 2000년이 2015년보다 낮다.

오답 선택지 풀이 ① 1990~2015년에 아파트의 수는 지속적으로 증가하였다.
③ 서울의 총 주택 수가 증가한 반면 단독 주택은 감소하였으므로 서울의 주택에서 차지하는 단독 주택의 비율은 지속적으로 감소하였다.
④ 서울의 주택에서 차지하는 다세대 주택의 비율은 2015년이 1990년보다 높다.
⑤ 단독 주택이 감소하고 아파트가 증가한 것을 통해 서울의 주거 지역 재개발은 주로 단독 주택을 철거한 지역에 아파트를 짓는 방식으로 추진되었음을 알 수 있다.

08 지역 개발로 인한 갈등 이해

ㄱ. (가)는 혐오 시설(기피 시설)을 지역 내에 설치하는 것을 반대하는 님비 현상이다.
ㄴ. (나)는 선호 시설을 지역 내에 유치하고자 하는 핌피 현상이다.

오답 선택지 풀이 ㄷ. (가)는 주로 지역 개발에 따른 이익보다 손해가 클 때 발생하고, (나)는 주로 지역 개발에 따른 손해보다 이익이 클 때 발생할 가능성이 크다.
ㄹ. 지역 개발에 따른 갈등은 지역 주민의 의사를 바탕으로 개발이 이루어지는 균형 개발 방식을 채택할 때 발생할 가능성이 크다.

09 공간 및 환경 불평등 이해

ㄷ. 충청남도에서는 해안 지역을 중심으로 화력 발전소가 밀집하여 있다. 수도권은 전력 소비량이 많은데, 수도권에 전력을 공급하기 위해 충남 해안에 화력 발전소가 많은 것이다.
ㄹ. 강원도에서는 화력 발전소가 있고 서울에는 없다. 1인당 지역 내 총생산은 서울이 강원도보다 높다. 따라서 강원도는 서울보다 화력 발전소는 많지만 1인당 지역 내 총생산은 적다.

오답 선택지 풀이 ㄱ. 화력 발전소는 주로 해안 지역에 위치하고 있다.
ㄴ. 1인당 지역 내 총생산이 가장 낮은 단계에 속하는 지역에는 대전, 광주, 대구, 부산 등 광역시 중에서 4개나 포함되어 있다.

10 불균형(성장 거점) 개발 방식의 특징 이해

자료 분석

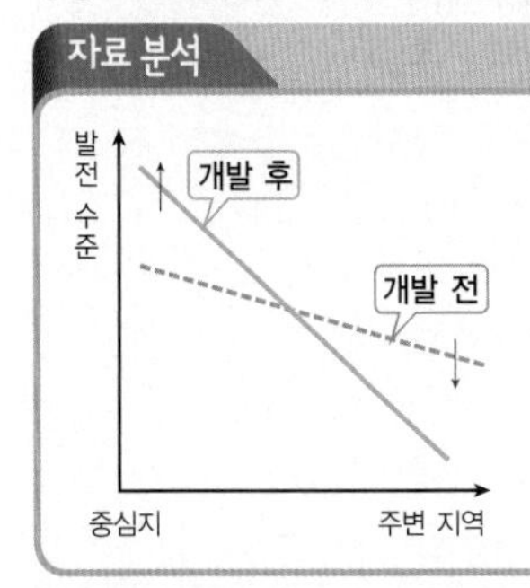

중심지는 개발 전에 비해 개발 후에 발전 수준이 많이 높아졌고, 주변 지역은 개발 전에 비해 개발 후에 발전 수준이 낮아졌다. 이러한 현상은 중심지가 개발되면서 주변 지역에서 중심지로 인구와 자본이 이동하였기 때문이다. 이러한 현상을 역류 효과라고 한다. 역류 효과는 성장 거점 개발 방식을 채택할 때 나타나기 쉽다.

자료는 성장 거점 개발 방식을 채택한 결과이다.

④ 성장 거점 개발 방식은 단기간에 높은 성장을 기대할 수 있다.

오답 선택지 풀이 ①, ②, ③, ⑤는 모두 균형 개발 방식에 대한 것이다.

11 불균형(성장 거점) 개발 방식과 균형 개발 방식의 특징 이해

(가)는 투자 효과가 큰 지역을 선정하여 집중 투자하므로 불균형(성장 거점) 개발 방식, (나)는 낙후 지역에 우선적으로 투자하므로 균형 개발 방식이다.

ㄱ. 불균형 개발 방식은 투자 효과가 큰 지역에 집중적인 투자를 하므로 짧은 시간에 개발 효과가 나타난다.
ㄷ. 균형 개발은 효율성보다 형평성을 우선적으로 고려하는 지역 개발이므로 지역 간 고른 성장을 유도할 수 있다.

오답 선택지 풀이 ㄴ. (가)는 지역 간 성장 불균형을 심화시킬 수 있다.
ㄹ. 역류 효과는 불균형 개발 방식인 불균형(성장 거점) 개발 방식에서 발생할 가능성이 크다.

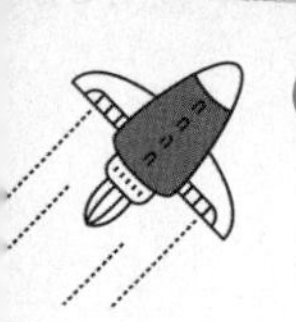

12 우리나라 지역 개발의 특징 이해

제1차 국토 종합 개발 계획의 시행 시기인 1970년대에는 특정 지역에 자본을 집중 투자하여 효율성을 높이는 개발 방식인 성장 거점 개발 방식을 채택하였고, 그 결과 수도권과 남동 연안 지역의 성장이 두드러지면서 다른 지역에서 이들 지역으로 인구와 자본이 이동하는 현상이 나타났다.

ㄱ. 성장 거점 개발 방식의 채택 결과 역류 효과가 발생하였다.

ㄷ. 수도권을 중심으로 한 성장 위주의 개발 정책으로 인해 수도권과 비수도권 간 격차가 확대되었다.

ㄹ. 혁신 도시 정책은 수도권과 비수도권 간의 성장 격차를 줄이기 위한 노력이다.

오답 선택지 풀이 ㄴ. 1970년대에 집중적인 투자가 이루어진 지역은 성장 거점으로 채택된 수도권과 남동 연안 지역이다.

유사 선택지 문제

12 ❶ ○ ❷ ×

13 혁신 도시의 특징 이해

지도는 혁신 도시를 나타낸 것이다. 혁신 도시는 공공 기관의 지방 이전과 산·학·연·관이 서로 협력하여 지역의 성장 거점 지역에 조성되는 미래형 도시이다.

ㄴ. 혁신 도시는 제4차 국토 종합 계획 때부터 추진된 정책이다.

ㄹ. 혁신 도시는 공공 기관 및 이와 관련된 기업, 연구소 등이 함께 입지하도록 계획되었다.

오답 선택지 풀이 ㄱ. 혁신 도시는 정부가 주도적으로 도시 개발에 참여한 다. 민간 기업이 주도적으로 도시 개발에 참여하는 것은 기업 도시이다.

ㄷ. 혁신 도시는 수도권과 비수도권 간의 성장 격차 완화를 위해 추진하고 있는 정책이다.

유사 선택지 문제

13 ❶ ○ ❷ ×

14 우리나라의 공간 불평등 현상 이해

자료 분석

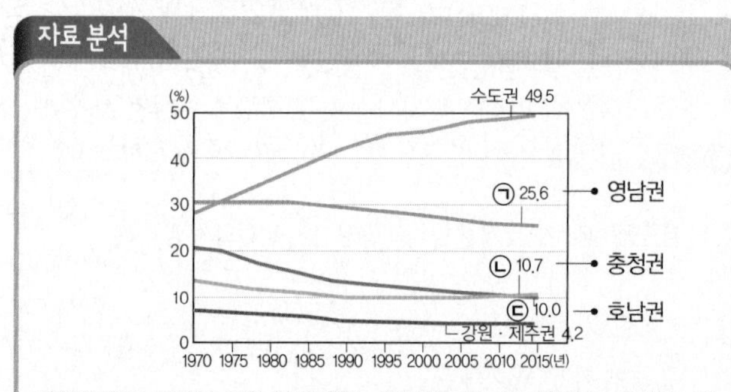

권역별 인구 비중의 경우 1970년에는 영남권>수도권>호남권>충청권>강원·제주권 순으로 높았다. 하지만 1970~2015년 동안에 수도권의 인구 비중은 큰 폭으로 높아졌고, 나머지 권역은 모두 인구 비중이 낮아졌다. 특히 호남권의 인구 비중이 큰 폭으로 감소하였다. 따라서 2015년에는 수도권>영남권>충청권>호남권>강원·제주권의 순으로 인구 비중이 높다.

① 권역별 지역 내 총생산과 권역별 인구 비중 모두 2015년 기준이며, 수도권>영남권>충청권>호남권>강원·제주권의 순으로 나타난다. 따라서 ㉠은 영남권, ㉡은 충청권, ㉢은 호남권이다.

15 제4차 국토 종합 계획 2차 수정 계획의 특징 이해

④ 대규모 공업 단지 건설을 통한 생산 기반 조성은 제1차 국토 종합 개발 계획과 관련된 내용이다.

오답 선택지 풀이 ①, ②, ③, ⑤는 모두 제4차 국토 종합 계획 2차 수정 계획의 추진 전략이다.

16 농어촌 지역의 개발 정책 이해

④ 제시된 자료는 모두 농어촌 지역에 거주하는 주민의 삶의 질을 향상시키기 위한 방법이다.

17 지역 개발과 공간 및 환경 불평등의 이해

④ 제3차 국토 종합 개발 계획부터 균형 개발 방식으로 지역 개발이 이루어졌지만, 수도권의 인구 집중도는 지속적으로 높아졌다.

오답 선택지 풀이 ① 성장 거점 개발 방식은 파급 효과를 추구하지만 실제로는 역류 효과가 발생하는 경우가 많다.

② 세종특별자치시는 행정 중심 복합 도시로 개발되었다.

③ 기업 도시는 민간 주도의 자족적 복합 기능 도시이다.

⑤ 환경 불평등은 오염 물질의 지역 간 이동으로 인해 개발 사업의 경제적 수혜 지역과 환경 오염의 부담 지역이 일치하지 않을 때 발생한다.

18 제3차 국토 종합 개발 계획의 특징 이해

제시된 자료는 제3차 국토 종합 개발 계획의 주요 정책과 특징이다.

① 제3차 국토 종합 개발 계획에서는 균형 개발 방식이 채택되었다.

오답 선택지 풀이 ② 지방 중심 도시 여러 곳으로 공공 기관이 이전하기 시작한 것은 제4차 국토 종합 계획이다.

③ 수도권과 남동 연안 지역에 집중적인 투자가 이루어진 것은 제1차 국토 종합 개발 계획이다.

④ 물 자원의 종합 개발 등 생산 기반 확충에 중점을 둔 지역 개발은 제1차 국토 종합 개발 계획이다.

⑤ 지역 간 형평성보다 경제적 효율성을 우선시하는 지역 개발은 제1차 국토 종합 개발 계획이다.

19 성장 거점 개발 방식과 균형 개발 방식의 특징 이해

(1) 제1차 국토 종합 개발 계획(1972~1981년)

(2) **| 모범 답안 |** 지역 개발이 진행되는 과정에서 특정 지역의 개발 효과가 주변 지역으로 확산되어 주변 지역이 동반 성장하는 효과이다.

채점 기준	배점
개발 효과가 주변 지역으로 확산된다는 것과 이로 인해 주변 지역이 동반 성장한다는 것을 연결지어 정확하게 서술한 경우	상
개발 효과가 주변 지역으로 확산된다는 것과 이로 인해 주변 지역이 동반 성장한다는 것 중에서 한 가지만 정확하게 서술한 경우	중
주변 지역 성장이라고만 표기한 경우	하

(3) **| 모범 답안 |** 효율적인 투자를 할 수 있어 단기간에 높은 성장을 할 수 있다는 장점이 있지만, 핵심 지역의 성장에만 치우칠 경우 역류 효과가 발생하여 지역 간 격차가 심해진다는 단점이 있다.

채점 기준	배점
장점과 단점을 모두 정확하게 서술한 경우	상
장점과 단점 중에서 한 가지만 정확하게 서술한 경우	중
장점과 단점 중에서 한 가지만 서술하였고, 그 내용이 다소 미흡한 경우	하

(4) | 모범 답안 | 효율성보다는 형평성을 추구하며, 성장의 속도가 다소 늦어지더라도 지역 간 고른 성장을 유도할 수 있다.

채점 기준	배점
특징과 장점을 모두 정확하게 서술한 경우	상
특징과 장점 중에서 한 가지만 정확하게 서술한 경우	중
특징과 장점 중에서 한 가지만 서술하였고, 그 내용이 다소 미흡한 경우	하

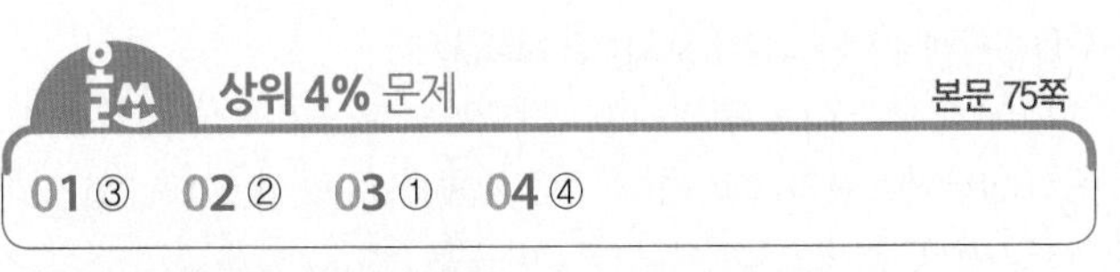

올쏘 상위 4% 문제 본문 75쪽

01 ③ 02 ② 03 ① 04 ④

01 철거 재개발의 특징 이해

자료 분석

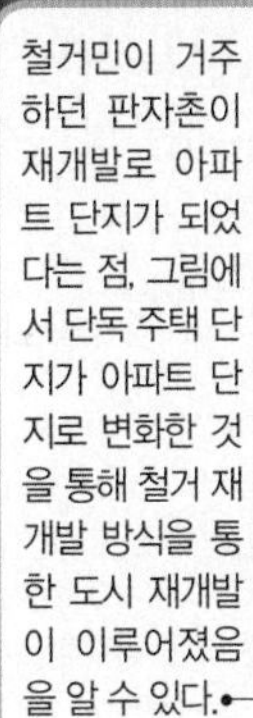

철거민이 거주하던 판자촌이 재개발로 아파트 단지가 되었다는 점, 그림에서 단독 주택 단지가 아파트 단지로 변화한 것을 통해 철거 재개발 방식을 통한 도시 재개발이 이루어졌음을 알 수 있다.

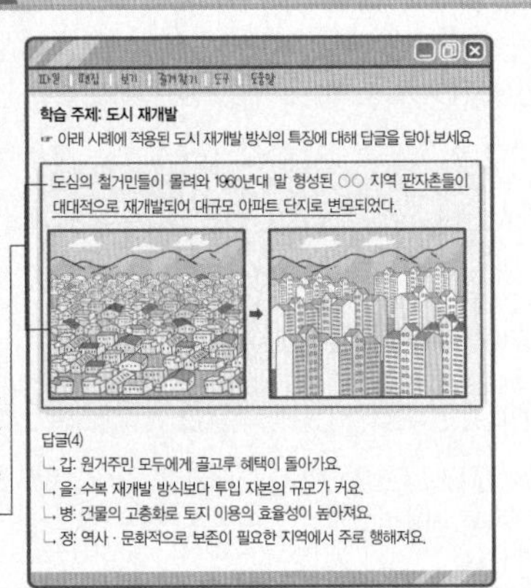

철거 재개발로 건물의 평균 층수가 높아지고, 단독 주택에 비해 물리적 생활 환경이 개선되었다. 하지만 주택 가격이 상승하면서 원래 거주하던 사람들 중에서 경제적 문제로 아파트에 입주하지 못하는 주민들은 거주지를 떠나게 되었다는 것을 추론할 수 있다. 특히 이 지역에서 상업 활동을 하던 사람들은 단골 고객을 잃고 상권이 변하면서 피해가 커질 수 있다는 것도 추론할 수 있다.

그림과 글 자료를 통해 제시된 지역 개발은 철거 재개발 방식에 의한 도시 재개발이라는 것을 알 수 있다.

- 을: 철거 재개발은 수복 재개발보다 투입 자본의 규모가 크다.
- 병: 대규모 아파트 단지가 건설되었기 때문에 개발 전보다 개발 후에 건물 평균 층수가 높아졌고, 건물의 고층화로 토지 이용의 효율성이 높아졌다.

오답 선택지 풀이 • 갑: 철거 재개발은 주거 비용 증가 등으로 원거주민의 이주율이 높아 원거주민의 재정착률이 낮은 편이다.

- 정: 역사 · 문화적으로 보존이 필요한 지역에서 주로 행해지는 것은 보존 재개발이다.

02 우리나라의 국토 종합 (개발) 계획 이해

ㄱ. (가)는 성장 거점 개발 방식으로, 이 개발 방식은 투자의 형평성보다 효율성을 우선시하는 개발 방식이다.

ㄷ. (다)는 균형 개발 방식으로, 낙후된 지역을 우선적으로 투자하는 지역 개발 방식이다. 따라서 성장 가능성이 높은 지역에 집중 투자하는 성장 거점 개발 방식(가)보다 지역 간 성장 격차를 줄이는 데 도움이 된다.

오답 선택지 풀이 ㄴ. 개발 제한 구역은 1971년에 처음 설정되었다.

ㄹ. 남동 연안 지역에 대규모 국가 산업 단지가 집중적으로 조성된 시기는 1970년대이다.

03 국토 종합 (개발) 계획의 이해

자료 분석

〈국토 종합 (개발) 계획〉

구분	제1차 국토 종합 개발 계획 (1972~1981)	제2차 국토 종합 개발 계획 (1982~1991)	제3차 국토 종합 개발 계획 (1992~1999)	제4차 국토 종합 계획 (2000~2020)
개발 방식	거점 개발	광역 개발	(가) ─• 균형 개발	
기본 목표	사회 간접 자본 확충	인구의 지방 정착 유도	지방 분산형 국토 골격 형성	균형, 녹색, 개방, 통일 국토
개발 전략	(나)	(다)	(라)	개방형 통합 국토축 형성

- 제1차 국토 종합 개발 계획(나)-산업 기반 확충에 초점을 두었으며 수도권 및 남동 연안 지역에 다수의 공업 단지를 건설하는 등 집중적인 투자가 이루어졌다.
- 제2차 국토 종합 개발 계획(다)-제1차 국토 종합 개발의 성장 거점 개발로 인한 수도권 및 남동 연안 지역, 대도시 중심의 성장을 주변 지역으로 확산시키기 위해 광역 개발 방식을 채택하여 개발 가능성의 전국적인 확대를 개발 전략으로 삼았다.
- 제3차 국토 종합 개발 계획(라)-수도권 집중을 억제하고 지방을 육성하는 분산형 개발 전략을 채택하였다.

ㄱ. (가)는 균형 개발 방식에 해당한다. 균형 개발 방식은 낙후된 지역에 우선적으로 투자하는 개발 방식이다.

ㄴ. (나)는 생산 기반 확충을 위한 전략에 해당된다. 이 시기에 고속 국도, 항만, 다목적 댐 등을 건설하여 산업 기반을 조성하였다.

오답 선택지 풀이 ㄷ. 혁신 도시와 기업 도시는 제4차 국토 종합 계획에서 실시되었다.

ㄹ. 제3차 국토 종합 개발 계획에서는 수도권 집중을 억제하는 정책을 실시하였다.

04 도시 재개발의 사례 분석

④ A는 (가)의 도시 재개발이 높은 항목, B는 (나)의 도시 재개발이 높은 항목이다. (가)는 보존 재개발, (나)는 철거 재개발이다. 따라서 (가)는 (나)에 비해 원주민의 재정착률과 기존 건물의 활용도가 높다. (나)는 (가)에 비해 투입 자본의 규모가 크다.

V. 생산과 소비의 공간

10 자원의 의미와 자원 문제 ~ 농업의 변화와 농촌 문제

개념 확인 문제 본문 78쪽

01 (1) 가변성 (2) 철광석 (3) 석회석 (4) 고령토 (5) 석유 (6) 무연탄 (7) 보리
02 (1) 재생 (2) 평안 누층군 (3) 원자력 (4) 많다 (5) 낮다 (6) 감소
03 (1) × (2) × (3) ○ (4) ○ (5) × (6) ○ (7) ×

시험에 꼭 나오는 문제 본문 78~82쪽

01 ② 02 ③ 03 ③ 04 ④ 05 ③ 06 ④ 07 ①
08 ④ 09 ③ 10 ④ 11 ③ 12 ⑤ 13 ③ 14 ④
15 ④ 16 ③ 17~18 해설 참조

01 자원의 특성 파악

석탄은 한번 사용하면 다시 사용할 수 없는 재생 불가능한 자원이며, 특정 지역에서만 생산된다. 바람은 재생 가능한 자원이며, 비교적 보편성이 높다.

오답 선택지 풀이 ㄴ. 석유는 재생 불가능한 자원이나 모든 지역에 골고루 매장되어 있지 않고 특정 지역에 편중되어 분포한다.
ㄹ. 텅스텐은 무한대로 재생할 수 있는 자원이 아니다.

02 자원의 가변성 이해

철광석은 사용량과 투자 정도에 따라 재생 수준이 달라지는 자원이다. 문을 닫았던 철광산에서 다시 철광석을 생산하는 것은 기술적 의미의 자원에서 경제적 의미의 자원으로 변한 사례이므로 C가 정답이다.

오답 선택지 풀이 ①, ② 사용함에 따라 고갈되는 재생 불가능한 자원(A, B)에는 석탄, 석유, 천연가스 등이 있다.
④ D는 기술적으로는 가능하지만 경제적으로 활용 가치가 없는 자원이다.
⑤ 사용량과는 무관한 재생 자원(E)에는 조력, 풍력 등이 있다.

03 광물 자원의 지역별 생산 비중 비교

A는 철광석, B는 무연탄, C는 석회석, D는 고령토이다. 우리나라는 철광석 생산량은 적으나 제철 공업의 발달로 철광석 수요량이 많다. 따라서 고령토보다 철광석의 해외 수입량이 많다.

오답 선택지 풀이 ① 조선 누층군에 많이 매장된 자원은 석회석(C)이다.
② 도자기, 내화 벽돌의 주원료로 사용되는 것은 고령토(D)이다.
④ 석회석(C)은 무연탄(B)에 비해 가채 연수가 길다.
⑤ 석회석(C)과 고령토(D)는 모두 비금속 광물이다.

04 1차 에너지 소비 구조의 변화 파악

A는 석유, B는 석탄, C는 천연가스, D는 원자력이다. 석탄은 산업 혁명이 일어나던 시기부터 상업적으로 이용되기 시작했다.

오답 선택지 풀이 ① 석유(A)는 신생대 지층에 많이 매장되어 있다.
② 대부분 수송용으로 이용되는 에너지 자원은 석유(A)이다.
③ 석탄(B)은 석유(A)보다 국내 생산량이 많다.
⑤ 석탄(B)>석유(A)>천연가스(C) 순으로 연소 시 대기 오염 물질 배출량이 많다.

올쏘 만점 노트 1차 에너지 소비 구조

- 1차 에너지 소비 구조(2016년): 석유>석탄>천연가스>원자력>기타(수력 및 신 · 재생 포함)
- 천연가스는 냉동 액화 기술의 발달 이후 소비량이 빠르게 증가하였음

05 최종 에너지의 부문별 소비 비중 이해

A는 산업용으로 대부분 이용되며, B는 산업용으로도 이용되지만 A와 C에 비해 수송용으로도 많이 이용된다. C는 가정 · 상업 · 공공용으로 많이 이용된다. 그러므로 A는 석탄, B는 석유, C는 천연가스이다.

06 1차 에너지의 소비량 및 발전량 비중 이해

전력을 생산하기 위한 발전에 이용되는 1차 에너지의 비중은 석탄>원자력>천연가스 순(2015년 기준)으로 높고, 석유, 신 · 재생 및 기타(수력 포함) 에너지의 비중은 낮다.
1차 에너지 소비량 비중은 석유>석탄>천연가스>원자력>신 · 재생 및 기타(수력 포함) 순(2016년 기준)이다.
발전량 비중은 (가)>원자력>(나)>(다)>신 · 재생 및 기타 순으로 높다. 따라서 (가)는 석탄, (나)는 천연가스, (다)는 석유이다. 소비량 비중은 A>B>C>원자력>신 · 재생 및 기타 순으로 높다. 따라서 A는 석유, B는 석탄, C는 천연가스이다.

07 도(道)별 화석 에너지 공급 비중 이해

자료 분석

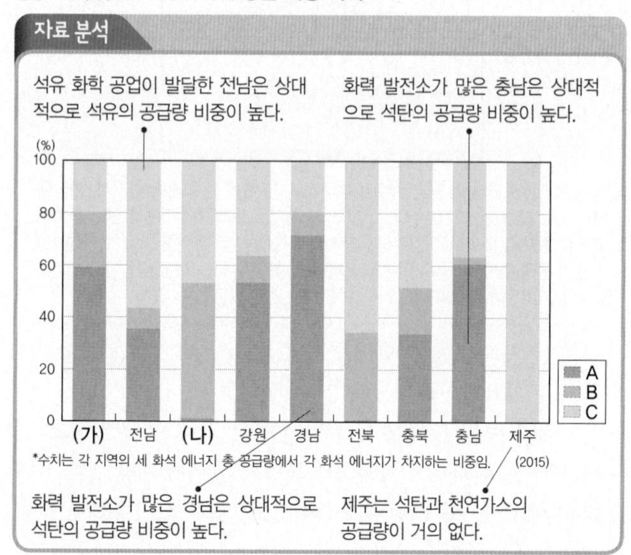

A는 석탄, B는 천연가스, C는 석유, (가)는 경북, (나)는 경기이다. 제철 공업이 발달한 경북(가)은 석탄의 공급 비중이 높고, 인구가 많고 도시가스 공급망이 잘 갖추어진 경기(나)는 천연가스의 공급 비중이 높다. 석탄은 산업용으로 이용되는 비중이 높으며, 천연가스는 가정 · 상업용으로 이용되는 비중이 높다.

오답 선택지 풀이 ㄷ. 석유(C)>석탄(A)>천연가스(B) 순으로 우리나라의 1차 에너지 소비 구조에서 차지하는 비중이 높다.
ㄹ. 석탄(A)>천연가스(B)>석유(C) 순으로 화력 발전소의 연료로 많이 소비된다.

유사 선택지 문제

07 ❶ × ❷ × ❸ ○

08 발전 방식별 발전 설비 분포 특성 파악

A는 수력, B는 화력, C는 원자력이다. 석탄, 천연가스 등 화석 에너지를 연료로 사용하는 화력은 수력에 비하여 발전 시 온실가스 배출량이 많다.

오답 선택지 풀이 ① 발전 후 방사성 폐기물 처리 문제가 발생하는 것은 원자력(C)이다.

② 계절별 발전량의 차이가 큰 발전 방식은 수력(A)이다.

③ 수력(A)은 원자력(C)보다 기후 조건이 발전량에 크게 영향을 끼친다.

⑤ 화력(B)>원자력(C)>수력(A) 순으로 총 발전량이 많다.

올쏘 만점 노트 발전 방식별 특성

구분	입지	장점 및 단점
수력	하천 중 · 상류	• 대기 오염 물질 배출량이 적음 • 기후와 생태계 변화 초래 우려
화력	전력 소비가 많은 수도권, 충청권, 남동 임해 지역	• 소비지 주변에 입지하여 송전 비용이 저렴 • 발전 시 대기 오염 물질 배출량이 많음
원자력	울진, 경주, 부산, 영광	• 발전소 건설 비용이 비쌈 • 방사성 폐기물 처리 및 방사능 유출 위험성이 있음

09 신 · 재생 에너지의 발전소 분포 특성 파악

풍력은 바람이 많은 산지나 해안 지역, 태양광은 일조량이 풍부한 지역, 조력은 조수 간만의 차가 큰 지역이 발전에 유리하다. 강원, 경북, 제주에 발전소가 많은 A는 풍력, 전남에 발전소가 많은 B는 태양광, 경기 안산에 발전소가 있는 C는 조력이다.

10 지역별 신 · 재생 에너지 생산량 비교

자료 분석

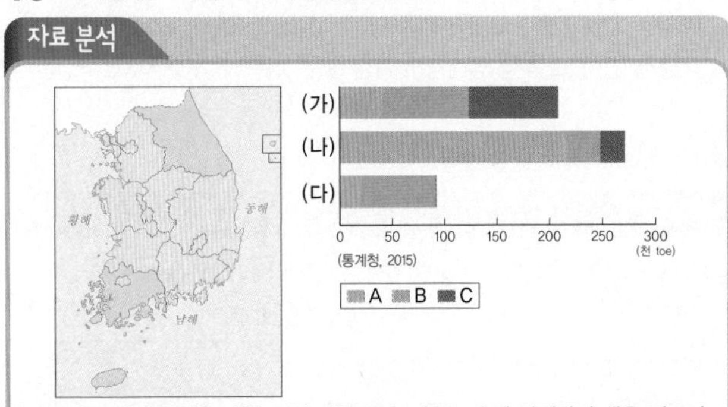

지도에 표시된 지역은 강원, 전남, 제주이다. 제주는 수력 발전량이 매우 적으며, 전남은 풍력과 수력에 비해 상대적으로 태양광 발전량이 많다. 그리고 강원과 제주는 전남에 비해 풍력 생산량이 많다.

A는 태양광, B는 풍력, C는 수력, (가)는 강원, (나)는 전남, (다)는 제주이다. 풍력은 전력 생산 시 소음이 많이 발생한다.

오답 선택지 풀이 ① 물을 가두어 낙차를 이용하여 발전하는 것은 수력(C)이다.

② 발전소 입지 선정에 풍속이 가장 중요한 요인인 신 · 재생 에너지는 풍력(B)이다.

③ 수력(C)은 태양광(A)보다 우리나라에서 상용화된 시기가 이르다.

⑤ (가)는 강원, (나)는 전남, (다)는 제주이다.

유사 선택지 문제

10 ❶ B ❷ A ❸ ○

11 우리나라 농업의 변화 특성 파악

1980년에 비해 2015년은 경지 면적과 농가 인구가 감소하였다. 경지 면적이 감소한 것에 비해 농가가 더 많이 감소하였기 때문에 농가당 경지 면적은 증가하였다. 1980년 전체 농가당 구성원 수는 약 5.0명이었으나 2015년 농가당 구성원 수는 약 2.3명이다. 그리고 전업농가 및 겸업농가의 수가 모두 감소하였지만, 전체 농가에서 겸업농가가 차지하는 비중은 증가하였다.

12 지역별 농업 특성 파악

(가)는 고령 인구 비율이 낮고 겸업농가 비율이 높으므로 대도시와 가까운 경기도 하남, (나)는 겸업농가 비율이 낮고 고령 인구 비율이 높으므로 대도시에서 멀리 떨어진 전북 무주의 농업 특징을 나타낸 것이다. 대도시와 가까운 하남에 비해 대도시에서 멀리 떨어진 무주는 농업 종사자 비율이 높으며, 통폐합되는 초등학교가 많다.

오답 선택지 풀이 ㄱ. 대도시와 가까운 하남에 비해 대도시에서 멀리 떨어진 무주는 청장년층 인구가 적어 합계 출산율이 낮으며, ㄴ. 휴경지의 증가 등으로 인해 경지 이용률이 낮다.

13 도(道)별 주요 작물 재배 면적 비중 비교

A는 벼, B는 맥류, C는 과수이다. 생활 수준의 향상으로 인한 식생활 변화로 벼와 맥류의 1인당 소비량은 감소하고 있다. 벼는 맥류보다 1인당 소비량이 많다.

오답 선택지 풀이 ① 최근 벼(A)의 재배 면적은 감소하고 있다.

② 생활 수준의 향상으로 과수(C)의 소비량은 증가하고 있다.

④ 맥류(B)는 주로 벼(A)의 그루갈이 작물로 재배된다.

⑤ 벼(A)는 과수(C)보다 영농의 기계화에 유리하다.

올쏘 만점 노트 주요 작물의 재배 특징

구분	특징
벼	• 평야 지역에서 주로 재배 • 소비 감소 및 시장 개방으로 인해 재배 면적 감소
맥류	• 주로 벼의 그루갈이 작물로 재배 • 겨울철이 온화한 남부 지방에서 주로 재배
과수	• 경북, 제주의 재배 면적이 넓음 • 생활 수준의 향상으로 소비량 증가

14 도(道)별 작물 재배 면적 비교

자료 분석

A 지역은 벼, 맥류의 재배 면적이 넓다.

C 지역은 과수 재배 면적이 넓다.

구분	벼	맥류	과수
A 지역	100.0	100.0	34.9
B 지역	51.7	1.7	17.1
C 지역	68.5	8.8	100.0

*수치가 가장 높은 지역의 값을 100으로 하였을 때의 상댓값임. (통계청, 2015)

지도에 표시된 세 지역 중 벼와 맥류의 재배 면적이 가장 넓은 A는 전남, 과수의 재배 면적이 넓은 C는 경북, 나머지 B는 경기이다. 전남, 경북, 경기 중 겸업농가 비중은 경기>전남>경북 순으로 높고, 농가 수는 경북>전남>경기 순으로 많다.

유사 선택지 문제

14 ❶ × ❷ 전남 ❸ ○

15 도(道)별 농업 특성 이해

대소비 시장과 인접한 경기는 경북과 전남에 비해 겸업농가 비율이 높으며, 경북은 전남에 비해 전업농가 비율이 높고 겸업농가 비율이 낮다. 따라서 (가)는 경북, (나)는 전남, (다)는 경기이다. 평야가 발달한 전남의 논 면적 비율이 경기와 경북에 비해 높으며, 산지가 발달한 경북의 밭 면적 비율이 전남과 경기에 비해 높다. 따라서 A는 전남, B는 경기, C는 경북이다.

16 지리적 표시제의 특성 파악

지리적 표시제는 농산물 및 그 가공품의 특징이 본질적으로 특정 지역의 지리적 특성에서 기인하는 경우 그 지역에서 생산된 특산품임을 표시하는 것을 말한다. 지도의 A는 이천, B는 홍천, C는 괴산, D는 의성, E는 순창이다. 이천은 쌀, 홍천은 찰옥수수, 괴산은 고추, 의성은 마늘, 순창은 고추장이 지리적 표시제에 등록되어 있다. 녹차는 보성의 지리적 표시제에 등록된 농산물이다.

17 권역별 발전 설비 용량 비중과 발전 방식별 특성 파악

(1) A 수력, B 화력, C 원자력

(2) | 모범 답안 | 화력(B)은 수력(A)에 비해 우리나라의 총 발전량에서 차지하는 비중이 높으며, 기후적 제약이 큰 수력(A)에 비해 발전소 입지가 비교적 자유로워 전력 소비량이 많은 소비지 가까이에 입지해 있다. 또한 화력(B)은 화석 에너지를 연료로 사용하여 전력을 생산하기 때문에 수력(A)에 비해 발전 시 대기 오염 물질의 배출량이 많다.

채점 기준	배점
수력 발전과 비교한 화력 발전의 특징 세 가지를 모두 정확하게 서술한 경우	상
수력 발전과 비교한 화력 발전의 특징을 두 가지만 정확하게 서술한 경우	중
수력 발전과 비교한 화력 발전의 특징을 한 가지만 서술한 경우	하

18 주요 작물의 지역별 재배 특성 파악

(1) A 채소, B 과수, C 벼, D 맥류

(2) | 모범 답안 | 벼의 그루갈이 작물로 재배되는 작물은 맥류(D)이다. 맥류는 겨울철이 온화한 전북, 전남, 제주 등지에서 주로 생산되며, 식생활의 변화로 과거에 비해 소비량이 많이 감소하였다.

채점 기준	배점
작물의 이름과 작물의 특징 두 가지를 모두 정확하게 서술한 경우	상
작물의 특징 두 가지만 정확하게 서술한 경우	중
작물의 이름만 서술한 경우	하

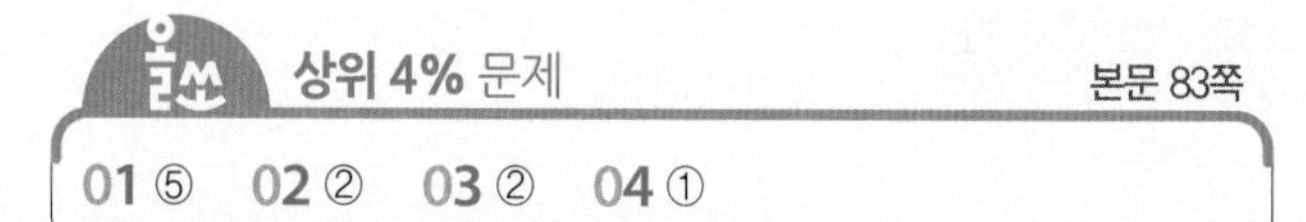

상위 4% 문제 본문 83쪽

01 ⑤ 02 ② 03 ② 04 ①

01 도(道)별 화석 에너지 공급량 비교

자료 분석

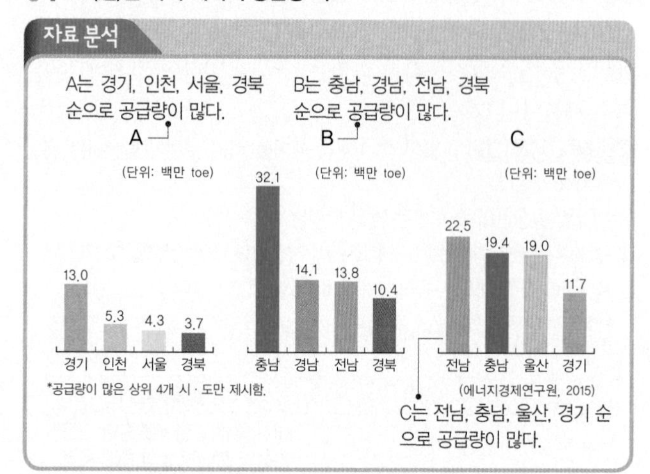

A는 천연가스, B는 석탄, C는 석유이다. 석탄>천연가스>석유 순으로 화력 발전의 연료로 많이 이용되며, 석탄>석유>천연가스 순으로 연소 시 대기 오염 물질 배출량이 많다.

오답 선택지 풀이 ㄱ. 천연가스(A)는 신생대 지층에 많이 매장되어 있다. ㄴ. 서남아시아에서 대부분 수입하는 것은 석유(C)이다.

02 권역별 신·재생 에너지 생산 특성 파악

(가)는 영남권, (나)는 수도권, A는 태양광, B는 풍력, C는 조력이다. 태양광은 일조 시수가 긴 곳에 입지하는 것이 유리하며, 우리나라에서 태양광 생산량이 가장 많은 지역은 호남권이다.

오답 선택지 풀이 ① (가)는 영남권, (나)는 수도권이다.
③ 풍력 발전소(B)는 바람이 많이 부는 산간 지역이나 해안에 주로 입지해 있다.
④ 조력(C)은 조수 간만의 차가 큰 곳에 입지하는 것이 유리하며, 우리나라에서는 유일하게 수도권인 경기 안산에 시화호 조력 발전소가 있다.
⑤ 태양광, 풍력, 조력 중 생산량이 가장 많은 것은 태양광(A)이다.

03 도(道)별 농업 특성 파악

자료 분석

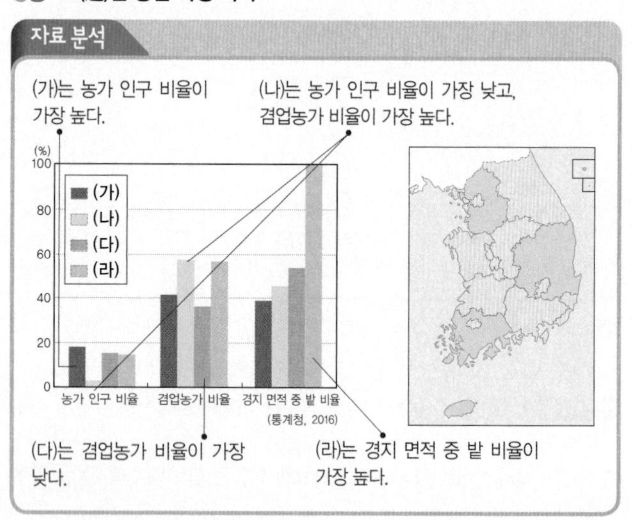

(가)는 전남, (나)는 경기, (다)는 경북, (라)는 제주이다. 경북은 경기보다 과수 재배 면적이 넓다.

오답 선택지 풀이 ① 경기(나)는 전남(가)보다 농가당 경지 면적이 좁다.
③ 경북(다)은 제주(라)보다 농가 인구가 많다.
④ 전남(가)은 제주(라)보다 맥류 재배 면적이 넓다.
⑤ 쌀 생산량은 전남(가)> 경북(다)> 경기(나)> 제주(라)(2016년 기준) 순으로 많다.

04 도(道)별 작물 재배 면적 비중 비교

전남, 충북, 강원에서 벼 다음으로 재배 면적 비중이 높은 것은 채소이다. 전남에서는 재배 면적 비중이 비교적 높지만 충북과 강원에서는 거의 재배되지 않는 B는 맥류이다. 그러므로 A는 채소, B는 맥류, C는 과수이다.

11 공업의 발달과 지역 변화 ~ 서비스업의 변화와 교통·통신의 발달

개념 확인 문제 본문 86쪽

01 (1) 이중 구조 (2) 시장 (3) 수도권 (4) 최소 요구치 (5) 도로
02 (1) 적환지, 노동 (2) 적다 (3) 넓어진다 (4) 높다 (5) 작다 (6) 크다 (7) 소비자 서비스업
03 (1) ○ (2) × (3) × (4) × (5) × (6) × (7) ×

시험에 꼭 나오는 문제 본문 86~90쪽

01 ① 02 ① 03 ② 04 ③ 05 ③ 06 ④ 07 ②
08 ③ 09 ② 10 ③ 11 ① 12 ① 13 ③ 14 ②
15 ⑤ 16 ③ 17~18 해설 참조

01 우리나라의 공업 특색 파악

제시된 그래프는 각각 주요 공업의 종사자 수 비율 변화와 기업 규모별 제조업 출하액, 종사자 수, 사업체 수 비중을 나타낸 것이다. 주요 공업의 종사자 수 비율 그래프를 통해 식품, 섬유 공업에서 화학, 기계 · 조립 금속 공업 등으로 공업 구조가 고도화되고 있음을 알 수 있다. 기업 규모별 비중을 나타낸 그래프에서 대기업은 종사자 수 비중에 비해 출하액이 많은 것을 통해 대기업은 소기업보다 노동 생산성이 높다는 것을 알 수 있다.

02 주요 제조업의 시 · 도별 출하액 비중 비교

섬유 제품(의복 제외) 제조업 출하액은 노동력이 풍부한 경기, 경북, 대구 등이 많으며, 화학 물질 및 화학 제품(의약품 제외) 제조업 출하액은 울산, 전남 등에서 많다. 1차 금속 제조업 출하액은 포항이 있는 경북, 광양이 있는 전남 등에서 많다. 자동차 및 트레일러 제조업 출하액은 경기, 울산, 충남 등에서 많다. 그러므로 A는 경기, B는 경북, C는 전남이다.

올쏘 만점 노트 주요 제조업 발달 지역

제철 공업	포항, 광양, 당진
자동차 공업	울산, 아산
석유 화학 공업	울산, 여수, 서산 등
조선 공업	거제 등

03 공업의 입지 유형 특성 이해

(가)는 노동 지향형 공업, (나)는 집적 지향형 공업이다. 생산비에서 노동비가 차지하는 비중이 큰 섬유 공업(ㄱ)은 노동 지향형 공업, 제품 생산에 많은 부품이 필요한 조립형 공업인 자동차 공업(ㄷ)은 집적 지향형 공업이다.

오답 선택지 풀이 대량의 원료를 해외에서 수입하는 1차 금속 공업(ㄴ)은 적환지 지향형 공업이다.

04 주요 제조업의 특성 이해

자료 분석

A는 울산>전남>충남 순으로 출하액이 많다.
B는 경북>전남>충남 순으로 출하액이 많다.

(2014)

순위 \ 제조업	A	B	C	D
1	울산	경북	경기	경기
2	전남	전남	경북	울산
3	충남	충남	대구	충남
4	인천	울산	서울	경남
5	부산	경기	부산	광주

C는 경기>경북>대구 순으로 출하액이 많다.
D는 경기>울산>충남 순으로 출하액이 많다.

A는 코크스·연탄 및 석유 정제품 제조업, B는 1차 금속 제조업, C는 섬유 제품(의복 제외) 제조업, D는 자동차 및 트레일러 제조업이다. 코크스·연탄 및 석유 정제품 제조업은 섬유 제품(의복 제외) 제조업보다 종사자당 출하액이 많다.

오답 선택지 풀이 ① 자동차 및 트레일러 제조업(D)이 대표적인 종합 조립 공업이다.
② 1960년대 우리나라 공업화를 주도한 것은 섬유 제품(의복 제외) 제조업(C)과 같은 노동 집약적 공업이다.
④ 1차 금속 제조업(B)은 섬유 제품(의복 제외) 제조업(C)보다 완성된 제품의 무게가 무겁다.
⑤ 1차 금속 제조업(B)의 최종 제품이 자동차 및 트레일러 제조업(D)의 재료로 이용된다.

유사 선택지 문제

04 ❶ ○ ❷ × ❸ ×

05 지역별 제조업 특색 비교

다른 지역에 비해 수도권과 영남권에서 제조업이 발달하였는데, 수도권은 영남권에 비해 중소기업이 많으므로 수도권은 사업체 수 비중이 종사자 수와 출하액 비중에 비해 높다. 울산은 대기업이 많이 입지해 있으므로 출하액 비중이 사업체 수와 종사자 수 비중에 비해 상대적으로 높다. 그러므로 A는 사업체 수, B는 종사자 수, C는 출하액이다.

올쏘 만점 노트 권역별 제조업 비중

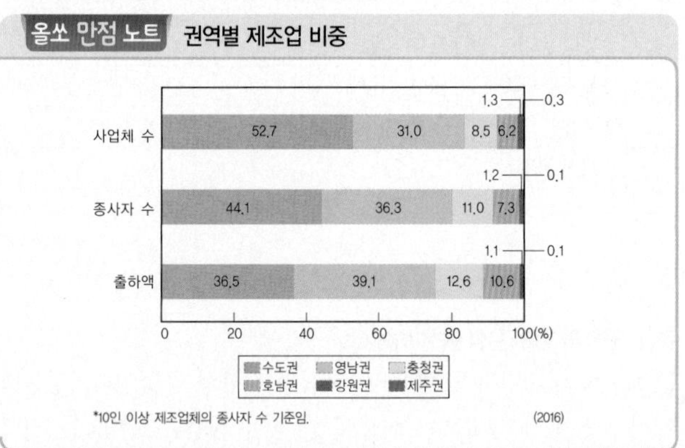

06 권역별 제조업 특성 파악

A는 자동차 및 트레일러 제조업, B는 화학 물질 및 화학 제품(의약품 제외) 제조업, C는 1차 금속 제조업이다. 1차 금속 제조업(C)에서 생산된 제품은 자동차 및 트레일러 제조업(A)의 주요 재료로 이용된다.

오답 선택지 풀이 ① 원료의 해외 의존도가 높은 대표적인 기초 소재 공업은 1차 금속 제조업(C)이다.
② 대표적인 종합 조립 공업은 자동차 및 트레일러 제조업(A)이다.
③ 상호 보완성이 높아 인접하여 입지하는 것이 유리한 대표적인 공업은 정유 공업과 석유 화학 공업이다.
⑤ 1960년대 우리나라의 주요 수출품은 섬유, 가발, 신발 등 노동 집약적 경공업 제품이다. 자동차 및 트레일러(A), 화학 물질 및 화학 제품(B), 1차 금속(C) 제조업은 1970~1980년대에 크게 발달하였다.

07 우리나라의 공업 지역 특성 파악

(가)는 수도권 공업 지역, (나)는 남동 임해 공업 지역에 대한 설명이다. 지도의 A는 수도권 공업 지역, D는 남동 임해 공업 지역이다.

오답 선택지 풀이 B는 영남 내륙 공업 지역, C는 호남 공업 지역이다.

08 공간적 분업의 이해

제시된 자료는 공간적 분업에 대한 것이다. 공간적 분업은 본사, 공장, 연구소 등이 공간적으로 분리되어 입지하는 현상이다.

오답 선택지 풀이 ① 적환지는 운송 수단이 바뀌는 지점이다.
② 최소 요구치는 중심지가 기능을 유지하는 데 필요한 최소한의 수요이다.
④ 산업 클러스터는 기업, 대학, 연구소 등이 한 곳에 모여 입지해 있는 산업 집적지이다.
⑤ 공업의 이중 구조는 대기업과 중소기업 간의 격차가 큰 것을 말한다.

09 상업의 입지 특성 파악

(가)와 같이 재화의 도달 범위보다 최소 요구치의 범위가 큰 경우 정기 시장이 형성되고, (나)와 같이 재화의 도달 범위가 최소 요구치의 범위보다 큰 경우 상설 시장이 형성된다. 교통이 발달하면 재화의 도달 범위가 확대된다.

오답 선택지 풀이 ㄴ. (나)가 (가)보다 재화의 도달 범위가 넓다.
ㄹ. 주민의 소득이 증가하면 구매력이 상승하므로 최소 요구치의 범위가 좁아진다.

10 편의점과 백화점의 특성 파악

(가)는 백화점, (나)는 편의점이다. 백화점은 편의점보다 판매하는 상품의 종류가 많으며, 최소 요구치가 크고 재화의 도달 범위가 넓다. 따라서 백화점은 편의점보다 상점 간 거리가 멀다.

오답 선택지 풀이 ㄹ. 상점 수가 적은 백화점은 편의점보다 소비자의 평균 이동 거리가 멀다.

11 주요 소매 업태별 특성 비교

A는 백화점, B는 대형 마트, C는 편의점, D는 무점포 소매업이다. 백화점(A)은 대형 마트(B)보다 대도시 도심에 집중하려는 경향이 강하다.

오답 선택지 풀이 ② 대형 마트(B)는 편의점(C)보다 자가용 이용 고객 비율이 높다.
③ 백화점(A)은 편의점(C)보다 업체당 매출액이 많다.
④ 무점포 소매업(D)은 소비자의 구매 활동의 시간적 제약이 작다.
⑤ 고가 제품의 판매 비중은 백화점(A)이 가장 높다.

올쏘 만점 노트 소매 업태별 특성

구분	특성
사업체 수	편의점>무점포 소매업>대형 마트>백화점
총 종사자 수	무점포 소매업>편의점>대형 마트>백화점
매출액	대형 마트>무점포 소매업>편의점>백화점
백화점	고가 제품의 판매 비중이 높으며, 대도시 도심, 부도심에 입지하려는 경향이 강함
무점포 소매업	상거래 활동의 시·공간적 제약이 적음
자동차 이용 빈도	편의점보다 백화점, 대형 마트 이용 고객이 자동차를 많이 이용함

12 시·도별 산업 구조의 이해

A는 1차 산업 취업자 수 비중이 '0'에 가까우며, 3차 산업 취업자 수 비중이 90% 이상이므로 서울이다. B는 1차 산업 취업자 수 비중이 약 23%이며, 3차 산업 취업자 수 비중이 약 66%이므로 전남이다. C는 2차 산업 취업자 수 비중이 약 38%로 높으므로 울산이다.

13 시·도별 지역 내 총생산 비교

자료 분석

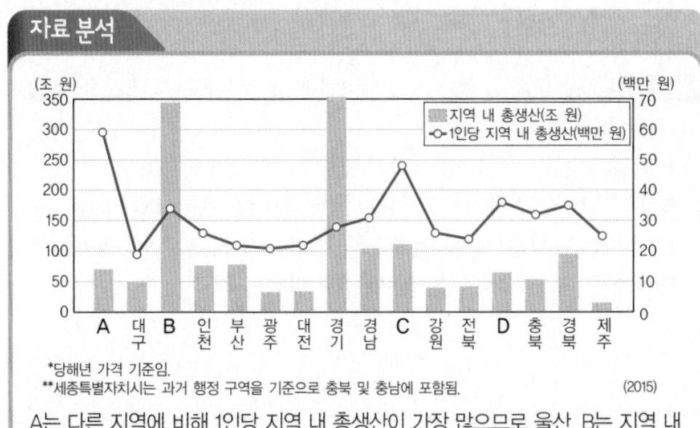

A는 다른 지역에 비해 1인당 지역 내 총생산이 가장 많으므로 울산, B는 지역 내 총생산이 많으므로 서울이다. 충남은 전남보다 1인당 지역 내 총생산과 지역 내 총생산이 많으므로 C는 충남, D는 전남이다.

A~D는 서울, 울산, 충남, 전남 중 하나이다. A는 울산, B는 서울, C는 충남, D는 전남이다. 서울(B)은 울산(A)보다 생산자 서비스업 종사자 비율이 높으며, 전남(D)은 서울(B)보다 1차 산업 종사자 비율이 높다.

오답 선택지 풀이 ㄱ. A는 울산, C는 충남이다.
ㄹ. 서울(B)-충남(C) 간 거리보다 서울(B)-전남(D) 간 거리가 멀다.

유사 선택지 문제

13 ❶ ○ ❷ ○ ❸ ×

14 생산자 서비스업과 소비자 서비스업의 특징 이해

(가)는 생산자 서비스업, (나)는 소비자 서비스업이다. 생산자 서비스업(가)은 소비자 서비스업(나)에 비해 사업체당 평균 종사자 수가 많다.

오답 선택지 풀이 ① 전체 사업체 수는 소비자 서비스업(나)이 더 많다.
③ 지식 집약적인 성격은 생산자 서비스업(가)이 강하다.
④ 생산자 서비스업(가)은 도심에 입지하려는 경향이 강하다.
⑤ 경제가 발달할수록 생산자 서비스업(가)과 소비자 서비스업(나)이 모두 성장한다.

15 교통수단별 특성 파악

A는 도로, B는 철도, C는 해운, ㉠은 도로, ㉡은 철도, ㉢는 해운이다. 해운(C, ㉢)이 도로(A, ㉠)보다 기상 조건의 제약이 크다.

오답 선택지 풀이 ① A와 ㉠은 모두 도로이다.
② 해운(C, ㉢)>철도(B, ㉡)>도로(A, ㉠) 순으로 기종점 비용이 비싸다.
③ 도로(A, ㉠)>철도(B, ㉡)>해운(C, ㉢) 순으로 주행 비용 증가율이 높다.
④ 철도(B, ㉡)는 해운(C, ㉢)보다 평균 주행 속도가 빠르다.

올쏘 만점 노트 교통수단별 특성

교통수단	특성
도로	• 기종점 비용 저렴, 문전 연결성 및 기동성이 좋음 • 국내 여객 수송 분담률이 가장 높음
철도	• 정시성과 안정성이 뛰어남 • 지형적 제약이 큼
해운	• 기상 조건의 제약이 큼 • 국제 화물 수송 분담률이 높음
항공	• 기종점 비용과 주행 비용이 비쌈 • 국제 여객 수송 분담률이 높음

16 교통수단별 여객 수송 분담률 비교

자료 분석

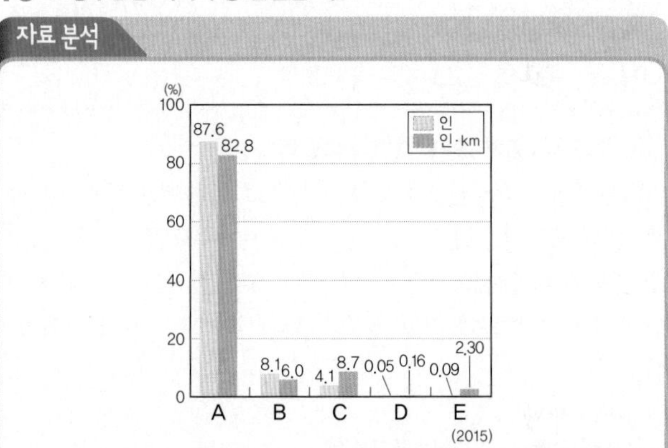

A는 다른 교통수단에 비해 여객 수송 분담률이 가장 높다. '인' 기준으로는 B가 C보다 여객 수송 분담률이 높지만, '인·km' 기준으로는 C가 B보다 여객 수송 분담률이 높다. 또한 '인' 기준보다 '인·km' 기준으로 했을 때 E가 D보다 여객 수송 분담률이 더 높다.

A는 도로, B는 지하철, C는 철도, D는 해운, E는 항공이다. 철도(C)는 지하철(B)보다 국내 화물 수송 분담률이 높다.

오답 선택지 풀이 ① 철도(C)는 도로(A)보다 기종점 비용이 비싸다.
② 해운(D)이 지하철(B)보다 장거리 대량 화물 운송에 유리하다.
④ 항공(E)이 해운(D)보다 평균 운송 속도가 빠르다.
⑤ 도로(A)는 항공(E)보다 문전 연결성이 좋다.

유사 선택지 문제

16 ❶ × ❷ × ❸ ×

17 주요 제조업의 특성 비교

(1) 1차 금속 제조업(제철 공업)

(2) | 모범 답안 | 1차 금속 제조업은 대량의 원료를 해외에서 수입하기 때문에 적환지에 입지하려는 경향이 강하며, 생산되는 제품의 무게가 무거운 중화학 공업이다. 그리고 1차 금속 제조업은 기초 소재 공업으로, 최종 생산품은 자동차 및 트레일러 등 다른 제조업의 주요 원료로 이용된다.

채점 기준	배점
입지 유형을 포함하여 1차 금속 제조업의 특징을 두 가지 이상 모두 정확하게 서술한 경우	상
1차 금속 제조업의 특징 중 입지 유형만 정확하게 서술한 경우	중
1차 금속 제조업의 특징 중 입지 유형을 제외한 다른 특징만 서술한 경우	하

18 교통수단별 특성 파악

(1) 도로

(2) | 모범 답안 | 문전 연결성이 좋습니까? 주행 비용 증가율이 높습니까? 기동성이 우수합니까?

채점 기준	배점
도로의 특성을 반영한 질문 세 가지를 모두 정확하게 서술한 경우	상
도로의 특성을 반영한 질문 두 가지만 정확하게 서술한 경우	중
도로의 특성을 반영한 질문 한 가지만 서술한 경우	하

울쌤 상위 4% 문제

본문 91쪽

01 ① 02 ① 03 ② 04 ①

01 주요 제조업의 권역별 출하액 비중 비교

(가)는 수도권>영남권>충청권 순으로 출하액 비중이 높으므로 전자 제조업, (나)는 영남권>호남권>수도권>충청권 순으로 출하액 비중이 높으므로 1차 금속 제조업, (다)는 영남권>호남권 순으로 출하액 비중이 높으므로 기타 운송 장비 제조업이다.

02 대형 마트와 편의점의 특징 이해

(가)는 편의점, (나)는 대형 마트이다. 편의점에 비해 대형 마트는 상점 간 평균 거리가 멀고, 1인당 평균 구매액이 많으며, 최소 요구치가 크므로 편의점과 비교한 대형 마트의 상대적인 특징은 그림은 A이다.

03 시 · 도별 지역 내 총생산과 산업별 취업자 수 비중 비교

자료 분석

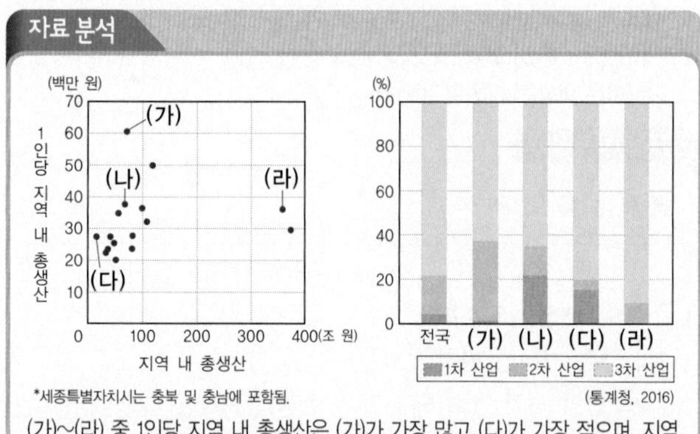

*세종특별자치시는 충북 및 충남에 포함됨. (통계청, 2016)

(가)~(라) 중 1인당 지역 내 총생산은 (가)가 가장 많고 (다)가 가장 적으며, 지역 내 총생산은 (라)가 가장 많고 (다)가 가장 적다. (가)~(라) 중 3차 산업 취업자 수 비중은 (라)가 가장 높고, 2차 산업 취업자 수 비중은 (가)가 가장 높고, 1차 산업 취업자 수 비중은 (나)가 가장 높다.

(가)는 울산, (나)는 전남, (다)는 제주, (라)는 서울이다. 울산(가)에는 대규모 자동차 생산 공장이 있으며, 서울(라)은 전남(나)보다 총인구가 많다.

오답 선택지 풀이 ㄴ. 생산자 서비스업 사업체 수는 서울(라)이 가장 많다.
ㄹ. (가)~(라) 중 특별시는 서울(라), 광역시는 울산(가)이다.

04 소매 업태별 특성 파악

자료 분석

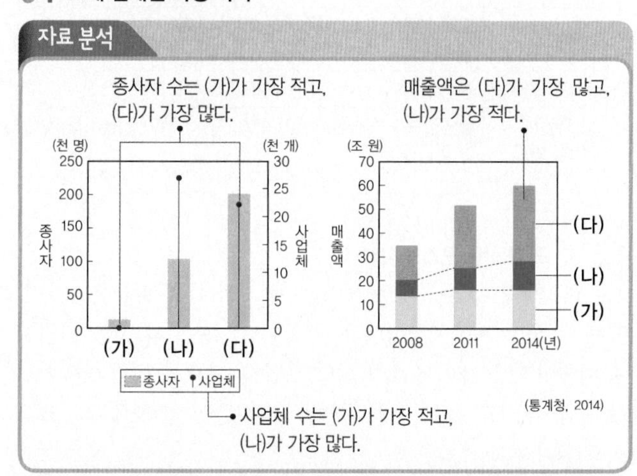

(가)는 백화점, (나)는 편의점, (다)는 무점포 소매업체이다. 백화점(가)은 편의점(나)보다 상점 수가 적고, 사업체 간 평균 거리가 멀다.

오답 선택지 풀이 ② 2008~2014년 매출액 증가율은 무점포 소매업체(다)가 백화점(가)보다 높다.

③ 백화점(가)이 편의점(나)보다 고가 제품의 판매 비중이 높다.

④ 백화점(가)이 편의점(나)보다 특별 · 광역시에 분포하는 비중이 높다.

⑤ 2014년에 종사자당 매출액은 백화점(가)이 가장 많다. 종사자당 매출액은 매출액을 종사자 수로 나눈 값으로 파악할 수 있다.

Ⅵ. 인구 변화와 다문화 공간

12 인구 분포와 인구 구조의 변화

개념 확인 문제 본문 94쪽

01 (1) 이촌 향도 (2) 4 (3) 출산 붐 (4) 합계 출산율 (5) 중위 연령 (6) 10 (7) 노년

02 (1) 감소, 감소 (2) 사회적 (3) 감소, 증가 (4) 역도시화

03 (1) × (2) × (3) × (4) ○ (5) × (6) ○

시험에 꼭 나오는 문제 본문 94~98쪽

01 ② **02** ② **03** ③ **04** ① **05** ① **06** ⑤ **07** ② **08** ⑤ **09** ② **10** ③ **11** ③ **12** ③ **13** ③ **14** ④ **15** ① **16** ⑤ **17~18** 해설 참조

01 우리나라 인구 분포의 특성 이해

② 북동부 지역은 산지가 많아 경지 중 밭의 비율이 높고, 남서부 지역은 평야가 발달해 있어 경지 중 논의 비율이 높다. 이러한 지형 및 경지 비율은 인구 분포에 영향을 주었다.

02 도(道)별 인구 성장 이해

ㄱ. 2015년 기준 인구가 가장 많은 A는 경기이며, 그다음으로 많은 B는 경남이다. 경기는 인구가 매우 많이 증가하였다.

ㄷ. 1985~2015년 경북의 인구는 약 3백만 명에서 약 2백 70만 명으로 감소하였다.

오답 선택지 풀이 ㄴ. 1985년 충북의 인구는 충남의 인구보다 적다.
ㄹ. 1985~2015년 전남이 전북보다 인구의 감소 폭이 크다.

03 우리나라의 시기별 인구 이동의 특성 이해

③ A와 B는 농촌에서 서울, 부산 등의 대도시로 인구가 이동하는 이촌 향도 현상이 나타나는 것으로 보아 1970년 또는 1980년의 인구 이동이다. A가 B보다 인구 이동량이 많으므로, A는 1980년, B는 1970년의 인구 이동이다. 반면 C는 서울, 부산 등의 대도시에서 주변 지역으로 인구 이동이 일어나는 2000년의 인구 이동이다.

04 시·도별 인구 순 이동과 주간 인구 지수의 특징 이해

자료 분석

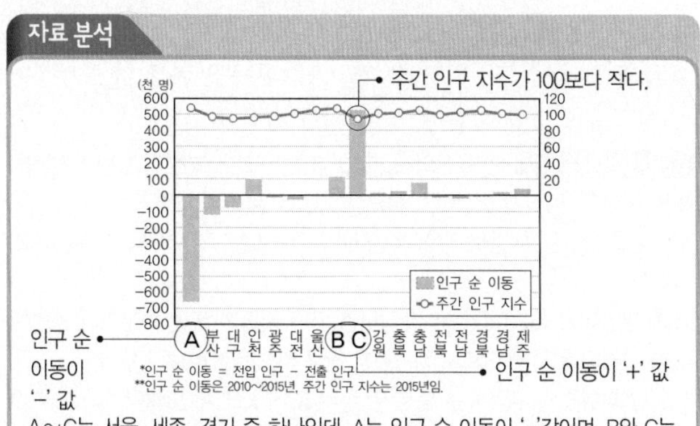

A~C는 서울, 세종, 경기 중 하나인데, A는 인구 순 이동이 '−'값이며, B와 C는 '+'값이다. 그리고 A와 B는 주간 인구 지수가 100보다 크지만, C는 100보다 작다.

① 서울은 전입 인구보다 전출 인구가 많기 때문에 인구 순 이동이 '−'이며, 세종과 경기는 전입 인구가 전출 인구보다 많기 때문에 인구 순 이동이 '+'이다. 그리고 서울은 주간 인구가 상주인구보다 많으므로 주간 인구 지수가 100보다 크지만, 경기는 서울로의 통근·통학률이 높아 주간 인구보다 상주인구가 많으므로 주간 인구 지수가 100보다 작다. 그러므로 A는 서울, B는 세종, C는 경기이다.

유사 선택지 문제

04 ❶ × ❷ × ❸ ○

05 인구 중심점의 이동 원인 파악

① 인구 중심점은 어떤 지역에 사는 모든 사람들과의 거리의 합이 가장 작은 지점인데, 비수도권의 인구가 감소하고 수도권의 인구가 증가하면서 이러한 인구 중심점이 북서쪽으로 이동하고 있다.

06 인구 성장의 이해

(가)는 출생률이 높고 사망률이 감소하는 초기 확장기(다산감사), (나)는 출생률도 낮고 사망률도 낮은 저위 정체기(소산소사) 단계이다.

⑤ 초기 확장기에 비해 저위 정체기는 합계 출산율은 낮으나, 기대 수명이 길고 노년 부양비가 높다.

07 우리나라의 인구 성장 이해

자료 분석

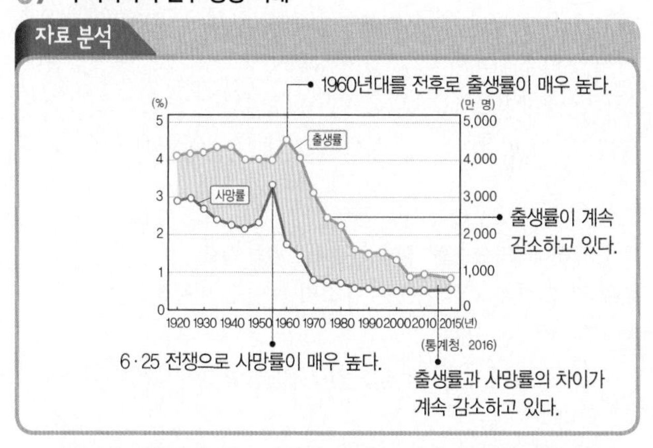

ㄱ. 1920년~현재에 이르기까지 사망률보다 출생률이 높으므로 우리나라의 인구는 지속적으로 증가하고 있음을 알 수 있다.

ㄷ. 6·25 전쟁 이후 출생률이 높은 출산 붐 현상이 나타났다.

오답 선택지 풀이 ㄴ. 1970년대에는 산아 제한 정책을 실시하였다.
ㄹ. 인구의 자연 증가율은 2000~2010년보다 1960~1970년이 더 높다.

유사 선택지 문제

07 ❶ ○ ❷ × ❸ ○

08 우리나라의 인구 성장 특징 이해

(가)에 들어갈 내용은 6·25 전쟁 이후 출생률이 높았던 시대에 대한 것이다.

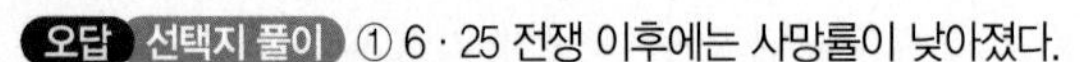

오답 선택지 풀이 ① 6 · 25 전쟁 이후에는 사망률이 낮아졌다.
② 1990년대 이후 대도시 주변에 신도시가 개발되었다.
③ 1960년대 이후에는 이촌 향도 현상이 활발하게 이루어졌으며, 최근 역도시화 현상이 나타나고 있다.
④ 2000년대 이후 정부에서 출산 장려 정책을 실시하였다.

09 시기별 가족계획 사업 특성 이해

(가)는 1990년대, (나)는 2000년대, (다)는 1980년대 가족계획 사업이다.

ㄱ. 1990년대에는 남아 선호 사상 등으로 인한 성비 불균형 문제가 심각하여 이 문제를 해결하기 위한 가족계획 사업이 실시되었다.

ㄷ. (가)는 1990년대, (나)는 2000년대 가족계획 표어이다. 따라서 (가) 시기는 (나) 시기보다 이르다.

오답 선택지 풀이 ㄴ. 1980년대에는 사망자 수보다 출생자 수가 많아 인구가 성장하였다.
ㄹ. 이촌 향도 현상은 1960년대 이후에 활발하게 일어났다.

올쏘 만점 노트 가족계획 사업

시기	특징
1960~1980년대	산아 제한 정책
1990년대	성비 불균형 문제 해소
2000년대 이후	출산 장려 정책

10 우리나라의 인구 부양비 변화 이해

③ 2020년 이후 우리나라의 유소년층과 청장년층 인구 비중은 감소하고, 노년층 인구 비중은 증가하고 있다. 이에 따라 유소년 부양비는 감소하고, 노년 부양비는 증가할 것으로 예상된다. 유소년 부양비는 '(유소년층 인구÷청장년층 인구)×100', 노년 부양비는 '(노년층 인구÷청장년층 인구)×100'으로 구할 수 있다.

11 우리나라의 연령별 · 성별 인구 구조 변화 이해

1960년에 비해 2015년에는 유소년층 인구 비중은 낮으며, 노년층 인구 비중은 높다.

ㄴ. 합계 출산율은 유소년층 인구 비중이 낮아지면서 감소하고 있다.

ㄷ. 노년층 인구 비중 증가로 노년 부양비는 증가하고 있다.

오답 선택지 풀이 ㄱ. 청장년층 인구 비중 증가로 총 부양비는 감소하고 있다.
ㄹ. 유소년층 인구 비중이 감소하고 노년층 인구 비중이 증가하면서 중위 연령은 증가하고 있다.

올쏘 만점 노트 우리나라의 시기별 인구 구조

시기	특징
1960년	• 출생률이 높아 유소년층 인구 비중이 높음 • 피라미드형 인구 구조
2015년	• 낮은 출생률로 유소년층 인구 비중 감소 • 노년층 인구 비중 증가
2060년	• 평균 수명 증가, 저출산 지속 • 노년층 인구 비중 증가

12 우리나라의 인구 부양비 변화 특성 이해

ㄱ. 노령화 지수는 '(노년 부양비÷유소년 부양비)×100'으로 구할 수 있다. 2020년 유소년 부양비는 약 19, 노년 부양비는 약 22이므로 노령화 지수는 100보다 크다.

ㄴ. 총 부양비는 '{(유소년층 인구+노년층 인구)÷청장년층 인구}×100'으로 구한다. 2050년 총 부양비가 100보다 작으므로 청장년층 인구 비중은 50% 이상이다.

ㄷ. 2020년 총 부양비는 약 41, 2050년 총 부양비는 약 90이다.

오답 선택지 풀이 ㄹ. 2020~2050년 합계 출산율의 감소로 유소년층 인구 비중은 감소한다.

13 우리나라의 인구 분포 특성 이해

③ (가)는 도시가 낮고, 농촌이 높은 지표이므로 노년 인구 비율, (나)는 휴전선 부근의 군사 도시와 중화학 공업이 발달한 남동 임해 지역이 높은 지표이므로 성비 분포를 나타낸 것이다.

오답 선택지 풀이 유소년 인구 비율은 농촌이 낮고, 상대적으로 도시가 높다.

14 지역별 인구 구조 특성 이해

(가)는 1970년에 비해 2015년 유소년층 인구 비중이 낮고, 청장년층과 노년층 인구 비중이 높다. (나)는 1970년에 비해 2015년 유소년층 인구 비중이 (가)보다 더욱 낮고, 노년층 인구 비중이 (가)보다 더욱 높다.

④ (가)는 전입 인구가 많은 B(아산), (나)는 전출 인구가 많은 의성(C)이다.

오답 선택지 풀이 휴전선 부근에 있는 A(화천)는 상대적으로 청장년층 인구에서 여성보다 남성이 많으며, 노년층 인구 비중이 상대적으로 높다.

15 시 · 도별 인구 부양비 특성 이해

자료 분석

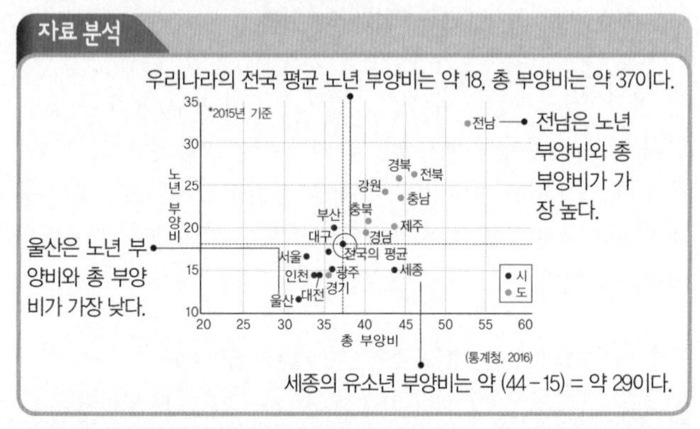

① 경북은 노년 부양비가 약 26, 유소년 부양비가 약 18(=44-26)이므로 노령화 지수는 약 144이다.

오답 선택지 풀이 ② 울산의 노년 부양비는 약 12, 부산의 노년 부양비는 약 20이다. 따라서 울산이 부산보다 노년 부양비가 작다.
③ 전남은 유소년 부양비가 '총 부양비(약 53)-노년 부양비(약 33)'로 약 20이다.
④ 총 부양비가 100 미만이면 청장년층 인구 비중이 50% 이상이다. 충남은 총 부양비가 약 44이므로 청장년층 인구 비중은 50%보다 높다.
⑤ 인천의 유소년 부양비는 '총 부양비(약 33)-노년 부양비(약 14)'로 약 19, 세종의 유소년 부양비는 '총 부양비(약 44)-노년 부양비(약 15)'로 약 29이므로 인천보다 세종의 유소년층 인구 비중이 높다.

유사 선택지 문제

15 ❶ × ❷ ○ ❸ ○

16 지역별 인구 부양비 특성 이해

지도의 (가)는 인구 전입이 활발하게 이루어지고 있는 세종, (나)는 중화학 공업이 발달한 울산, (다)는 부산이다.

⑤ 세 지역 중 유소년 부양비와 총 부양비는 세종이 가장 높으며, 노년 부양비는 부산이 가장 높다. 울산은 우리나라 시 · 도 중에서 노년 부양비와 총 부양비가 가장 낮다. 그러므로 A는 부산, B는 울산, C는 세종이다.

17 우리나라의 인구 이동 특성 이해

(1) | 모범 답안 | (가) 시기는 도시를 중심으로 산업화가 이루어지면서 농촌에서 도시로 인구가 이동하는 이촌 향도 현상이 나타났다. 이로 인해 농촌에서는 노동력 부족, 고령화 현상 심화 등의 문제가 발생하였다.

채점 기준	배점
(가) 시기 인구 이동의 원인과 농촌의 문제점을 모두 정확하게 서술한 경우	상
(가) 시기 인구 이동의 원인과 농촌의 문제점 중 한 가지만 정확하게 서술한 경우	중
이촌 향도라고만 표기한 경우	하

(2) | 모범 답안 | (나) 시기에는 서울, 부산 등의 대도시에서 주변 지역 또는 농촌으로 인구가 이동하는 교외화 현상이 나타났다.

채점 기준	배점
(나) 시기 인구 이동의 특징을 모두 정확하게 서술한 경우	상
(나) 시기 인구 이동의 특징을 일부 틀린 내용을 포함하여 서술한 경우	중
교외화 현상이라고만 표기한 경우	하

18 주요 도시의 연령별 인구 구조 특성 이해

(1) (가) B, (나) C, (다) A

(2) | 모범 답안 | 울산은 서울에 비해 총인구가 적으며, 유소년층 인구 비중이 높고 노년층 인구 비중이 낮다. 그리고 울산은 서울에 비해 유소년 부양비가 높고 노년 부양비가 낮다.

채점 기준	배점
(다)에 대한 (나)의 인구 특징 세 가지를 정확하게 서술한 경우	상
(다)에 대한 (나)의 인구 특징 두 가지만 정확하게 서술한 경우	중
(다)에 대한 (나)의 인구 특징 한 가지만 서술한 경우	하

울쌤 상위 4% 문제 본문 99쪽

01 ② 02 ③ 03 ① 04 ③

01 지역별 인구 특성 이해

대도시인 부산 주변에 위치한 김해(나)는 촌락적 성격이 강한 의성(가)에 비해 노년층 인구 비중이 낮으며, 유소년층 인구 비중이 높다.

② 김해(나)는 의성(가)에 비해 제조업 종사자 비중이 높으며, 주택 유형 중 아파트 비중이 높고 시설 재배 면적 비중도 높다.

02 주요 지역의 인구 이동 및 인구 구조 특성 파악

자료 분석

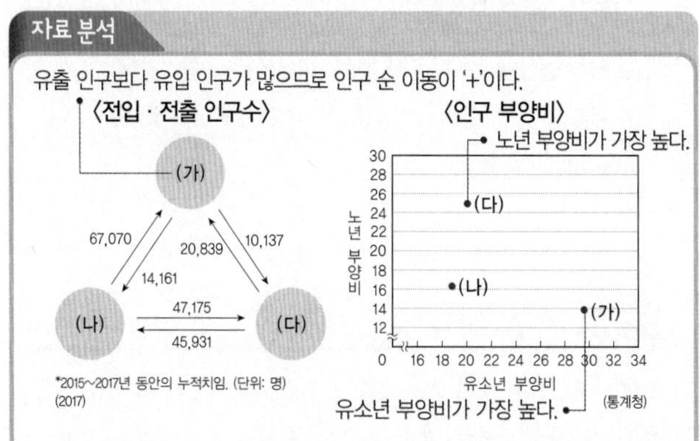

대전, 세종, 충남 간 인구 이동에서 (가)는 인구 순 이동이 '+'이며, (나)와 (다)는 '−'이다. (가)는 유소년 부양비가 가장 높으며, (다)는 노년 부양비가 가장 높다.

③ 행정 중심 복합 도시로 출범한 세종은 청장년층의 유입이 활발하게 이루어져 유소년 부양비가 높으며, 대전은 세 지역 중 전출 인구 규모가 가장 크다. 충남은 청장년층 중심의 이촌 향도 현상으로 노년층 인구 비중이 상대적으로 높다. 그러므로 (가)는 세종, (나)는 대전, (다)는 충남이다.

03 시 · 도별 인구 특성 이해

자료 분석

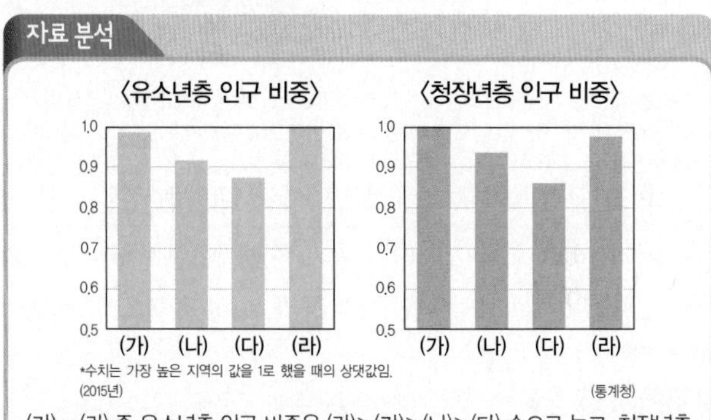

(가)~(라) 중 유소년층 인구 비중은 (라)>(가)>(나)>(다) 순으로 높고, 청장년층 인구 비중은 (가)>(라)>(나)>(다) 순으로 높다. 울산, 경기, 충북, 전남 중 유소년층 인구 비중은 경기가 가장 높고, 청장년층 인구 비중은 울산이 가장 높다. 전남은 유소년층과 청장년층 인구 비중이 가장 낮다.

ㄱ. (가)는 울산, (나)는 충북, (다)는 전남, (라)는 경기이다.

ㄴ. 청장년층 인구 비중이 가장 낮은 전남의 총 부양비가 가장 높다.

오답 선택지 풀이 ㄷ. 울산은 경기보다 청장년층 인구 비중이 높고, 유소년층 인구 비중이 낮으므로 유소년 부양비가 낮다.

ㄹ. 전남은 경기보다 유소년층 인구 비중이 낮고 노년층 인구 비중이 높으므로 노령화 지수가 높다.

04 도(道)별 인구 특성 이해

지도에 표시된 지역은 경기(A), 전남(B), 경남(C)이다.

③ (가)는 세 지역 중 노년층 인구 비중이 가장 높고, 유소년층 인구 비중이 가장 낮으므로 전남, (다)는 노년층 인구 비중이 가장 낮고, 유소년층 인구 비중이 가장 높으므로 경기, 나머지 (나)는 경남이다.

13 인구 문제와 공간 변화 ~ 외국인 이주와 다문화 공간

개념 확인 문제 본문 102쪽

01 (1) 합계 출산율 (2) 다문화 가정 (3) 안산 (4) 중위 연령

02 (1) 저출산 (2) 고령화 (3) 저출산 (4) 고령화 (5) 경기도 (6) 도시 (7) 중국

03 (1) ○ (2) ○ (3) × (4) × (5) ○ (6) ○ (7) ×

시험에 꼭 나오는 문제 본문 102~104쪽

01 ④ **02** ③ **03** ④ **04** ② **05** ④ **06** ④ **07** ⑤ **08** ⑤ **09~10** 해설 참조

01 합계 출산율과 출생아 수의 변화 원인 이해

자료 분석

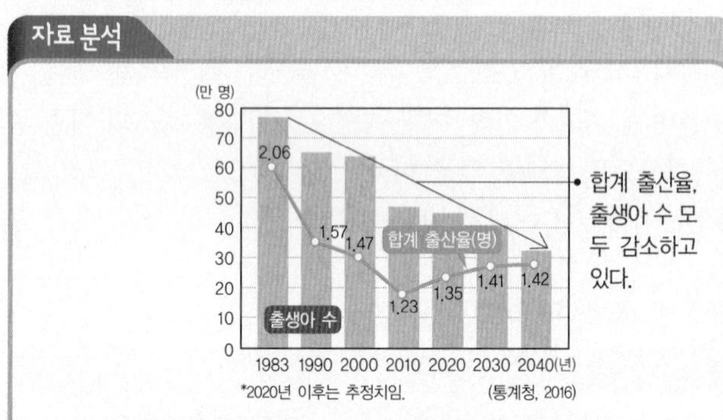

1983년 합계 출산율은 2.06명에서 2040년 1.42명으로 감소하고 있으며, 출생아 수는 1983년 약 76만 명에서 2040년 약 32만 명으로 감소하고 있다. 이러한 합계 출산율 및 출생아 수 감소는 여성의 경제 활동 참가율 증가, 초혼 연령 상승 및 자녀에 대한 가치관 변화, 육아 및 출산 비용 증가 등의 원인이 크다.

④ 1983년 이후 합계 출산율과 출생아 수가 모두 감소 추세인데, 그 원인에는 여성의 취업 기회 증가, 여성의 교육 수준 향상 등이 있다.

오답 선택지 풀이 ㄱ. 의학 기술 발달로 유아 사망률이 감소하고 있으나, 이는 합계 출산율 감소의 원인은 아니다.

ㄷ. 평균 결혼 연령이 높아지면서 출생률이 낮아지고 있다.

유사 선택지 문제

01 ❶ × ❷ ○ ❸ ○

02 지역별 인구 특성 이해

지도에 표시된 지역은 세종, 무주, 울산이다. 세 지역 중 유소년층 인구 비중이 가장 낮고 중위 연령이 가장 높은 B는 촌락적 성격이 강한 무주이며, 유소년층 인구 비중이 가장 높고 중위 연령이 가장 낮은 C는 세종이다. 나머지 A는 울산이다.

ㄴ. 무주는 울산보다 노년층 인구 비중이 높다.

ㄷ. 세종은 무주보다 고위도에 위치해 있다.

오답 선택지 풀이 ㄱ. 특별자치시는 세종이다.

ㄹ. 세 지역 중 총인구는 울산이 가장 많다.

03 연령별 인구 구성비의 변화 이해

자료 분석

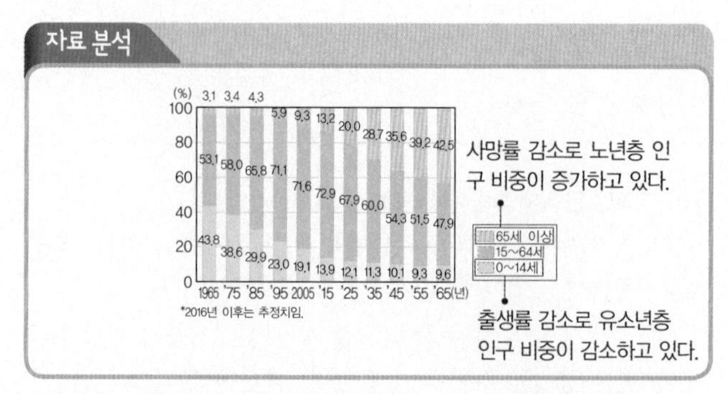

④ 기대 수명이 길어지면서 노년층 인구 비중이 증가하고 있으며, 이에 따라 노년층을 고객으로 하는 실버산업이 발달하면서 실버산업 종사자 수가 증가할 것이다.

오답 선택지 풀이 ㄱ. 2015년보다 2065년의 청장년층 인구 비중이 낮으므로 총 부양비는 2065년이 높을 것이다.

ㄷ. 합계 출산율이 감소하면서 유소년층 인구 비중이 감소할 것이다.

유사 선택지 문제

03 ❶ ○ ❷ × ❸ ○

04 저출산 · 고령화의 원인 파악

(가)는 고령화의 해결 노력, (나)는 저출산의 해결 노력이다. 기대 수명 증가는 고령화의 원인이며, 육아 비용 상승은 저출산의 원인이다.

오답 선택지 풀이 성비 불균형 심화와 다문화 가정의 증가는 저출산 및 고령화의 직접적인 원인이 아니며, 일자리 부족 문제 심화는 고령화의 원인이 아니다.

올쏘 만점 노트 저출산 및 고령화

구분	저출산	고령화
원인	• 초혼 연령 상승 • 출산 및 양육 비용 증가 • 여성의 사회적 진출 확대	• 의학 기술의 발달 • 생활 수준 향상 • 유소년층 인구 비중 감소
대책	• 출산 · 양육에 대한 재정 지원 • 출산 및 육아 휴직 확대 • 가족 친화적 분위기 조성 등	• 노인 일자리 창출 • 노인 복지 시설 확충 • 고령 친화적인 생활 환경 조성 등

05 등록 외국인의 분포 특징 이해

④ 등록 외국인은 대부분 저임금의 제조업에 종사하고 있는데, 이러한 업종이 많은 경기, 서울, 경남 등에 많이 분포해 있다.

오답 선택지 풀이 ① 총 인구수는 경기, 서울, 부산 순으로 많으며, 경기의 총 인구수는 천만 명을 넘는다.

② 농가 인구수는 경북이 가장 많고, 그다음으로 경기, 전남, 충남 순으로 나타난다.

③ 노년층 인구수는 인구 규모가 큰 경기, 서울, 부산에 많으며, 그다음으로는 촌락 지역이 많은 경북, 경남, 전남, 전북에 많다.

⑤ 1차 산업 종사자 수는 농업이 발달한 전남이 가장 많고, 그다음으로 경북, 경기 순으로 나타난다.

06 국내 체류 외국인의 특성 이해

④ 국내 체류 외국인 유형은 외국인 근로자 비율이 가장 높으며, 그다음으로 결혼 이민자 비율이 높다. 그리고 국내 체류 외국인의 국적 비율은 중국이 가장 높으며, 그다음으로 베트남이

높다. 그러므로 A는 외국인 근로자, B는 결혼 이민자, C는 중국, D는 베트남이다.

07 외국인 근로자와 국제결혼율의 분포 특징 이해

자료 분석

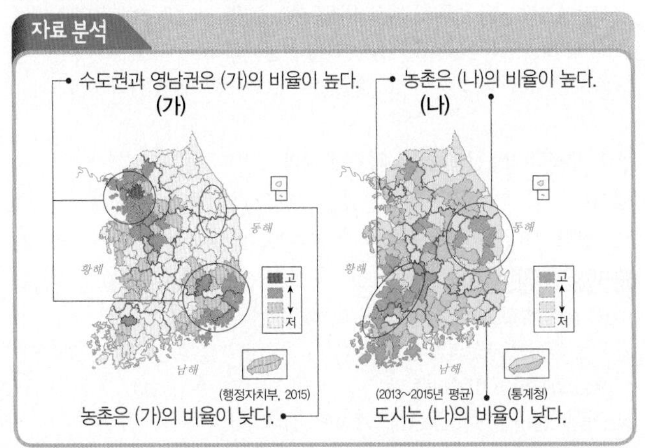

(가)는 수도권과 영남권에서 높게 나타나므로, 외국인 근로자 수의 분포를 나타낸 것이고, (나)는 호남권과 영남권의 농촌이 높고 도시가 낮게 나타나므로 국제결혼율을 나타낸 것이다.

오답 선택지 풀이 성비는 휴전선 부근과 중화학 공업이 발달한 도시에서 높게 나타난다.

유사 선택지 문제

07 ❶ ○ ❷ × ❸ ○

08 외국인 분포 특징 이해

⑤ (가)는 A와 울산, 경북이 높고, 대전과 서울이 낮다. (나)는 B와 서울, A가 높고, 세종, 제주가 낮다. 울산, 경북은 공업이 발달하여 남성 근로자가 많은 지역이다. 따라서 (가)는 외국인 성비, (나)는 외국인 수이며, A는 경남, B는 경기이다.

09 저출산 · 고령화의 원인 파악

(1) 합계 출산율

(2) | 모범 답안 | 저출산(㉠)의 원인으로는 여성의 경제 활동 참가율 증가, 출산과 육아 비용 상승 등이 있으며, 고령화(㉡)의 원인으로는 의학 기술의 발달, 생활 수준의 향상 등이 있다.

채점 기준	배점
저출산 · 고령화의 원인을 각각 두 가지씩 모두 정확하게 서술한 경우	상
저출산 · 고령화 중에서 한 가지만 원인 두 가지를 모두 정확하게 서술한 경우	중
저출산 · 고령화 중에서 한 가지만 원인 한 가지를 정확하게 서술한 경우	하

10 우리나라의 외국인 현황 이해

| 모범 답안 | ㉣ 농촌에서는 결혼 적령기 연령층의 성비가 낮아지면서 국제결혼이 활발해졌다. → 농촌에서는 결혼 적령기 연령층의 성비가 높아지면서 국제결혼이 활발해졌다.

채점 기준	배점
틀린 부분을 찾아 바르게 수정한 경우	상
틀린 부분을 찾았으나 바르게 수정하지 못한 경우	하

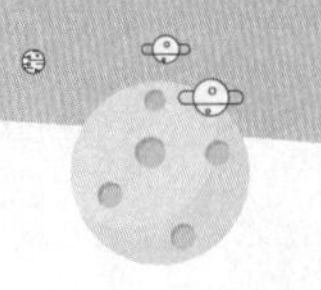

올쏘 상위 4% 문제

본문 105쪽

01 ② 02 ③ 03 ③ 04 ⑤

01 저출산 및 다문화 가정의 이해

② (가)는 저출산으로 인해 발생할 수 있는 문제를 완화하기 위한 출산 장려 정책, (나)는 국제결혼 등의 증가로 인한 다문화 가정에 대한 것이다. 다문화 가정은 우리와 다른 민족 또는 다른 문화적 배경을 가진 사람들이 포함된 가정이다.

02 우리나라의 인구 문제와 외국인 특성 이해

㉡ 여성의 경제 활동 참가율 증가, 자녀에 대한 가치관 변화 등은 저출산의 원인이다.

㉢ 국내 체류 외국인의 국적별 비율은 중국>베트남 순으로 높다.

오답 선택지 풀이 ㉠ 국제결혼 건수는 도시가 촌락보다 많으며, 국제결혼 비율은 촌락이 도시보다 높다.

㉣ 고령화로 연금, 건강 보험 등 사회 복지 비용이 증가하고 있다.

03 국제결혼율 분포 특징 이해

자료 분석

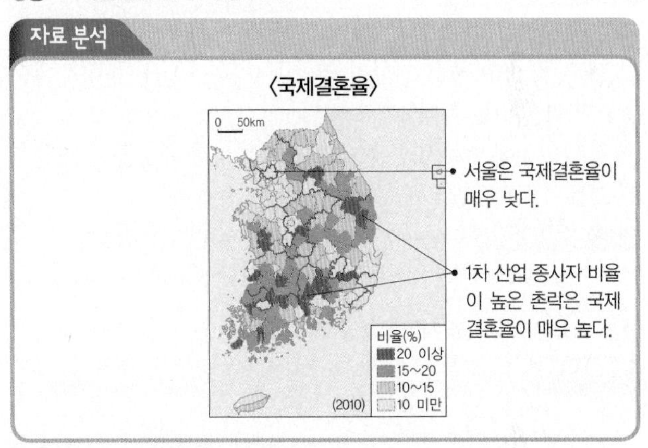

③ 촌락은 국제결혼율이 높은 반면, 도시는 국제결혼율이 낮다. 그 이유는 이촌 향도 현상으로 촌락은 결혼 적령기 남초 현상이 심각하기 때문이다.

04 인구 지표의 분포 특성 이해

자료 분석

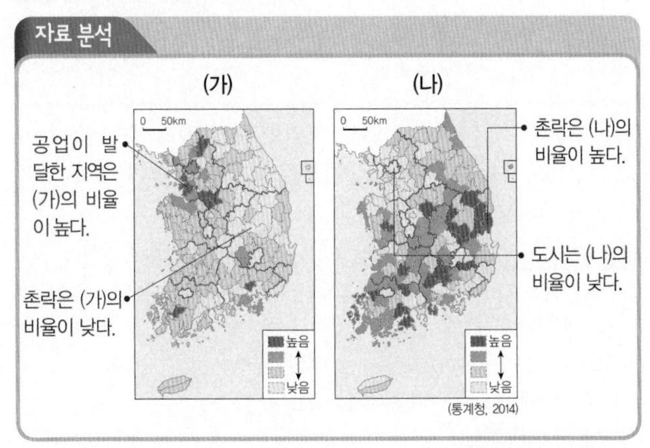

(가)는 수도권의 비율이 높으며, (나)는 촌락의 비율이 높다. 등록 외국인은 일자리가 풍부한 수도권에 많이 분포해 있으며, 노령화 지수는 촌락이 높다.

오답 선택지 풀이 성비는 휴전선 부근과 중화학 공업이 발달한 지역에서 높게 나타나며 국제결혼율은 결혼 적령기 남초 현상이 나타나는 촌락이 높다.

Ⅶ. 우리나라의 지역 이해

14 지역의 의미와 지역 구분 ~ 북한 지역의 특성과 통일 국토의 미래

개념 확인 문제

본문 108쪽

01 (1) ○ (2) ○ (3) × (4) ○ (5) ×
02 (1) 기능 (2) 조령 (3) 적다 (4) 좁다 (5) 수력 (6) 평양
03 (1) 대관령 (2) 영동, 영서 (3) ㉡ 호남 지방, ㉢ 영남 지방, B 소백산맥

시험에 꼭 나오는 문제

본문 108~110쪽

01 ② 02 ④ 03 ③ 04 ④ 05 ④ 06 ① 07 ①
08 ④ 09~10 해설 참조

01 지역의 특성 이해

특정한 지리적 현상이 동일하게 나타나는 지역을 동질 지역이라 하고, 하나의 중심 기능이 영향을 미치는 공간 범위에 해당하는 지역을 기능 지역이라고 한다.

㉠ 구분 기준에 따라 지역은 크고 작은 다양한 규모를 가진다.
㉢ 교통 · 통신의 발달에 따라 권역이 변화한다.

오답 선택지 풀이 ㉡ 인구, 자원, 교통 등은 인문 환경에 해당한다.
㉣ 지역성은 교통 · 통신의 발달, 환경 등에 따라 변화할 수 있다.

02 동질 지역과 기능 지역의 특징 이해

자료 분석

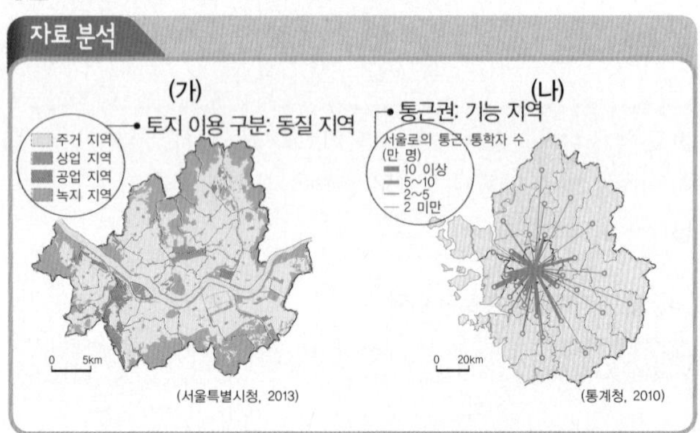

(가)는 동질 지역, (나)는 기능 지역에 해당한다. 통근권(나)은 교통이 발달하면 권역이 넓어지므로 교통의 발달에 따라 지역의 범위가 변화한다.

오답 선택지 풀이 ① (가)는 토지 용도에 의해 지역을 구분한 것이다.
② (가)는 동질 지역이며, (나)는 중심지의 기능이 미치는 범위를 나타낸 기능 지역이다.
③ 지리적 현상이 동일하게 분포하는 지역을 나타낸 것은 (가)이다.
⑤ (가)와 (나)에는 모두 점이 지대가 나타난다.

유사 선택지 문제

02 ❶ ○ ❷ ○ ❸ ○

03 우리나라의 지역 구분 이해

(나)는 방언권을 나타낸 것으로, 동남 방언권의 경계는 태백산맥과 소백산맥의 영향이 크다.

오답 선택지 풀이 ① (가)는 행정 구역을 기준으로 한 지역 구분이다.
② (가)는 하천 중심 생활권이 지역의 경계가 아니다. 예를 들어 강원도 일부와 경기도, 충청도의 일부는 모두 한강 생활권에 속한다.
④ (나)의 지역명은 방위나 위치를 기준으로 정한 것이다. (가)의 경우 일부 지역명이 지역 중심지의 이름을 따서 만들어졌다.
⑤ (나)는 특정한 지리적 현상이 동일하게 나타나는 동질 지역에 해당한다.

04 우리나라의 전통적인 지역 구분 파악

제시된 지도는 우리나라의 전통적인 지역 구분을 나타낸 것으로, 영남 지방과 호남 지방의 경계는 소백산맥이다.

오답 선택지 풀이 ① 호서 지방은 대전광역시, 세종특별자치시, 충청북도, 충청남도로, 금강의 서쪽 지역을 의미한다.
② 영남 지방은 부산광역시, 대구광역시, 울산광역시, 경상남도, 경상북도를 중심으로 하는 지역이다.
③ 관동 지방은 강원도를 중심으로 하는 지역이다.
⑤ 호남 지방은 광주광역시, 전라북도, 전라남도를 중심으로 하는 지역이다.

05 북한의 지역별 기후 특성 파악

자료 분석

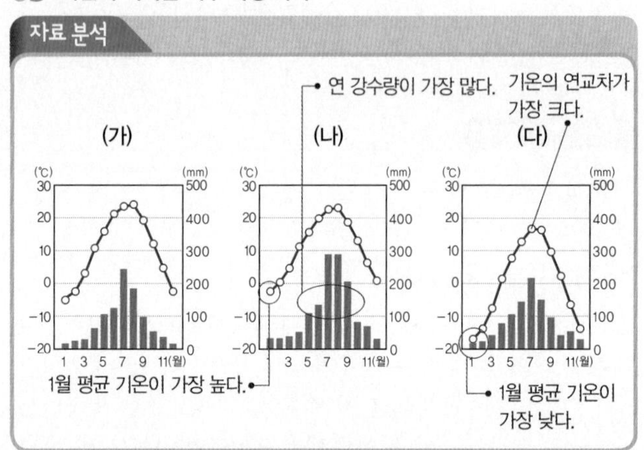

기후 그래프에서 1월 평균 기온이 가장 낮고 기온의 연교차가 가장 큰 (다)는 삼지연, 1월 평균 기온이 가장 높은 (나)는 원산이다. 지도의 A는 삼지연, B는 평양, C는 원산이다. 따라서 (가)는 B, (나)는 C, (다)는 A에 해당한다.

유사 선택지 문제

05 ❶ ○ ❷ ○ ❸ ×

06 북한의 주요 농작물의 특성 파악

북한에서 관서 지역은 상대적으로 논농사의 비중이 높은 편이고, 관북 지방은 상대적으로 밭농사의 비중이 높은 편이다. 지도의 A는 쌀, B는 옥수수, C는 콩이다. 관서 지방이 관북 지방보다 쌀 생산량이 많다.

ㄱ. 쌀은 주로 관서 지방의 평야 지대와 동해안의 좁은 해안 평야에서 생산된다. 따라서 쌀(A) 생산량은 남서부 지역이 북동부 지역보다 많다.
ㄹ. 쌀(A)은 주로 논, 옥수수(B)와 콩(C)은 주로 밭에서 재배된다.

오답 선택지 풀이 ㄴ. 고온 다습한 계절풍이 부는 지역에서 주로 재배되는 작물은 쌀(A)이다.

ㄷ. 북한에서는 겨울 기온이 낮아 그루갈이가 거의 이루어지지 않는다. 그루갈이는 겨울이 따뜻한 남부 지방에서 이루어진다.

07 북한의 발전 설비 용량 비교

북한의 발전 설비 용량은 수력>화력 순이며, 1차 에너지 소비 비중은 석탄>수력>석유 순이다. (가)는 화력 발전, (나)는 수력 발전이다. 평양 일대에 화력 발전의 설비 용량 비중이 높다.

오답 선택지 풀이 ② 수력 발전(나)은 두만강보다 압록강 수계에 집중되어 있다.

③ 화력 발전(가)은 계절과의 관련성이 적으며 수력 발전(나)은 계절에 따른 발전량 차이가 크다.

④ 남한에서는 화력 발전(가)이 수력 발전(나)보다 전력 생산량이 많다.

⑤ 화석 연료의 사용량이 많은 화력 발전(가)이 수력 발전(나)보다 대기 오염 물질을 더 많이 배출한다.

올쏘 만점 노트 남한과 북한의 1차 에너지 소비 구조

• 북한의 1차 에너지 소비 구조

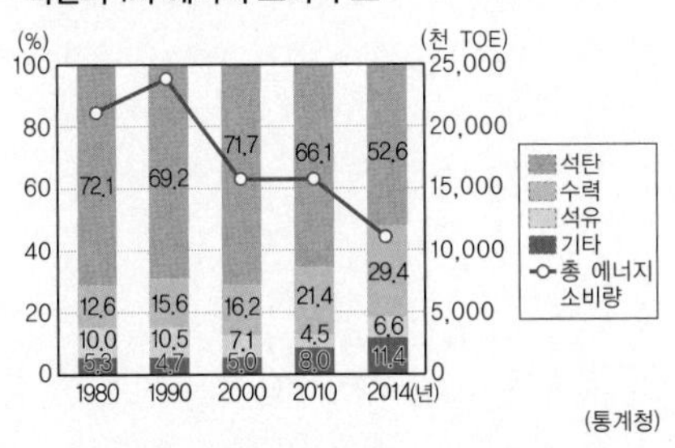

• 남한의 1차 에너지 소비 구조

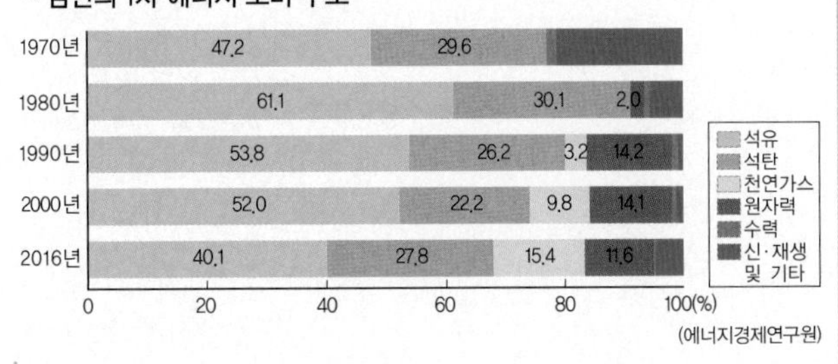

08 북한의 개방 지역 특징 이해

자료 분석

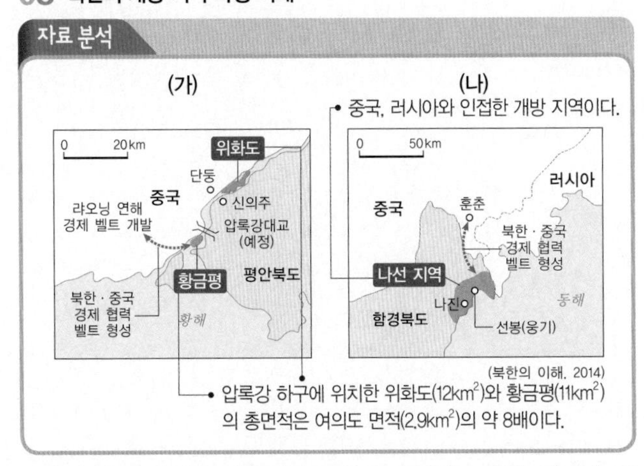

북한의 개방 지역은 외국과의 교류에 유리하고 내부 체제에 미치는 영향을 최소화할 수 있는 지역에 조성되었다. (가)는 황금평·위화도 경제 무역 지대, (나)는 나진·선봉 경제 무역 지대이다. 국제 교류의 거점으로 육성하기 위해서 지정한 이 두 개방 지역은 사회 간접 자본의 부족과 개방을 위한 제도적 기반의 미약으로 인해 그 목적 달성에는 실패하였다.

ㄴ. 황금평·위화도 경제 무역 지대(가)는 2011년 지정되었으며, 지리적 인접성을 토대로 중국과 정보 산업, 경공업, 농업, 상업 등의 분야를 공동으로 육성하기로 합의하였다. 압록강 하구에 위치한 위화도(12km²)와 황금평(11km²)의 면적을 합하면 여의도 면적(2.9km²)의 약 8배이다.

ㄹ. 나진·선봉 경제 무역 지대(나)는 1991년, 황금평·위화도 경제 무역 지대는 2011년에 지정되었으므로, (나)는 (가)보다 개방 지역으로 지정된 시기가 이르다.

오답 선택지 풀이 ㄱ. 외국 관광객 유치를 위해 개방 지역으로 지정된 지역은 원산·금강산 국제 관광 지대이다.

ㄷ. 남한의 자본·기술력과 북한의 노동력이 결합되어 형성된 공업 지구는 개성 공업 지구이다.

유사 선택지 문제

08 ❶ ○ ❷ ○ ❸ ×

09 강원도 지역 구분의 이해

(1) (가) 동질 지역, (나) 기능 지역

(2) **| 모범 답안 |** (가), (나) 중 교통 발달의 영향을 크게 받는 지역은 (나)이다. (가)는 동일한 기후 특성을 기준으로 지역을 구분한 것으로 동질 지역에 속하며, (나)는 중심지(도시)의 기능이 미치는 배후지가 기능적으로 연결되어 있으므로 기능 지역에 속한다. 따라서 (나)는 (가)보다 교통 발달의 영향이 크다.

채점 기준	배점
교통 발달의 영향을 크게 받는 지역과 그 이유를 모두 정확하게 서술한 경우	상
교통 발달의 영향을 크게 받는 지역과 그 이유 중 이유만 정확하게 서술한 경우	중
교통 발달의 영향을 크게 받는 지역만 서술한 경우	하

10 북한의 지형 특징 파악

(1) ㉠ 백두산, ㉡ 천지

(2) **| 모범 답안 |** (나)는 낭림산맥으로, 산맥의 서쪽은 관서 지방, 동쪽은 관북 지방으로 구분된다. 관북 지방은 높고 험준한 산맥이 많고, 관서 지방은 상대적으로 낮은 산지가 분포하는 평야 지대이다.

채점 기준	배점
(나) 산맥의 이름과 이 산맥을 기준으로 나누어지는 북한의 지역 구분, 각 지역의 지형 특징을 모두 정확하게 서술한 경우	상
(나) 산맥의 이름과 이 산맥을 기준으로 나누어지는 북한의 지역 구분, 각 지역의 지형 특징 중 두 가지만 정확하게 서술한 경우	중
(나) 산맥의 이름과 이 산맥을 기준으로 나누어지는 북한의 지역 구분, 각 지역의 지형 특징 중 한 가지만 서술한 경우	하

올쏘 상위 4% 문제 본문 111쪽

01 ④ 02 ④ 03 ② 04 ①

01 우리나라의 전통 지역 구분 이해

김제 벽골제 남쪽 지방은 호남 지방으로, 서남 방언권에 속한다.

오답 선택지 풀이 ① 소백산맥의 조령 이남에 해당하는 낙동강 유역은 영남 지방에 속한다.
② 낭림산맥의 북동쪽은 관북 지방으로, 동북 방언권에 속한다.
③ 영남 지방과 호남 지방의 경계는 소백산맥이다.
⑤ 경기 지방과 영서 지방은 모두 중부 방언권에 속한다.

02 북한의 발전 설비 용량과 1차 에너지 소비 구조의 특성 파악

자료 분석

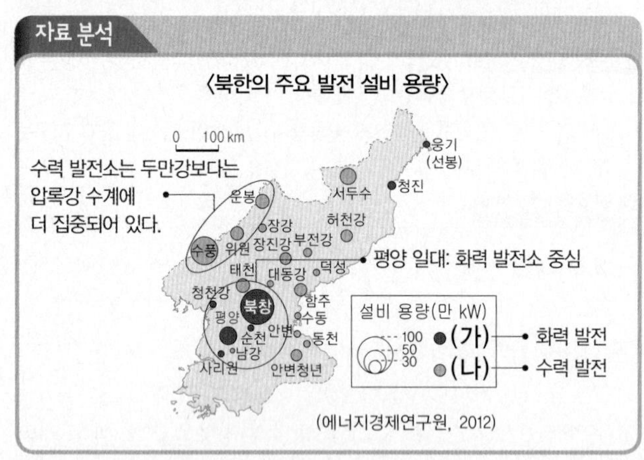

지도의 (가)는 화력 발전, (나)는 수력 발전이다. 북한의 1차 에너지 소비 비중은 석탄>수력>석유 순이므로 A는 석탄, B는 수력, C는 석유에 해당한다.

ㄱ. 화력 발전(가)은 석탄(A)을 연료로 한다.
ㄴ. 수력 발전(나)은 수력(B)을 이용한다.
ㄷ. 화석 연료를 주로 사용하는 화력 발전(가)은 수력 발전(나)보다 대기 오염 물질 배출량이 많다.

오답 선택지 풀이 ㄹ. 남한은 석유(C)가 석탄(A)보다 해외 의존도가 높다.

03 북한 주요 지역의 특징 이해

(가)는 백두산에 관한 서술이며, (나)는 경원선의 종착지인 원산에 관한 서술이고, (다)는 홍콩처럼 개발하기 위해 2002년에 독립적인 개방 지역으로 지정된 특별 행정구인 신의주에 관한 서술이다. 지도의 A는 나선, B는 백두산, C는 신의주, D는 원산, E는 개성이다. 따라서 (가)는 B, (나)는 D, (다)는 C이다.

04 수도권의 지역 구분 파악

자료 분석

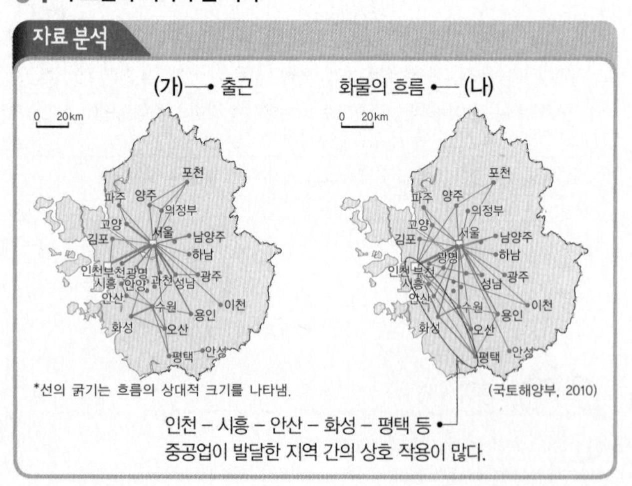

ㄱ. (가)는 서울을 중심으로 한 흐름이 많으므로 출근, (나)는 인천~시흥~안산~화성~평택 간의 상호 작용이 많으므로 화물 흐름이다.
ㄴ. (가), (나)를 통해 지역 간 상호 의존도를 파악할 수 있으며, 이를 통해 수도권 도시 간 계층 구조를 파악할 수 있다.

오답 선택지 풀이 ㄷ. 출근(가)이 화물의 흐름(나)보다 인구 규모의 영향을 크게 받는다.
ㄹ. 수도권 남서부가 북동부보다 도시 간 상호 작용이 활발하다.

15 인구와 기능이 집중된 수도권 ~ 빠르게 성장하는 충청 지방

개념 확인 문제 본문 114쪽

01 (1) 인천광역시 (2) 태백 (3) 북동 (4) 고랭지 (5) 원주 (6) 세종특별자치시
02 (1) ㉠ 산업 철도, ㉡ 석탄 (2) ㉢ 석탄 산업 합리화, ㉣ 감소
03 ㉠ 경기도, ㉡ 서울

시험에 꼭 나오는 문제 본문 114~118쪽

01 ② 02 ⑤ 03 ③ 04 ① 05 ① 06 ① 07 ①
08 ④ 09 ⑤ 10 ④ 11 ④ 12 ① 13 ⑤ 14 ②
15 ④ 16 ⑤ 17~18 해설 참조

01 수도권의 인구 변화 특성 파악

자료 분석

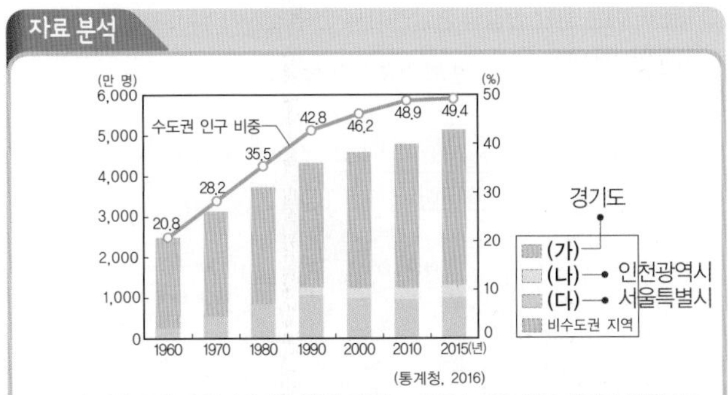

1960년 이후 급속히 증가하던 서울의 인구는 1990년 이후 인구 증가가 정체되고 있지만, 경기도의 인구는 꾸준히 증가하고 있다. 이는 서울의 거주지 교외화 현상에 의한 것으로 최근에는 경기도가 수도권의 인구 증가를 주도하고 있다.

수도권의 인구는 꾸준히 증가하고 있지만, 서울의 인구는 1990년대부터 나타난 교외화 현상으로 인해 인천이나 경기도로 이동하면서 감소하는 추세이다. 수도권에서는 경기도가 가장 인구가 많다. 따라서 (가)는 경기도, (나)는 인천광역시, (다)는 서울특별시이다.

유사 선택지 문제

01 ❶ × ❷ ○ ❸ ○

02 수도권의 제조업 변화 특징 이해

수도권은 우리나라 최대의 종합 공업 지역으로 편리한 교통, 넓은 소비 시장, 풍부한 노동력과 자본, 우수한 기술력 등 입지 조건이 우수하다. 1980~1990년대에는 서울의 공업 분산 정책, 서울의 탈공업화 현상으로 서울에서 제조업의 비중은 감소하고 서비스업의 비중은 높아졌다. 2004년~2014년 제조업의 사업체 수 비중이 가장 많이 증가한 (다)는 경기, 제조업의 사업체 수 비중이 감소한 (가)는 서울이다. 따라서 (가)는 서울, (나)는 인천, (다)는 경기이다.

오답 선택지 풀이 ① 수도권의 제조업 사업체 수 비중은 2004년 52.4%, 2014년 48.7%이므로 2004년에 비해 2014년에는 수도권의 사업체 수 비중이 감소하였다.
② 인천(나)의 제조업 사업체 수는 2004년 4,712개, 2014년 4,870개이므로 2004년에 비해 2014년에 인천(나)의 제조업 사업체 수는 증가하였다.
③ 2004~2014년 (가)~(다) 중에서 서울(가)의 제조업 사업체 수가 가장 많이 감소하였으므로 서울(가)의 탈공업화 현상이 두드러진다.
④ 2004~2014년 (가)~(다) 중에서 사업체 수가 가장 많이 증가한 지역은 경기도(다)이다. 이 시기에 경기도(다)의 사업체 수는 18,306개에서 23,955개로 증가하였다.

03 수도권의 문화적 특성 파악

(가)는 수원의 화성, (나)는 파주의 헤이리 마을, 출판 단지 등에 관한 내용이다. 지도의 A는 파주, B는 수원, C는 평택, D는 여주이다. 따라서 (가)는 B, (나)는 A이다.

올쏘 만점 노트 수도권 주요 지역 특성

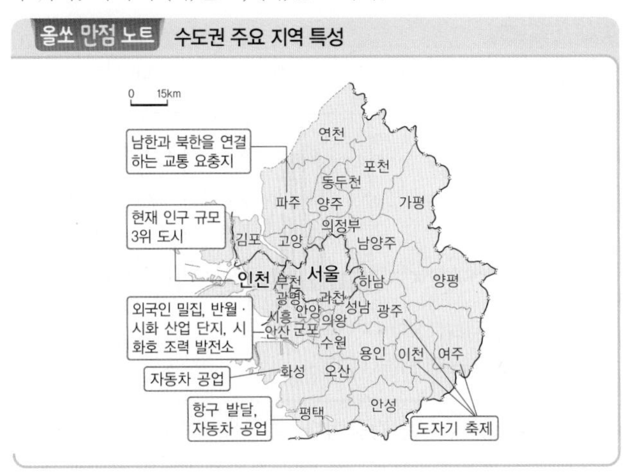

04 수도권 정비 계획의 이해

수도권은 행정 중심 복합 도시의 건설, 공공 기관의 지방 이전 등 국내적 여건 변화와 중국의 성장, 경제 개방의 진전에 대응하여 국가 경쟁력 강화를 위한 혁신이 필요하였다. 이에 따라 제3차 수도권 정비 계획(2006~2020년)이 수립되었다. 이 계획이 실시됨에 따라 수도권에 집중된 인구와 기능을 적정 배치함으로써 통근권의 확대와 거주지의 교외화가 나타났다.

오답 선택지 풀이 ② 수도권 공장 총량제 등의 규제를 완화하면 수도권의 집중이 강화될 수 있다.
③ 1970년대 국토 개발 정책은 성장 거점 개발 방식이다. 균형 개발 방식은 1990년대부터 시행되었다.
④, ⑤ 지도의 ㉣은 해상 물류·산업 벨트, ㉤은 전원 휴양 벨트이다.

05 고위 평탄면의 농목업 특징 이해

(가)는 고랭지 배추밭, (나)는 목장의 모습이다. 고랭지 농업은 여름철 서늘한 기후를 이용한 것으로, 평지에 비해 고랭지 배추의 출하 시기 경쟁력이 높다.

오답 선택지 풀이 ② 제주도에서는 고위 평탄면이 나타나지 않는다. 따라서 고랭지 배추 재배는 이루어지지 않는다.
③ 고랭지 농업은 시설 재배보다 노지 재배 면적 비중이 높다.
④ 목장 지대인 고위 평탄면은 해발 고도의 영향으로 동위도의 다른 지역에 비해 기온이 낮다.
⑤ (가)와 (나) 농목업이 이루어지는 지역은 산지 지역으로 충적토의 비중이 낮다.

06 영동 지방과 영서 지방 비교

강원 지방은 태백산맥의 대관령을 기준으로 영동 지방과 영서

지방으로 구분된다.

오답 선택지 풀이 ② 신생대 제3기에 일어난 경동성 요곡 운동으로 인해 영동 지방은 급경사, 영서 지방은 완경사를 이룬다. 이로 인해 영동 지방은 하천의 유로가 영서 지방에 비해 짧다.
③ 영동 지방은 겨울철에 동해와 태백산맥의 영향으로 영서 지방보다 기온이 온화하다.
④ 겨울철에 북동 기류가 유입되면 영동 지방은 바람받이가 되어 눈이 많이 내린다.
⑤ 암석의 차별 침식으로 형성된 침식 분지는 지역 생활권의 거점이 되며 춘천, 양구, 원주 등이 대표적이다.

07 홍천과 강릉의 기후 비교

자료 분석

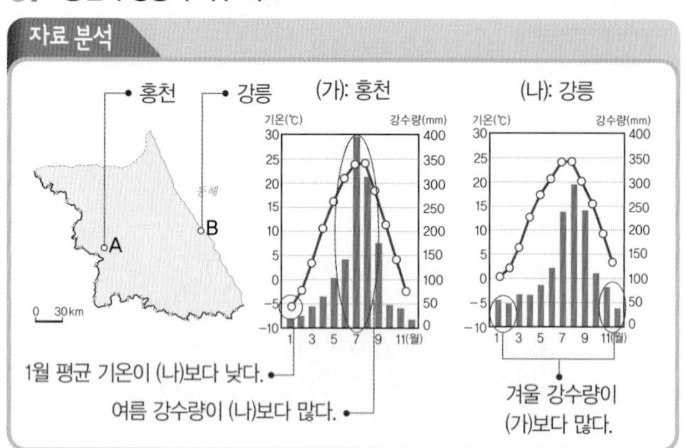

지도의 A는 홍천, B는 강릉이다. 홍천은 내륙에 위치하고, 강릉은 동해안에 위치하므로 1월 평균 기온은 강릉이 홍천보다 높다. 따라서 기후 그래프에서 1월 평균 기온이 낮은 (가)는 홍천, 1월 평균 기온이 높은 (나)는 강릉이다.
ㄱ. A는 홍천(가), B는 강릉(나)이다.
ㄴ. 여름 강수 집중률은 홍천(A)이 강릉(B)보다 높다.

오답 선택지 풀이 ㄷ. 겨울 강수량은 강릉(나)이 홍천(가)보다 많다.
ㄹ. 기온의 연교차는 홍천(가)이 강릉(나)보다 크다.

유사 선택지 문제

07 ❶ × ❷ ○ ❸ ○

08 태백시의 산업 구조 변화 특성 파악

태백시는 1980년대 후반 석탄 산업 합리화 정책에 따라 폐광이 늘어 1986년과 비교하여 2014년에 지역 인구가 감소하고, 전체 광업 종사자 수가 감소하였다. 광업 종사자 비중은 61.1%에서 5%로 감소하였으며 광업 종사자 수도 감소했다. 농림 · 어업 종사자 비중은 두 시기 모두 0.1%로 같으나 전체 종사자 수가 감소하였으므로 농림 · 어업 종사자 수도 감소하였다. 이에 비해서 서비스업 종사자 수 비중은 증가하였다. 이러한 특징은 그림의 D에 해당한다.

09 강원 지방의 산업 구조 변화 특성 파악

1990~2015년 강원 지방의 농림 · 어업과 광업 · 제조업 취업자 수는 감소했지만, 사업 · 개인 · 공공 기타 서비스업 취업자 수의 증가 폭이 가장 크고 관광 산업 발달에 따라서 도 · 소매 및 음식 · 숙박업도 증가하였다. 따라서 그래프의 (가)는 사업 · 개인 · 공공 기타 서비스업, (나)는 도 · 소매 및 음식 · 숙박업, (다)는 농림 · 어업이다.

10 강원 지방의 지역별 특징 이해

정동진에 관한 언급이 있는 것으로 보아 (가)는 강릉, (나)는 기업 도시와 혁신 도시로 모두 지정되었다는 내용으로 보아 원주이다. 지도의 A는 철원, B는 강릉, C는 원주, D는 태백이다. 따라서 (가)는 B, (나)는 C이다.

11 충청 지방의 지역별 특징 이해

지도의 A는 서산, B는 보령, C는 세종, D는 충주, E는 대전이다. 고속 철도 오송역은 청주에 위치한 역이며, 충주에는 고속 철도가 지나지 않는다. 오송역은 고속 철도(KTX) 개통과 수서 고속 철도의(SRT) 개통에 힘입어 연간 이용객이 꾸준히 증가하고 있다.

오답 선택지 풀이 ① 서산(A)은 석유 화학 공업이 발달한 지역이다.
② 보령(B)은 넓은 갯벌을 이용한 머드 축제로 유명하다.
③ 행정 중심 복합 도시인 세종(C)은 수도권에 집중된 행정 기능을 분담하는 도시이다.
⑤ 대전(E)에는 첨단 산업의 중심인 대덕 연구 단지가 입지해 있다.

올쏘 만점 노트 충청 지방의 주요 지역 특성

충청 지방은 대전광역시, 세종특별자치시, 충청북도, 충청남도를 포함하는 지역으로 수도권과 남부 지방을 잇는 중심부에 위치하여 예로부터 각종 문물 교류가 활발한 교통의 요지였다.

12 충청 지방의 도시 발달 특성 파악

㉠은 대전이며, 그래프의 A는 대전, B는 청주, C는 천안이다. 따라서 ㉠은 A에 해당한다.

오답 선택지 풀이 ② 경부선(㉡)은 서울과 부산을 연결하는 철도이다.
③ 충남 도청이 공주에서 대전으로 이전함에 따라 공주의 인구는 감소하였고 대전의 인구는 더욱 증가하였다.
④ 1995년 대전(A) 인구는 120만 명 이상이고, 청주(B) 인구는 약 55만 명 정도이다. 따라서 1995년 대전(A)의 인구는 청주(B) 인구의 2배 이상이다.
⑤ 2015년 충청권의 인구 순위 5위권 도시 중 충남에 속하는 도시는 천안(C), 아산이고 충북에 속하는 도시는 청주(B)이므로 충남이 충북보다 많다.

13 충청 지방의 산업 구조 변화 특성 파악

2000년과 2014년 (가)는 1차 산업 비중이 가장 낮으므로 대전이다. 2000년과 2014년 두 시기 모두 (다)는 (나)보다 2차 산업의 비중이 높고 지역 내 생산액도 많다. 이에 따라 (다)는 석유 화학 공업, 제철 공업 등 중화학 공업 등이 발달하여 2차 산업의 비중이 높은 충청남도, (나)는 충청북도이다.

14 충청 지방의 인구 변화의 이해

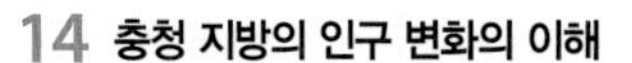

자료 분석

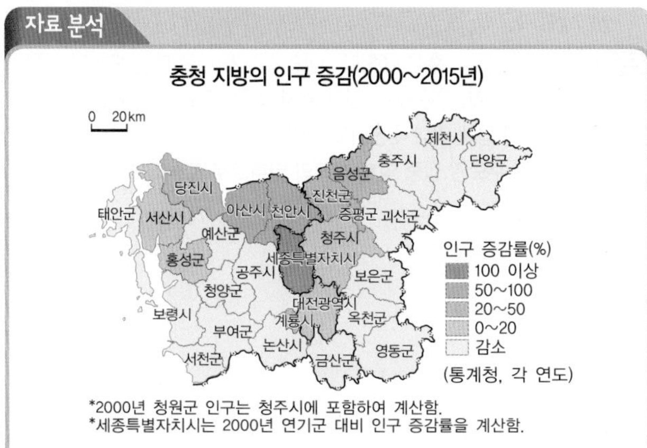

2000~2015년 충청 지방의 시·군별 인구 증감 경향을 살펴보면 행정 중심 복합 도시로 출범한 세종특별자치시와 고속 철도, 수도권 전철이 확장되면서 수도권으로의 접근성이 향상되고 자동차 공업 등의 제조업 시설이 많은 천안, 아산 등 수도권 인접 지역의 인구 증가율이 높게 나타난다. 또한 중화학 공업이 발달한 당진, 서산 등의 인구 증가율도 높다.

지도를 보면 세종특별자치시, 당진시, 아산시, 천안시 등에서 인구가 증가하고 그 외 많은 지역에서 인구가 감소하는 것을 알 수 있다.

ㄱ. 전라북도와 인접한 서천군, 부여군, 논산시, 금산군, 영동군 등의 인구는 감소했다.

ㄹ. 대체로 시(市) 지역이 군(郡) 지역보다 인구 증가율이 높다.

오답 선택지 풀이 ㄴ. 수도권과 인접한 당진시, 아산시, 천안시 등의 인구 증가율이 높다.

ㄷ. 주어진 지도로는 인구수의 많고 적음을 알 수 없다. 대전광역시는 세종특별자치시보다 인구가 많다.

유사 선택지 문제

14 ❶ × ❷ ○ ❸ ○

15 서산, 당진, 아산의 공업 구조 비교

(가)는 1차 금속 제조업의 출하액 비중이 높으므로 당진, (나)는 전자 부품, 컴퓨터, 영상, 음향 및 통신 장비 제조업의 출하액 비중이 높으므로 아산, (다)는 화학 물질 및 화학 제품(의약품 제외) 제조업의 출하액 비중이 높으므로 서산에 해당한다. 지도의 A는 서산, B는 당진, C는 아산이다. 따라서 (가)는 B, (나)는 C, (다)는 A이다.

16 충청 지방의 인구 순 이동 특성 파악

그래프에서 서울의 행정 기능을 분담하기 위해 2012년 출범하여 인구 순 이동이 가장 많은 (가)는 세종특별자치시이다. (라)는 대도시의 교외화로 인구의 감소가 나타나는 대전광역시이다. (나) 지역은 대체로 인구의 순 이동이 많은데, (다) 지역보다 수도권과의 교통 접근성이 좋다.

오답 선택지 풀이 ① 세종(가)은 행정 중심 복합 도시로 개발되면서 청장년층의 인구 유입이 많았다.

② 대전(라)은 거주지의 교외화 현상으로 인구가 감소했다.

③ 세종(가)은 대전(라)보다 도시 발달의 역사가 짧다.

④ 당진, 서산 등을 포함한 (나)에는 제철 공업, 석유 화학 공업과 같은 원료의 해외 의존도가 높은 공업이 발달했다.

17 중부 지방의 지형 특징 이해

(1) | 모범 답안 | 태백산맥, 태백산맥이 동쪽으로 치우쳐 있어 전체적으로 동쪽은 높고 서쪽은 낮은 동고서저 지형을 이룬다.

채점 기준	배점
㉠ 산맥의 이름과 A–B 단면의 특징을 모두 정확하게 서술한 경우	상
A–B 단면의 특징만 정확하게 서술한 경우	중
㉠ 산맥의 이름만 서술한 경우	하

(2) | 모범 답안 | 강원도는 태백산맥을 경계로 영동 지방과 영서 지방으로 구분된다. 영동 지방은 평지가 적으며 해안을 따라 소규모의 평야가 나타나며, 영서 지방은 경사가 완만하고 고원과 침식 분지가 곳곳에 분포한다.

채점 기준	배점
태백산맥을 경계로 강원도가 어떻게 구분되는지와 구분된 두 지역의 지형 특징을 모두 정확하게 서술한 경우	상
태백산맥을 경계로 구분되는 두 지역의 지형 특징만 정확하게 서술한 경우	중
태백산맥을 경계로 강원도가 어떻게 구분되는지만 서술한 경우	하

18 진천, 음성, 충주의 특성 파악

(1) ㉠ 진천군, ㉡ 음성군, ㉢ 충주시

(2) | 모범 답안 | 균형 발전 전략의 일환으로 수도권의 기능 중 일부를 지방으로 이전하여 지방 도시를 육성하기 위하여 기업 도시와 혁신 도시를 지정하였다.

채점 기준	배점
균형 발전 전략, 수도권의 기능 이전, 지방 도시 육성을 모두 언급하여 정확하게 서술한 경우	상
균형 발전 전략, 수도권의 기능 이전만 언급하여 정확하게 서술한 경우	중
균형 발전 전략만 언급하여 서술한 경우	하

올쏘 상위 4% 문제

본문 119쪽

01 ② 02 ⑤ 03 ① 04 ③

01 수도권 각 지역의 특성 파악

자료 분석

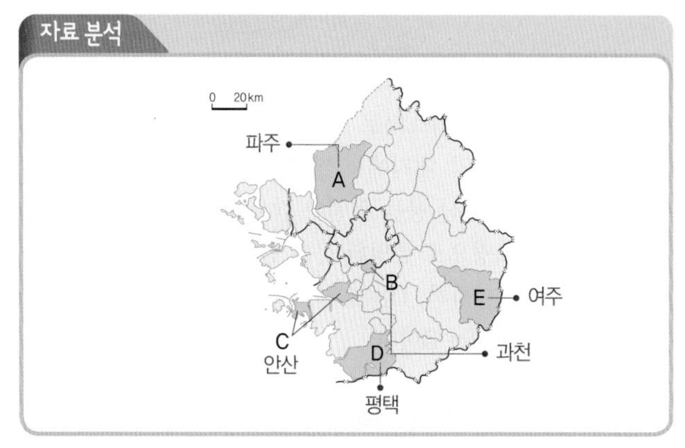

지도의 A는 파주, B는 과천, C는 안산, D는 평택, E는 여주이다. 과천은 제2 종합 청사가 있는 행정 기능의 위성 도시로 제조업의 비중은 매우 낮다.

오답 선택지 풀이 ① 파주(A)는 대북 접경 지역으로 남한과 북한을 연결하는 교통 요충지로서의 역할이 기대되고, 최근 신도시 개발이 이루어지고 있다.
③ 안산(C)은 반월 공단 등을 조성하여 서울의 공업 시설과 인구의 분산을 위해 계획적으로 개발되었고, 외국인 근로자의 유입으로 '국경 없는 마을'이 형성된 다문화 도시이다.
④ 평택(D)은 수도권 남부의 중심 항구 도시로 물류 기능이 발달하였으며, 경제 자유 구역으로 지정된 곳이 있다.
⑤ 여주(E)는 하천 주변에 발달한 충적지에서 벼농사가 활발하게 이루어지며, 도자기 축제가 열린다.

02 강원도 각 지역의 특성 파악

자료 분석

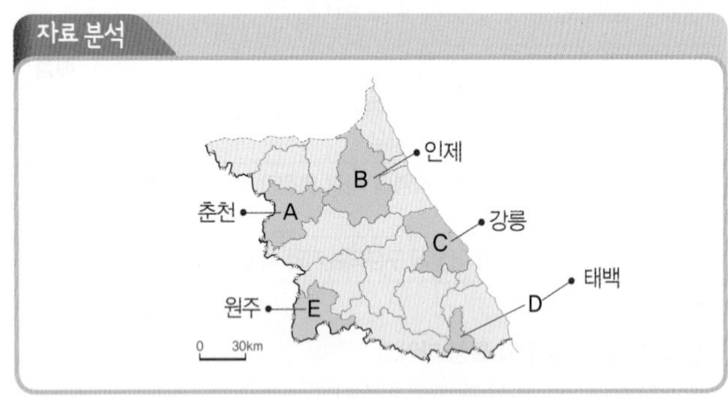

지도의 A는 춘천, B는 인제, C는 강릉, D는 태백, E는 원주이다. 원주는 기업 도시이자 혁신 도시로 지정된 곳으로 첨단 의료 기기 산업 도시로 도약하고자 노력하고 있다.

오답 선택지 풀이 ① 춘천(A)은 침식 분지로 강원도의 도청 소재지이다.
② 태백(D)에서 석탄 산업 쇠퇴 후 폐광의 관광 자원화가 이루어지고 있다.
③ 조수 간만의 차가 작은 강원도는 조력 발전소가 입지하기에 적절하지 않다. 경기도 안산에 시화호 조력 발전소가 있다.
④ 국토 정중앙 테마 공원을 조성하여 관광객을 유치하고자 하는 곳은 강원도 양구이다.

03 수도권과 강원 지방 주요 지역의 특성 파악

자료 분석

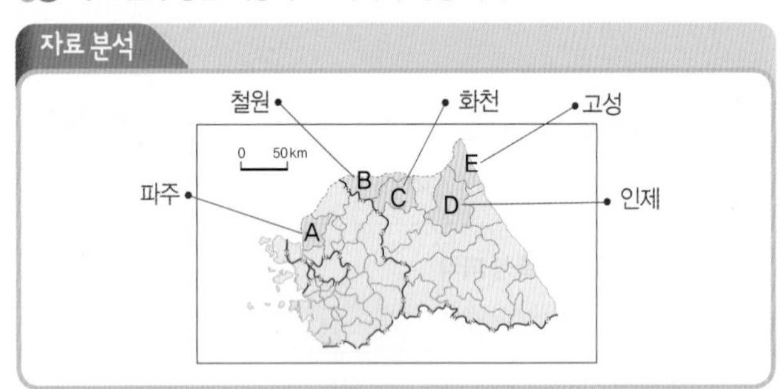

(가)는 LCD 산업 클러스터로 유명한 파주에 관한 내용이며, (나)는 한탄강의 용암 대지에서 쌀 재배가 이루어지는 철원에 관한 내용이다. 대암산 용늪 일원이 람사르 습지로 지정되었으며 내린천의 래프팅으로 유명한 곳은 인제이다. 지도의 A는 파주, B는 철원, C는 화천, D는 인제, E는 고성이다. 따라서 (가)는 A, (나)는 B, (다)는 D이다.

04 충청 지방 주요 지역 특성 파악

ㄴ. 진천 · 음성(C)은 혁신 도시, 충주(D)는 기업 도시로 지정되었다.
ㄷ. 고속 철도는 아산에는 정차(천안 아산역)하고 충주에는 정차하지 않으므로 아산(B)이 충주(D)보다 고속 철도 정차 역에 가깝다.

오답 선택지 풀이 ㄱ. 홍성 · 예산의 내포 신도시(A)로 충남 도청이 이전하는 것은 중앙 정부, 충주(D)에 민간 투자 촉진, 연구 기반형 신도시가 개발되는 것은 기업에 의해 추진되고 있다.
ㄹ. A~D는 모두 수도권 집중 억제 정책의 일환으로 조성되고 있다.

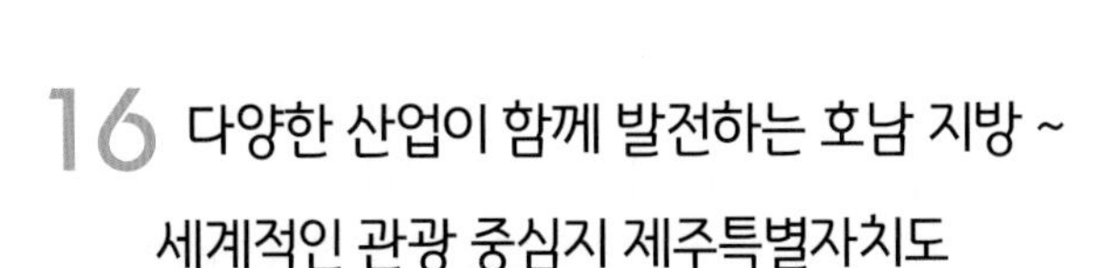

16 다양한 산업이 함께 발전하는 호남 지방 ~ 세계적인 관광 중심지 제주특별자치도

개념 확인 문제
본문 122쪽

01 (1) 여수 (2) 조령 (3) 영남 내륙 (4) 남동 임해 (5) 해양성

02 (1) ㄴ (2) ㄱ (3) ㄴ (4) ㄴ (5) ㄷ

03 ㉠ 보성, ㉡ 김제, ㉢ 슬로 시티

올쏘 시험에 꼭 나오는 문제
본문 122~126쪽

01 ③ 02 ① 03 ② 04 ③ 05 ② 06 ④ 07 ①
08 ③ 09 ④ 10 ① 11 ⑤ 12 ③ 13 ⑤ 14 ④
15 ④ 16 ③ 17~19 해설 참조

01 호남 지방의 지역별 특성 파악

지도의 ㄱ은 영광, ㄴ은 광주, ㄷ은 보성, ㄹ은 고흥이다.
광주(ㄴ)는 호남 지방 유일의 광역시로, 차세대 성장 동력으로 광(光) 산업 육성을 위해 대학교, 연구소, 관련 기업의 산 · 학 · 연 클러스터를 조성하고 있으며 자동차 공업도 발달하였다.
보성(ㄷ)은 우리나라 최초의 지리적 표시제에 등록된 녹차 재배지로 유명하다.

오답 선택지 풀이 ㄱ은 영광으로, 원자력 발전소가 입지해 있으며, 굴비로도 유명하다. 지평선 축제가 열리는 곡창 지대는 김제이다.
ㄹ. 전라남도에서 대규모 석유 화학 단지가 있는 지역은 여수이다. 지도의 ㄹ은 고흥으로, 나로 우주 센터가 입지해 있다.

올쏘 만점 노트 호남 지방의 지역별 특성

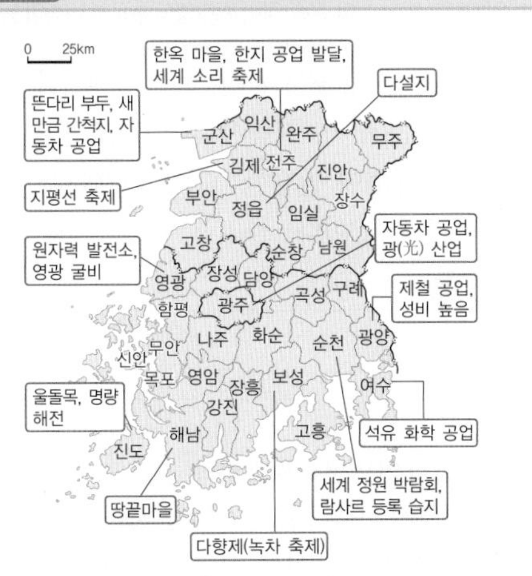

- 지역 축제: 전주 대사습놀이, 보성 다향제, 김제 지평선 축제, 전주 세계 소리 축제, 남원 춘향제, 순천만 갈대 축제, 순창 장류 축제 등
- 제조업: 여수-석유 화학 산업 단지, 광양-제철소, 군산-국가 산업 단지, 광주-자동차 공업 및 광(光) 산업

02 군산과 광양의 공업 특징 이해

지도에 표시된 지역은 군산과 광양이며, 그래프에서 A는 1차 금속 제조업, B는 자동차 제조업이다.
ㄱ. 1차 금속 제조업(A)에 의해 생산된 제품은 주로 다른 공업의 원료로 이용된다.
ㄴ. 자동차 제조업(B)은 대표적인 종합 조립 공업으로 고용 및 연관 산업으로의 파급 효과가 크다.

오답 선택지 풀이 ㄷ. 1차 금속 제조업(A)의 원료인 철광석은 거의 전량 오스트레일리아 등지에서 수입하므로 1차 금속 제조업(A)은 자동차 제조업(B)보다 원료의 수입 의존도가 높다.
ㄹ. 1960년대 우리나라 수출을 주도한 공업은 섬유, 가발, 신발 등의 경공업이다.

03 호남 지방의 위치와 간척 사업의 특징 이해

호남 지방은 잘 보존된 자연환경과 전통문화를 활용한 관광 자원이 풍부하다. 관광 산업은 호남 지방의 지역 경제에 이바지함과 동시에 자연환경과 전통문화를 보호하고 발전시켜 나갈 수 있는 지속 가능한 산업이라는 점에서 호남 지방의 중요한 성장 동력이라고 할 수 있다.

오답 선택지 풀이 ① 우리나라의 광역시 중 부산이 인구가 가장 많다.
③ 소백산맥의 조령 이남은 영남 지방이다.
④ 간척 사업으로 서해안의 해안선이 단순해졌다.
⑤ 일제의 산미 증식 계획은 조선에서 쌀을 안정적으로 생산하여 일본으로 공급하기 위해 추진된 농업 정책이다.

04 제철 공업의 발달로 인한 광양의 변화 파악

한적한 농어촌 지역이었던 광양에 제철소가 건설됨에 따라 인구가 유입되고 도시화가 진행되는 등 많은 변화가 나타났다. 1980년과 비교하여 2014년에는 농업 종사자 수는 적어졌고, 상업지 평균 지가는 높아졌으며, 3차 산업 종사자 비중은 높아졌다. 따라서 그림의 C에 해당한다.

05 전주의 문화 자원 이해

전주는 인구 50만 명 이상의 도시로는 세계 최초로 슬로 시티로 지정되었으며, 한옥 마을에만 지정되었던 국제 슬로 시티 인증이 2016년 시(市) 전체로 확대되었다. 지도의 A는 김제, B는 전주, C는 남원, D는 목포, E는 보성이다.

06 호남 지방의 공업 구조 특성 파악

자료 분석

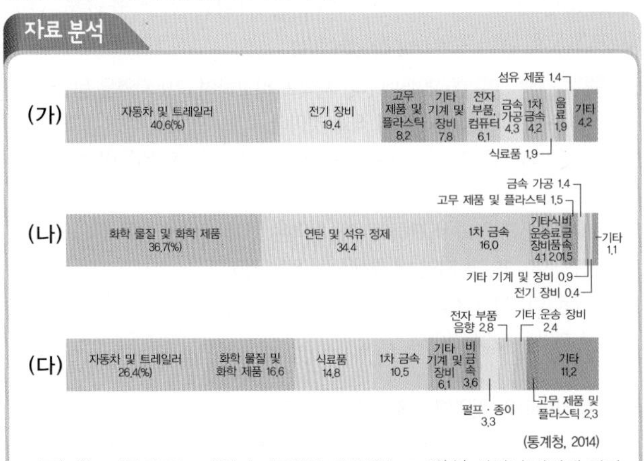

광주(가)는 자동차 및 트레일러 제조업의 비중이 높고 광(光) 산업이 발달해 전기 장비 제조업의 비중이 높다. 광 산업은 영상, 음성 등의 전기 신호를 빛의 신호로 바꾸어 보내는 광학 기술을 중심으로 한 산업이다. 전라남도(나)는 여수에서 석유 화학 공업, 광양에서 1차 금속 제조업이 발달하였으므로 화학 물질 및 화학 제품, 연탄 및 석유 정제, 1차 금속 제조업의 비중이 높다. 전라북도(다)는 군산에서 자동차 공업이 발달하였으므로 자동차 및 트레일러 제조업의 비중이 높고 식료품 제조업도 발달하였다.

유사 선택지 문제

06 ❶ ○ ❷ × ❸ ×

07 영남 지방의 전통문화 도시 파악

(가)는 안동의 하회 마을, (나)는 경주의 역사 유적 지구와 관련된 내용이다. 지도의 A는 안동, B는 경주, C는 고성, D는 부산에 해당한다. 따라서 (가)는 A, (나)는 B이다.

안동은 조선 시대 고택과 서원이 잘 보존된 전통 마을인 안동 하회 마을을 관광 산업과 연계함으로써 발전하고 있으며, 경북 도청의 이전으로 인해 행정 기능이 강화되고 있다. 경주는 고분과 사찰, 불탑 등이 세계 문화유산으로 지정된 이후 보문 관광 단지를 중심으로 관광 산업이 발달하고 있으며, 전통 마을인 경주의 양동 마을이 있다.

올쏘 만점 노트 영남 지방의 지역별 특성

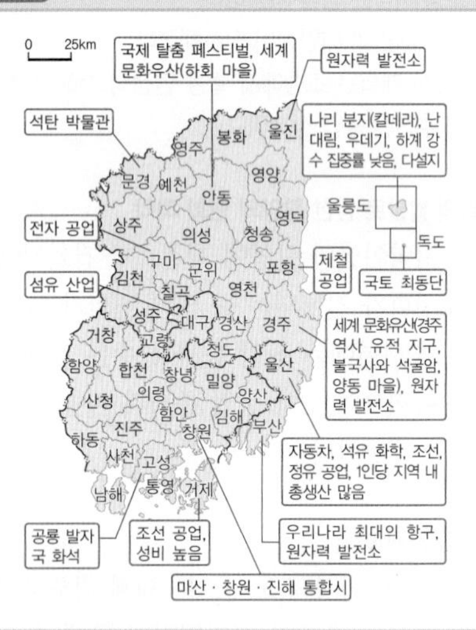

08 영남 지방의 인구 변화 이해

지도의 (가)는 인구 유출로 인해 인구 밀도가 감소한 지역이고, (나)는 인구 유입으로 인해 인구 밀도가 높아진 지역이다. 따라서 2015년 (나) 지역과 비교하여 (가) 지역은 인구 유출로 인해 청장년층 인구 비중이 낮을 것이다.

오답 선택지 풀이 ① 2015년 (나) 지역과 비교하여 (가) 지역은 농업 중심 지역이므로 제조업 출하액이 적을 것이다.

② 2015년 (나) 지역과 비교하여 (가) 지역은 농업 종사자 비율이 높을 것이다.

④ 2015년 (나) 지역과 비교하여 (가) 지역은 부가 가치가 높은 산업의 발달이 미약하여 1인당 지역 내 총생산이 적을 것이다.

⑤ 2015년 (나) 지역과 비교하여 (가) 지역은 토지 수요가 적어 단위 면적당 평균 지가가 낮을 것이다.

09 우리나라의 권역별 제조업 특징 이해

그래프를 보면 수도권과 영남권을 합할 경우 사업체 수 비중은 80%를 넘고, 종사자 수 비중은 70%를 넘고, 출하액 비중은 60%를 넘는다. 이를 통해 수도권과 영남권에 공업이 집중되어 있어 지역적 편재가 심하다는 것을 알 수 있다. 수도권은 사업체 수의 집중도가 높으며, 영남권과 충청권은 중화학 공업이 발달하여 대기업의 비중이 높다.

ㄱ. 영남권의 사업체 수 비중은 31.8%, 충청권은 11.2%이므로 영남권은 충청권보다 사업체 수가 많다.

ㄴ. 충청권은 사업체 수 비중이 11.2%, 출하액 비중이 18.0%이며, 수도권은 사업체 수 비중이 48.7%, 출하액 비중이 29.4%이다. 따라서 충청권은 수도권보다 사업체당 출하액이 많다.

ㄷ. 호남권은 종사자 수 비중이 8.3%, 출하액 비중이 12.9%이며, 영남권은 종사자 수 비중이 35.3%, 출하액 비중이 38.8%이다. 따라서 호남권은 영남권보다 종사자당 출하액이 많다.

오답 선택지 풀이 ㄹ. 수도권은 사업체 수 비중이 48.7%, 종사자 수 비중이 39.9%이며, 영남권은 사업체 수 비중이 31.8%, 종사자 수 비중이 35.3%이다. 따라서 수도권은 영남권보다 사업체당 종사자 수가 적다.

10 영남 지방의 제조업 특징 이해

자료 분석

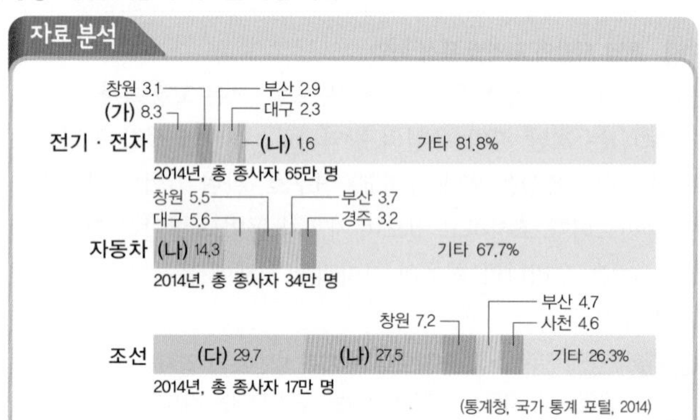

(통계청, 국가 통계 포털, 2014)

전기·전자 공업에서 가장 높은 비중을 차지하는 (가)는 구미이다. 자동차 공업과 조선 공업의 비중이 높은 (나)는 울산이다. 울산은 자동차 및 트레일러 제조업, 코크스, 연탄 및 석유 정제품 제조업, 화학 물질 및 화학 제품(의약품 제외) 제조업의 출하액이 많다. 조선 공업의 비중이 가장 높은 (다)는 거제이다. 거제의 경우 대규모 조선소가 입지하고 있어 기타 운송 장비 제조업의 출하액 비중이 높다.

지도에 표시된 A는 구미, B는 울산, C는 거제이다. 전기 · 전자 공업이 발달한 (가)는 구미, 자동차 공업과 조선 공업이 발달한 (나)는 울산, 조선 공업이 발달한 (다)는 거제이다. 따라서 (가)는 A, (나)는 B, (다)는 C이다.

유사 선택지 문제

10 ❶ × ❷ ○ ❸ ○

11 영남 지방의 도시 인구 변화 특성 파악

그래프에서 A는 부산, B는 대구, C는 울산이다. 그래프를 통해 1970~2015년에 울산과 창원의 인구가 크게 증가하였음을 알 수 있다. 울산의 경우 공업이 발달하면서 많은 인구가 유입되었고, 창원은 행정 구역이 통합되면서 인구가 급증하였다.

100만 명이 넘는 도시는 1970년에는 부산과 대구, 2015년에는 부산, 대구, 울산, 창원이다. 따라서 1970년에 비해서 2015년 인구 100만 명 이상인 도시 수가 많아졌다.

오답 선택지 풀이 ① 2015년 김해, 양산은 부산(A)의 위성 도시이고 경산은 대구(B)의 위성 도시이다.

② 1970~2015년 부산(A)은 약 180만 명에서 약 350만 명으로 인구가 증가했고, 대구(B)는 약 100만 명에서 약 250만 명으로 인구가 증가했다. 따라서 부산(A)이 대구(B)보다 인구 증가율이 더 높다.

③ 울산(C)은 중화학 공업이 발달한 도시이며, 대구(B)는 일제 시대부터 섬유 공업을 중심으로 성장했으며, 1960년대 우리나라의 수출을 주도하였다. 따라서 울산(C)은 대구(B)보다 섬유 공업의 지역 내 생산액 비중이 낮다.
④ A는 부산, B는 대구, C는 울산이며 모두 광역시이다.

12 영남 내륙 공업 지역과 남동 임해 공업 지역 비교

자료 분석

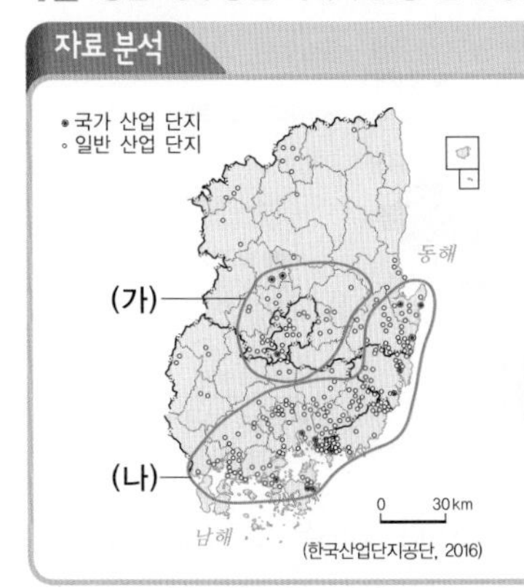

영남 내륙 공업 지역(가)은 대구, 구미 등을 중심으로 풍부한 노동력과 편리한 도로 및 철도 교통을 바탕으로 성장하였다.
남동 임해 공업 지역(나)은 원료의 수입과 제품의 수출에 유리한 남동 해안 지역으로, 대규모 중화학 공업 단지가 세워졌다. 포항은 제철 공업, 울산은 조선·자동차·석유 화학 공업, 창원은 기계 공업, 거제는 조선 공업을 중심으로 발달하였다.

(가)는 영남 내륙 공업 지역, (나)는 남동 임해 공업 지역이다.
ㄴ. 남동 임해 공업 지역(나)은 임해 지역으로 원료의 수입과 제품의 수출에 유리하다.
ㄷ. 섬유 공업, 전기 · 전자 공업이 발달한 영남 내륙 공업 지역(가)은 제철, 자동차, 석유 화학, 기계, 조선 공업이 발달한 남동 임해 공업 지역(나)보다 중화학 공업의 생산액이 적다.

오답 선택지 풀이 ㄱ. 우리나라 최대의 종합 공업 지역은 수도권 공업 지역이다.
ㄹ. 남동 임해 공업 지역(나)은 영남 내륙 공업 지역(가)보다 섬유 공업의 고용 의존도가 낮다.

유사 선택지 문제

12 ❶ ○ ❷ ○ ❸ ○

13 제주도의 자연환경 특징 이해

제주도는 신생대 화산 활동으로 형성되었으며, 다양하고 독특한 화산 지형이 많다. 섬 중앙부에는 한라산이 자리 잡고 있으며, 산기슭에는 소규모의 화산 폭발로 형성된 오름이 곳곳에 있는데, 제주도의 오름은 한라산보다 형성 시기가 늦다.

오답 선택지 풀이 ① 제주도(㉠)는 제주시와 서귀포시로 구성되어 있다.
② 해양성 기후(㉡)가 나타나는 지역은 바다의 영향으로 기온의 연교차가 작다.
③ 상록 활엽수인 난대성 식물(㉢)은 1월 평균 기온 0℃ 이상인 지역에서 자란다.
④ 화산 지형(㉣)에는 용암동굴, 주상 절리 등이 있다.

14 우리나라와 제주도의 산업 구조 특성 파악

자료 분석

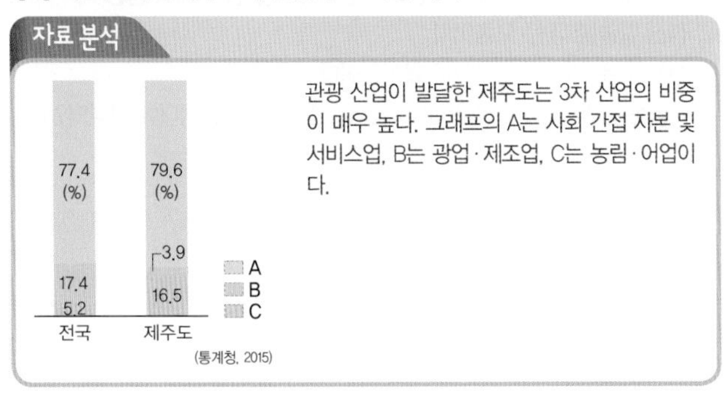

관광 산업이 발달한 제주도는 3차 산업의 비중이 매우 높다. 그래프의 A는 사회 간접 자본 및 서비스업, B는 광업·제조업, C는 농림·어업이다.

제주도를 찾는 외국인 관광객이 증가하면 광업 · 제조업(B)보다 사회 간접 자본 및 서비스업(A)의 비중이 높아진다.

오답 선택지 풀이 ① 제주도의 녹차 재배 농민은 농림 · 어업(C)에 포함된다.
② A는 3차, B는 2차, C는 1차 산업에 해당한다.
③ 탈공업화로 2차 산업(B)의 비중은 낮아지고, 3차 산업(A)의 비중은 높아진다.
⑤ 제주도에는 1970년대 대규모 공단이 조성되지 않았다.

유사 선택지 문제

14 ❶ × ❷ ○

15 제주도의 지형과 농업 특성 파악

제주도에 메밀과 무의 재배가 많고, 보리와 밀의 생산이 많은 이유는 기반암이 현무암이기 때문이다. 화성암인 현무암은 다공질이기 때문에 빗물이 쉽게 지하로 스며들어 제주도에는 지표수가 부족하다. 이러한 이유로 인해 밭이 논보다 더 많다.

오답 선택지 풀이 ① 제주도는 대도시와 멀리 떨어져 있다.
② 해발 고도가 높아 여름철이 서늘한 지역은 강원도의 평창군 일대, 전북의 진안고원 등이다.
③ 제주도는 연 강수량이 많지만 빗물이 잘 스며들어 농업 용수가 풍부하지 않다.
⑤ 섬인 제주도는 내륙과 고속 국도로 연결되어 있지 않다.

16 제주도의 관광 산업 특성 파악

2006년 특별자치도로 승격한 제주도는 관광 산업이 발달하여 3차 산업의 비중이 매우 높으며, 제주도를 방문하는 관광객 수도 해마다 증가하고 있다. 국내뿐만 아니라 전 세계와 제주도를 연결하는 항공, 선박 등 다양한 교통수단이 확충되면서 더욱 많은 관광객이 제주도를 방문하고 있다.

오답 선택지 풀이 ① (가)의 돌하르방은 마그마가 지표 위에서 굳어진 화성암의 일종인 현무암으로 만들어진다. 화성암은 분출암(현무암, 조면암 등)과 심성암(화강암)으로 구분된다.
② 제주도에서 귤은 노지와 비닐하우스에서 모두 재배된다.
④ 성읍 민속 마을은 유네스코 세계 문화유산이 아니다. 유네스코 세계 문화유산으로 등재된 민속 마을은 안동의 하회 마을, 경주의 양동 마을이다.
⑤ 제주도의 전통 가옥 지붕은 억새나 새 등을 이용한다. 제주도에서는 지표수가 부족하여 벼농사가 거의 이루어지지 않는다.

17 호남 지방의 관광 산업 이해

(1) ㉠ 보성, ㉡ 순창
(2) | 모범 답안 | 지역 축제로 인해 고용 확대, 수입 증가 등이 나타나 지역 경제가 활성화되며, 동시에 관광 산업은 자연환경과 전통문화를 보호하고 발전시켜 나갈 수 있는 지속 가능한 산업이라는 점에서 호남 지방의 중요한 성장 동력이 될 수 있다.

채점 기준	배점
지역 축제를 통한 관광 산업의 발달이 호남 지방의 경제에 미치는 긍정적인 효과를 경제적 이익 측면과 미래 성장 동력 측면에서 정확하게 서술한 경우	상
지역 축제를 통한 관광 산업의 발달이 호남 지방의 경제에 미치는 긍정적인 효과를 미래 성장 동력 측면에서만 서술한 경우	중
지역 축제를 통한 관광 산업의 발달이 호남 지방의 경제에 미치는 긍정적인 효과를 경제적 이익 측면에서만 서술한 경우	하

18 대구, 울산, 부산의 공업 구조 비교

(1) (가) 대구, (나) 울산, (다) 부산

(2) | 모범 답안 | 섬유 공업은 생산비에서 노동비가 차지하는 비중이 높기 때문에 노동력이 풍부하고 노동비가 상대적으로 저렴한 지역에 입지한다.

채점 기준	배점
섬유 공업의 입지 특성을 생산 요소 중 노동비와 연결하여 정확하게 서술한 경우	상
섬유 공업의 입지 특성만 서술한 경우(섬유 공업의 주요 생산 요소에 대한 서술이 미흡한 경우)	중
섬유 공업의 주요 생산 요소만 서술한 경우(섬유 공업의 입지 특성에 대한 서술이 미흡한 경우)	하

19 제주도의 자연 및 인문 환경 특성 파악

(1) ㉠ 자연, ㉡ 지질

(2) | 모범 답안 | 마이스(MICE) 산업이란 기업 회의(Meetings), 기업의 포상 및 연수 목적의 여행(Incentives), 국제단체, 학회, 협회가 주최하는 총회 및 회의(Conventions), 전시회, 박람회, 스포츠 이벤트 등(Exhibitions)을 의미하는 용어로 전시회, 기관 단체 관광, 각종 국제회의 등을 망라하는 종합 관광 산업이다. 마이스 산업이 발달하면 고용 창출, 관련 산업의 성장 등을 통해 지역 경제가 활성화되며 나아가 긍정적인 지역 이미지를 구축하는 효과도 거둘 수 있다.

채점 기준	배점
마이스(MICE) 산업의 의미와 이로 인해 창출될 긍정적인 효과를 경제적 측면과 지역 이미지 구축 측면에서 모두 정확하게 서술한 경우	상
마이스(MICE) 산업으로 인해 창출될 긍정적인 효과만 경제적 측면과 지역 이미지 구축 측면에서 서술한 경우	중
마이스(MICE) 산업의 의미만 서술한 경우	하

울쎈 상위 4% 문제 본문 127쪽

01 ④ 02 ④ 03 ③ 04 ②

01 호남 지방의 지역별 특성 파악

자료 분석

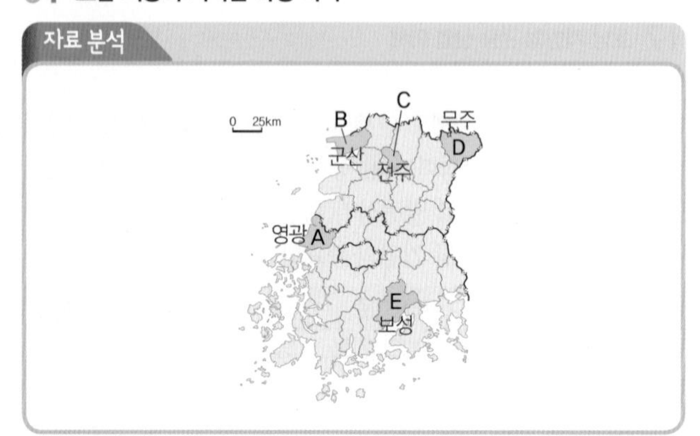

지평선 축제는 김제에서 행해지며, D는 반딧불 축제로 유명한 무주이다.

오답 선택지 풀이 ① A는 영광으로, 굴비가 유명하다.

② B는 군산으로, 조차가 큰 환경을 극복하기 위한 뜬다리 부두가 유명하다.

③ C는 전주로, 한옥 마을이 유명하다.

⑤ E는 보성으로, 녹차 재배지로 유명하다.

02 경상남도의 시 · 군별 인구 성장률 비교

자료 분석

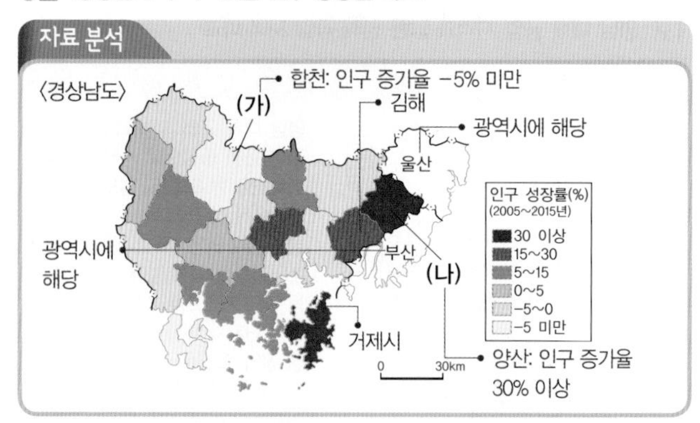

지도의 (가)는 합천, (나)는 양산이다. (가)는 인구 증가율이 낮으며 부산과 인접한 (나)는 인구 증가율이 높은데, 이것은 대도시 교외화의 영향이 크다.

ㄴ. 양산(나)은 합천(가)보다 평균 지가가 높아 시설 재배 면적 비율이 높다.

ㄹ. 양산(나)은 합천(가)보다 부산광역시, 울산광역시 등에 인접하여 위치하므로 영남권 광역시로의 통근자 수가 많다.

오답 선택지 풀이 ㄱ. 양산(나)은 합천(가)보다 청장년층 인구 비중이 높으므로 노령화 지수가 낮다.

ㄷ. 양산(나)은 합천(가)보다 제조업과 서비스업 종사자 비율이 높으므로 1차 산업 종사자 비율이 낮다.

03 영남 지방의 지역별 특성 파악

지도의 C는 영천이다. 유네스코 세계 문화유산으로 지정된 마을은 안동의 하회 마을, 경주의 양동 마을이다.

오답 선택지 풀이 ① A는 안동으로, 국제 탈춤 페스티벌이 개최된다.

② B는 구미로, 전기 · 전자 공업이 발달하였다.

④ D는 창녕으로, 이곳에 있는 우포늪은 국제 협약에 의해 보존 중인 내륙 습지이다.

⑤ E는 거제로, 2010년 부산광역시와 거제를 연결하는 연륙교인 거가대교가 개통되었다.

04 제주도의 자연환경 특징 이해

제주도는 1월 평균 기온이 0℃ 이상인 지역으로, 해안에는 상록 활엽수가 분포한다.

오답 선택지 풀이 ① 만장굴(가)은 점성이 작은 용암이 흘러내릴 때 표층부와 하층부의 냉각 속도 차이에 의해 형성된 용암동굴이다. 현무암질 용암의 열하 분출에 의해 형성된 지형은 철원 · 평강 일대의 용암 대지이다.

③ 성산 일출봉(나)은 오름이다.

④ 천지연 폭포(다)의 기반암은 화산암이다.

⑤ 용암동굴(가)과 성산 일출봉(나) 등의 화산 지형은 신생대에 형성되었다.

올쏘
내신强자
강
고등 한국지리